일제하 조선의 노동정책 연구

Japanese Policy in Labor Force Mobilization in Colonial Korea

Lee, Sang Euy

연세국학총서 69

일제하 조선의 노동정책 연구

이 상 의

혜안

머리말

　이 책은 일제 강점기 한국의 사회 성격을 규명하기 위한 작업의 일
환으로, 일본 제국주의의 조선 지배정책을 노동정책을 중심으로 살펴
본 연구이다.

　일제하의 노동정책은 제국주의 일본이 식민지 지배정책의 전체적인
틀 속에서 추진한 것으로, 특히 대공황기 이래의 노동정책은 지배정책의
중핵으로 부상하면서 체제적이고 구조적으로 펼쳐진 것이었다. 그러나
한편으로 강점기 일제의 노동정책은 정책으로서의 그 실체가 명확하지
않다는 특징을 보이고 있다. 당시 일제는 조선의 노동정책을 노동문제
일반에 대한 인식과 대책의 차원에서 체계적으로 구상하여 실시할 의
도나 능력이 없었다. 때문에 조선에서 시행된 노동정책은 노동력의 동
원과 배치를 중심으로 하는 노동시장 정책이 그 골자를 이루고 있었다.
구체적으로 일제의 노동정책은 강점 전반기에 저임금 구조를 정착시키
기 위한 사회통제정책의 일환으로 시행되다가, 대공황기 이후에는 자본
을 통해 노동자를 간접적으로 장악하고 통제하는 방식으로 강화되었다.
나아가 중일전쟁 이후부터는 총독부가 노동자 개개인을 직접 파악하여
국내외 각지로 강제로 동원하고 배치하는 체제로 점차 강화되었다.

　이 같은 일제의 노동정책 하에서 조선인은 '노동자'가 아닌 '노동력'
으로 파악되었고, 일본자본주의의 발달을 위해 소모되는 식민지 인적자
원의 역할을 강요받았다. 공업화의 진전에 따라 성장하고 있던 조선인
노동자들은 이제 식민지 체제하에서 왜곡된 노자관계를 정면에서 감당
하지 않으면 안 되었고, 저항이 불가피하였다. 그리고 그 저항은 노동

자에게 질곡을 강요하고 있던 자본과 '국가'를 동시에 부정하는 형태로 전개되고 있었다. 곧 노동자로서 일상의 경제투쟁과 더불어 식민 지배를 부정하는 민족해방운동이 이 시기 노동운동의 주요 양상으로 대두하고 있었다. 이 과정에서 조선인 노동자들은 계급의식과 민족의식의 각성을 경험하며 근대적 노동자로서의 자의식과 문화를 수립해 가고 있었으며, 부분적으로는 자신들의 존재에 기반을 둔 새로운 국가 수립 운동으로도 이어가고 있었다.

애초 필자는 우리 사회 현실의 자본주의 체제와 노동자에 대한 관심에서 공부를 시작하였다. 노동자가 '노동자로서 勞動'하기보다는 '근로자로서 勤勞'해야 하는 노동 현실의 역사적 연원에 대한 궁금증이 그 관심의 단초였다. 60년대에 나서 자라고 80년대에 다시금 정신적으로 나고 자랄 수밖에 없었던 세대로서 가슴 한편에 품고 있던 이상이 출발점이었다. 그 과정이 일제 강점기 노동정책 연구로 먼저 귀착된 것은, 한동안 진행되던 노동운동을 비롯한 운동사 연구가 닥친 한계는 당시 한국 사회의 성격에 대한 구조적이고 체계적인 분석을 통해서만 극복될 수 있으리라는 판단 때문이었다. 노동정책을 포함한 강점기 일제의 조선 지배정책에 대한 정책사 차원의 치밀한 규명 작업이 우리 역사의 내적인 변동과 발전을 염두에 두면서 체계적으로 정리되어야 할 필요성을 절감하였다.

이를 위해 필자는 그간 일제 강점기의 노동 이데올로기와 그에 입각하여 펼쳐진 노동정책의 시기별 구체적 실상의 규명에 주력하면서, 아울러 조선인 노동자의 현실 인식과 대응에도 주목하여 왔다. 그러나 작업의 규모와 성격상 그 방향은 우선은 전자에 맞추어질 수밖에 없었고, 이 책은 그러한 노력의 중간 소산이다. 이제 그간의 작업을 단행본의 형태로 정리하면서, 필자는 다음 작업의 방향이 일제하의 조선인 노동자 연구에 있음을 염두에 두고 있다. 일제하의 노동정책과 자본주의의 경험은 해방 후 신국가의 건설과정에서 흡수되고 재현되면서, 오늘날 한국 사회의 자본주의 문화의 특성이나 노자관계의 특질에 짙게 배어 있다. 따라서 작금의 한국 사회에서 고질화되어 있는 노동문제와 한국 자본주의의 제문제에 대한 극복의 전망을 역사적으로 모색하기 위해서는, 일제 강점기 조선인 노동자의 세계와 그 문화에 대한 실체적이고 다각적인 분석이 더욱 절실하다고 보기 때문이다.

공부하는 길에 나침반이 되어 주시는 선생님을 많이 뵐 수 있었던 것은 더없는 행운이었다. 연구자로서 아직 부족함이 많지만 여기까지 오기에도 여러 선생님들의 가르침이 있어 가능하였다. 김용섭 선생님은 우리 역사의 체계와 더불어 연구자가 가져야 할 엄격한 자세를 지도해 주셨고, 방기중 선생님은 정책사의 한계를 넘어 전체를 통찰할 수 있는 넓은 시야를 제시하여 주셨다. 자신감을 가지도록 늘 격려해 주신 김도형 선생님, 사회경제사 연구의 방법을 자상하게 일러주신 최원규 선생님, 균형잡힌 시각을 유지하도록 살펴주신 홍성찬 선생님, 부족한 부분을 바로 잡아주신 이준식 선생님께 깊이 감사드린다.

하현강 선생님과 故 김준석 선생님은 학문과 따스함으로 필자를 격려해 주셨다. 한국사 연구의 길에 들어서게 해주신 한상권 선생님, 연구자의 중용을 보여주신 김용자 선생님, 공부와 인생에서 스승으로 계신 윤정분 선생님께 감사드린다. 오랜 동학 이경란 선생과의 대화는 내 학문 인생의 커다란 즐거움이다. 불편함이 없도록 살펴주시는 백승철 선생님을 비롯한 국학연구원의 여러 선생님들과 창천역사연구실에서 함께 생각을 나누고 키워왔던 선후배 동학들께도 감사를 드린다.

이 책이 나오기까지 가까운 이들에게 큰 신세를 졌다. 오래도록 기다려 주신 어머니 아버지와 시어머니, 세 분의 인내로 한 단계 매듭을 지을 수 있게 되었다. 인생과 학문에서 함께 하는 다정함으로 힘이 되어주는 남편 박평식과 보기만 해도 위안이 되는 두 아이 벼리 도리, 그들의 존재는 내 기쁨과 여유의 원천이다. 그리고 바쁜 일정에도 불구하고 언제나 그렇듯 반듯하게 책을 꾸며주신 도서출판 혜안의 오일주 사장님과 편집진 여러분께도 감사를 드린다.

2006년 2월
이 상 의

차 례

머리말 5

서 론 15

제1장 강점 후의 노동문제와 노동통제 25

1. 노동계급의 형성과 노동문제 25
   1) 노동자와 유휴노동력의 증가 25
      (1) 노동자의 증가와 노동계급의 형성 25
      (2) 일제의 地主的 農政과 빈민·실업자의 증가 33
   2) 노동문제의 확대와 노동자의 조직화 42
      (1) 일제하의 노동조건과 노동문제 42
      (2) 조선인 노동자의 조직화 46
2. 일제의 노동문제 인식과 노동통제 51
   1) 일본인 관료·자본가의 조선 노동문제 인식 51
      (1) 조선총독부의 노동문제 인식 51
      (2) 일본인 자본가들의 노동문제 인식 59
   2) 사회통제 차원의 노동정책 63
      (1) 노동운동 성장의 억제 63
      (2) 治安維持法 제정과 노동통제 66

제2장 대공황기의 '勞資協調論'과 노동력 공급 73

1. 대공황기 노동강화와 '노자협조론' 73

　1) 공업화 정책의 추진과 노동강화　73
　　(1) 宇垣一成 총독기의 공업화 정책　73
　　(2) 산업합리화 정책과 노동강도의 증대　81
　2) 노자협조론과 工場法 논의의 부결　87
　　(1) 대공황기 노자협조론의 대두　87
　　(2) 공장법 적용 논의의 부결　91
2. 노동력 공급정책과 노동력 재배치　107
　1) 노동력 공급정책의 추진　107
　　(1) 궁민구제사업과 사회간접자본의 구축　107
　　(2) 직업소개소의 설치와 확대　114
　　(3) 북부지방 개발과 노동력 공급　122
　2) 노동력 재배치와 산업별 구성의 재편　131
　　(1) 북부지방과 도시의 노동력 증가　131
　　(2) 산업별 노동력 구성의 변동　141

제3장 중일전쟁기의 '勞資一體論'과 노동력 동원체제　149

1. 대륙병참기지화와 '국가' 통제하의 노자관계　149
　1) 병참기지화 정책과 노무동원계획　149
　　(1) 대륙병참기지화와 내선일체론　149
　　(2) 생산력확충정책과 노무동원계획　156
　2) 파시즘적 노동관과 노자일체론　167
　　(1) '皇國勤勞觀'의 주입과 '國民皆勞'　167
　　(2) 일제의 자본가 정책과 公益優先論　178
　　(3) 총동원체제하의 노자관계와 勞資一體論　184

2. 노동력 동원체제의 구축과 노동력 창출 189
  1) 노동력 동원체제의 구축 189
    (1) 國家總動員法과 노동력 동원법령의 적용 189
    (2) 노동력 동원기구의 정비 206
  2) 노동력 조사와 노동자 통제 217
    (1) 노동력의 조사와 등록 217
    (2) 轉業·失業 문제와 노동자 생활 230

제4장 태평양전쟁기의 '戰時勞務管理'와 노동력 강제동원 243

1. 동원의 확대와 전시노무관리의 체계화 243
  1) 노동력 동원의 확대와 수급의 불균형 243
    (1) 전쟁의 확산과 노동생산성의 강화 243
    (2) 노동력 동원의 확대와 숙련노동자의 부족 256
  2) 전시노무관리와 노동자 '鍊成' 270
    (1) 전시노무관리의 도입과 체계화 270
    (2) 중점산업의 노동력 집중과 노동자 훈련 278
2. 노동력 강제동원과 조선인 노동자의 대응 289
  1) 동원체제의 강화와 노동력 강제동원 289
    (1) 勤勞報國隊 동원의 일상화 289
    (2) 官斡旋 정책의 확대 300
    (3) 徵用 실시로의 귀결 306
  2) 파시즘 노동정책의 파탄과 조선인 노동자의 대응 322
    (1) 노동현장 離脫의 만연 322
    (2) 동원과 일제에 대한 노동자의 저항 351

결 론 369

참고문헌 383

ABSTRACT 397

찾아보기 401

표차례

<표 1> 1910~30년 공장수, 종업원수, 공업생산액 29

<표 2> 1928년 7월말 직종별, 민족별 노동자수 32

<표 3> 빈민의 증가상황 36

<표 4> 1933년 5대도시의 빈민수와 빈민비율 38

<표 5> 1930년대 실업자수와 실업률 39

<표 6> 1930년대 노동자의 민족별, 성별 임금 44

<표 7> 1931년 공장 노동자의 노동시간별 비율 44

<표 8> 노동쟁의의 추이와 원인, 결과 49

<표 9> 1933년 하반기 窮民救濟事業 부역인원과 지불임금 110

<표 10> 職業紹介所 취업현황 118

<표 11> 일반직업소개의 직업별 취직자수 비율 120

<표 12> 1937년 道別 공업생산액 132

<표 13> 道別 인구증가율 133

<표 14> 府部·郡部別 조선인 인구수와 증가비율 136

<표 15> 도시별 인구수와 증가비율 추이 137

<표 16> 조선인 직업별 有業者數와 無業者數 142

<표 17> 공장·광산·토건노동자수의 추이 145

<표 18> 전시통제경제기 노동력 통제 관련 법규 196

<표 19> 1941년 8월 말 공장·광산·운수업계 업체수와 노동자수 229

<표 20> 조선인노동자의 일본, 사할린, 南洋 지역 도항상황 262

<표 21> 일제말기 산업별 노동자수와 구성비 264

<표 22> 1943년 6월 현재 공업부문별, 민족별 노동자수와 기술자수 269

<표 23> 日本鐵鋼統制會 조선훈련소의 연성 내용 288

<표 24> 1944·45년 學徒勤勞動員 상황 299

<표 25> 一般·現員 徵用 상황 314

<표 26> 軍要員 송출 상황 318

14

<표 27> 1942~44년 노동력 동원수 320

<표 28> 1941~42년 직공·광부·기타노동자의 성별, 월별 이동률 325

<표 29> 1941년 공장·광산의 근속년수별 남자해고자 비율 325

<표 30> 1936~43년 노동생산능률 추이 329

<표 31> 자본가가 본 공장·광산 노동자의 현장 이탈 사유 334

<표 32> 자본가가 본 토목건축 노동자의 현장 이탈 사유 334

<표 33> 1944년 상반기 노동관계 事犯 단속상황 365

<표 34> 노동력 동원 위반자 일제단속 결과(1944년 10월 16~25일간) 366

서 론

　일제하의 조선은 일본자본주의의 발전 단계에 따라 상품 시장과 식량 공급지에서 資本投下市場으로, 그리고 대륙침략을 위한 兵站基地로 점차 그 역할이 변화하였다. 이에 따라 1910·20년대 농업에 중심을 두고 있던 조선의 경제구조는, 1930년대 준전시체제하의 공업화 정책 추진기와 1937년 이후 전시통제경제기를 거치면서 공업의 비중이 확대되는 형태로 재편성되어 갔다.

　1920년대 말의 세계대공황은 자본축적 구조가 취약한 일본자본주의를 위기로 몰아넣었고, 일본제국주의는 '日鮮滿 블록' 체제의 구상과 경제통제정책의 시행을 통해 국가독점자본주의의 길을 걸음으로써 위기를 타개하고자 하였다. 이러한 일본자본주의의 성격 변화는 식민지 경영 방식에도 전환을 가져왔다. 블록체제의 구상 속에서 조선의 경제정책은 1930년대 農工竝進 정책으로 변화하게 되었고, 그 변화는 조선 사회는 물론 조선인의 일상생활에까지도 큰 영향을 미치고 있었다. 이러한 측면에서 일제의 조선지배정책은 1910~20년대를 전반기로, 1930~40년대를 후반기로 구분할 수 있을 것이다.[1]

　일제강점 전반기 지배정책의 중심이 농업정책에 놓여 있었다고 한다면, 1930년대 이후에는 농업에 대한 투자를 공업으로 전환함에 따라 군

---

[1] 세계대공황 이후 일제의 조선 지배정책의 변화 양상에 대해서는 방기중, 「1930년대 조선 농공병진정책과 경제통제」(방기중 편, 『일제 파시즘 지배정책과 민중생활』, 혜안, 2004)에서 상세히 서술하고 있다.

수산업 발흥을 위한 공업화 정책과 노동정책의 비중이 크게 부각되었
다. 조선에서 일제의 노동정책은 여타의 정책과 마찬가지로 일본자본주
의 발전 과정상의 모순을 조선에 전가하는 형태로 추진되었으며, 따라
서 일제는 자국 자본주의의 요구에 맞추어 조선인 노동자에 대한 통제
방식을 변경해 갔다. 이에 따라 일제강점 전반기의 노동정책은 사회통
제를 위한 노동운동 억제책으로서 시행되고 있었다. 그러나 대공황 이
후에는 경제정책으로서의 노동정책이 본격적으로 시행되면서, 일본자
본주의의 발전을 위해 조선인 노동력을 효율적으로 재배치하고 적극
활용하는 데 초점이 맞추어졌다. 이러한 노동력 동원정책의 필요성은
戰時에 더욱 두드러져 공업화 정책과 함께 일제 지배정책의 중심 내용
을 이루고 있었다. 이 시기 일본이 조선을 식민지로서 경영해야 했던
본질적인 필요성이 바로 여기에 있었기 때문이다.

　일제하에 들어 본격화된 노동문제는 조선후기 이래의 역사적 경험
속에서 누적된 것이었다. 한국사회의 노동자는 조선후기 농업생산력이
급속하게 발전하고 그 결과 농촌사회가 크게 분화되는 과정에서 발생
하였다.[2] 한말에는 미약하기는 하지만 이미 초보적인 형태의 노동시장
이 형성되어 다양한 노동자가 등장하고 있었다.[3] 이 시기 고용주와 임
금노동자의 관계는 아직은 자본주의 사회 일반에서의 경제적 관계가
아닌, 人身的 支配 위에 계급문제가 중첩되어 있는 초기 자본주의의
모습을 지니는 것이었다. 노동자 발생 초기의 이러한 봉건적 양상은 國
交 확대 이후 노동시장이 확장되면서 자본주의 노동시장의 원리에 따
라 점차 축소되어 갔으며, 개화파 정권의 정책을 통해서도 부분적으로
약화되고 있었다.[4]

---

2) 이와 관련해서는 金容燮, 「朝鮮後期의 經營型 富農과 商業的 農業」, 『增補
　版 朝鮮後期農業史研究 Ⅱ』, 一潮閣, 1990 ; 崔潤晤, 「18·19세기 농업고용노
　동의 전개와 발달」, 『韓國史研究』 77, 韓國史研究會, 1992 참조.
3) 金潤煥, 『韓國勞動運動史 I』, 靑史, 1981 ; 金度亨, 「大韓帝國時期의 外來商
　品·資本의 浸透와 農民層動向」, 『學林』 6, 延世大 史學研究會, 1984 참조.

그러나 국교확대 이후 외국자본, 특히 일본자본의 침투와 그에 이은
일제의 강점은 한국사회의 내적, 주체적 근대개혁의 방향을 점차 식민
지적인 형태로 변형시켜 갔다. 그것은 곧 제국주의의 지배 하에서 계급
문제에 민족문제가 가중되어 한국사회가 정상적인 자본주의 발전의 길
을 걷지 못하게 된 데서 비롯되었다. 그러한 과정에서 자본가와 노동자
의 관계도 근대적인 勞資關係로 전화하지 못하고, 계급문제 위에 민족
문제가 이중의 질곡으로 부과되었다. 노자관계가 경제적 관계를 넘어
경제외적 강제에 의해 규정되는 형태로 유지되어 간 것이다.

이 책은 일제의 조선 지배정책의 성격을 일제의 노동정책을 중심으
로 규명하고자 하는 연구이다. 노동문제에 대한 검토는 일제 지배정책
의 본질을 밝히기 위해서는 필수적인 작업이다. 특히 일본자본주의의
발전단계에 상응하여 점차 식민지배정책의 주요한 측면으로 부상하고
있던 조선인 노동력 동원정책에 대한 분석 작업은 일제 지배정책의 성
격 규명에 있어 핵심적인 과제이다. 나아가 일제강점기 한국사회의 성
격 규정 문제도 노동정책에서 관철되고 있던 일제의 조선 지배정책의
본질이 밝혀져야만 보다 분명해질 수 있을 것이다. 그러므로 이 책에서
는 노동문제가 확대되고 구체적인 의미의 노동정책이 시행되었던 일제
강점기에 일제가 조선에서 펼쳤던 노동정책의 실현 양상과 더불어 그
와 같은 정책 입안의 기반이 되었던 이데올로기의 분석에도 유의하고
자 한다.

일제의 지배정책에 대한 그간의 연구는 농업과 토지문제를 중심으로
크게 진전되었다. 이에 비해 노동정책을 비롯한 노동문제에 대한 연구
는 그 전체상을 조망하기에 매우 소략한 형편이다. 金潤煥의 선구적인
업적5)을 비롯하여 1990년대 이전까지의 노동문제 연구는 대부분 노동

---

4) 金容燮, 「甲申·甲午改革期 開化派의 農業論」,『新訂 增補版 韓國近代農業
史硏究(Ⅱ)』, 지식산업사, 2004 ; 왕현종,『한국근대국가의 형성과 갑오개혁』,
역사비평사, 2003 참조.
5) 金潤煥, 앞의 책, 1981. 이에 앞서 韓國勞動組合總聯盟에서는『한국노동조합

운동사와 관련되어 진전되었다. 그러나 현재 이들 노동문제에 관한 연구는 소강상태를 면하지 못하고 있는데, 그 주요한 원인의 하나는 일제하 노동정책의 실상과 그 성격이 제대로 규명되지 않은 데 있다. 노동정책의 구체적인 내용과 방향, 정책 입안자의 의도와 그것의 관철 정도, 그리고 노동자와 자본가 세력의 대립 양상을 정확히 파악하지 않은 상태에서는 노동자들의 저항과 운동에 대한 고찰 역시 한계를 지닐 수밖에 없기 때문이다. 이에 1990년대 이후 일제의 노동정책에 주목한 일련의 연구가 발표되고 있지만, 노동문제 연구의 진전을 뒷받침하기에는 아직 그 성과가 부족한 편이다.6)

일제하 노동문제에 관한 기왕의 연구들은 시각에 따라 크게 노동문제의 대두와 전개과정을 생산관계의 모순과 민족문제를 중심으로 파악하는 견해와, 자본주의적 노자관계의 형성과 노동계급의 성장이라는 관점에서 파악하는 견해의 두 가지 유형으로 구분할 수 있다.

그 첫 번째 유형은 일제하의 노동문제를 노자간의 생산관계의 모순과 조선인 노동자와 일본인 자본가 사이의 민족문제에서 연유한 것으

운동사』(韓國勞動組合總聯盟, 1979)를 간행한 바 있다.

6) 1990년대 이후의 노동정책에 관한 연구는 1920년대 노동운동 통제방식을 연구한 김경일의 『일제하 노동운동사』(창작과비평사, 1992)와 일제의 노동통제정책을 식민지 병영형으로 규정한 김광운의 「1930년 전후 조선의 자본・임노동관계와 일제의 노동통제정책」(『國史館論叢』 38, 1992), 자본가의 노동통제에 주목한 宣在源의 「植民地と雇用制度-1920・30年代 朝鮮と日本の比較史的考察-」(東京大經濟學研究科 博士學位論文, 1996) 등이 있다. 또한 일제의 공권력에 의지한 노동통제를 고찰한 金美賢의 「1930~36년 日帝의 勞動統制政策」(성균관대 사학과 석사학위논문, 1998)과 1920년대 노동정책의 치안유지적 성격을 밝힌 李丙禮의 「1920년대 일제의 노동정책」(정신문화연구원 석사학위논문, 1999), 전시하의 노동정책과 노동자의 작업환경・생활에 대한 통제 양상을 세밀히 고찰한 곽건홍의 『일제의 노동정책과 조선노동자(1938~1945)』(신서원, 2001), 일제하 노동정책의 본질을 노동력 동원으로 파악하고 노동정책 이데올로기에 주목한 이상의의 「1930~40년대 日帝의 朝鮮人勞動力 動員體制 研究」(연세대 사학과 박사학위논문, 2002) 등이 있다.

로 보는 견해이다.[7] 이러한 연구는 그간 노동력 이동문제와[8] 노동자의
존재형태를[9] 중심으로 진행되어 강점기 노동문제의 구체상을 밝히는
데 일조하였다. 이들은 대개 일제하 경제정책의 변화를 수탈의 강화과
정으로 보는 시각에서 일제의 노동정책을 논하고, 특히 1930~40년대
군수공업화 과정에서 전개된 조선인 노동자에 대한 수탈상에 시선을
집중하고 있다. 그런데 이들의 연구에서는 일제의 지배정책이 일본자본
주의의 발전과정에 따른 식민정책의 구조적 산물이었던 측면이 상대적

---

7) 朴慶植의『日本帝國主義の朝鮮支配』(青木書店, 1973)를 비롯하여 註 5)와 6)
   에서 언급한 연구성과와, 리국순, 「1930년대 조선로동계급의 구성에 대하여」,
   『력사과학』, 1963. 4 ; 金哲,『韓國の人口と經濟』, 岩波書店, 1965 등의 논저
   가 이 유형에 속한다.

8) 이에 관한 연구로는 許粹烈의 「朝鮮人 勞動力의 强制動員의 實態-朝鮮內에
   서의 强制動員政策의 展開를 中心으로-」(車基璧 엮음,『일제의 한국 식민통
   치』, 정음사, 1985)를 비롯하여, 小林英夫, 「朝鮮總督府의 勞動力政策に就い
   て」,『都立大學 經濟と經濟學』34, 東京大, 1974 ; 김민영,『일제의 조선인노
   동력수탈 연구』, 한울아카데미, 1995 ; 강정숙·서현주, 「일제 말기 노동력 수
   탈 정책」,『한일간의 미청산 과제』, 아세아문화사, 1997 ; 이상의, 「日帝下의
   勞動力 移動과 構成」,『韓國史의 構造와 展開』(河炫綱敎授定年紀念論叢),
   혜안, 2000 등이 있다. 최근에는 안자코 유카의 「총동원체제하 조선인 노동력
   '강제동원'정책의 전개」(『韓國史學報』14, 2003)와 정혜경의 「일제 말기 조선
   인 군노무자의 실태 및 귀환」(『한국독립운동사연구』20, 한국독립운동사연구
   소, 2003)을 비롯하여 관련 연구가 활발히 진행되고 있다.

9) 姜東鎭, 「日帝 支配下의 韓國勞動者의 生活相」,『韓國近代史論 Ⅲ』(尹炳奭
   ·愼鏞廈·安秉直 編), 지식산업사, 1977 ; 정진성, 「일제하 조선에 있어서 노
   동자 존재형태와 저임금」,『한국자본주의와 임금노동』, 화다, 1984 ; 姜萬吉,
   『日帝時代 貧民生活史 研究』, 創作社, 1987 등에서는 노동자들의 생활상을
   규명하였다. 한편 1990년대 노동운동 연구가 노동자의 상태에 대한 연구로 진
   전되면서, 姜怡守, 「1930년대 면방대기업 여성노동자의 상태에 관한 연구」, 이
   화여대 사회학과 박사학위논문, 1992 ; 김경남, 「1920·30년대 면방대기업의
   발전과 노동조건의 변화」,『釜山史學』25·26, 1994 ; 류준범, 「1930년대 '京
   城'지역 공장노동자의 구성」,『韓國史論』34, 서울대 국사학과, 1995 ; 이병례,
   「일제하 전시체제기 노동자의 경험세계」,『역사연구』11, 2002 등의 논저가 연
   구의 깊이를 더하였다.

으로 덜 주목되고 있다. 일제하 조선의 노동정책은 일본의 식민지 지배 정책의 전체적인 틀 속에서 추진된 것으로서, 일본자본주의의 성장과 변동에 따른 요구가 그대로 반영된 체제적·구조적인 것이었음을 간과 해서는 안될 것이다. 아울러 이 속에서 형성되고 있던 조선인 노동자의 의식과 경험의 성장, 이에 따른 저항이 논리적으로 정리되지 못하여, 해방후 노동자·농민을 중심으로 제기되었던 국가건설 방략의 배경이 제대로 설명되지 못하고 있는 실정이다.

　노동문제에 대한 두 번째 연구 유형은 일제하 노동문제를 계급적, 민 족적 모순관계보다는 생산력 확대의 관점에서 한국 자본주의 발달사의 서막으로 바라보는 견해이다. '식민지 근대화론'으로 불리는 이러한 시 각에 입각한 연구는 일제 정책 담당자들의 주장에서 비롯되어[10] 주로 일본학계를 중심으로 진행되어 왔으며,[11] 1980년대부터는 국내에서도 일부 연구자들의 동의를 얻고 있다.[12] 이들은 일제하의 공업화 과정을 한국자본주의의 本源的 蓄積過程으로 파악하는 시각에서 조선인 노동 자 계급의 성장론을 제기하였다. 이들의 연구는 대개 개별적이고 미시 적인 연구방법을 채택함으로써, 공업화에 의한 '개발'의 측면이나 그 의 미를 계량화를 통해 부각시키는 데 치중하는 경향이 있다. 그 결과 일 제하 노동문제의 식민지적 특성에 주목하지 않음으로써 그에 내재하는

---

10) 鈴木武雄, 『朝鮮の經濟』, 日本評論社, 1942 ; 川合彰武, 『朝鮮工業の現段階』, 東洋經濟新報社, 1944 등이 그 견해를 대변하는 논저이다.

11) 中村哲, 「資本主義移行の基礎理論-韓國·朝鮮を事例として-」, 『朝鮮近代 の歷史像』, 日本評論社, 1988 ; 堀和生, 「日本帝國主義の植民地支配史試論- 朝鮮における本源的蓄積の一側面」, 『日本史研究』 281, 1986.1 ; 堀和生, 『朝 鮮工業化の史的分析』, 有斐閣, 1995.

12) 安秉直, 「日本窒素における朝鮮人勞動者階級の成長に關する研究」, 『朝鮮史 研究會論文集』 25, 綠陰書房, 1988 ; 安秉直, 「植民地朝鮮의 雇傭構造에 관 한 研究-1930년대의 工業化를 중심으로-」, 『近代朝鮮의 經濟構造』, 比峰出 版社, 1989 ; 安秉直·中村哲 共編著, 『近代朝鮮工業化의 研究-1930~1945 年』, 一潮閣, 1991 ; 朴淳遠, 「日帝下 朝鮮人 熟練勞動者의 形成-오노다(小 野田) 시멘트 勝湖里공장의 事例-」, 『國史館論叢』 51, 1994 등 참조.

민족적, 계급적 모순을 간과하는 한계를 지니고 있다.

　일제하에는 경제적 관계를 둘러싼 자본·임노동 관계와 함께 민족문제가 경제외적 강제의 형태로서 자본가와 노동자의 관계를 규정하고 있었다. 즉 일제하의 노동문제는 일반 자본주의 사회와는 다른 식민지 체제 내에서의 노동문제라는 점에 그 특징이 있다. 따라서 생산력과 생산관계 혹은 계급문제와 민족문제 중 어느 하나만을 강조하는 시각으로는 그 실태를 규명하기 어렵다. 자본주의 일반의 모순과 함께 민족문제를 배경으로 일본자본주의의 발전에 따른 식민정책과 노동정책의 변동이 이루어졌으며, 그 위에서 식민지 지배가 체계화하고 구체화해 갔던 면에 유의해야 할 것이다. 또한 일제하 노동정책의 위치와 성격을 제대로 파악하기 위해서는, 정책의 결정 과정과 더불어 노동정책 입안의 배경으로서 일본자본주의의 단계별 변화에 따른 경제정책의 변동과정과 그 성격을 함께 고찰해야 할 것이다. 더욱이 일제하의 사회사상이나 정책이념에 대한 연구가 부족한 현 실정에서, 노동정책 이데올로기에 대한 세밀한 천착은 이 시기의 노동정책과 지배정책의 성격을 규명하기 위한 중요한 과제이다.

　노동정책의 범주는 노동시장정책, 노사관계정책, 사회보장정책 등으로 구성되지만, 일제하의 노동정책은 그 중에서도 자본의 축적이 가능하도록 노동력 수급을 조정하는 것, 곧 노동력 상품시장을 유지하는 데 초점을 두고 있었다. 노동력의 상품화는 자본주의 경제의 근간으로서, 노동정책은 공업정책과의 연관 속에서 경제정책의 중핵을 이룬다. 더욱이 대공황 이후 일제의 노동시장정책은 자본주의 일반의 시장원리에 의해 운용된 것이 아니라 파시즘 체제하에서 도출된 노동력의 동원과 배치정책을 중심으로 시행되었다. 그러므로 일제하 노동정책의 본질을 밝히기 위해서는 당시의 노동력 수급문제에 대한 규명이 필수적인 작업이 될 것이다.

　한편 일제의 지배하에서도 조선인 노동자는 그 정책에 副應하거나 혹은 抵抗하면서 일제의 의도와 무관하게 증가하고 성장하여 갔다. 이들 조선인 노동자의 존재는 비록 수치상으로는 적을지라도 그들이 일본자본주의와 직접 대면하고 저항해 간 계급이라는 점에서 의미가 결코 작지 않다. 일제의 노동정책 아래에서 조선인 노동자들은 계급적 각성과 민족모순에 대한 인식을 바탕으로 자신들에게 가중되던 이중의 질곡을 극복하고자 하는 의식세계를 형성해 가고 있었다. 따라서 이에 대한 분석작업은 운동사 중심으로 전개되어 온 기왕의 노동문제 연구의 범위를 확대하고, 민족해방운동의 저변과 동력을 그 기층의 의식세계와 논리에서 파악하기 위해 절실한 과제이다. 이는 곧 노자관계에서 노동자들이 구상하였던 근대상의 형성과정을 그 내적인 계기에서 검토하는 작업이 될 것이다.

이 책에서는 이상과 같은 문제의식에 입각하여 노동력 동원문제를 중심으로 일제하 노동정책의 변화과정과 그 정책 이데올로기를 고찰하되, 노동정책이 일본자본주의의 발전과 그에 따른 공업정책의 변화에 연동하여 추진되었으므로 시기를 구분하여 단계별로 그 실체와 성격을 파악하고자 한다. 일제하의 노동정책은 강점 전반기에는 식민지 사회의 통제를 위해 노동운동을 통제하는 방식으로 시행되었다. 이후 대공황기 공업화 정책의 추진과정에서 노동력의 동원과 재배치가 본격적으로 시행되기 시작하였고, 중일전쟁의 발발과 함께 전시통제경제 체제 내에서 다양한 노동정책이 입안되고 있었다. 그리고 이들 정책은 태평양전쟁의 도발로 전쟁이 확대되면서 적극 실현되기에 이르렀다. 즉 일제는 전쟁의 확대와 경제정책의 변화에 따라 노동정책의 논의와 입안, 실현 과정을 거듭하면서 점차 노동력 동원의 범위를 확대해 갔으며, 노동통제의 내용도 量的인 통제에서 質的인 통제로 강화하고 있었다. 이 책에서는 이러한 노동정책의 성격 변화를 염두에 두고 다음과 같이 내용을 구성하였다.

1장에서는 일제하에 노동문제가 확대되어 가는 실정에 대한 검토와 함께, 일제와 조선인 노동자가 이들 문제를 어떻게 인식하고 있었는지를 고찰하고자 한다. 먼저 일제하 조선인 노동자의 실태와 더불어 총독부의 지주적 농업정책 속에서 유휴노동력이 증가하고 노동문제가 확대되어 가는 과정을 살펴본다. 또한 일제 통치당국과 일본인 자본가의 조선인 노동자와 노동문제에 대한 인식과, 그에 기초해 일제가 사회통제의 차원에서 노동정책을 추진해가는 과정을 살펴본다.

2장에서는 대공황기 총독부의 農工竝進 정책으로 '조선공업화'가 추진되면서 노동력 공급정책이 본격적으로 시행되고, 그에 따라 노동력이 재배치되어 간 과정을 분석한다. 우선 총독부가 산업합리화 정책을 추진하면서 勞資協調論을 제기하여 노동강화를 합리화하는 한편, 공장법 적용 논의를 벌이지만 결국 부결되는 경위를 밝힌다. 이와 함께 총독부가 궁민구제사업과 직업소개소를 확대하고, 북부지방 개발을 위해 남부지방에서 노동자를 알선하는 등의 노동력 공급정책을 시행한 결과, 조선인 노동자의 지역별, 산업별 구성이 변화해 가는 과정을 고찰한다.

3장에서는 일제가 중일전쟁을 도발한 이후 조선을 兵站基地化하고 그에 맞는 노동력 동원체제를 구축하여 노동력을 체계적으로 통제해 간 과정을 규명한다. 먼저 일제가 파시즘체제 하에서 '국가총동원'의 틀에 맞추어 조선인 노동력의 동원을 계획하고, '勞資一體'의 논리를 제기하면서 '국가'와 자본가, 노동자 삼자의 관계를 '국가' 권력을 중심으로 편재해 간 과정을 분석한다. 또한 총동원체제를 구축하는 가운데 일제가 법적·행정적으로 노동력 동원체제를 정비하고, 노무동원계획의 실행을 위해 조선인 노동력을 파악하고 동원해 가는 실정, 그 결과 轉·失業者가 증가하고 노동이 강화되어 가는 양상을 고찰한다.

4장에서는 태평양전쟁 이후 일제가 생산을 공공의 책임으로 부과하고 '戰時勞務管理'와 강제동원을 통해 조선인 노동력을 최대한 동원해 가는 실태와 이에 대한 조선인 노동자의 대응 양상을 살펴본다. 우선 전쟁이 확대되면서 노동정책의 방향을 생산성 강화 일변도로 공식화하고 노동력 동원의 규모를 대거 확대하는 한편, 노동력의 양적인 제한 속에서 생산을 증대하고자 노동현장에 전시노무관리 체계를 도입하여 노동자를 통제해가는 과정을 규명한다. 더불어 일본자본주의의 생산력 한계로 인해 노동력 동원 방식이 결국 행정망과 경찰력의 강제를 바탕으로 한 징용의 실현으로 귀결되고, 이에 대해 조선인 노동자들이 現場離脫 등의 방식으로 저항해가는 양상에 대하여 고찰한다.

이러한 작업을 통해서 노동정책 차원에서 일제의 식민지 지배정책의 본질이 규명된다면, 이를 바탕으로 일제강점기 한국사회의 성격을 전망해 볼 수 있을 것이다. 또한 노동자 의식의 형성과정을 추적하는 작업을 통해 해방 이후 新國家建設 구상의 한 축으로 대두하였던 노동자·농민 중심의 국가건설 방략이 강력하게 지지받을 수 있었던 배경과 그 전개방향에 대한 이해도 가능할 것이다. 아울러 한국사회가 남북으로 분단되는 과정에서 그러한 운동이 좌절되고 새로이 자본주의 국제질서에 편입되면서 구조화된 남한 사회의 자본주의 문화의 특성이나 노자관계의 특질에 대한 규명도 이러한 역사적 배경의 분석 위에서 가능할 것이다. 일제하의 파시즘적 노동정책으로 인해 '국가'와 자본가의 영향력이 절대적인 형태로 구축된 노자관계는 해방 이후 남한의 자본주의 전개과정에서 파행적인 경제구조를 이루는 출발점이 되었고, 또 일제하에 형성된 노동문제의 본질이 해방 후에 해소되지 못하고 현재까지도 그 잔재를 남겨두고 있기 때문이다.

이상의 작업만으로 일제하 노동문제의 전체상을 파악할 수는 없을 것이다. 특히 이 책에서 검토되지 않은 조선인 노동자의 존재 형태와 다양한 분화 과정, 노동정책과 연관하여 전개된 노동운동의 실상, 해방 후 노동문제와의 관련 등은 우선 밝혀야 할 과제이다. 이는 일제하 노동정책에 대한 연구의 진전을 바탕으로 별도의 검토가 필요한 주제이므로, 앞에서 밝힌 문제의식에 입각하여 그 세부적인 분석은 차후의 과제로 남긴다.

제1장 강점 후의 노동문제와 노동통제

1. 노동계급의 형성과 노동문제

1) 노동자와 유휴노동력의 증가

⑴ 노동자의 증가와 노동계급의 형성

한국사회에서 萌芽的 형태의 賃金勞動이 발생한 것은 17세기부터이
다.[1] 17세기에서 19세기에 이르면서 농업생산력이 급속하게 발전하고
그 결과로 농촌사회가 크게 분화되면서 임노동층이 발생하였다. 이와
함께 상품화폐경제와 수공업의 발달로 공장제 수공업이 발달하면서, 농
업을 비롯하여 광업, 수공업의 제분야에서 雇工, 賃用私工 등의 임금노
동이 출현하였다.[2]

---

1) 賃金勞動은 본래 자본주의적 생산관계를 전제로 하여 논의되는 노동형태다.
   그러나 노동력이 완전히 상품화하지 않은 봉건적 생산관계에서도 노동은 일
   정한 반대급부로서 노임을 받기 위해 생산과정에 투입되어 갔는데, 이것이 곧
   임금노동의 萌芽的 형태이다(金潤煥, 『韓國勞動運動史 I -日帝下篇』, 靑史,
   1981, 21쪽).

2) 임금노동의 출현과 관련해서는 金容燮, 「朝鮮後期의 經營型 富農과 商業的
   農業」, 『增補版 朝鮮後期農業史硏究 II』, 一潮閣, 1990 ; 朴成壽, 「雇工硏
   究」, 『史學硏究』18, 韓國史學會, 1964 ; 韓榮國, 「朝鮮後期의 雇工 -18·19世
   紀 大邱府戶籍에서 본 그 實態와 性格-」, 『歷史學報』81, 1979 ; 朴容淑, 「18
   ·19세기의 雇工 -慶尙道 彦陽縣 戶籍의 分析-」, 『釜大史學』7, 부산대학교
   사학과, 1983 ; 張泳敏, 「朝鮮末 農業賃金勞動硏究 試論」, 『淸溪史學』2, 韓
   國精神文化硏究院 淸溪史學會, 1985 ; 崔潤晤, 「조선후기 「和雇」의 성격」,

한말 일본을 비롯한 세계 제국과의 교류가 확대되면서 조선의 무역량은 급격히 증가하였고, 외국 상품의 유입은 조선의 상품경제화를 가속시켜 자본주의적 재편성을 촉진하였다. 그런데 이 시기 조선에서는 資本家의 형성보다는 유휴노동력으로서의 勞動者의 형성이 더 두드러지고 있었다. 國交擴大 전의 자본주의 맹아가 외국 자본주의, 특히 일본자본주의의 압력으로 성장이 저지되는 상황에서, 외국시장은 물론 국내시장의 확보도 어려워져 자본가의 형성이 지체된 반면, 미곡수출과 면포수입을 계기로 토지에서 유리되는 농민과 수공업자의 유민화는 더욱 증대하고 있었기 때문이다.[3]

이 시기 노동자층은 대부분 일본자본주의의 침투로 말미암은 半植民地的 상황에서 토지에서 유리된 세력 중에서 형성되었으며, 경우에 따라서는 농촌소상인으로 행상을 하던 자나 농업노동자 등으로 구성되기도 하였다. 우선 각 개항장의 物動量이 증대하면서 부두노동자가 성장해갔고, 상품과 원료시장으로서 필요한 가공업이 점차 발달하면서 공장노동자가 형성되고 있었으며, 이외에도 광산노동자, 철도노동자, 정미노동자 등이 형성·증가하였다.[4]

특히 무역량의 증가에 비례하여 부두노동자가 증대하였다. 일본자본주의의 침투과정에서 형성된 부두노동자는, 기왕의 광산노동자나 수공업노동자들과는 달리 대부분 자기 소유의 생산수단을 완전히 상실한채 자본가인 貨主에게 받은 임금만으로 생활을 유지한 노동자로서, 완전한 형태의 임금노동자였다.[5] 이와 함께 각 항구에서 다량의 화물이

『忠北史學』 3, 忠北大學校 史學會, 1990 ; 崔潤晤, 「18·19세기 農業雇傭勞動의 展開와 發達」, 『韓國史研究』 77, 韓國史研究會, 1992 등 참조.

3) 楊尙弦, 「韓末 부두노동자의 存在樣態와 노동운동-木浦港을 중심으로-」, 『韓國史論』 14, 서울대 국사학과, 1986, 215~216쪽.

4) 趙璣濬, 『韓國經濟史』, 日新社, 1965, 218쪽.

5) 부두노동자는 대개 선박에서 짐을 나르는 下陸軍, 擔軍, 화물을 포장하는 斗量軍으로 구성되었다. 1895년 조선의 수출입 총액은 약 1천만원으로, 입항선박 40만톤, 소요 부두노동자가 약 1천명이었으나, 1910년에는 각각 약 6천만

출입하기 위해서는 내륙 각지에서 활동할 다수의 운반노동자가 필요하였다. 이미 1910년에 전국적으로 약 7만호의 日稼, 즉 날품팔이꾼이 활동하고 있었다.6)

이 시기 공업노동자의 형성과정을 보면, 1909년까지 일본인이 설립·경영한 주요 공장인 煉瓦공장, 철공장, 연초공장, 기타 통조림·기계·제분 공장과 정미소 등에 3천여 명의 조선인 직공이 있었다.7) 또한 여기에서 제외된 일본인 공장과 조선인, 중국인 공장의 직공수를 더하면 강점 직전 전국 각 공장의 노동자수는 대략 6천명 이상이었을 것으로 추산되며,8) 1911년의 노동자수는 조선인 1만 2,180명, 일본인 2,136명, 외국인 259명으로 총 1만 4,575명에 달하였다.9)

일제하 조선의 경제는 일본의 식량과 원료의 공급시장, 상품판매시장, 상업과 농업 부문 투자시장의 역할을 담당하고 있었다. 따라서 강점 이후 조선에서는 소규모로 공업이 발전하기는 하였으나 대개는 농산물을 가공하거나 일용에 필수적인 경공업 제품을 생산하는 데 그쳤으며, 그것도 상당수의 업종이 일본인 자본가에 의해 배타적으로 운영되고 있었다. 1차대전을 계기로 한 단계 성장한 일본자본주의는, 경공업의 높은 비중과 농민의 궁핍화로 인해 일본 국내시장의 발전이 제약받는 상태에서 자국 내의 모순을 해결하기 위해 식민지에 대한 수탈과

원, 330만톤, 6~8천명으로 증가하고 있었다(金潤煥, 앞의 책, 1981, 32~34쪽 ; 楊尚弦, 앞의 글, 1986, 219쪽).

6) 朝鮮總督府,『朝鮮の人口現象』, 1927, 93쪽.

7) 山口精 編著,『朝鮮産業誌 中』, 1910, 556~561쪽.

8) 金潤煥, 앞의 책, 1981, 35쪽.

9) 朝鮮總督府,『朝鮮總督府統計年報』, 1924, 商業·工業 20~21쪽. 이 시기의 직업별 통계치는 자료에 따라 차이가 크다. 善生永助는 1910년 5월 현재 공업에 종사하는 戶數를 2만 2,943호, 광업을 1,429호로 보았고(善生永助,『朝鮮の人口研究』, 朝鮮印刷株式會社出版部, 1925, 145~146쪽),『朝鮮總督府統計年報』에서는 1912년 현재 공업종사자를 5만 2,440명, 상업·교통업 종사자 28만 1,129명, 공무자유업 3만 6,025명으로 파악하고 있었다(『朝鮮總督府統計年報』, 1912, 64~65쪽).

자본수출의 길을 택하였다.[10]

1920년 회사령이 철폐되고, 일본 국내에서 시행하던 관세법을 조선에까지 연장 시행하기로 한 관세제도의 개혁은 조선 공업이 확대되는 계기가 되었다. 이 조치는 1차대전 중에 급격히 팽창한 일본 산업자본이 일본 국내의 경제공황으로 타격을 입게 되자 그 유휴자본의 일부를 조선에 투자하려는 목적에서 마련된 것이었다.[11] 이에 1921년 9월 총독부 관리와 조선인·일본인 경제 전문가로 구성된 産業調査委員會가 개최되어,[12] 조선과 일본이 협조하여 일제의 공업을 발전시킬 것과 조선에서 小工業을 육성할 것을 결의하였다.[13] 따라서 1920년대에는 일본자본이 본격적으로 조선에 유입되고 공업도 외형적으로 상당히 성장하였다.

그런데 당시 일본정부는 조선 내에서 근대적 공업을 발전시키려는 의도가 없었다. 따라서 총독부는 일본자본의 진출을 적극적으로 장려하지 않았고, '國策' 基幹産業 개발에 자본을 투입하는 정도에 그쳤다. 또한 조선으로 진출한 일본의 민간자본은 농림, 수산업, 광업 등 1차산업 부문과 농산물 가공업을 중심으로 하는 초기적이고 식민지적인 영세 가공공업과 일부의 방직공업에 투자되었다. 곧 일본자본은 주로 금융과

10) 전석담·최윤규 외, 『19세기 후반기~일제통치 말기의 조선사회경제사』, 조선노동당출판사, 1959(『조선근대사회경제사』, 이성과현실, 1989, 167~168쪽) ; 許粹烈, 「日帝下 韓國에 있어서 植民地的 工業의 性格에 關한 一硏究」, 서울대 경제학과 박사학위논문, 1983 ; 裵城淏, 「日帝下 京城지역 工業 硏究」, 서울대 국사학과 박사학위논문, 1998.

11) 金潤煥, 앞의 책, 1981, 52~53쪽.

12) 여기에서는 조선과 일본에 있는 경제 전문가 각각 20명과 총독부 관리 8명 총 48명이 위원이 되어, 총독부에서 제시한 「朝鮮産業에 관한 一般方針과 計劃要項」과 「朝鮮産業에 관한 計劃要項 參考書」를 기초로 조선의 산업 방향에 대해 논의하였다. 이 자리에 참가한 조선인은 朴永根, 趙泰鎭, 趙炳烈, 李完用, 李基升, 韓相龍, 宋秉畯, 玄基奉, 鄭在學, 崔熙淳 등이었다(朝鮮總督府, 『朝鮮産業經濟調查會會議錄』, 1921, 1쪽).

13) 朝鮮總督府, 『朝鮮産業經濟調查會會議錄』, 1921, 73~75쪽.

유통관계업에 투자되었으며, 공업에서는 가내수공업이 상당한 부분을
차지하였고, 그 구조상 경공업 특히 식량 수탈과 관계된 식료품 공업이
압도적이었다.14)

이는 일본자본주의의 수준, 곧 생산력의 저위성을 반영하는 것이었
다. 일본자본주의는 1920년대까지 아직 자국 내의 자본을 적극적으로
외부에 수출할 수 있을 정도의 여력은 없었다. 따라서 일본자본주의는
조선에서 주로 자국의 상품판매와 식량·광산물의 수탈에 힘을 기울였
다. 그러나 이를 위해서도 가공공업의 발전은 불가결한 것이었으므로,
일제는 조선에서 精米業, 製綿業, 製鍊業 등의 부문에 자본을 투하하
였다.

<표 1> 1910~30년 공장수, 종업원수, 공업생산액(단위 : 개, 명, 원)

연도	공장수	지수	종업원수	지수	생산액	지수
1911	252	100	14,575	100	19,640	100
1921	2,384	946	49,302	338	166,414	847
1930	4,261	1,691	101,943	699	263,275	1,341

자료) 朝鮮總督府, 『朝鮮總督府統計年報』, 각년도판.
비고) 상시 5명 이상 사용하는 공장. 관영공장은 제외.

이러한 과정에서 공장과 공장노동자의 수가 점차 증가하였다. <표
1>에서 볼 수 있듯이 1911년 252개의 공장이 1921년에는 2,384개로,
1930년에는 4,261개로 증가하였고, 같은 시기의 종업원수도 1만 4,575명
에서 4만 9,302명으로, 10만여 명으로 증가하여, 임금노동자에서 공장노
동자가 차지하는 비중이 점차 증가해 갔다.15) 공장에서는 50명 미만의
소공장이 전체 공장수의 95%를 차지하였다.16) 소공장은 대개 정미공

14) 全錫淡·李基洙·金漢周, 『日帝下의 朝鮮社會經濟史』, 朝金聯版, 1947, 145
~147쪽 ; 이정옥, 「일제하 공업노동에서의 민족과 성」, 서울대 사회학과 박사
학위논문, 1990, 45~46쪽.
15) 朝鮮總督府, 『朝鮮總督府統計年報』, 각년도판의 商業·工業 참조.
16) 細川嘉六, 『植民史』, 東洋經濟新報社, 1941, 270~271쪽.

장, 착유공장, 시멘트공장, 제사공장, 양말공장 등으로서 원료가공적인
성격을 지니고 있었다. 식민지 상품 시장과 식량·원료 공급지로서의
성격을 지닌 상태에서 조선의 공업은 1920년대에 걸쳐 완만하게 발전
하였다.

이와 더불어 교통·통신수단과 각종 유통기구가 확대되면서 토목건
축과 각종 서비스산업 부문에서도 임금노동자가 형성되었다. 철도의 부
설과 전신·전화 설치, 전차의 부설·운영으로 이와 관련된 교통·운수
노동자와 토목건축 노동자가 상당수에 달하였다.[17] 특히 토목건축 부
문의 노동자는 당시 가장 큰 비중을 차지하고 있었다. 러일전쟁 직후부
터 일제는 조선의 교통시설 건설을 급무로 삼았고, 이에 토목사업은 총
독부 예산 중 수위를 차지하였으며, 일본의 기업가들은 이 사업에 참가
하고자 일찍이 조선으로 건너왔다.[18] 이러한 현상은 광산과 부두, 수공
업 분야에서도 마찬가지였다. 곧 일본자본주의의 침투로 조선인의 자본
형성은 제어되어 갔지만,[19] 임금노동자의 규모는 점차로 증가해 갔다.

이렇게 형성되어간 조선인 노동자는 대개가 하위직에 종사하고 있거
나 日傭의 자유노동자를 중심으로 구성되어 있었다. 이 시기 노동자가
가장 많이 집중되어 있던 부문은 토목건축과 항만 부문이었다. 1928년
현재 노동자의 구성은 토목건축 노동자가 전체의 38% 가량으로 가장
큰 비중을 차지하였고, 광산노동자가 2%, 공장노동자가 3%였으며,
50% 이상이 도시 잡업노동자로 이루어져 있었다.[20] 토목건축 노동자는

---

17) 金潤煥, 앞의 책, 1981, 36~37쪽.
18) 당시 토건계에서는 공사비의 대부분을 임금으로 사용할 정도로 노동력만으로
    공사를 진행하면서 '공포스러운' 분위기에서 명령에 따라 일할 것을 요구하였
    다. 특히 1914년경부터 1924, 5년까지는 토건계의 命令勞動時代라고 불리웠
    다. 이 시기에는 하나의 공사가 끝나면 노동자가 그 감독자에게 인솔되어 다
    른 장소로 전업하는 '閑散人夫'가 등장하였다(渡邊勇,「朝鮮の勞務者政策と
    土建界」,『朝鮮勞務』2-4, 1942. 8, 58~65쪽).
19) 裵城浚, 앞의 글, 1998 참조.
20) 雜業層은 임노동 이외의 잡다한 불안정 취업상태에 있는 최하층 노동인구를

조선의 산업구조와 관련하여 이후에도 가장 큰 비중을 차지하면서 지속적으로 증가하여, 1933년에는 4만 3,588명에 달하였다.[21] 광산노동자는 1929년 6월 현재 석탄광산의 1만여 명, 금은광산의 8천여 명, 철광산의 4,400여 명을 비롯하여 약 3만여 명에 이르렀다.[22] 한편 부두노동자는 1929년 2만 4,612명으로 증대하였고, 이에 상응하여 운수노동자도 증가해 갔다.

1928년 7월 현재의 노동자수를 민족별, 직종별로 살펴본 것이 <표 2>이다. 여기에서 보면 조선인 노동자 중에는 심부름꾼 부인과 심부름꾼 아이를 포함하여 막벌이꾼과 등짐꾼, 우마차꾼이 가장 큰 비중을 차지하고 있다. 이 중 우마차꾼을 제외하면 조선인 노동자는 대개가 사회의 최하위직에 종사하고 있거나 日傭의 자유노동자였다. 이에 비해 일본인은 大木과 공장노동자가 가장 많아 숙련노동자나 상용노동자가 대부분이었음을 알 수 있다. 한편 중국인 노동자는 막벌이꾼과 土工이 가장 많은 점이 주목되는데, 이는 중국인 노동자가 하위직 일용노동자로서 조선인 노동자와 경쟁 관계에 있었음을 시사한다.

요컨대 일제강점 후 조선에서는 상공업이 전체적으로 식민지적 특성을 지닌 채 발전되어 가고 그와 더불어 노동자의 수가 증가해 나갔다. 이들 노동자는 하위직을 포함한 일용노동자가 다수였지만, 한편으로는 공장노동자와 광산노동자 등 상용노동자가 차지하는 비중도 증가하였다. 이들은 오랜 시일에 걸쳐 집단으로 노동에 종사한 경험을 가지고 있어 상호간의 단결된 행동이 가능하였고, 그러한 면에서 장차 노동운동의 중심 세력이 될 수 있는 역량을 지니고 있었다. 노동계급이 본격적으로 형성, 성장하는 모습을 보이고 있었던 것이다.

말하는 것으로, 영세기업 노동자, 가족노동자, 소매상, 서비스업 종사자, 직인의 심부름꾼, 토건 기타의 인부, 日雇 등의 생업종사자를 가리킨다(暉峻衆三, 『日本農業史-資本主義の展開と農業問題』, 有斐閣, 1985, 58쪽).

21) 正久宏至, 「戰時下朝鮮の勞動問題(下)」, 『殖銀調査月報』 38, 1941. 7, 3~4쪽.
22) 朝鮮總督府 殖産局 鑛山課, 『朝鮮鑛業の趨勢』, 1937, 152~155쪽.

<표 2> 1928년 7월말 직종별, 민족별 노동자수(단위 : 명)

민족 직명	조선인			일본인			중국인			계		
	토착	외래	계	토착	외래	계	토착	외래	계	토착	외래	계
막벌이꾼	229,476	57,155	286,631	690	746	1,436	449	5,840	6,289	230,615	63,741	294,356
십장	1,611	1,769	3,380	87	486	573	33	474	507	1,731	2,729	4,460
토공	17,016	15,710	32,726	325	673	998	133	5,050	5,183	17,474	21,433	38,907
콘크리트공	1,777	2,507	4,284	49	218	267	36	479	515	1,862	3,204	5,066
벽돌공	738	401	1,139	104	106	210	107	543	650	949	1,050	1,999
석공	3,708	1,368	5,076	270	386	656	376	1,201	1,577	4,354	2,955	7,309
대리석공	126	91	217	1	21	22	23	58	81	150	170	320
갱부 (비광산)	5,210	7,462	12,672	71	361	432	96	1,187	1,283	5,377	9,010	14,387
우물파기공	1,626	1,459	3,085	50	194	244	0	91	91	1,676	1,744	3,420
鉛工	666	622	1,288	54	185	239	2	27	29	722	834	1,556
토목목수	4,106	1,161	5,267	601	725	1,326	139	583	722	4,846	2,469	7,315
大木	16,912	2,042	18,954	1,657	1,293	2,950	158	843	1,001	18,727	4,178	22,905
小木(가구)	3,677	739	4,416	422	255	677	122	284	406	4,221	1,278	5,499
小木(지물)	3,009	568	3,577	354	241	595	81	268	349	3,444	1,077	4,521
목각공	815	108	923	37	11	48	27	17	44	879	136	1,015
미장이	7,323	1,269	8,592	398	332	730	64	159	223	7,785	1,760	9,545
기와장이	4,974	450	5,424	50	45	95	38	156	194	5,062	651	5,713
땜장이	1,694	463	2,157	195	137	332	104	80	184	1,993	680	2,673
다다미공	210	104	314	271	180	451	5	0	5	486	284	770
대장장이	11,061	1,756	12,817	400	435	835	209	301	510	11,670	2,492	14,162
톱장이	5,589	2,329	7,918	116	60	176	26	707	733	5,731	3,096	8,827
페인트공	444	225	669	126	80	206	11	14	25	581	319	900
木型工	173	124	297	31	14	45	7	16	23	211	154	365
잠수부	269	456	725	51	60	111	0	0	0	320	516	836
광산노동자	12,828	9,842	22,670	38	177	215	31	697	728	12,897	10,716	23,613
공장노동자	23,908	13,339	37,247	1,062	1,268	2,330	575	2,032	2,607	25,545	16,639	42,184
뱃짐꾼	6,004	3,471	9,475	343	196	539	58	123	181	6,405	3,790	10,195
등짐꾼	75,014	9,667	84,681	8	0	8	0	28	28	75,022	9,695	84,717
심부름꾼아이	145,769	10,226	155,995	76	3	79	61	0	61	145,906	10,229	156,135
심부름꾼부인	153,277	9,938	163,215	24	0	24	32	0	32	153,333	9,938	163,271
우마차	80,396	2,751	83,147	1,337	522	1,859	35	373	408	81,768	3,646	85,414
기타	126,581	30,458	157,039	1,774	2,009	3,783	365	1,462	1,827	128,720	33,929	162,649
계	945,987	190,030	1,136,017	11,072	11,419	22,491	3,403	23,093	26,496	960,462	224,542	1,185,004

자료) 朝鮮鐵道協會, 『朝鮮に於ける勞動者數及其分布狀態』, 1929, 1・5~17쪽.
비고) 우마차의 경우는 臺數로 기록.

(2) 일제의 **地主的 農政**과 빈민·실업자의 증가

임금노동자의 창출과 증가는 대개 농민의 몰락에서 비롯되었다. 강점 후 일제는 조선을 식량과 공업 원료의 공급지로 규정하고, 산업시설의 적극적인 移植은 시도하지 않았다.[23] 다만 조선농업을 일본자본주의의 요구에 맞추어 재편성하기 위한 작업을 진행하였다. 이러한 작업의 일환으로 먼저 조선에서 일본인의 토지소유를 합법화하고 조선 토지의 근대법적 소유권을 확립하기 위해 土地調査事業을 시행하였다. 이와 함께 일본농법의 이식과 米穀 單作 무역구조의 강화, 일본공업을 위한 원료농산물의 증산사업을 추진하였다.[24]

'産米增殖計劃'으로 대표되는 일제의 농업정책은 기본적으로 地主制를 근간으로 하고 있었다.[25] 지주적 농정의 강화는 소작료의 고율화와 소작권의 잦은 이동, 만성적인 低穀價政策으로 이어졌고, 이는 농가수지를 악화시켜 농촌사회의 분해를 야기하였다. 1920~30년대 농가호수의 계층별 동향을 살펴보면, 전체 농가호수가 완만하게 증가하는 가운데 지주와 소작농은 증가한 반면 자소작농은 감소하는 경향을 보였다. 또한 화전민과 농업노동자도 통계상에 새로이 분류하지 않으면 안될 만큼 그 숫자가 증가하였다.[26] 자신의 토지를 소유하지 못할 뿐만 아니라 다른 사람의 토지를 빌어 농사짓는 것조차 불가능한 농민이 대거 등장한 것이다. 이 과정에서 수많은 농민들이 토지에서 분리되어 갔고, 이들 몰락한 영세농민은 임금노동자가 창출되는 원천이 되었다.[27]

---

23) 金俊輔, 『韓國資本主義史硏究 (1)』, 一潮閣, 1970, 115쪽.
24) 崔元奎, 「韓末 日帝初期 土地調査와 土地法 硏究」, 연세대 사학과 박사학위 논문, 1994 ; 鄭然泰, 「日帝의 韓國 農地政策(1905~1945년)」, 서울대 국사학과 박사학위논문, 1994.
25) 金容燮, 『韓國近現代 農業史硏究-韓末·日帝下의 地主制와 農業問題-』, 1992, 一潮閣 ; 淺田喬二, 「舊植民地(朝鮮)における日本人大地主の存在形態」, 『朝鮮歷史論集』, 1979.
26) 朝鮮總督府, 『朝鮮總督府統計年報』, 1927·1933년판 참조.
27) 또한 이들 중 국내에서 흡수되지 못한 사람들은 만주 간도지방과 일본 본토

34

전체 농가호수가 증가하는 가운데 소농 혹은 몰락농이 차지하는 비중이 점차 증대된 것은 농촌 내에 이미 광범위한 실업 혹은 잠재실업 인구가 존재하게 되었음을 의미한다. 농촌 내 실업자군의 누적 현상은 1차대전 후의 계속된 불황, 특히 1920년대 말~30년대 초반의 세계대공황과 연이은 농업공황의 와중에서 더욱 심각하게 전개되었다.

이러한 상황에서 농촌내의 몰락농민은 실업자 혹은 잠재실업자의 형태로 농촌에 남아 있거나 새로운 노동시장을 찾아 도시나 국외로 유출되었다.[28] 농촌 내에 잔류한 사람들은 농촌 내에서 계절적 노동에 종사하면서 잠재실업자의 형태로 존재한 부류였다. '상대적 과잉인구'의 광범위한 존재는 소작조건과 도시 노동자들의 노동조건 악화를 초래하는 압박 요인으로 작용하였다. 그리고 농촌을 떠나 도시로 간 사람들은 자유노동자 혹은 조금씩 성장해가던 상공업계의 노동자로 전업하거나, 그도 아니면 더 이상 국내에 머물지 못하고 국외로 떠나갔다.[29]

몰락해 가는 많은 농민들이 농촌 내에 퇴적하는 한편으로 農村移出이 대거 진행되면서, 총인구에서 차지하는 농업인구의 비율은 1920년 이래 점차 감소되어 갔다. 강점기 내내 농업인구는 계속해서 증가하는 양상을 보였다. 1920년 1,474만여 명에서 1932년 1,595만여 명으로 증가하고 1942년에는 1,739만 명을 넘어서서, 1920년을 100으로 볼 때 각각 108, 118로 증가하였다. 그런데 같은 시기에 총인구는 100에서 118로,

---

등지로 가서 그 지역 임금노동자의 원천이 되기도 하였다(朴在一, 『在日朝鮮人に關する綜合調査研究』, 新紀元社, 1957, 23쪽).

28) 그 결과 농업유업자 수는 1930년 933만 8천여 명에서 1940년에는 768만 8천여 명으로 약 165만 명이 감소하였고, 총유업자에 대한 농업유업자의 비율도 같은 시기에 84.7%에서 78.6%로 감소하였다(朝鮮總督府, 『朝鮮總督府統計年報』, 1930 · 35 · 40년판).

29) 일제강점기에 증가된 인구 중에서 종속인구를 제외한 要雇用人口의 약 40%가 국외로 이주하였고, 15%만이 국내에서 고용되었으며 나머지는 고용되지 못한 채 잠재실업자로서 주로 농촌에 퇴적되어 있었다(金哲, 『韓國の人口と經濟』, 岩波書店, 1965, 220쪽).

151로 각각 증가하여, 농업인구는 총인구에 비해 상대적으로 낮은 비율
로 증가하였다. 따라서 총인구에 대한 농업인구의 비율도 1920년의
87.1%를 최고로 이후는 서서히 낮아져, 1932년에 79.6%, 1940년에는
72.8%, 1942년에는 68.2%로 감소되었다.30) 이러한 현상은 농업인구의
절대수는 증가하고 있지만, 그와 동시에 상당수의 농가가 농촌을 떠나
고 있었음을 반영한다.

  이러한 상황에 대해 당시 白南雲은 "빈농대중의 이동은 농촌경제의
귀결로부터 시작된 것이다. 다시 말하면 경지소유의 내적 모순은 물론
이려니와 미곡의 사회적 생산과 지주의 사적 소유의 현실적 모순이 빈
농대중을 확장재생산한 것"이라고 지적하였다. 나아가 이로 인해 조선
농촌은 失業群이 유출되는 本源이 되었다고 하고, 이러한 '사회적 이재
민'은 농촌기구의 필연적 생산으로서, 純小作農이 細農으로, 세농이 期
節的 실업자인 窮民으로, 궁민이 또 다시 完全失業者로 되는 계기적
하향의 과정을 밟고 있으므로 실은 失業群이 不絶히 준비되고 있다고
하였다.31) 빈농의 이동 혹은 실업자 문제는 자연적 재해로 인한 것이
아니라 사회적 재해 곧 일제의 지주적 농정에서 비롯된 것으로서, 꾸준
히 증가하고 있음을 갈파한 것이다.

  농촌에서 흡수되지 못한 몰락농의 상당수는 새로운 노동시장을 찾아
대도시나 북부지방, 혹은 국외로 이출되어 갔다. 그러나 일제의 식민지
경제정책은 이들을 수용할 만한 여건을 마련하지 못했다. 당시 조선에
서는 산업간의 내적 분업이 진행되지 않았을 뿐만 아니라 공황에 따른
만성적 실업현상으로 인해 도시로 밀려든 몰락농민의 대부분은 산업기
관으로 흡수되지 못하였다. 따라서 농촌에서 유출된 몰락농민의 일부만
이 賃金勞動者로 전환할 수 있었다. 그 중 상당수는 日傭勞動者가 되
어 항상적으로 실업의 위기에 직면해 있었으며, 나머지는 노동시장으로

30) 朝鮮總督府,『朝鮮總督府統計年報』, 1920・32・40・42년판.
31) 白南雲,「朝鮮勞動者移動問題」,『東亞日報』1935. 1. 1~2.

편입되지 못한 채 실업자로 존재하면서 도시 주변의 빈민층을 형성하고 있었다.[32] 즉 농촌에서 유출된 과잉노동력은 이주지역에서도 역시 궁민이나 실업자의 신세를 면하기 어려웠다. 그리하여 1930년대 초반에는 전국적으로 빈민과 실업자가 격증하여 심각한 사회문제로 대두되고 있었다.[33] 그리고 이러한 양상은 일제의 지배체제를 위협하는 커다란 요인으로 작용하였다.

<표 3>은 1930년 전후의 빈민의 증가상황을 살펴본 것이다. 이 자료를 통해 빈민이 해가 갈수록 증가하고 총인구에서 차지하는 비중도 커지고 있었음을 확인할 수 있다.

<표 3> 빈민의 증가상황(단위 : 명, %)

연도 구분		1926년		1931년		1934년	
		수	비율	수	비율	수	비율
총인구		19,013,900	100.0	20,262,958	100.0	21,125,827	100.0
빈민	細民	1,860,000	9.7	4,203,104	20.7	4,216,900	19.9
	窮民	295,620	1.5	1,048,467	5.2	1,590,158	7.5
	乞人	10,066	0.1	163,753	0.8	51,806	0.2
합 계		2,165,686	11.3	5,415,324	26.7	5,858,864	27.7

자료) 1926, 31년 수치는 李如星·金世鎔,「朝鮮의 人口問題及人口現象」,『數字朝鮮研究』4, 1933, 6쪽 참조. 1934년 수치는 朝鮮總督府 學務局 社會課,「細窮民及浮浪者又は乞食數調」,『朝鮮社會事業』13, 1935. 6, 63~65쪽 참조. 총인구수는 朝鮮總督府,『朝鮮總督府統計年報』, 각년도판 참조.

---

32) 姜萬吉,『日帝時代 貧民生活史 研究』, 創作社, 1987 참조. 이들의 거주지는 처음에는 임시 '부락'으로 형성되어 점차 반영구적 '부락'으로 굳어져 갔는데, 1932년 당시 전국 83곳에 존재하였다. 1933년 현재 서울, 인천, 대구, 부산, 평양의 5대 도시에 거주하던 조선인 중 빈민의 비율은 17.4%에 달하였고, 이들은 대개 농촌에서 유입된 몰락농민이었다(『東亞日報』1933. 1. 4 ; 李如星·金世鎔,「朝鮮都市의 推移」,『數字朝鮮研究』5, 1935, 90~91쪽 ; 朝鮮總督府,『朝鮮總督府統計年報』, 1933년판).

33) 朝鮮總督府 學務局 社會課,『朝鮮に於ける失業調査』, 1932 ; 朝鮮總督府 學務局 社會課,「細窮民及浮浪者又は乞食數調」,『朝鮮社會事業』13, 1935. 6, 63~65쪽 참조.

비고) 細民은 생활이 궁박하여 겨우 연명하는 자, 窮民은 생활이 극히 궁박하여
긴급 구제를 요하는 자, 乞人은 항상적으로 여러 곳을 부랑·배회하면서 궁
핍을 호소해 金品을 얻는 자.

빈민은 전국적으로 산재해 있었기 때문에 이 조사에는 많은 부분이
누락되었을 것이다. 그럼에도 불구하고 이 표에 의하면 1930년을 전후
하여 "생활이 극히 궁박하여 긴급 구제를 요하는 자"인 궁민이 빠른 속
도로 증가해 갔음을 알 수 있다. 1926년부터 1931년까지 빈민의 비율은
전체인구의 11.3%에서 26.7%로 급증하여 총인구의 1/4을 넘어섰다.[34]
이러한 추세는 이후에도 계속되어, 이른바 窮民救濟事業이 한창 진행
되던 1934년에는 빈민이 총인구의 27.7%에 달하였다.

빈민의 증가 현상은 만성적인 농업공황에 시달리던 농촌에서 특히
심하였다. 지역별로 이들은 주로 남부지방에 분포하였는데, 전라남북도
와 경상남북도 4道의 빈민이 전국 빈민의 약 반수를 차지하였다. 특히
곡창지대인 전라북도의 경우 1934년 현재 총호수의 45%, 총인구의
38% 이상이 빈민에 속하였다.[35] 이러한 양상은 대도시를 비롯한 도시
지역에서도 유사하였다. <표 4>에서 보면, 1933년 현재 경성, 부산 등
5대 도시의 빈민수는 총 11만 6천여 명으로 총인구의 13%에 달하였
다.[36] 더욱이 대부분의 도시 빈민은 도시 주변에 거주하고 있었으므로

---

34) 이상의, 앞의 글, 『韓國史의 構造와 展開』, 2000, 864~869쪽 참조.
35) 朝鮮總督府 學務局 社會課, 「細窮民及浮浪者又は乞食數調」, 『朝鮮社會事
業』 13, 1935. 1, 64~65쪽. 이 해 전라북도의 총인구는 45만 1,840호에 227만
8,512명으로, 그 중 細民은 12만 1,827호 55만 8,512명, 窮民은 6만 8,687호 30
만 1,266명, 乞人은 1만 5,141명에 달하였다(『東亞日報』 1933. 5. 25). 또한
1935년 제3차 '궁민구제사업' 실시를 앞두고 경상북도 지방과에서 조사한 바
에 의하면, 1935년 전반기 경상북도의 細農은 무려 186만여 명으로, 총인구
240만 명의 80%에 달하고 있었다(『朝鮮民報』 1935. 4.. 2).
36) 이러한 빈민의 증가 현상은 이후에도 계속되어, 1936년 10월 1일 현재 경성부
의 빈민은 총인구 60만의 26%를 넘었다(李義錫, 「대경성의 이면-빈민이 10만
5,415명」, 『批判』 5-4, 1937. 5).

각 도시 주변 지역의 빈민을 이 통계에 포함시킬 경우 도시의 실제 빈
민은 이보다 훨씬 많았을 것으로 추정된다.[37]

<표 4> 1933년 5대도시의 빈민수와 빈민비율(단위 : 명, %)

민족\도시	조 선 인			일 본 인			계		
	빈민수	비율	총인구	빈민수	비율	총인구	빈민수	비율	총인구
京城府	34,081	12.5	270,590	12	0.0	111,901	34,093	8.9	382,491
仁川府	4,877	8.2	59,321	26	0.1	13,540	4,903	6.7	72,861
大邱府	46,754	60.1	77,689	3,769	13.4	28,108	50,523	47.7	105,797
釜山府	10,942	10.4	105,197	88	0.1	51,232	11,030	7.0	156,429
平壤府	15,622	12.0	129,297	28	0.1	21,474	15,650	10.3	150,771
계	112,276	17.4	642,094	3,923	1.7	226,255	116,199	13.3	868,349

자료) 1933년 6월의 朝鮮總督府 學務局 社會課 調査(李如星·金世鎔, 「朝鮮都
市의 推移」, 『數字朝鮮研究』 5, 1935, 90~91쪽 참조) ; 朝鮮總督府, 『朝鮮
總督府統計年報』, 1933년판.

도시와 농촌을 막론하고 이들 빈민층은 거의 실업 또는 반실업의 상
태에 빠져 있었다. 또한 대공황의 여파가 미치면서 일본자본주의의 체
제적 위기가 심화되자, 일본 독점자본은 조선에서 노동자에 대한 해고
나 조업 단축, 임금 인하, 노동 강화, 노동 시간 연장 등의 방식을 통해
공황의 돌파구를 찾으려 하였다.[38] 그 결과 농촌과 도시를 막론하고 전

---

37) 이후 시기의 자료이지만, 1940년 경성부와 그 부근의 토막민 556호를 대상으
로 한 경성제국대학 위생조사부의 조사에 의하면, 前職別 세대주 수는 농업이
230명, 자유노동 135명, 직공·직인 57명, 상인·행상 61명 등이었다. 그 중 전
직이 농업 혹은 자유노동이었던 농촌 출신이 전체의 65% 가량을 차지하였는
데, 이들은 대개 소작농 또는 자소작농 출신이었다. 이들은 행상, 지게꾼, 일용
노동자 등으로 특수한 기능이나 자본이 없이 체력을 유일한 자본으로 하는 직
업에 종사하여, 그 고용이 단기적이고 불안정하였다. 즉 도시빈민의 대부분은
늘 실업의 위기에 놓여있는 한편, 미숙련 노동자의 풍부한 공급원으로서 임금
인상을 억제시키는 잠재 요인으로 존재하고 있었다(京城帝國大學 衛生調査
部, 『土幕民の生活·衛生』, 1942, 83~84쪽).

38) 김영근, 「세계 대공황기 노동력의 성격과 파업투쟁」, 『역사와 현실』 11, 1994,
94쪽.

국적으로 실업자층이 대량 양산되었다.

실업 문제가 점차 사회문제화 하기에 이르자, 조선총독부는 사회정 책의 일환으로서 실업 대책을 마련하기 위해 1930년에 처음으로 조선 의 실업자 상황을 조사하였다. 실업자 조사는 1930년과 1931년에 '실업 자가 가장 많아 보이는' 府와 指定面에 대해 진행되었고,39) 1932년부터 1937년까지는 조사지역이 전국으로 확대되었다.40)

<표 5> 1930년대 실업자수와 실업률(단위 : 명, %)

민족 연도	조 선 인			일 본 인			계		
	조사인원	실업자	실업률	조사인원	실업자	실업률	조사인원	실업자	실업률
1931	232,815	34,951	15.0	59,278	4,292	7.2	292,093	39,243	13.4
1933	1,278,541	131,683	10.2	88,902	2,695	3.0	1,367,443	134,378	9.8
1935	1,002,847	79,214	7.8	97,510	2,570	2.6	1,100,357	81,784	7.4
1937	1,051,100	56,440	5.3	119,376	1,233	1.0	1,170,476	57,673	4.9

자료) 李如星·金世鎔, 「朝鮮의 失業者」, 『數字朝鮮硏究』 3, 1932, 74~80쪽 ;
朝鮮總督府 學務局 社會課, 『朝鮮に於ける失業調査』, 1932 ; 朝鮮總督府
學務局, 「朝鮮に於ける失業調査」, 『朝鮮總督府調査月報』, 1934. 4·1935.
3·1936. 8·1937. 6·1938. 9.

비고) 조사일자는 1930. 1. 31, 1931. 11. 15, 1932·33. 6. 30, 1934~37. 10. 1.

---

39) 일제하의 실업조사는 조선총독부 주관으로 1930년에 들어서 처음으로 시행되 었다. 제1, 2회의 실업조사는 실업자가 가장 많아 보이는 府와 邑의 실업상황 을 제한된 범위 내에서 살펴본 것으로, 이를 통해 전국의 실업상황을 파악하 기는 어렵다.

40) 이 조사에서는 여자와 기타무직자, 雇主, 자영업자, 월수입 200원 이상의 급료 생활자 등은 대상에서 제외시켰다. 실업자는 실업 당시 급료생활자 또는 노동 자로서, 조사 당일 현재 실업상태에 있는 자를 원칙으로 하였고, 노동자 중에 서 조사 당일을 기점으로 과거 1개월간 1/2 이상 취업하였다고 인정되는 자는 실업자로 간주하지 않았다. 또한 실업의 의미를 "취업할 능력과 의사가 있지 만 취업의 기회를 얻지 못한 상태"라고 정의하여, 노쇠자, 傷病不具者, 술주정 이나 게으름 등 때문에 취업에 적당하지 않은 자, 임의로 취업하지 않은 자, 동맹파업 또는 공장 폐쇄 때문에 취업하지 않은 자 등은 포함시키지 않았다 (「朝鮮に於ける失業調査」, 『朝鮮總督府調査月報』 5-4, 1934. 4, 57쪽).

이렇게 만들어진 실업자 통계인 <표 5>에서 보면, 1930년대 전반기 실업률은 10%를 상회하고 있었다. 특히 대공황의 여파로 실업문제가 가장 심각하였던 1931년에는 실업률이 무려 15%에 달하였는데, 이는 같은 해 일본 국내 실업률 6.7%[41]의 2배를 넘는 수치였다. 뿐만 아니라 1930년과 비교하여 조선인의 실업률은 일본인보다 더 높은 비율로 증가해 갔다. 조선인은 노동력 수요가 감소할 때면 우선적으로 감축대상이 되었기 때문에 늘 실업의 위기 속에 놓여 있었다. 조사지역이 전국으로 확대된 1932, 33년에도 실업률은 여전히 10%를 웃돌아, 전국에 걸쳐 실업 현상이 만연하였음을 알 수 있다. 한편 이렇게 높은 실업률이 1934년부터 점차 감소하는 경향을 보이면서 1937년에는 5.3%까지 감소하였는데, 이는 전쟁 준비가 본격화하면서 고용이 증대되고, 더불어 1930년대 전반에 걸쳐 만주 등 국외로의 노동력 유출이 계속되었기 때문이다.

실업의 위협 정도는 노동유형에 따라 다르게 나타났다. 조선인 노동자의 실업자 수와 비율은 일용노동자가 급료생활자나 기타노동자에 비해 가장 큰 비중을 차지하였다. 일용노동자와 기타노동자 실업자를 합치면 전체 실업자의 80~90%에 육박하여, 당시 조사된 조선인 실업자의 대부분을 점하였다. 이러한 현상은 각 업종별 실업자가 총실업자 중에서 차지하는 비율을 보면 더욱 분명해진다. 조선인의 경우 1930년 급료생활자 실업자가 전체 실업자의 16.0%에서 1934년 10.9%로, 1936년 6.6%로 감소하였다. 이에 비해 일용노동자는 실업자에서 가장 큰 비중을 차지하면서, 1930년 53.5%에서 1934년 51.1%, 그리고 1936년에는 54.2%로 다소 증가하는 경향을 보였다. 이에 비해 일본인의 경우에는 1930년 급료생활자 실업자가 67.4%에서 1934년 72.2%로, 1936년 77.6%로 계속해서 증가해 갔다. 즉 조선인은 日傭勞動者 실업자가 가장 많고 給料生活者 실업자수가 적었으며, 일본인은 상대적으로 고소득층인

---

41) 李如星·金世鎔, 「朝鮮의 失業者」, 『數字朝鮮研究』 3, 1932, 83쪽.

급료생활자 실업자가 가장 많고 일용노동자 실업자는 적었다.[42]

이처럼 지주적 농업정책으로 인해 몰락하여 농촌에서 유출된 농민들은 임금노동자 창출의 근원이 되는 한편으로, 그들의 대부분은 새로운 노동시장을 찾아 도시로 향하였으나 새로운 업종에 고용되지 못한 채 빈민이나 실업자로 존재하였다. 당시 산업구성 자체가 유기적 연관성을 가지지 못하였기 때문이다.

몰락농과 도시빈민 외에도 일본인 노동자와 중국인 노동자 등 국외의 노동력이 국내로 유입되어 당시 노동시장에 미친 영향도 적지 않았다. 특히 조선에 유입된 중국인 노동자수는 1915년 1만 5,968명에서 1920년 2만 3,989명, 1925년 4만 6,196명으로 증가하였고, 1928년에는 5만 9,594명으로 해마다 큰 비율로 증가해 갔다. '苦力'이라고 불린 그들은 대개 당시 성인 남자의 수요가 가장 많았던 막일꾼 혹은 토목건축 분야에 종사하고 있었다.[43]

당시 총독부가 중국인 노동자의 유입을 방조하고 사업장에서 중국인 노동자를 활용하였던 것은, 그들을 통해 조선인 노동자의 저항을 막을 수 있다는 일제와 자본가들의 계획에 의한 것이었다. 나아가 임금이나 노동시간 등 노동조건을 악화시켜 이윤을 확보하고자 하는 목적에서였다. 이 시기 조선인 노동자와 중국인 노동자의 임금은 별 차이가 없었다. 예컨대 1930년 平人夫의 임금은 조선인 77전, 중국인 72전, 일본인 1원 55전이었다. 조선 내에서 조선인의 임금이 중국인과 근접하였던 것이다.[44] 자본가들은 조선인 노동자와 중국인 노동자의 경쟁을 부추겼

---

42) 李如星·金世鎔, 위의 글, 1932, 74~80쪽 ; 朝鮮總督府 學務局 社會課, 『朝鮮に於ける失業調査』, 1932 ; 朝鮮總督府 學務局, 「朝鮮に於ける失業調査」, 『朝鮮總督府調査月報』, 1934. 4·1935. 3·1936. 8·1937. 6·1938. 9.

43) 苦力이란 중국의 불숙련노동자 혹은 순근육노동자를 총칭하는 말로, 영어 coolie에서 유래하였다(武居鄕一, 『滿洲の勞動と勞動政策』, 嚴松堂書店, 1941, 167~171쪽).

44) 武居鄕一 著·滿鐵經濟調査會 編, 『滿洲の苦力』, 1934, 南滿洲鐵道株式會社, 66~67쪽.

고, 그 경쟁은 임금 하락의 주요인이 되었다.[45] 더욱이 이 과정에서 일본인에 대한 반감을 중국인에게로 전환시키고자 일제가 의도적으로 중국인 노동자를 이용한 측면도 있었다.[46]

이처럼 농촌에서 몰락농이 끊임없이 유출되고 빈민과 실업자가 광범위하게 존재하는 노동력 공급 과잉의 상황에서 노동력 수급 구조는 매우 불안정하였다. 그리고 조선인 노동자들은 그것을 빌미로 한 열악한 노동조건 속에 존재하고 있었다.

2) 노동문제의 확대와 노동자의 조직화

⑴ 일제하의 노동조건과 노동문제

일제하의 자본가와 조선인 노동자의 관계는 초기 자본주의의 한계가 탈각되지 않은 상태에서 근대적 자본·임노동 관계로 전화하지 못한 채 그 위에 민족 문제가 부가되어 있었다. 그러므로 일제하 조선에서 자본주의의 발전과정은, 일반적인 자본주의 발전의 초기 과정보다 노동자에게 훨씬 더 혹독한 희생을 요구하였다. 일제하 조선에서의 자본형성 과정은 조선인 노동자, 농민의 노동력에 의해 조성되는 잉여가치에 그 기초를 두고 있었다. 따라서 이 시기 조선인 노동자는 극히 열악한 상태로 존재할 수밖에 없었다. 무엇보다 노동자의 임금이 대단히 낮은 형편으로, 노동자의 궁핍상은 당시 신문과 잡지 등에서 빈번히 그려지고 있었다. 더욱이 민족 차별적인 임금체계 탓에 조선인 노동자들의 임

---

45) 이 시기 언론에서도 조선인 노동자와 중국인 노동자를 비교하면서 그러한 면을 조장하였다. 『朝鮮每日新聞』 1929. 10. 25, '지나 노동자 減退로 製粉界가 大痛手, 98만 8천여 원에서의 수요 감퇴를 가져오다' ; 『朝鮮每日新聞』 1929. 12. 10, '단연 우수를 보이는 지나 노동자, 임은의 저렴과 한결같은 근면에서' 등이 그 예이다.

46) 『朝鮮每日新聞』 1928. 12. 15, '支那人勞動者에게 억눌린 鮮人, 불황의 돈底에 우는 노동자, 대책은 각하의 급무' ; 『京城日日新聞』 1929. 1. 25, '지나노동자의 종업을 위협하다, 함경남도 원산의 노동쟁의'.

금은 같은 장소에서 같은 종류의 작업을 하는 일본인 숙련노동자와의 차이는 물론, 일본인 미숙련노동자와 비교해서도 훨씬 낮은 수준에 머물렀다.

1930년 전후 노동자의 임금을 민족별, 연령별, 성별로 살펴본 <표 6>의 임금 수치는, 직공 50명 이상의 규모를 갖춘 공장 중에서 선정한 것임에도 불구하고 연령별, 성별 모든 경우에 조선인 노동자의 임금이 일본인 노동자의 절반에 불과하였던 사정을 잘 보여준다. 이러한 차이에는 조선인 노동자와 일본인 노동자의 구성 자체가 다르다는 것이 한 요인으로 작용하였다. 조선인 노동자들은 대개 일반 노동자였던 데 비해 일본인 노동자들은 職長, 監督 등 간부급이 많은 수를 차지하고 있었다. 그러나 같은 직급에 있던 조선인 노동자와 일본인 노동자의 임금을 비교해 보아도 대개 조선인은 일본인의 55~70%에 불과하였고, 그 중에서도 조선인 노동자의 1/4 이상을 차지했던[47] 막일꾼의 임금은 일본인의 56%에 불과하였다.[48] 곧 조선인 노동자와 일본인 노동자의 임금은 애초에 불평등한 구조로 편성되어 있었으며, 더욱이 노동자의 구성이 민족별로 양분되어 있어 불평등 구조를 가중시키고 있었다.

이와 함께 이 표에서는 1930년대 중반 일본인 노동자의 임금상승 경향이 조선인 노동자에게는 반영되지 않았던 점도 주목된다. 이렇게 낮은 수준의 임금조차 오히려 해마다 하락하여, 서울지역의 1920년 임금을 100으로 볼 때 1925년 82, 1930년 78로 하락하였으며,[49] 실질임금 역시 1920년 수치를 100으로 볼 때 1925년 69, 1930년 87로 하락하고 있었다.[50]

---

47) 朝鮮鐵道協會, 『朝鮮に於ける勞動者需給と其の分布狀態(調査資料 2篇)』, 1929, 1쪽 참조.
48) 상대적으로 숙련공에서는 그 비율이 높아 목수의 경우 조선인이 일본인의 68%, 톱장이는 70%, 미장이는 71%의 임금을 받고 있었다(細川嘉六, 『植民史』, 東洋經濟新報社, 1941, 308~309쪽).
49) 朝鮮銀行 調査部, 『朝鮮經濟年鑑』, 1949, IV-157쪽.

<표 6> 1930년대 노동자의 민족별, 성별 임금(단위 : 원)

민족	연령	성	1929년	1931년	1933년	1935년	1937년
조선인	성년	남	1.00	0.93	0.92	0.90	0.95
		여	0.59	0.57	0.50	0.49	0.48
	유년	남	0.44	0.37	0.40	0.49	0.42
		여	0.32	0.33	0.25	0.30	0.31
일본인	성년	남	2.32	1.86	1.92	1.83	1.88
		여	1.01	0.98	1.00	1.06	0.98
	유년	남	–	–	0.81	0.81	0.85
		여	–	–	0.65	–	–

자료) 高橋龜吉, 『現代朝鮮經濟論』, 千倉書房, 1935, 429~430쪽 ; 細川嘉六, 『植民史』, 東洋經濟新報社, 1941, 308~309쪽.
비고) 노동자 50명 이상을 사용하는 공장을 대상으로 조사하였다.

<표 7> 1931년 공장 노동자의 노동시간별 비율(단위 : %)

노동시간	공장수	공장비율	노동자수	노동자비율
8시간 이내	11	0.9	521	0.8
8~10시간	158	13.2	12,938	19.8
10~12시간	528	44.0	21,051	32.2
12시간 이상	493	41.1	30,689	46.9
부정기	9	0.8	175	0.3
합 계	1,199	100.0	65,374	100.0

자료) 朝鮮總督府 學務局 社會課, 『工場及鑛山に於ける勞動狀況調査』, 1933, 36쪽.
비고) 1931년 말 현재 10명 이상의 노동자를 사용하는 공장을 대상으로 하였다.

조선인 노동자의 노동조건은 임금뿐만 아니라 노동시간에서도 가혹하였다. <표 7>을 통해 1931년 공장노동자의 1일 노동시간을 보면, 10시간 이내의 노동을 하는 노동자는 전체의 20.6%였고, 80% 가량은 10시간 이상의 노동에 종사하고 있었다. 그 중에도 12시간 이상의 과중한 노동을 했던 경우가 전체의 46.9%에 달하였다. 더욱이 유년 여성노동

---

50) 許粹烈, 「日帝下 實質賃金(變動)推計」, 『經濟史學』5, 經濟史學會, 1981, 244 ~245쪽 附表 5 참조.

자가 많았던 방직공업의 경우 87%가 12시간 이상의 노동을 하고 있었
으며, 길게는 15시간 30분까지 노동하는 경우도 있었다.[51] 같은 해 50
명 이상의 노동자를 사용하는 공장의 일본인 성년공 평균 노동시간이
8.5시간이었던 것과 비교해 볼 때,[52] 조선인 노동자의 노동조건이 얼마
나 열악했는지 확인할 수 있다. 또한 노동은 대부분 휴식시간이 거의
없이 계속되었다. 2교대제로 오전 6시 30분부터 오후 6시 30분까지 12
시간 동안 일하는 방직공장 노동자의 경우, 식사시간 45분과 15분의 휴
식시간만이 노동자에게 주어진 여유시간이었다.[53]

  공휴일의 경우를 보면, 전체 공장의 27.6%와 광산의 20.2%, 곧 공장
노동자의 23.3%와 광산노동자의 8.3%가 1년 내내 하루도 쉬지 않고 노
동을 계속하고 있었다. 연간 휴일이 10일 미만인 경우도 공장노동자의
68.7%, 광산노동자의 65.7%에 달하였다.[54] 이러한 노동조건으로 인해
광산을 비롯한 각 작업장에서의 災害, 疾病, 事故率은 매우 높은 수치
에 달하고 있었다. 1928년 광업노동자 중에는 전체의 12.5%에 달하는
3,402명이 사망하거나 중상 혹은 경상의 재해를 당하였다.[55] 조선인 노
동자들은 생명을 담보로 하는 상황에서 노동을 하고 있었던 것이다.

  이처럼 일제는 조선인 노동자를 주로 하층의 인력으로서 고용하되
노동력이 풍부하다는 점을 강조하면서 열악한 노동조건 속에 그들을
방치하였고, 노동자들은 이러한 노동조건에 점차 조직적으로 저항하기
시작하였다.

---

51) 朝鮮總督府 學務局 社會課, 『工場及鑛山に於ける勞動狀況調査』, 1933, 39~
   40쪽.
52) 朝鮮總督府, 「工場賃銀調」, 『朝鮮總督府調査月報』, 1931. 7.
53) 朝鮮經濟社 編, 『朝鮮經濟統計要覽』, 1949, 143쪽.
54) 朝鮮總督府 學務局 社會課, 앞의 책, 1933, 64쪽.
55) 광산노동자의 재해 사고와 사상자 수는 갈수록 증가하여, 1924년을 기준으로
   할 때 1929년에 사고 회수는 2.5배, 사상자 수는 2.6배로 증가하였다(朝鮮總督
   府 鑛務課, 『朝鮮鑛業の趨勢』, 1933, 140~144쪽).

⑵ 조선인 노동자의 조직화

조선인 노동자들은 '임금인하 반대'를 비롯하여 생존권 확보와 각종 노동조건의 개선을 위해 파업 등의 노동쟁의를 하며 일제와 자본가들에게 대항해 나갔다. 노동문제가 대두하게 된 것이다. 임금노동자들은 임금을 얻지 못하면 생활을 유지해 나갈 수 없었다. 따라서 경제적으로 항상 약자의 위치에 있었으며, 노동력의 판매 조건은 대부분 고용주의 자의에 의해 결정되었다. 몰락 유리된 영세농민이 광범위하게 존재하여 노동력의 공급이 과잉된 조건 하에서는 더욱 그러하였다. 이에 임금노동자들이 고용조건을 개선하기 위해서는 단결된 행동으로 자본가에게 대항하는 것 외에는 다른 방도가 없었다. 즉 노동자들이 노동조합을 결성하고 쟁의를 벌이는 것은 필연적인 현상이었다.

노동자들은 1919년 3·1운동과 소련 사회주의 혁명의 성공을 계기로 더욱 활발히 저항하였으며, 나아가 전국적인 노동자 조직을 결성하기 위해 계속 노력하였다. 이와 함께 근대사상의 영향도 노동운동의 발달을 촉진하였다. 1920년대 일제는 일본 민중운동의 발전에 대응하여, 부르주아 민주주의적인 방향의 지배 방식을 고려하기도 하고,[56] 부분적으로는 자유주의적, 사회정책적인 방향의 정책을 취하기도 하였다. 이러한 추세는 조선에도 일정한 영향을 주어 많은 노동자 단체가 구성될 수 있는 환경을 조성하였다.

또한 일제의 식민지 통치정책이 소위 '문화정책'으로 변화되면서 민족해방운동을 무마하기 위한 유화조치의 하나로 단체 결성이 허용된 것과도 무관하지 않다.[57] 그러나 노동조합 조직이 활성화된 무엇보다 중요한 근거는 노동현장에서 노동자들이 집단적으로 작업하면서 동일한 모순 구조에 직면하였고, 노동자의 조직화 요구가 점차 증가하였던

---

56) 林博史, 「1920年代前半期における勞動政策の轉換」, 『歷史學硏究』 9, 1982, 49쪽.
57) 김경일, 『일제하 노동운동사』, 창작과비평사, 1992, 87쪽.

점에 있었다. 조선인 노동자의 생활기반은 대단히 열악하였고, 노동현장에서 민족적 차별과 모멸을 견뎌야 했으며, 그에 대한 시정 요구는 경찰의 물리력에 의해 저지되고 있었다. 이러한 억압 상황은 노동자의 조직 결성을 추동시키는 주요인이 되었다.

1920년대 전반기에는 노동조직이 활발히 결성되어, 1923년 111개, 1924년 91개의 노동단체가 조직되었다.[58] 이전까지의 노동자 조직은 친목이나 상호부조의 필요에 의해 만들어진 계나 친목회 형태의 단체가 대부분이었으나, 1920년대 들어서는 내용과 형태에서 계급성과 목적성을 드러내고 있었다. 그 대표적인 것이 1920년에 조직된 조선노동공제회를 비롯한 노동대회, 조선노동연맹회, 조선노동총동맹으로서, 이 조직들은 1920년대 전반의 노동운동을 주도해 나갔다.

전국적인 노동조직으로서 가장 먼저 만들어진 단체는 1920년에 조직된 朝鮮勞動共濟會였다. 이 단체는 조선 노동사회의 개선을 위하여 지식을 개발할 것, 품성을 향상시킬 것, 저축근검을 장려할 것, 민중위생을 장려할 것, 환란을 구제할 것, 직업을 소개할 것, 기타 일반 노동상황을 조사할 것, 기관지『共濟』를 발행하여 일반 노동문화를 보급할 것 등을 활동 방침으로 명시하고 있었다.[59] 이 방침에서 보듯이 조선노동공제회는 창립 당초 노동자들의 자발적인 단체가 아니라 勞資協調的인 사회개량 단체로서 만들어졌고, 따라서 활동 초반기에는 주로 계몽활동과 실력양성을 위한 활동을 하고 있었다. 그러나 노동자의 호응으로 조직이 확장되면서 조선노동공제회는 점차 노동자·농민계급 중심으로 운동노선을 전환하여 동맹파업을 원조하였고, 기관지『共濟』를 통해 사회주의나 유물사관·노동문제의 개조 등의 논제를 던지면서 노동단체를 확대하고 노동운동의 내용을 풍부하게 하는 원천이 되었다.[60]

---

58) 朝鮮總督府 警務局,『朝鮮の治安狀況』, 1933, 168~169쪽.
59) 朴重華,「朝鮮勞動共濟會의 主旨」,『共濟』1, 1920. 9, 167~170쪽.

48

이후 1920년대 사회주의운동의 성장과 함께 노동운동이 점차 계급해방을 목적으로 하는 사회주의자들에 의해 지도되면서, 무산계급의 해방을 목적으로 한 朝鮮勞農總同盟이 조직되었다. 1924년 4월 조직된 이 단체는, '노동계급의 해방, 완전한 신사회의 실현, 자본계급과의 철저한 투쟁, 노동계급의 복리증진과 경제적 향상'을 강령으로 내거는 등[61] 노동자계급의 해방과 자본가계급과의 투쟁이라는 계급적 성격을 분명히 하였다. 조선노농총동맹은 기왕의 노동단체에 비해 노동문제를 보다 구체적으로 제기하고, 그 해결을 위한 투쟁의 선두에 섰던 점에서 훨씬 진보한 단체였다. 또한 전국 각지의 노동자, 농민단체를 거의 망라한 통일적 조직으로서, 노동운동사상 전국적인 단일 노동조직으로서의 중대한 의의를 지녔다.[62]

이후 노동운동은 조선노농총동맹이 1927년 9월 朝鮮勞動總同盟과 朝鮮農民總同盟으로 발전적으로 해체·재조직되면서 일보 전진하게 되었다. 노동총동맹은 반복되는 조선공산당원 검거사건과 연루되어 비록 표면적으로는 적극적인 활동을 전개할 수 없었지만, 당시 노동자만의 유일한 전국적 노동조직으로서 노동운동을 보다 높은 차원으로 끌어올렸다. 그리하여 지역별 노동조합연합체의 결성에 이어, 1920년대 후반기에 드디어 전국적 산업별 노동조합연합체를 결성하게 되었다.[63]

1920년대에 등장한 전국적 노동조직은 초반의 한계를 넘어 일제의 탄압 속에서도 점차 노동자 대중 속에 뿌리를 내렸으며, 노동자들은 전국 각지에서 노동조합을 결성하고 노동운동을 적극적으로 벌여 나갔

---

60) 朴愛琳, 「朝鮮勞動共濟會의 活動과 理念」, 연세대 사학과 석사학위논문, 1992 참조.
61) 朝鮮總督府 警務局 編, 『最近に於ける朝鮮治安狀況』, 1936, 49쪽.
62) 조선노농총동맹은 "노동자 임금을 최저 1日 1錢 이상으로, 노동시간은 8시간제로 할 것" 등 노동조건에 대한 구체적인 결의를 통해 이후 노동운동의 방향을 제시하였다(『東亞日報』 1924. 4. 22).
63) 金潤煥, 앞의 책, 1981, 121~125·187~193쪽.

다.64) 전국 단위의 노동단체와 노동현장에서 조직된 개별 노동조합은 서로 강한 영향을 주고받으면서 노동운동을 발전시켜 갔다. 노동운동이 점차 보편화하면서 계급성이 강화되기도 하였으며, 한편으로는 노동운동과 민족해방운동의 결합으로 다른 차원의 운동이 전개되기도 하였다.

전국적 노동조직의 지도하에 진행된 노동쟁의에서 노동자의 요구는 임금인상이나 중간관리의 가혹행위를 저지하기 위한 것에서 점차 8시간 노동과 해고수당, 해고자 복직 등으로 내용이 변화되어 갔고, 파업의 형식에서도 노동조합을 중심으로 한 조직적인 저항으로 발전하였다. 1925년 경성전차종업원 쟁의와 1926년 목포제유공 파업, 영흥탄광노동자 파업, 1929년 원산총파업 등이 그 대표적인 예이다.65)

<표 8>에서 보듯이 노동쟁의는 꾸준히 계속되었다. 쟁의는 주로 임

<표 8> 노동쟁의의 추이와 원인, 결과(단위 : 건, 명)

연도	건수	참가인원	원인			결과			
			임금	대우	기타	성공	실패	타협	자연해결
1912	6	1,573	6	0	0	3	3	0	
1915	9	1,951	6	1	2	3	3	3	
1918	50	6,105	43	2	5	18	18	14	
1921	36	3,403	30	1	5	14	18	4	
1924	45	6,751	35	4	6	14	13	18	
1927	94	10,523	68	7	19	32	31	31	
1930	160	18,972	89	26	45	41	63	36	
1933	176	13,835	118	26	32	37	74	65	
1936	138	8,246	86	13	39	34	32	51	21

자료) 朝鮮總督府 警務局 編, 『最近に於ける朝鮮治安狀況』, 1934・38년판 ; 朝鮮總督府 內務局 社會課, 『會社及工場に於ける勞動者の調査』, 1923, 96~97쪽 ; 姬野實, 『朝鮮經濟圖表』, 朝鮮統計協會, 1940, 303쪽.

---

64) 1925년 한 해에 80여 개, 1926년에는 100여 개의 노동조합이 결성되었다. 구체적인 내용은 金潤煥, 앞의 책, 1981, 177~183쪽 참조.
65) 李丙禮, 「1920년대 일제의 노동정책」, 정신문화연구원 석사학위논문, 1999, 56쪽.

50

금을 비롯한 노동조건에 대한 불만에 원인이 있었으며, 그 결과는 실패
하는 경우가 가장 많았고 타협하는 경우와 성공하는 경우도 비슷한 수
준을 이루고 있었다.

이 시기는 사회주의운동의 활성화와 더불어 1929년 원산총파업과
1930년의 전국적인 메이데이 투쟁, 부산 조선방직 노동자의 파업과 신
흥탄광 노동자들의 파업, 평양 고무공장 노동자의 파업을 비롯하여
1931년 평양면옥 노동자들의 파업, 1932년 청진 부두운반 노동자들의
파업, 1933년 부산 고무공장 노동자들의 파업이 대규모로 격렬하게 계
속되었다. 이 과정에서 공장 점거, 공장 습격 등의 폭력적 양상이 나타
나기도 하였다. 예컨대 1932년 메이데이를 기해 인천의 朝鮮燐寸株式
會社 노동자 356명은 임금 인상, 8시간 노동제 실시, 경찰간섭 반대 등
을 요구하면서 파업을 하는 동시에 공장의 동력을 정지시키고 공장 내
에서 농성을 하면서 저항하였다.66) 이러한 노동자 저항의 흐름은 1930
년대 혁명적 노동조합으로 이어지는 기반이 되고 있었다.67)

1930년대에 들어서면서 혁명적 노동조합의 조직 혹은 합법노동조합
의 비합법·혁명적 노동조합으로의 개편이 잇따랐다. "대중단체이면서
도 혁명적 노동자들로 이루어진 조직"68)이었던 혁명적 노동조합이 노
동운동의 주류를 형성하게 되면서, 노동자들의 격렬한 저항과 조직 사
건이 계속되었다. 1931년부터 1935년까지 혁명적 노동조합 사건은 70건
에 관계자가 1,759명이었으며, 사건이 송치되지는 않았어도 그 영향 하

66) 朝鮮總督府 警務局 編, 앞의 책, 1936, 169~174쪽.
67) 노동쟁의의 직업별 발생건수와 참가인원을 살펴보면, 1920년대는 물론 1930년
대에 들어서도 인부·뱃짐꾼의 쟁의가 노동쟁의에서 항상 가장 많은 건수와
참가인원을 보였고, 이와 함께 토목노동자와 잡공장 직공, 경공업 직공의 쟁
의가 절대적으로 큰 비중을 차지하고 있었다. 곧 하층노동자의 비율이 가장
높았지만, 한편으로는 공장노동자의 비율이 점차 증가하고 있는 추세를 보였
다(朝鮮總督府 警務局 編, 앞의 책, 1936, 177~179쪽).
68) 『노동자신문』 제6호, 『韓國民族解放運動史資料叢書』 4, 京沅文化社, 444~
446쪽.

에 있었던 자가 많은 수에 달하였다. 만주사변 이후 일제의 탄압이 가중되는 가운데 비합법적 형태를 지닌 혁명적 노동조합 운동의 저항성이 심화되면서 노동운동은 지속되어 갔다. 그 영향으로 1930년 이후 파업은 그 발생건수와 참가인원수에서 모두 증가일로를 걸어, 1930년대 전반기에는 파업투쟁이 최고조를 이루었다.[69]

이처럼 일제강점 후 노동자계급이 급속히 증가하면서 점차 이들 내부에 계급의식이 각성되기 시작하였고, 동시에 이들은 자본가와 체제에 맞서는 노동계급으로 형성되어 갔다. 고용불안과 열악한 노동조건에 맞선 노동자들의 저항은 일제의 탄압 속에서도 꾸준히 성장하면서 지속되었고, 경우에 따라서는 총독부 권력과 자본가에게 커다란 위협으로 다가갔다. 이러한 조선인 노동자의 저항 흐름은 일제 지배 말기에 이르기까지 소극적 혹은 적극적인 형태의 저항으로 이어지는 기반이 되고 있었다.

2. 일제의 노동문제 인식과 노동통제

1) 일본인 관료·자본가의 조선 노동문제 인식

(1) 조선총독부의 노동문제 인식

일제강점 전반기까지 조선은 산업구성상 공업의 비중이 낮았으므로, 이 시기 일제의 식민지배 정책에서 노동문제는 농업문제의 종속변수에 지나지 않았다. 그러나 일본은 자본주의 국가였고, 따라서 노동문제에 대한 큰 틀에서의 정책방향은 마련되어 있었다. 그 틀은 기본적으로 일본자본주의 국가의 이익, 그 중에서도 일본인 자본가의 이익을 최대한 보장하는 선에서 실행되었다. 조선을 강점한 이후 일제는 식민지 경제정책의 기조로서, "조선 산업정책의 기본은 본국인 일본제국의 산업정

---

69) 朝鮮總督府 警務局 編, 앞의 책, 1936, 54~55·177~179쪽.

책과 관련하여 협조할 것"을 강조하였으며, 그 협조를 위해 조선의 산업은 일본의 산업을 보충하고, 그 발달에 영합하는 경제적 일체로서 산업정책의 緩急 順序를 정해야 한다고 규정하였다.[70] 조선의 산업은 일본의 산업을 보완하기 위해 유지되어야 함을 강조한 것이다.

일제는 식민지 이윤을 최대한 확보하는 데 조선 강점의 목표를 두고 있었다. 나아가 일본자본주의의 모순의 배출구로서 조선의 역할을 규정하고 있었다. 이러한 경제정책의 틀 속에서 일본자본주의는 조선의 노동자, 농민을 통해 이윤을 창출하고자 하였다. 조선인 노동자의 임금이 일본인 노동자의 절반에 불과하다는 점은 일본자본의 유치에서 큰 이점으로 작용하고 있었다.[71] 따라서 일제하 노동정책의 기본방향은 저임금 구조를 정착시키는 데 있었으며, 그것을 위해서 노동조건의 개선을 요구하는 노동운동을 억제시켜야 했다.

이와 같은 정책기조 때문에 강점 전반기 조선에서는 노동자 보호라는 개념이 상정될 수 없었다. 노동정책에서 일제의 기본방침은 식민통치에 효율적으로 기여할 수 있는 자본가계급의 이익을 대변하고 보호하는 것이었고, 따라서 노동자의 요구는 철저히 억제되어야 했다.[72] 오히려 노동력의 공급에 대한 고민이 '노동정책'이라는 명목으로 언급되고 있었다. 즉 이 시기의 노동정책은 저임금 구조를 유지하기 위한 사회통제정책과 일부의 노동력 공급정책으로서 시행되고 있을 뿐이었다. 이러한 현상은 총독부의 노무담당 관리가 조선인 노동자의 임금을 더 낮추는 것이 조선의 공업을 흥하게 하고 일본인 기업가를 유치하는 수단이라고 발표한 것에서도 확인된다. 그는 조선인 노동자의 임금은 일본에 비해 3할 이하는 저렴하지만 능률이 낮고 이동과 결근이 잦기 때문에 오히려 1할 5푼 내지 3할 정도 더 높은 편이라고 보고 있었다.[73]

---

70) 賀田直治, 「朝鮮産業政策研究要綱」, 『齋藤實文書』 8, 1927, 485쪽.

71) 林原憲貞, 「朝鮮人工場勞動者に關する統計的考察」, 『滿鐵京城鐵道局業務資料』 1, 1924, 114쪽.

72) 김경일, 앞의 책, 1992, 475쪽.

그런데 일제 통치당국은 노동정책의 不在, 혹은 노동문제의 원인을 강점 이전까지의 조선경제의 특질과 조선인 노동자의 열등성으로 돌렸다. 그들은 "조선에서의 노동정책의 부재는 조선 자본제 경제의 특질에 기인한 것이고, 특히 봉건제 생산기구의 근대적 자본제화 과정에서 주로 원시적 대체성 노동이 표면화한 결과"라고 보았다. 위에서 언급한 총독부 관리는, 조선경제의 특질은 자본주의가 급격히 침입함에 따라 봉건적 원시산업이 자본주의적 근대산업에 흡수되어 끊임없이 병존하면서 나타난 파행적인 현상이라고 파악하였다. 일본을 비롯한 여타 국가와의 통상조약 체결로 조선의 봉건경제가 부득이하게 급격히 자본주의화하였으며, 스스로의 자본축적 과정을 거치지 않고 외국자본에 의한 자본주의화가 진행된 결과 봉건적 생산기구가 자본주의적 생산기구로 전환하지 못한 상태에서 외국에서 성숙한 자본주의적 생산기구가 유입되었다고 본 것이다. 이러한 논리의 연장에서, "移住資本과 現地資本의 파행성, 원시적 봉건제 생산기구를 소화하지 못한 채 포섭된 자본제 생산기구의 파행성이 노무관리 수준의 향상을 저해하였으며, 노동정책의 획일적인 시행에도 장애가 되어 저조한 추세를 면하지 못하고 있다"고 언급하였다.

이와 함께 일제는 조선인의 노동관에 대해서는, 노동을 멸시하는 인습이 오래되어 무위도식을 귀하게 알고 노동을 비하하는 경향이 뿌리 깊게 물들어 있어 '근로의식'이 박약하며, 따라서 노동자의 노동 능력이 열등하다고 보았다. 즉 유교의 사상적 영향에 더해 조선시기 천민이 주로 노동에 종사한 데서 노동을 천시하는 풍습이 생겨났다고 보고, 나아가 5백년에 걸친 봉건적 수취로 민중이 절망하고 포기하여 적극적인 노동정신을 상실하였다고 언급하였다.[74]

73) 牧山正德,「朝鮮の勞銀問題」,『朝鮮』189, 1931. 2, 73~80쪽.

74) 高橋龜吉,『現代朝鮮經濟論』, 千倉書房, 1935, 401~406쪽 ; 鈴木武雄,『朝鮮の經濟』, 日本評論社, 1942, 47~60쪽 ; 竹田兼男,「朝鮮に於ける勞務管理の基本課題(承前)」,『朝鮮勞務』2-4, 1942. 8, 6~13쪽 등 참조.

일제는 조선인 노동자의 특징을 "열등성과 근대적 노동자로서의 훈련 결핍"이라고 규정하였다. 그들의 주장은, 조선인의 그러한 특성으로 인해 생산성이 저하되므로 더욱 엄격한 규율의 적용과 저임금·장시간 노동이 불가피하다는 논리로 연결되었다. 1920년대 총독부 産業調査委員會 위원이었던 賀田直治는 일본인 자본가가 조선인 노동자의 각 업종별 적응 가능성을 타진하기 쉽도록 하기 위해 조선인이 노동자로서 지닌 특성을 장점과 단점으로 구분하여 지적하였다. 먼저 조선인을 노동자로 고용하기에 적당한 장점으로 파악한 것을 보면,

① 간이한 생활에 익숙해 생활비가 적고 임금이 저렴하다.
② 하등사회는 체격이 좋고 건강도 양호하여 어떤 노동이든 감당할 수 있다.
③ 언어 습득이 빠르다.
④ 이익에 쉽게 끌린다.
⑤ 뇌동성이 강하지만 영구 단결이 불가능하여 조직적 파업을 일으킬 능력이 부족하다.
⑥ 기술 숙련이 빠르고 특히 손놀림은 오랜 습관을 가져 우수하다.
⑦ 단조로운 노동을 하는 지구력과 정성이 발달하였다.
⑧ 일본 工場法의 범위 밖에 있으므로 하등의 지장 없이 일을 시킬 수 있다.
⑨ 근래 공장 직공을 좋아하는 분위기가 있고, 특히 초등교육을 받은 자가 공장에 들어가기를 희망하는 경향이 있다.
⑩ 일반적으로 유년공은 능률이 양호하다.
⑪ 무엇보다 현재 직공이 겨우 4만 명 내외에 불과하므로 금후 증가의 여지가 있다.

는 점 등이었다. 한편 단점으로는,

① 책임 관념과 규율 관념이 부족하다.

② 보통교육이 열악하고 공장생활이 짧아 능률이 낮다.

③ 저축심이 없고 향상심이 부족하다.

④ 자기 이익을 희생하는 경우가 적고, 직공으로서 한 사업에서 永續하는 장점이 없다.

⑤ 조금이라도 임금이 높은 일을 좋아하고, 장날이나 제삿날에 휴식하는 자가 많다.

⑥ 생각 없이 남을 좇아서 무리로 동맹파업 등을 일으키고 전염되기 쉽다.

⑦ 여공은 조혼과 가정 관계로 외출하거나 기숙생활을 좋아하지 않으므로 다수를 모집하거나 훈련시키는 것이 쉽지 않다.

는 등의 내용을 지적하였다.[75]

이는 일본인 자본가가 조선인을 노동자로서 고용하였을 경우 이윤을 최대화할 수 있는 방법을 염두에 두고 그 유리함과 불리함의 기준을 조선인의 장단점으로 치환하여 거론한 것이었다. 그 논리는 우선 조선인 노동자의 열등성을 강조하고, 조선인 노동자의 임금은 낮을 수밖에 없으며 임금이 저렴해도 생활하기에 곤란하지 않다는 주장으로 연결되어, 저임금 구조를 수용하도록 유도하는 것이었다. 조선인 노동자가 극히 제한된 소비생활을 해야 할 정도로 경제적인 여유가 없었던 것을, 일제는 오히려 저임금을 합리화시키는 근거로서 제시하고 있었다.

또한 장시간 노동의 원인에 대해서도, 조선인 노동자가 무자각하여 노동시간의 단축을 좋아하지 않으며 장시간 노동에 의해 많은 임금을 얻으려고 하는 자가 많기 때문이라고 하였다. 당시 조선인 노동자들이 임금인상과 더불어 노동시간 단축을 끊임없이 요구하였던 사정은 일본인 정책 입안자들의 저임금정책에 의해 외면당하고 있었다. 이와 함께 책임관념과 규율관념이 부족하다는 항목과 보통교육이 열악하고 공장생활이 짧아 능률이 낮다는 등의 주장은, 노동현장에서의 생활 규율과

---

75) 賀田直治,「朝鮮人ノ勞力能力ニ關スル硏究」,『齋藤實文書』8, 274~278쪽.

노동 강도를 강화하고, 나아가서는 공장 기숙사 생활과 조선인의 의식 교육과정, 조선인 노동자의 통제가 필수적임을 강조하는 논리로 연결되고 있었다.[76)

일제의 조선경제와 조선인에 대한 이와 같은 판단은 정책 입안자들 뿐만 아니라 학자들에 의해서도 체계화되어, 이후 총독부의 정책 시행이나 자본가 유치, 조선인의 지배 과정에서 그 근거로 사용되었다.[77) 곧 이러한 내용은 총독부의 저임금정책과 노동자 통제정책으로 연결되었다. 총독부는 일본자본을 조선에 유치하기 위해 풍부하고 저렴한 조선의 노동력을 일본의 기업에 선전하였다.[78) 따라서 정책적으로 조선인 노동자의 임금을 저렴하게 유지할 필요가 있었으며, 그것을 합리화시킬 논리가 필요하던 것이다. 또한 조선인은 애초에 노동자로는 열등하다는 주장을 근거로 하여, 총독부는 노동자 보호에 관련된 법안의 시행을 전혀 인정하지 않았고, 노동문제 전담부서를 설치하지 않았으며, 노무관리가 제대로 되지 않는 노동현장에 대해서도 방관하였다.

조선 노동문제에 대한 총독부 관료들의 이러한 인식은 일제지배 말기에 가서야 총독부 내에 노동문제를 전담하는 勞務課를 설치하였고,[79) 더욱이 3·1운동 이전까지는 노동문제와 관련된 행정부서조차 설치하지 않았다는 점에서도 확인된다. 간접적이나마 노동문제와 관련된 부서로서 총독부에 社會課가 설치된 것은 1921년 7월의 일이다.[80)

---

76) 朝鮮總督府 警務局 編, 앞의 책, 1936, 227~228쪽.
77) 朝鮮總督府 學務局, 『朝鮮人』, 1921 ; 하종근 옮김, 『日帝植民官僚가 분석한 朝鮮人-사상과 성격적 측면-』, 세종출판사, 1995, 57~144쪽.
78) 高橋龜吉, 앞의 책, 1935, 54~60쪽 ; 賀田直治, 「朝鮮人ノ勞動能力ニ關スル 研究」, 『齋藤實文書』 8, 271~278쪽 ; 全國經濟調査機關聯合會 朝鮮支部 編, 『朝鮮經濟年報』, 1939, 133~136쪽 등 참조.
79) 조선총독의 勞務課 설치에 대해서는 이 책의 제3장 1절 2)항에서 상세히 서술한다.
80) 강점 후 사회사업에 관한 사항은 조선총독부 내무부 지방국 지방과에서 취급하였으며, 1912년 내무부 지방국에 제1·2과가 설치되면서 제2과에서 사회사

3·1운동으로 조선인의 전민족적인 저항을 확인한 일제는 총독을 교체하는 등의 가시적인 조처와 함께 총독부 기구를 개편하는 등 지배정책에서도 일정한 변화를 시도할 수밖에 없었다. 이에 內務局 제2과에서 '救恤及慈善'에 관한 사무를 관장하였던 틀을 개편하여, 1921년 7월 내무국에 사회과를 특설하고 사회사업에 관한 사무를 관장하게 하였다.[81] 이 시기에 들어서야 비로소 총독부는 사회사업의 한 분야로서 노동문제를 관할 범위에 포함시키기 시작하였다.[82]

이후 1932년 2월 사회과는 學務局으로 옮겨 사회사업 관련 업무와 함께 사회교육, 宗敎, 古蹟에 관한 업무를 담당하였고,[83] 1936년 다시 내무국으로 이관하여 일반 사회사업 사무만을 소관하였다.[84] 이처럼 총독부는 공업화 정책을 추진하던 1930년대까지도 노동문제를 담당하는 주무부서를 설치하지 않은 채 警務局 保安課에서 노동자 모집·단속, 노동운동 통제와 관련된 업무를 취급하게 하였고, 학무국 혹은 내무국에 속해 있던 사회과에서 노동력 수급과 관련된 업무를 담당하게 하였다.[85]

또한 총독부의 노동정책은 노동자 보호법의 필요성을 부인하고 일본

업 관련 사무를 담당하였다. 이후 1919년 내무부가 내무국으로 변경되고, 1921년 7월 제2과가 사회과로 변경되면서 사회과에서 사회사업을 지도·통제하게 되었다(兪萬兼, 「朝鮮社會事業(上)」, 『朝鮮』 220, 1933. 9, 8~9쪽).

81) 『朝鮮總督府官報』 1921. 7. 27, '朝鮮總督府 訓令 45호'.

82) 이상의, 「일제강점기 '勞資協調論'과 工場法 論議」, 『國史館論叢』 94, 國史編纂委員會, 2000, 105쪽.

83) 이명화, 「朝鮮總督府 學務局의 機構變遷과 機能」, 『한국독립운동사연구』 6, 한국독립운동사연구소, 1992, 37~38쪽. 학무국으로 이전되면서 사회과는 사회사업에 관한 업무와 종래 학무과의 사회교육에 관한 사무, 그리고 종교과 소관의 종교 사무와 고적 사무 등 다양한 업무를 관장하였고, 노동조합, 노동자 이동 소개, 광산노동자 모집 등의 노동 관련 업무도 담당하였다(兪萬兼, 앞의 글, 8쪽).

84) 朝鮮總督府, 『施政三十年史』, 1940, 871쪽.

85) 京城日報社·每日申報社, 『朝鮮年鑑』, 1933, 63~64쪽.

자본의 투자를 유도하는 방향으로 시행되었다. 1920년대 초반과 1930년대 전반기에 총독부 내부에서 공장법 적용에 관한 논의가 있었지만, 끊임없는 노동계의 요구에도 불구하고 결국 해방이 되기까지 노동법은 시행되지 않았다. 일본에서는 이미 1911년 공장법이 제정되어 유년노동자와 여성노동자에 대한 보호를 법으로 규정하고 있었음에도 불구하고,86) 조선에서는 유년노동자의 사용이나 노동시간에 대한 법적인 금지나 제한 조치가 전혀 행해지지 않았다.

이러한 총독부 정책의 바탕에는 조선인의 노동력을 이용해 일본자본주의의 발전을 보충한다고 하는 일제의 경제정책의 기조와 함께, 일본자본이 자유롭게 진출하여야 조선산업이 개발된다고 하는 자본가 측의 주장이 그대로 관철되고 있었다. 이러한 기조 위에서 총독부는 임금이나 노동시간 등 노동조건에 대한 분규가 발생할 경우 자본가가 임의로 그 문제를 처리할 수 있도록 방조하는 자세를 취하였다. 일본인 자본가가 초과이윤을 최대한 보장받도록 하기 위해 정책적으로 자본가의 노동자 수탈을 방관하고 있었던 것이다.87)

동시에 총독부는 조선인 노동자들이 집단화하는 것을 극력 억제하고자 하였다. 노동자가 단결의 힘을 경험하게 되고 노동계급으로서의 의식을 확보해 가는 것을 강력하게 저지하려 한 것이었다. 노동계급이 공통의 이해를 가지고 단결하는 것은 식민지 이윤 획득에 커다란 장애가 되고, 나아가 식민체제를 유지하는 데에도 위협적인 요소가 되었기 때문이다. 이에 일제의 노동정책은 최저수준의 노동조건 유지와 그에 저항하는 노동운동 통제의 차원에서 행해졌다. 그 대표적인 형태가 치안유지법의 적용이었다.88)

이처럼 조선에서 총독부 정책의 기본 방침은 식민통치에 효율적으로

---

86) 木村淸司, 『勞動保護法』, 日本評論社, 1936 참조.
87) 이상의, 앞의 글, 『國史館論叢』 94, 2000 참조.
88) 치안유지법의 적용 과정에 대해서는 다음 절에서 자세히 살펴본다.

기여할 수 있는 자본가계급의 이익을 대변하고 보호하는 것이었다. 따라서 노동정책의 목표는 저임금 구조를 정착시키는 데 있었으며, 그것을 위해서는 노동조건의 개선을 요구하는 노동운동을 억제시켜야 했다. 총독부의 조선인 노동자관 역시 그러한 필요 위에서 제기되고 있었다. 이러한 노동문제 인식은 일본인 자본가에서도 크게 다르지 않았다.

(2) 일본인 자본가들의 노동문제 인식

조선으로 들어온 일본인 자본가들은 주로 일본 내에서의 공장법 적용과 높은 임금을 피하여 본국을 떠나 식민지로 진출한 사람들이었다. 그들은 노동력이 풍부하고, 임금이 낮으며, 장시간의 노동이 관행적인 당시 조선의 노동조건을 최대한 활용하고자 하였다. 더욱이 그들은 총독부의 정책적인 보조를 받으면서 조선으로 이전하였으므로, 총독부에 치안유지의 확보와 노동운동의 억제를 요구하기도 하였다.

일본인 자본가들은 총독부 권력의 절대적인 보호 아래 노동운동에 대처하였다. 노동자의 요구와 파업에 대해 자본가들은 노동자와 대등한 계약관계를 맺기보다는 일방적인 복종을 강요하는 자본가상을 보였으며,[89] 복종하지 않는 경우에는 파업노동자를 즉각 해고하고 인근 농촌의 노동자나 중국인 노동자를 채용하는 방법 등으로 대처하였다.

일본인 자본가들은 조선인 노동자의 노동조건이 낮은 원인이 노동자로서의 열등성 때문이라고 주장하였다. 총독부와 마찬가지로, 이들도 새로운 생산체계에 조선인 노동자가 더디게 적응하는 현상을 조선인이 가진 열등성이라고 해석한 것이다. 농촌에서 유출되어 노동자의 공급원이 되었던 사람들은 이제까지 한 직장에서의 집단생활을 경험하지 못했고, 자본주의적인 훈련을 거치지 못했으므로 노동환경의 변화와 새로운 규율에 적응하기까지 적지 않은 변화 과정을 필요로 하였다. 새로운 생활궤도에 적응하지 못하는 조선인 노동자에 대해 일제는 조선인만의

---

89) 李丙禮, 앞의 글, 1999, 32~33쪽.

독특한 열등성에 기인한 것이라고 주장하면서, 노동현장에서의 대우도 그에 상응하게 해야 한다는 논리를 내세웠다.

일본인 자본가들 역시 정책입안자들과 같이 조선인 노동자의 특징을 장단점으로 구분하여 파악하고 있었다. 먼저 장점으로는 "체력이 우수하고 신경이 과민하지 않아 직무를 폐기하는 경우가 적다. 필수품 물가의 등락이 적어 생활에서 받는 영향이 적다. 유순하고 임금이 저렴하다. 위생관념이 낮아 오물을 취급하기 편하다. 손재주가 있고 특히 여공의 재주가 좋다. 언어 습득이 빠르고 이익으로 유도하기 쉽다. 사상이 단순하여 정규 직무에 적당하고, 단결력이 부족하여 조직적 동맹파업을 할 능력이 적다" 등의 내용을 들었다. 그리고 단점으로는 "책임 관념이 부족하고 두뇌가 명민하지 않아 복잡한 노동을 하기 어렵고, 노동을 꺼려 감독이 필요하다. 향상심과 창의성이 부족하다. 놀기 좋아하고 게을러 결근이 잦으므로 예비 직공이 필요하다. 노동자를 천시하여 노동인구의 비율이 낮다. 공장주의 손해를 고려하지 않고, 기구나 재료를 경제적으로 사용하지 않으며, 위험 예방에 하등 관심이 없다. 저축심이 박하다. 雷同性이 많아 경거망동한다. 다수의 협력을 요하지 않는 단독 작업에 적합하고, 특히 일본인, 중국인 등과의 공동 작업이 불가능하다. 눈앞의 작은 이익에 끌린다. 시기심이 강하고 유혹에 빠지기 쉽다. 타인을 배제하고 제3자의 동정을 구하고자 하기 때문에 동맹파업의 성립과 전파가 쉽다. 시간 관념이 없다. 음주벽이 왕성하며 과음하는 습관이 있다. 극단적인 권리만을 주장하는 성격이 있다. 문자와 사리를 이해하지 못하여, 策動 敎唆에 의한 불량 단체 성립이 빠르다" 등으로 인식하고 있었다.[90]

일본인 자본가의 조선인 노동자에 대한 이러한 인식은 정책 입안자들의 주장과 유사하였지만, 한편으로 총독부 관리들이 장단점을 동시에

---

90) 「鮮人工場勞動者槪況」, 『朝鮮經濟雜誌』 100, 京城商工會議所, 1924. 4, 47~ 54쪽.

파악하고자 한 데 비해 자본가들은 주로 단점을 강조하는 미묘한 차이
도 드러난다. 정책입안자들이 조선인 노동자에 대한 평가를 바탕으로
정책의 방향을 합리화하고 자본가에게 노동문제의 해결을 위임하고자
했다면, 자본가는 노동자와 직접 대립하면서 이러한 인식을 현장에서
노동조건을 악화시키는 근거로 활용하고 있었기 때문이다. 조선인 노동
자에 대한 자본가들의 부정적인 인식은 결국 정책 입안자들의 경우와
마찬가지로 조선인에게는 저임금, 장시간 노동이 필수적이라는 주장으
로 귀결되었다. 이러한 인식을 바탕으로 일본인 자본가들은 조선인 노
동자를 고용한 노동현장에서 기본적인 노동조건조차 갖추지 않았으며,
벌금제나 강제저축 등의 억압적 방식을 자주 활용하였다.

　일본인 자본가들은 조선인 노동력은 육체노동에 적합하다고 주장하
면서 단순 작업 부문 위주로 고용하여, 조선인에게 처음부터 기술 습득
의 기회를 차단하였다. 특히 조선 지배에 필요한 기간산업 분야였던 시
멘트나 전기, 철강 부문의 숙련노동자들은 전부 일본 본사에서 전근해
온 사람들이었고, 조선인 노동자는 미숙련 단순직 중심으로 배치되었
다. 이러한 이중적인 고용구조로 인해 조선인 노동자가 숙련노동자로
단련될 기회는 거의 제한되어 있었다.[91]

　자본가들은 노동자들의 노동조건 개선 요구에 대해서는 "파업을 해
도 일할 사람은 얼마든지 있다"는 시각에서 강경한 자세를 고수하였다.
또한 노동자 통제의 일환으로 어용노조를 결성하여 노동조합 파괴를
꾀하였고,[92] 과자제조동업조합, 금은판매조합, 인쇄동업조합, 고무동업
자조합, 목공상조합 등 업종별로 자본가 단체를 조직하고, 나아가 지역
내에서 각 조합연합회를 결성하여 노동운동에 대처하기도 하였다.[93]

---

91) 朴淳遠, 「日帝下 朝鮮人 熟練勞動者의 形成-오노다(小野田) 시멘트 勝湖里
　　공장의 事例-」, 『國史館論叢』 51, 1994, 22~26쪽.
92) 김경일, 앞의 책, 1992, 293~305쪽.
93) 이러한 양상은 이미 1920년대 전반기부터 있었다. 1920년대 초기에는 노동자
　　들의 조직이 친목과 상호부조를 주된 기능으로 하고 있었던 것처럼, 자본가들

62

이후 노동운동이 성장해감에 따라 이들 조직은 임금지급에서 보조를 함께 하고 노동운동의 공세에 공동으로 담합하여 대응해 가는 새로운 양상을 보이게 되었다.

또한 자본가들은 商工會議所 등의 자본가 단체를 통하거나 개별적으로 긴밀하게 연락을 취하면서 파업 노동자의 명단을 다른 자본가에게 통보하여 취업을 방해하기도 하고, 일종의 블랙 리스트를 작성하여 해당 업종 내에 노동운동가가 침투하는 것을 공동으로 방어하기도 하였다. 이와 함께 노동조합 대회를 방해하기 위하여 휴일근무로 노동자를 동원하거나 노동조합의 일상활동에 대한 방해와 감시, 탄압을 행하였다. 그리고 이러한 자신들의 결의가 구속력과 집행력을 갖도록 노조원을 채용하는 자본가에게는 벌금이나 원료 조달, 판로 등에서 제재 조치를 가하기도 하였다.94)

공권력에 의한 노동자 보호가 실현되지 않는 상태에서 일본인 자본가들은 이윤창출을 위해 조선인 노동자들을 활용해 갔다. 그리고 일본인 자본가들의 이러한 목표는 노동자의 저항으로 일부 곤란을 겪기도 하였지만, 대개의 경우 총독부의 정책적 보호 속에서 어렵지 않게 달성되고 있었다. 예컨대 日窒 재벌의 일본 내 공장인 日本窒素會社가 1930년대 중후반기에 11~13%의 순이익을 얻고 있었던 데 비해, 조선에 있던 朝鮮窒素肥料株式會社의 순이익이 31~33%에 달하였다는 사실은 그러한 초과이윤의 정도를 짐작하게 한다.95) 즉 이 시기 조선에서

의 조직도 상호간의 친목과 연락 혹은 가격의 통제나 임금의 결정 등에서 부분적이고 제한된 영향력을 행사하는 느슨한 성격을 지니고 있었다. 1921년 평양의 양말 제조업자들이 '조합원의 상호 친목과 원료의 공동구입'을 목표로 양말직조조합을 결성하고, 4개의 양복점이 '가격일치와 직공 단속'을 목표로 양복점조합을 결성한 것 등이 그 예이다(『東亞日報』 1921. 4. 4 ; 1921. 7. 3).

94) 김경일, 앞의 책, 1992, 493~502쪽.
95) 이는 1932년의 경우 조선질소의 硫安 1톤의 생산비가 55원이었던 데 비해 일본 내에서의 생산비는 대략 80원 정도였다는 사실에서도 확인된다. 더욱이 경성의 유안 가격은 동경의 그것보다 더 비쌌다(許粹烈, 앞의 글, 1983, 133~

공업의 성장이란 일본 독점자본의 식민지 초과이윤 획득에 지나지 않았다. 그 초과이윤을 확대하기 위해 일본인 자본가들은 총독부의 방조 속에서 노동강도를 강화하는 방식을 적극 활용하였다.

2) 사회통제 차원의 노동정책

⑴ 노동운동 성장의 억제

총독부 노동정책의 기본방침은 식민통치에 효율적으로 기여할 수 있는 자본가계급의 이익을 대변하고 보호하는 데 있었다. 따라서 노동자의 상태와 조건은 자본에 못지않게 총독부의 노동정책에 의해서 좌우되었다.96) 노동정책의 범주에는 다양한 내용이 포함되지만, 이 시기 총독부 노동정책의 주안은 노동통제에 있었다. 특히 일본자본주의의 발달 단계에서 조선에 자본투하에 의한 생산의 거점이기보다는 상품 시장과 식량공급지로서의 역할을 강하게 요구하던 1920년대까지 일제의 노동정책은 경제정책의 일환으로서 고려되기보다는 노동운동 통제의 성격을 강하게 지니고 있었다.

1920년대 전반기까지 노동자의 요구는 임금인하 반대나 물가상승에 따르는 임금인상이라는 기본적인 생존권 투쟁이 대부분이었고, 여기에 임금 지불 방식의 개선이나 중간 관리자의 횡포에 대한 저항이 부분적으로 포함되어 있었다. 파업의 양상도 조직적이거나 폭력적인 상태에 이른 것은 아니었다.97) 그럼에도 불구하고 일제는 노동자의 집단성에

142쪽).

96) 김경일, 앞의 책, 1992, 475쪽.

97) 이 시기 노동운동의 양상과 성격에 대해서는 金潤煥의 앞의 책, 1981을 비롯하여, 김경일 편, 『북한학계의 1920~30년대 노농운동 연구』, 창작과비평사, 1989 ; 김경일, 앞의 책, 1992 ;『한국노동운동사 2-일제하의 노동운동 1920~1945』, 지식마당, 2004 ;『한국 근대 노동사와 노동운동』, 문학과지성사, 2004 등의 선행 연구에서 상세히 언급한 바 있다.

64

주목하여 여타의 사회운동과 함께 노동운동에 대해 촉각을 세우고 있었다.

일제의 이러한 대응에는 일본에서의 노동운동의 경험과 러시아혁명 이후 세계적으로 확산되던 사회주의 사상이 조선에 유입되고 있다는 판단이 크게 작용하였다. 일제는 사회주의의 확산이 노동운동과 결합되는 데 그치지 않고 민족해방운동의 무기로 떠오르고 있는 점에 특히 주목하였다. 따라서 노동자들의 경제투쟁조차도 민족해방운동과 결부시켜 철저히 봉쇄하고자 하였다. 노동운동을 봉쇄하기 위해, 노동운동세력 내에 '불순세력 주의자'가 개입되어 있다고 지목하고 '부화뇌동을 자중할 것'을 강조하여 노동자의 단결을 저지하고자 하였다. 이른바 '주의자' 논리를 이용한 노동운동의 탄압은 1920년대 전반기에 이미 본격화하였다. 일제는 전국적 노동조직에 대처하여 조선노동공제회의 『共濟』 발간을 금지하거나 노동연맹화의 간부를 구속하였고, 특히 조선노농총동맹의 해산을 집요하게 시도하였다.[98] 일제가 노동운동에 대한 사회주의의 영향에 주목한 시점은 1923년 경이었다. 이후 1924년 전국적 노동단체인 조선노농총동맹 결성에 이어 다음 해 조선공산당이 결성되면서 노동운동에 대한 감시를 집중하고 탄압을 본격화하였다.

1920년대 노동쟁의를 저지하기 위해 총독부가 핵심과제로 삼았던 사항은 '주의자'의 저지, 즉 노동운동에 사회주의 사상이 유입되는 것을 저지하는 것이었다. 일제는 사회주의의 차단과 노동자의 단결 및 단체행동을 제지하기 위한 법적 장치를 강구하였다. 이를 위해 1920년대 전반기에 적용한 법적 조치가 保安法과 1919년의 制令 제7호 「政治에 관한 犯罪處罰의 건」이었다.

保安法은 일찍이 1907년 조선인의 '독립운동'을 억제하기 위해 제정한 것으로서, 일본의 治安警察法을 모방하였다.[99] 결사의 해산, 집회

---

98) 朴愛琳, 앞의 글, 1992 참조.
99) 일본의 治安警察法은 1900년 3월 언론, 집회, 결사의 자유 등 기본적인 권리

금지, 무기 휴대 금지, 연설 금지, 불온한 자의 퇴거, 불온한 언어와 타인의 책동 교사 방지 등을 내용으로 한 保安法은[100] 조선의 모든 사회운동에 광범위하게 적용되었고, 노동자의 쟁의도 이 법에 의해 통제되었다. 多數의 운집을 비롯한 일체의 집회를 금지하고, 노동자 파업의 방지와 1924년 朝鮮勞農總同盟의 해산도 이 보안법에 의거해 진행되었다. 보안법을 통해 대중운동을 억제하고 '주의자'를 색출하고자 했던 이 시기 총독부의 방책은 노동운동을 위축시키는 결과를 가져왔다.[101]

이와 더불어 制令 제7호 「政治에 관한 犯罪處罰의 건」은 제1조에서 "정치의 변혁을 목적으로 다수 공동의 안녕 질서를 방해하거나 방해하고자 한 자는 10년 이하의 징역 또는 금고에 처한다"고 규정하고 있었다.[102] 3·1운동을 계기로 성장해가던 사회주의운동과 함께 노동운동을 저지하기 위한 것이었다. 이에 일각에서는 노동쟁의를 지나치게 억압하는 것은 식민통치상 이롭지 못하다는 주장이 제기되기도 하였다.[103]

이러한 상황에서 1920년대에는 노동자의 요구가 다양해지고 점차 조직화하였으며, 노동운동에 대한 사회주의자의 영향력도 증가해 갔다. 경제 상황의 악화와 노동쟁의를 통한 단결의 경험은 노동자의 계급의식을 성장시키는 요인이 되었고, 이는 자본과 일제 측에는 불안의 요소

를 박탈하여 대중운동을 억제하기 위해 제정된 것이었다. 그 내용 중 특히 17조는 일명 '노동조합사형법'으로 불린 조항으로서, 노동조합 결성을 위한 운동과 파업의 선동을 범죄행위로 규정하여 금지하였고, 노동조건의 개선을 위해 집단적인 요구를 하거나 단체 결성을 위해 타인을 설득하는 것도 금지하였다. 이 17조는 1926년에 삭제되었다(奧平康弘, 『治安維持法小史』, 筑摩書房, 1977, 267쪽).

100) 『大韓帝國官報』 1907. 7. 29, '법률 제2호 保安法'.
101) 李丙禮, 앞의 글, 1999, 37~38쪽.
102) 奧平康弘 編, 『現代史資料 45 : 治安維持法』, みすず書房, 1973, 3쪽
103) 林原憲貞, 「朝鮮人工場勞動者に關する統計的考察」, 『滿鐵京城鐵道局業務資料』 1, 153쪽.

가 되었다. 자본가의 입장에서 노동자가 노동조합을 통해 집단적으로 임금 인상과 시간 단축을 요구하는 것은 저임금을 기반으로 한 자본 축적 추진에 커다란 걸림돌이 되었고, 노동조합의 사회주의적인 색채는 일제에게는 반드시 제거해야 할 요소가 되었다. 특히 조선공산당이 결성되자 노동운동과 사회주의운동의 결합을 차단할 필요성이 더욱 커졌다.

일제는 조선인 노동자에 대한 사회주의 사상의 확산을 방지하기 위한 더욱 철저한 조치를 고안하였다. 그 결과 마련된 법적인 통제장치가 治安維持法을 적용하는 것이었다.104) 1925년 5월부터 조선에서 치안유지법이 적용되면서 制令 제7호는 유명무실해졌고, 보안법은 주로 집회와 시위를 단속하는 데 이용되었으며, 노동운동을 비롯한 제반 사회운동은 치안유지법에 의해 통제되기에 이르렀다.

(2) 治安維持法 제정과 노동통제

치안유지법은 일본 내에서 숱한 반대에 부딪히면서 1925년 4월에 제정되었다. 이 법의 핵심 내용은 제1조의 "國體를 변혁하거나 사유재산 제도를 부인할 목적으로 結社를 조직하거나 정황을 알고 거기에 가입한 자는 10년 이하의 징역 또는 금고에 처한다"105)는 것이었다. 이외에도 이 법은 결사를 목적으로 협의하거나 선동하거나 소요, 폭행하거나 결사를 위해 재산상의 공여를 한 자를 처벌할 것을 규정하였다. 금지해야 할 결사를 국체의 변혁과 사유재산 제도의 부인이라는 두 가지 목적을 가진 것으로 특정하였으며, 결사의 목적에 대해 이 두 가지를 병렬 관계로 설정해 두었다는 점에 치안유지법의 특징이 있었다.106) 당시 일

---

104) 『朝鮮總督府官報』 3820, 1925. 5. 13, '勅令-治安維持法ヲ朝鮮, 臺灣及樺太ニ施行スルノ件'.
105) 『朝鮮總督府官報』 3807, 1925. 4. 27, '法律 제46호 治安維持法'.
106) 즉 天皇制的 絶對主義的인 이익과 資本家의 이익을 등치시켰다(奧平康弘, 앞의 책, 1977, 251~253쪽).

제는 결사를 단속하는 것이 20세기 세계 공통의 신현상이라고 강조하
였는데, 치안유지법의 본질이 바로 결사의 단속에 있었다.[107] 이러한
내용은 궁극적으로는 사회주의운동을 방지하기 위해 제정되었으며, 더
불어 노동운동을 크게 제약하는 것이었다.

일본에서 제정된 치안유지법은 곧바로 조선에 적용되었다. 당시 총
독 齋藤實은 일본에서 치안법 제정 반대 논의가 격렬하게 전개되자
"일본에서는 실시하지 못하더라도 조선만이라도 금일의 時勢에 조응하
여 특별히 制令의 형식으로 실시할 필요가 있다"고 하여 강력한 시행
의지를 보였다.[108] 조선에서 사회주의 사상의 확산을 미연에 방지하려
는 의지를 표명한 것이다.

치안유지법은 본래 사상운동을 겨냥해서 제정된 것이었지만, 이 법
의 적용으로 조선의 노동운동은 큰 타격을 받게 되었다. 치안유지법 제
정의 목표는 앞에서도 보았듯이 '국체 파괴자와 사유재산 부인자'를 단
속하는 데 있었다. 국체 파괴자란 무정부주의자를 말한 것이었고, 사유
재산 부인자는 공산주의자를 말한 것으로, 치안유지법은 이 두 세력의
제거를 목표로 하고 있었다. 그러나 조선총독부는 본래의 목표와는 달
리 그 적용범위를 확대하여 민족해방운동과 사회주의운동 모두를 치안
유지법으로 처벌할 방침을 세웠다. 총독부의 이러한 방침은 일본 귀족
원의 治安維持法案委員會에서도 이미 논의된 바 있어, '대만과 조선
등의 독립운동은 치안유지법에 의하여 취체할 것'이라고 하였다. 이에
조선에서의 치안유지법은 사회주의운동에 주로 적용되었다. 실제 일본
에서는 치안유지법의 확대 해석을 가능한 한 삼가고 있었던 데 반하여,
조선에서는 사회 운동을 억누르기 위해 치안유지법이 확대 해석되고
확대 적용되었다.[109] 1926년의 平壤洋服職工同盟, 平壤勞動靑年會, 順

107) 奧平康弘, 앞의 책, 1977, 59~62쪽.
108) 『朝鮮日報』1925. 3. 5, '齋藤總督 談話'.
109) 張信, 「1920年代 民族解放運動과 治安維持法」, 연세대 사학과 석사학위논문,
    1994, 48·53~54·65쪽.

寧農軍會 사건 등이 그 확대적용의 예이다.110)

총독부의 치안유지법 운용은 대중운동을 위협하는 결과를 낳았다. 이 시기까지 노동단체를 비롯한 각종 대중단체들은 비록 사회주의에 암묵적인 지지를 보내고 진보적인 강령을 내걸고 있을지라도 공개적으로 공산주의를 표방하지는 않았다. 그런데도 대중단체에 치안유지법을 적용하였다는 것은 이들이 사회주의로 경도되는 것을 미연에 차단하는 동시에 대중활동을 크게 제약하기 위한 것이었다.111) 총독부의 목표대로 치안유지법의 시행은 노동운동에 커다란 타격을 주었다. 총독부는 치안유지법 실시와 함께 노동운동에 대한 대대적인 탄압 국면을 조성하였다. 노동자의 조직적 대응의 이면에 노동조합이 있고, 노동조합의 이면에는 사회주의자의 선동이 있다고 보았기 때문이다. 총독부는 조선공산당 사건이 거듭되자 치안유지법의 적용을 강화하였고, 1928년 이를 개정하여112) 운동가들을 구속하는 동시에 노동운동의 중심인 노동조합을 해산시키고자 하는 등의 강경한 조치를 취하였다.

3·1운동 이후 총독부는 '문화정치'를 표방하면서 지식인이나 유지들이 설립한 노동조합을 허용하였다. 물론 이는 문화정치를 선전하기 위한 전시행정의 일환으로서, 집회의 자유나 결사의 자유를 인정하는 것

110) 『每日申報』1926. 11. 28 ; 『中外日報』1928. 1. 22.
111) 張信, 앞의 글, 1994, 66쪽.
112) 『朝鮮總督府官報』454, 1928. 7. 4, '治安維持法中改正'. 1928년 6월의 치안유지법 개정은 國體와 私有財産의 관계를 병렬적으로 보았던 내용을 전자가 후자에 優位하는 것으로 바꾸는 데 주안점이 있었다. 이 법령은 일본의 제55회 의회 승인 후 긴급 칙령으로 공포되었는데, 개정된 내용의 제1조를 보면 다음과 같다. "국체를 변혁할 목적으로 결사를 조직한 자 또는 결사의 임원 기타 지도자의 임무에 종사한 자는 사형 또는 무기 혹은 5년 이상의 징역이나 금고에 처한다. 정황을 알고 결사에 가입한 자 또는 결사의 목적 수행을 위한 행위를 하는 자는 2년 이상의 유기 징역 또는 금고에 처한다. 사유재산제도를 부인할 목적으로 결사를 조직한 자, 결사에 가입한 자 또는 결사의 목적 수행을 위한 행위를 한 자는 10년 이하의 징역 또는 금고에 처한다. 전 2항의 미수죄는 그를 벌한다".

은 아니었다. 그러나 조선공산당이 결성되고 치안유지법이 실시되었던 후반기에는 치안유지법을 통한 사상운동의 저지와 함께 개별 지역, 업종의 노동조합을 해산시키고, 노동쟁의에 대해서는 폭력단체를 동원하는 등의 탄압 국면으로 돌아섰다.113) 노동자 단결의 근거인 노동조합이 점차 사회주의 성향을 보이고, 노동조합 결성수도 급격히 증가하였으며, 노동쟁의에서 주도적인 움직임을 보이자 적극적으로 물리력을 동원하여 해산을 시도하였다.

이와 함께 노동자 교육기관의 역할을 하였던 勞動夜學을 폐쇄하는 조치도 취하였다. 사회 운동의 확대와 맥을 같이 하던 노동야학은 노동자가 많은 대도시뿐만 아니라 중소도시와 농촌에도 광범위하게 설치되어 있었고, 수학 계층도 노동자·농민·중소지주의 자녀까지 다양하였다. 그 교육 수준은 초보적인 형태에 불과하였지만, 노동야학은 노동자의 의식화와 세력화에 직접 혹은 간접적인 영향을 미치고 있었다.114) 1920년대 후반 노동자 가운데 교육을 전혀 받지 못한 경우가 서울 60.8%, 부산 44.2%, 평양 40%였고, 미취학 아동의 비율이 각각 71, 41, 35%였음을 감안하면,115) 이 시기 노동야학이 노동자에게 미친 영향은 적지 않았을 것임을 짐작할 수 있다. 1920년대 후반 노동야학은 전국적으로 확산되어 갔고 규모도 점차 확대되었다. 이에 일제는 노동단체의 탄압과 더불어 노동야학도 감시하고 탄압하였다. 일제는 노동야학에 대해 "좌경주의자 혹은 노동운동자에게 교육된 소위 투사양성 기관으로 경영되는 곳이 많으며, 문맹 퇴치를 부르짖으면서 부지불식간에 순진한 아동에게 좌경사상을 의식시킴으로써 타일 혁명의 후계자로 맡기려고 한다"고 판단하고,116) 노동야학을 폐쇄하고자 하였다. 예컨대 1926년 8

---

113) 李丙禮, 앞의 글, 1999, 60쪽.
114) 姜東鎭, 「일제지배하의 노동야학」, 『歷史學報』46, 歷史學會, 1970.
115) 김경일, 앞의 책, 1992, 273쪽.
116) 朝鮮憲兵隊司令部, 「漸近二於ケル鮮內勞動農民運動政勢」, 『韓國民族解放運動史資料叢書』(이재화·한홍구 편), 430쪽.

월 인천경찰서 고등계는 인천노동야학의 운영을 금지하였고, 용산경찰
서는 신공덕청년회가 경영하던 무산노동야학에 금지령을 내렸으며, 군
산노동청년회가 주최하는 노동강연회를 금지하는 등 노동야학의 해산
을 지속적으로 시도하였다.

　일제는 간접적 통제를 통해서도 노동운동을 탄압하였다. 그 한 예가
노동쟁의를 와해시키기 위해 경찰력 이외의 단체, 즉 在鄕軍人會나 消
防團 혹은 친일단체인 相愛會, 國粹會 등의 단체를 이용한 것이다. 공
권력을 통한 물리적 탄압만으로는 노동운동을 저지하는 데 한계를 느
낀 일제는 이들 단체를 통해 파업단을 감시하거나 직접 파업현장에 투
입하여 파업을 저지하려 하였다.[117]

　이와 함께 노동자의 단결을 저지하기 위해 일제와 자본가가 적극적
으로 시도한 방책이 御用勞組의 조직이다. 그 대표적인 예가 1929년 원
산총파업 과정에서 함남노동회라는 어용노조를 조직하여 파업을 분열
시키는 데 적극 활용한 것이다. 함남노동회는 일제가 치밀한 계획 아래
원산노련에 대신하는 신노동회로 조직한 것으로서, 함경남도 도지사와
원산경찰서장, 상업회의소장 등의 적극적인 지원 아래 원산노련 소속
노동자들을 강제로 편입시켰다. 어용 노동단체였던 함남노동회는 지역
내 노동자들을 대립과 경쟁으로 몰아넣어 노동조건을 저하시켰으며, 노
동조합의 활동을 방해하고 노동계급의 혁명화를 방지하는 데 중요한
역할을 하였다. 어용노조의 결성은 이 시기 노동정책의 성격을 그대로
반영하는 것으로서, 어용노조는 파업과정에서 노동자의 분열을 조장하
거나 노동자 내부의 경쟁을 조장하여 임금을 하락시키고 순종적인 노
동자의 확보에 기여하였다. 어용노조의 결성은 한편으로는 노동자 조직
이 일제와 자본가에게 상당히 위협적일 정도로 성장하였음을 반증하는
것이기도 하였다. 총독부는 또한 노동자의 자발적인 노동조합 설립을
억제하기 위해 자본가를 조합장으로 한 共濟組合으로 노자 협의기구를

---

117) 李丙禮, 앞의 글, 1999, 62~65쪽.

조직하여 이용하기도 하였다.118)

　노동운동을 탄압하는 조치와 더불어 일제는 노동자의 불만을 무마시키기 위한 유화 조치도 병행하였다. 조선인 노동자와 경쟁관계에 있던 중국인 노동자의 사용자수를 제한하거나,119) 사회정책의 일환으로 勞動者宿泊所 혹은 職業紹介所 등을 설치하여 운영하기도 하였다.120) 이러한 조치는 노동자의 현실을 방치하고 노동운동에 대해 탄압으로 일관하는 정책을 취하였던 일제가 노동운동이 격렬해지는 속에서 이를 무마하기 위해 직접 개입하는 모습을 보여준 사례이다.

　강점 이후 일제는 일본인 자본가의 이윤을 보장하기 위해 자본가 중심의 노자관계와 노동조건을 방조하거나 노동쟁의를 탄압하는 정책으로 일관해 왔다. 그러나 1920년대 후반기에 이르러서는 점차 격렬해지는 노동운동에 대처하기 위해 강경 조치와 온건 조치를 병행하면서 적극적으로 노자관계에 개입하였다. 일제는 개별자본가가 공장 내부에서 행하는 노동자에 대한 무리한 대우 등을 경고하기도 하였지만, 기본적으로는 체제유지를 위해 노동운동을 일관되게 탄압하였다.121) 노동통제를 주로 하는 일제강점 전반기의 이와 같은 노동정책은, 1930년대 이후에도 정세의 변화에 따른 통제방식의 변화가 있었을 뿐 그 본질은 그대로 유지되었다. 이러한 기조 위에 1930년대부터는 日鮮滿 블록경제 체제 속에서 일본 독점자본이 대거 조선으로 유입되면서, 노동력을 공급하기 위한 동원의 문제가 중요한 과제로 부각되었다.

---

118) 김경일, 앞의 책, 1992, 297~305쪽.
119)『東亞日報』1926. 2. 4, '中國勞動者의 激增과 勞動賃金의 國外流出, 해마다 늘어가는 됴선의 중국노동자 로임의 류출을 방지하려고 대책 강구, 그대로 방임하면 매년 1천 수백만 원'.
120) 兪萬兼, 앞의 글, 1933. 9, 8~9쪽.
121) 朴淳遠, 앞의 글, 1994 참조.

제2장 대공황기의 '勞資協調論'과
노동력 공급

1. 대공황기 노동강화와 '노자협조론'

1) 공업화 정책의 추진과 노동강화

(1) 宇垣一成 총독기의 공업화 정책

1920년대 말 세계대공황은 자본구조가 취약했던 일본자본주의에 '경제전쟁'이라고 할 수 있을 정도의 큰 충격으로 다가와 사회 전반에 걸친 변화를 촉구하였다. 이를 계기로 일제는 통제경제체제로 진입하였다. 통제경제란 국가가 일정한 목적을 달성하기 위해 기업조직과 경제 운영 전반에 대해 직접적·조직적으로 간여하여 그것을 통제하고 장악하는 체제이다.[1] 일본제국주의는 대공황의 위기를 타개하기 위해 안으로는 독점체제를 강화하고, 밖으로는 침략 전쟁을 통해 경색된 자본축적 구조를 돌파하고자 하였다. 그리하여 1931년 자국 내에 '重要産業統制法'을 공포하여 정부가 지정한 중요산업의 기업간 카르텔, 트러스트의 결성을 법제화하는 한편,[2] 군수지출의 증대를 축으로 한 인플레 정책을 추진하면서 만주를 円블록 경제권으로 포섭하여 공황을 극복하려

---

1) 방기중, 「1930년대 조선 농공병진정책과 경제통제」, 『일제 파시즘 지배정책과 민중생활』(방기중 편), 혜안, 2004 참조.
2) 安藤良雄 等 編, 『昭和經濟史』, 日本經濟新聞社, 1976, 63~66쪽.

74

하였다.3)

　대공황의 타격과 함께 시작된 1930년대는 경제적으로는 물론 사회적
으로도 일제의 조선지배에 하나의 획기가 되었다. 1920년대 말부터
1930년대 전반기에 이르는 기간 동안 조선에서는 공황으로 인한 경제
적 위기에 실업자의 격증과 노동운동의 혁명적 조직화가 서로 맞물리
면서 일제의 지배체제를 심각하게 위협하는 상황이 조성되었다. 일제는
지배체제의 안정을 위해 이러한 위기를 해결하기 위한 대책을 마련하
지 않을 수 없었다.

　통제경제체제 하에서 생산력을 증대시키고 시장을 확대한다는 측면
에서 국가와 독점자본은 그 이해가 일치하였지만, 그것을 실현하기 위
해서 상호간의 갈등·충돌도 감수하여야 했다. 특히 사회 내의 계급모
순을 부분적으로 완화할 필요가 있었다. 따라서 총독부는 지주자본의
산업자본으로의 전화와 더불어 한편으로는 사회안정을 목적으로 하여,
'農村振興運動'을 추진하고 朝鮮農地令을 제정하는 등 농촌에서 일정
하게 계급모순을 완화시키고자 하였다. 이에 비해 이 시기에 추진된 총
독부의 공업화 정책은 '日鮮滿 블록' 속에서 조선을 粗工業地帶로 위
치시키기 위해 일본자본을 유치하는 한편, 만주를 새로운 무역국으로서
적극 개척하려는 방향으로 진행되고 있었다. 블록경제 체제 속에서 일
본 내에서 진행되는 경제 구조의 재편을 피해 조선의 공업화가 진행되
면서, 본격적으로 조선에 진출한 일본인 자본가의 이윤창출을 보장하는
방향에서 생산력 증대에 중점을 둔 공업화 정책이 추구되었다.4)

　3) 楫西光速 外, 『日本資本主義の沒落』, 東京大學出版會, 1970, 529쪽.
　4) 이 시기 '조선공업화'의 양상과 성격에 대해서는 全遇容, 「1930년대 「朝鮮工
　　業化」와 中小工業」, 『韓國史論』 23, 서울대 국사학과, 1990 ; 堀和生, 『朝鮮工
　　業化の史的分析』, 有斐閣, 1995 ; 이승렬, 「1930년대 전반기 일본군부의 대륙
　　침략관과 '조선공업화'정책」, 『國史館論叢』 67, 1996 ; 金仁鎬, 「日帝의 朝鮮
　　工業政策과 朝鮮人資本의 動向 (1936~1945)」, 고려대 사학과 박사학위논문,
　　1996 ; 裵城浚, 「日帝下 京城지역 工業 硏究」 서울대 국사학과 박사학위논문,
　　1998 등 참조.

만주침략으로 돌파구를 찾은 일본 독점자본은 만주시장으로 진출하는 前進基地로서 조선을 필요로 하였다. 일제는 원료 공급지, 노동력 공급지로서 조선을 더욱 철저하게 본국 독점자본에 예속시키는 방향으로 경제정책을 추진하였다. 이제 조선은 기왕에 일본의 미곡 생산지와 상품 시장으로서 역할이 한정되었던 것과 달리, 중요산업통제법 시행에 따른 산업통제를 벗어나고자 하는 일본 국내 자본의 투자처로서 새롭게 인식되고 있었다. 특히 이 시기에 형성된 일본의 신흥자본들은 일본 국내의 카르텔 체제를 피해 중요산업통제법이 적용되지 않는 조선으로 진출하고자 하였다.

이러한 일본자본의 흐름은 '조선공업화'를 주창하던 당시 조선총독 宇垣一成의 방침과도 일치하는 것이었다. 이 시기 일제는 조선의 물적 기초로서 공업에 큰 비중을 두고 있었다. 宇垣一成 총독은 조선농업·농민 문제에 대한 타개책을 공업화에서 구해야 한다고 강조하였다.[5] 그는 특히 일본·조선·만주를 잇는 일제의 자급적 블록경제 체제 구상 속에서, 조선이 원료, 동력, 노동력, 판로 등 제 방면에서 공업 발전에 이점이 있다는 점에 주목하였다. 이에 그는 일본과 조선, 만주를 각각 精工業地帶, 粗工業地帶, 農業·原料地帶化 하면 三者 각각의 특장과 이익을 최선으로 보호·보증할 수 있을 것으로 보았다.[6]

宇垣一成은 장기적으로 미국·영국을 필두로 하는 세계체제에 도전하기 위해 일본제국주의가 최소 단위로 자급자족할 수 있는 블록경제를 구축하는 데 목표를 두고 있었다.[7] 이를 위해 日鮮滿 블록을 중심으로 일본 경제 구조를 발전시켜 나간다는 전략을 가지고 조선에서 공업화 정책을 추진하였다. 주지하듯이 이 시기 공업화의 초점은 '일선만 블록'의 허리지대인 조선을 조공업지대로 만들기 위해 일본 독점자본에

---

5) 宇垣一成, 『宇垣一成日記』, みすず書房, 1971, 834쪽(1932. 3. 17).
6) 宇垣一成, 위의 책, 1971, 1004쪽(1935. 3. 5).
7) 이승렬, 앞의 글, 1996, 194쪽.

게 여러가지 혜택을 부여하고, 이를 바탕으로 능률적으로 조선을 지배하는 데 있었다.[8]

일선만 블록의 형태로 일본자본주의의 활로를 개척하기 위해서는 무엇보다 먼저 조선 지배체제의 안정이 요구되었다. 이에 宇垣一成의 조선통치 방침은, 독점자본의 진출에 따른 투자효과를 전제로 "조선인에게 적당히 빵을 줌"[9]으로써 체제 위기를 모면하는 동시에,[10] 독점자본을 위해 조선사회에 일선만 블록 구축을 위한 정치경제적 기반을 마련한다는 두 가지 목적을 가지고 있었다. 일본자본주의 발전 과정에서의 보완책이자 모순의 배출 통로로서 조선의 역할이 다시 한번 강조된 것이다.

그런데 당시 총독부는 조선의 자본과 일본정부에서 편성하는 예산만으로는 공업화의 조건을 충족시키기 어렵다고 보고 일본 민간자본의 유치를 통해 공업화를 달성하고자 하였다.[11] 이러한 구상은 곧 만주를 주시장으로 하여 조선을 일본자본주의에 예속된 하청공업체제로 만드는 것이었다.[12]

宇垣一成 총독은 직접 자본 유치에 발벗고 나서서 공장 설립을 추진하였고, 각 지방 관청에서도 치열하게 공장유치 운동을 벌였다. 일본자

---

8) 宇垣一成의 日鮮滿 블록경제론에 대해서는 이승렬, 앞의 글, 1996 참조.

9) 宇垣一成, 앞의 책, 1971, 801쪽(1931. 7. 2).

10) 총독부는 당시의 농업경제로는 농촌의 과잉인구를 흡수할 수 없으므로 그들을 공업노동자로 흡수하여 최소한의 생활을 유지시키면서 농촌을 안정시킬 필요를 절감하고 있었다. 따라서 조선인의 생활 안정을 도모한다는 취지에서도 공업화는 필요한 정책이었다.

11) 그 과정에 대해서는 방기중, 앞의 글, 혜안, 2004, 78~79쪽 참조.

12) 정태헌, 「1930년대 식민지 농업정책의 성격전환에 관한 연구」, 『일제말 조선사회와 민족해방운동』, 일송정, 1991, 57~58쪽. 이러한 주장은, 조선은 섬유와 경금속공업 원료가 풍부하고, 지리적으로 만주산 원료를 이용하기에 유리하며, 석탄, 수력전기, 노동력이 풍부·저렴한 장점이 있다는 인식을 바탕으로 하였다(宇垣一成, 앞의 책, 1971, 909쪽(1933. 7. 26.) ; 宇垣一成, 「朝鮮の將來」, 『朝鮮社會事業』 12-10·12-11, 朝鮮社會事業協會, 1934. 10·11).

본의 진출과 직접 관련된 식산국장과 상공과장을 비롯한 총독부 관료
들이 수시로 일본에 가 일본인 자본가들과 상공성, 육군성, 해군성 등
의 관료를 만나고 조선으로 이들을 초청하여 간담회를 마련하는 등,[13]
일본자본의 유치에 관심을 쏟았다. 예컨대 식산국장 穗積眞六郎은 東
京商工會議所에 가서 일본 자본가들을 상대로 조선을 자세히 소개하
고, 조선은 만주에 비해서 치안이 안정되어 있고 당장 이용할 수 있는
자원이 풍부하다는 점, 일본에 비해서 기업을 통제하지 않기 때문에 사
업을 하기에 유리하다는 점, 수력전기 등 동력이 풍부하다는 점을 선전
하였다. 그리고 전기공업과 맥주, 섬유공업, 경금속과 금, 철, 석탄 등의
광업, 수산업의 채산성이 크다는 점을 강조하면서 "부디 한 번 조선을
방문"할 것을 권하였다.[14] 그리고 이를 위해 조선은 치안이 안정되고,
자원이 풍부하고, 자본에 대한 통제가 없어 기업을 일으키기 좋은 곳이
라는 선전을 되풀이하였다.[15]

  1932년 만주국이 설립되면서 일본의 실업가와 관료들의 관심이 만주
로 집중되자 "약진하고 있는 조선 산업경제에 대한 충분한 인식이 결여
되어, 日滿經濟統制를 외칠 때 왕왕 조선을 경시하고 日滿의 兩地 중
에서 閑却하고 있는 듯"[16]한 상태라고 유감을 표시하면서,[17] 최근에

---

13) 조선총독부는 1932년 7월 27일 훈령 46호로 사무분장규칙을 개정하였다. 이에
   의해 식산국 상공과는 ① 상공업에 관한 사항 ② 상공회의소·중요물산동업
   조합·산업조합과 취인소에 관한 사항 ③ 박람회와 共進會에 관한 사항 ④
   도량형에 관한 사항 ⑤ 중앙시험소에 관한 사항 ⑥ 局內 타과의 주관에 속하
   지 않는 사항 등의 사무를 관장하였다(식산국 상공과의 역할과 구성에 대해서
   는 이상의, 「1930년대 조선총독부 殖産局의 구성과 공업화정책-商工課를 중
   심으로-」,『일제하 한국사회의 근대적 변화와 전통』(연세대 국학연구원 학술
   회의 자료집), 2005 참조).
14) 穗積眞六郎,『朝鮮經濟事情に就いて』(商工資料 19), 東京商工會議所, 1935.
   3.
15) 穗積眞六郎,「第七回通常會議に於ける穗積殖産局長の挨拶(速記)」,『朝鮮工
   業協會會報』36, 1936. 6, 1~3쪽.
16) 山澤和三郎,「日滿統制經濟に於ける朝鮮の地位」,『朝鮮及滿洲』317, 1934.

78

조선의 자원 개발이 흥하고 있고, 조선의 산업계는 미개의 여지가 많이
남아있다고 언급하였다. 현재는 조선이 빈약하게 보이지만 만주국보다
경제적으로 훨씬 더 충실하다고 강조한 것이다.[18]

　총독부의 이러한 노력은 어느 정도 성과를 보여, "만주국 시찰자는
장래 유망한 만주국을 보고 귀로에 조선에 들러, 조선이 모든 방면에서
질서가 정돈되고, 내지보다 행동이 통제되지 않고, 농림 광산 수산과
동력 각 방면에 무한한 자원이 존재하고, 노동력도 저렴 풍부하고, 판
로에서도 鮮內의 수요가 증가하고, 이웃에 만몽·북지의 광범한 시장
을 가져 사업상 매우 유망한 것을 보아, 이 전도양양한 반도에서 사업
을 일으키고자 하는 상태로 되어 만주국 건국 이래 조선의 산업경제는
획기적 변화를 일으"키게 되었다고 평가되었다.[19]

　만주국의 건설과 그에 따른 만주 지역의 치안 안정은 조선 무역 호

4, 48~51쪽.
17) 상공과장 堂本貞一도 "조선인을 閑却한 바의 日滿親善은 유감이 심하다. 만
일 이 불행이 사실이라면 참으로 경계해야 할 것으로, 만주국 건국의 정신에
도 어긋나고, 모처럼 호전된 조선의 민심에 어두운 그림자를 던져 조선통치에
도 나쁜 영향을 미치고, 제국의 대륙정책을 해칠까 염려된다"고 하면서 조선
산업을 주목하지 않는 풍토에 강력히 항변하였다(堂本貞一,「在滿朝鮮人に就
て(下)」,『朝鮮及滿洲』319, 1934. 6).
18) 山澤和三郎,「最近に於ける朝鮮産業」,『朝鮮及滿洲』311, 1933. 10. 이 시기
총독부 관료들이 만주로 향하는 일본 자본가들을 조선으로 끌어들이기 위해
노력을 경주했음은 그들의 글을 통해서도 확인된다(山澤和三郎,「朝鮮産業の
現勢」,『朝鮮實業俱樂部』11-10, 1933. 10, 1~17쪽).
19) 조선에서 이 시기에 들어 발전이 두드러진 공업은 공중질소고정공업, 경화유
공업, 대두유 및 어유의 유지공업, 석탄액화공업, 전분공업, 맥주공업, 방적공
업, 마포공업, 면직물공업 및 인견직물공업 등이었고, 유망시되어 신설 또는
확장이 계획된 것은 이즈음 원료가 발견된 알루미늄과 마그네슘의 경금속공
업, 제철공업, 세멘트공업, 유리공업, 도자기공업, 제분공업, 방적공업, 인견사
포공업, 모직물공업, 펄프공업, 염색가공업, 대두유·어유·면실유 등 유지공
업, 대두가공업, 정련공업, 화약공업, 콜크공업, 제과공업 등이었다(山澤和三
郎,「朝鮮新興工業の展望」,『朝鮮』236, 1935. 1).

전의 원인으로 선전되었다.[20] 실제 만주국의 성립은 조선 사업계에 기
회이기도 하였다. 對日 무역이 조선의 무역에서 차지하는 비율은 무역
총액의 약 8할에 달하였고, 그 나머지 중 對滿 무역이 전체의 7할을 차
지하였다. 만주국이 성립된 이후 건국사업 등 각종 사업이 발흥하였으
나, 만주와 중국간의 무역이 두절되면서 1932년에 비해 1933년 조선의
對만주 수출은 81%의 증가를 보였다.[21] 여기에는 일본의 圓위체 하락
과 인플레이션의 영향이 적지 않았지만, 조선의 만주 수출 증가는 조선
사업계가 불황에서 점차 활황으로 옮겨가는 계기가 되었다.

이에 조선에서는 1933년 2월 朝鮮貿易協會를 만들어 조선 物産의
소개 선전과 취인 알선, 전시회 개최 등을 하여 만주 무역을 위해 활용
하였다. 또한 압록강과 도문강 국경교량 협정, 비적토벌의 공동대책, 압
록강 공동기술위원회 설립, 압록강 수력발전협정, 일만 양국 세관의 통
관협정, 우편협정, 수산협정, 북부지역 3개항 시설의 확충, 鮮滿拓植會
社 설치 등 경제적인 시설 설비를 서둘렀다.[22]

당시 상공과장 山澤和三郎은 "만주국과 땅을 접하고 일본과 만주의
연쇄 지위를 점하고 있는 조선으로서는 각별히 유쾌한 감이 있다"고 하
면서, 만주에 대한 일본 실업가와 관료의 관심으로 오히려 조선의 자원
경제에 대한 인식이 매우 깊어져 공업, 광업 등이 약진하고 있다고 평
하였다.[23] 또한 조선의 산업은 각 부문에서 일본, 만주와 서로 대립 충
돌하지 않고, 오히려 일본의 부족을 보충하여 조선에 의존할 만한 산업
이 발달하고 있으므로 장래 조선 산업경제는 비상시 '제국'의 경제계 특
히 日滿統制經濟界의 결성에 중대한 역할을 할 것이라고 역설하였

20) 山澤和三郎, 「最近の朝鮮經濟界 : 論叢」, 『朝鮮實業俱樂部』, 1933. 1 ; 山澤
    和三郎, 「最近に於ける鮮滿貿易に就て」, 『朝鮮』216, 1933. 5 ; 山澤和三郎,
    「朝鮮工業の勃興と滿洲國」, 『朝鮮及滿洲』308, 1933. 7.
21) 山澤和三郎, 「最近に於ける朝鮮貿易狀況」, 『朝鮮及滿洲』315, 1934. 2.
22) 總督府 殖産局 商工課, 「鮮滿一如の經濟的施設に付て」, 『朝鮮』265, 1937. 6.
23) 山澤和三郎, 「朝鮮新興工業の展望」, 『朝鮮』236, 1935. 1.

다.[24] 이와 함께 일본자본의 유입을 위해서는 먼저 자원조사를 철저히 하고 경제블록에서 지위를 확립하여 조선 사업계를 발달시켜야 한다고 하였다. 자본의 범위에 대해서도 일본자본 유치에 힘쓰는 한편 조선에 있는 자본가도 좋다고 하면서, 다만 사업조건을 확실히 자본가에게 보여주고 준비하게 해야 한다고 강조하였다.[25]

이러한 인식 위에서 총독부의 공업화 정책은 일본자본을 우대하는 방향으로 추진되었다. 총독부는 市街의 확장과 신시가의 창설에 중점을 둔 1934년의 '朝鮮市街地計劃令' 실시와 토지가격 통제정책, 보조금 정책 등을 실시하여 일본자본의 공장 부지 획득과 공장 건설을 용이하게 하였으며, 세금과 운반비를 내리고 보조금을 주기도 하였다.[26]

총독부는 이와 더불어 일본 독점자본 주도 하에 공업을 빠르게 육성하기 위해 우선 일본 독점자본이 투자할 수 있는 환경을 조성하는 데 주력하였다. 그 일환으로 조선에서는 工場法과 重要産業統制法을 실시하지 않는 방침이 모색되었다. 일본에서는 이미 1916년부터 공장법을 시행하고 있었다.[27] 더욱이 1931년 4월 중요산업통제법을 공포하여 정부가 지정한 중요산업에서의 기업간 카르텔, 트러스트의 결성을 법제화하고 있었다.[28] 이에 비해 총독부에서는 공장법과 중요산업통제법의 시행을 유예하면서 경제정책의 방향을 자본가 중심으로 실시해 갈 것을 분명히 한 것이다.[29]

---

24) 山澤和三郎, 「日滿統制經濟に於ける朝鮮の地位」, 『朝鮮及滿洲』 317, 1934. 4, 48~51쪽. 나아가 1936년에는 동남아 지역의 신판로를 개척하기 위해 부산 상공회의소 시찰단에서 실지조사를 하고 직통 항로의 개발을 꾀하였으며, 지리적 우위를 이용해 중국 무역에도 힘써야 함을 강조하였다(穗積眞六郎, 「朝鮮に於ける産業經濟に就て」, 『朝鮮工業協會會報』 43, 1937. 1, 1~5쪽).

25) 山澤和三郎, 「朝鮮産業の現勢」, 『朝鮮實業俱樂部』 11-10, 1933. 10, 1~17쪽.

26) 河合和男·尹明憲 著, 「朝鮮工業の展開過程」, 『植民地期の朝鮮工業』, 未來社, 1991, 23쪽.

27) 矢野達雄, 『近代日本の勞動法と國家』, 成文堂, 1993, 7~8쪽.

28) 安藤良雄 等 編, 앞의 책, 日本經濟新聞社, 1976, 63~66쪽.

총독부의 이러한 방침은 공황 속에서 활로를 모색하고 있던 일본의 일부 독점자본에게 투자의 길을 열어주었다. 카르텔 체제 내에서 기존의 재벌독점자본에 비해 불리한 위치에 있으면서 자본 확대에 애로를 느끼던 일본 자본가들에게 조선은 투자하기에 적합한 지역으로 떠올랐다.30) 총독부의 공업화 정책이 철저히 일본자본을 우대하는 형태로 실행되고 있었기 때문이다.

(2) 산업합리화 정책과 노동강도의 증대

대공황기는 조선에서 공업화 정책이 본격화하면서 노동문제가 확대되고 이와 더불어 경제정책으로서의 노동정책이 본격적으로 논의되기 시작한 시기였다. 이 시기의 노동정책은 일본자본의 적극적인 조선 유치를 위한 차원에서, 우선은 사회 안정을 위한 치안유지적 성격과 최저수준의 노동조건을 유지하고자 하는 강점 전반기 노동정책의 기조가 그대로 계승되었다. 이와 함께 '일선만 블록' 경제체제 속에서 일본 독점자본이 대거 조선으로 유입되면서 노동력을 공급하기 위한 동원의 문제가 중요한 과제로 부각되었다.

공업자원·지리적 조건과 함께 조선의 풍부한 노동력은 일제가 조선이 공업 입지로서 유리함을 주장할 때 우선적으로 꼽는 요건이었다.31) 1930년대 공업화 과정에 필요한 노동력은 일제의 지주적 농정 시행과정에서 배출된 농촌의 몰락농민을 토대로 하여 공급되었다. 즉 일제는

---

29) 공장법 시행 논의 과정에 대해서는 다음 항에서 상술한다.
30) 이승렬, 앞의 글, 1996, 172쪽 ; 裵城凌, 앞의 글, 1998, 88쪽.
31) 高橋龜吉, 『現代朝鮮經濟論』, 千倉書房, 1935, 54~55쪽. 高橋龜吉은 만주에 비해 조선이 공업 입지로서 우수함을 주장하고 조선의 내적인 공업화 조건이 성숙하였음을 강조하면서, 그 조건으로 ① 전력, 석탄, 광산 등 공업자원의 발견, ② 중국, 남양 등지로의 수출 공장지대로서 유리한 지리적 조건, ③ 임금은 낮고 질은 우수한 노동력과 치안의 안정, ④ 공장법, 중요산업통제법 등의 미실시 등을 들었다.

82

잠재적 실업자의 형태로 존재하던 수많은 조선농민을 공업화 과정에서
활용하고자 하였다. 그 결과 산업투자가 집중되는 지역 특히 북부지역
으로 노동력을 공급하기 위한 조치가 강구되기 시작하였다.

그런데 이 시기의 노동정책은 장기적인 전망 하에서 추진되기보다는
미봉책으로 마련되는 경향이 강하였다. 전술했듯이 공업화 정책을 추구
하면서도 노동자 보호문제가 고려되지 않거나, 노동문제 전담부서의 설
치조차 논의되지 않았던 점 등이 그러한 정책의 한계를 잘 보여주고 있
다.32)

당시 일본에서는 노동생산성을 강화하는 방향에서 이른바 산업합리
화 정책이 지속되었다. 대공황의 여파로 격화된 계급간의 갈등을 해결
하기 위해 일본정부는 제국주의적 침략을 감행함으로써 일본제국주의
내부의 모순을 외부로 돌리는 한편, 내부적으로는 이 시기 세계자본주의
의 국가의 공통된 정책 흐름이었던 산업합리화를 추진하여 위기에 처
한 자국 경제를 보호하고자 하였다.33)

산업합리화란 기본적으로 생산성의 향상을 목표로 하는 것으로서,
생산설비와 기술의 개선, 능률 증진, 생산비 인하, 품질 통일 등을 진행
하여 생산성을 향상시키는 동시에 기업의 합동과 연합, 카르텔 결성 등
의 산업통제를 추진하는 것이었다.34) 곧 일본 국내에서의 산업합리화

32) 일본자본주의는 대공황기에도 미국 등 여타 자본주의 국가에서 대량으로 고
용을 확대하고자 시행했던 실업정책과는 다른 정책을 추구하였다. 일제는 만
주 침략으로 새로운 독점시장을 확보함으로써 군수산업을 비롯한 각 부문의
생산을 증가시키고 이를 통해 공황의 위기를 탈출하고자 하였는데, 노동의 강
화를 통해 이를 뒷받침하였다(加藤佑治, 『日本帝國主義下の勞動政策-全般
的勞動義務制の史的究明』, 御茶の水書房, 1970, 44~46쪽 ; 티모시 메이슨 지
음·김학이 옮김, 『나치스 민족공동체와 노동계급-히틀러, 이데올로기, 전시
경제, 노동계급』, 한울아카데미, 2000, 108~125쪽 ; 시바쵸프·야쯔코프 지음
·미국사연구회 옮김, 『아메리카제국주의사』, 국민도서, 1989, 105~107쪽 참
조).
33) 高橋衛, 「昭和20年代の産業合理化政策」, 『日本經濟政策史論 下』(安藤良雄
編), 東京大學出版會, 1976, 297쪽.

추진은 결국 산업통제라는 이름으로 중소기업을 대상으로 한 기업통제로 귀결되었고, 산업의 독점화를 통해 불황을 벗어나고자 하는 방향으로 진행되었다.[35]

개개의 기업이 이윤을 증대시키기 위해 취하는 산업합리화 방책은 기업에서 생산된 총잉여가치의 분배보다는 잉여가치를 증대시키는 데 본원적인 목적이 있었으므로 대개 생산부문, 엄밀히 말하면 노동부문을 상대로 행해졌다. 노동부문에서의 합리화는 기계의 개선이나 신기술의 채용에 의해 생산성을 증가시키는 형태로 행해지기도 했지만, 대개의 자본가는 이윤을 최대화하기 위해 동일시간 내에 보다 많은 노동력을 활용하고 보다 높은 노동력의 긴장을 유지하는 방식을 선택하였다. 즉 자본가들은 기계화보다는 노동자들의 노동강도를 강화하는 방식이 선택되었다.[36]

조선에서도 산업합리화 방책은 적극 추진되었다. 그런데 정책적으로 일본자본의 이윤 확보를 보장하고 있었던 조선에서의 산업합리화 정책은 자본에 대한 규제보다는 주로 노동의 강화를 통한 '생산과정의 합리화'의 방향으로 추구되었다. 기계도입에 따른 생산성 향상보다는 노동자의 대량해고, 저임금 구조의 유지, 유년노동의 이용 등에 기초한 노동생산성 향상에 중점을 두고 산업합리화가 진행된 것이다.[37] 대공황

34) 松元宏, 「戰時國家獨占資本主義への移行」, 『講座日本歷史 10』(歷史學硏究會・日本史硏究會 編), 東京大學出版會, 1985, 93~96쪽.

35) 高橋衛, 앞의 글, 1976, 303~304쪽.

36) 노동강화는 노동력 지출 방식에 관한 것이고, 노동 방식의 정도에 관계된다. 노동 방식의 정도는 공장에서 노동자의 노동의지를 통해 높이는 것도 가능하지만, 모든 노동자에게 기계와 똑같이 기계의 운전속도로 노동력의 지출을 강제하는 것도 가능하였다. 공장의 콘베이어 벨트 조직은 그것을 위한 기술적 조직이고 합리화의 중추적인 조직이다. 따라서 합리화는 자본가의 직접적인 문제인 동시에 노동자계급의 직접적, 현실적인 문제였다(有澤廣己・阿部勇, 『産業合理化』(經濟學全集 제43권), 改造社, 1930, 133~134쪽).

37) 김영근, 앞의 글, 1994, 95쪽.

의 위기 타개책으로 일제가 모색한 블록경제 체제 속에서 부여된 조선
의 역할 때문이었다. 따라서 통제경제가 생산력 증대와 계급모순 완화
라는 두 가지 목적에서 추진되었다면, 조선의 노동자들은 그 중에서도
생산력 증대를 위한 노동생산성 강화의 측면에서 경제통제의 적용을
받고 있었다. 일제는 일본 독점자본의 이익을 보장하는 입장에서, 조선
인 노동자의 저열한 노동조건을 조선 공업화의 유력한 지주로 삼아 이
들에게 공황의 피해를 전가시키고 있었다.

이 시기 일본에서 시행되고 있던 공장법이 조선에서는 시행되지 않
았던 점은 일본의 신흥 독점자본이 조선으로 대거 진출할 수 있는 주요
기반이 되었다. 조선에 건너온 일본자본은 저렴한 임금에 기초한 생산
비의 저하를 통해 식민지 초과이윤을 추구해 갔다. 이러한 현상은 1930
년대의 물가지수와 임금지수를 비교한 실질임금지수를 살펴보면 명확
히 드러난다. 예컨대 1930년대 전반기 京城府의 실질임금지수는 1930
년을 100으로 볼 때 1933년 81.8, 1935년 75.8로 지속적인 하락추세를
보이고 있었다.[38] 이와 더불어 1933년 현재 10명 이상을 사용하는 공장
노동자의 무려 57%가 12시간을 넘는 장시간 노동에 시달리면서[39] 일
본 독점자본에게 노동력을 착취당하고 있었다.

특히 방직공장을 중심으로 기계화된 공업 부문에서는 임금을 절감하
기 위해 유년노동자를 대거 고용하였다. 유년노동자는 1931년 전체 공
장노동자의 8.2%에서 1935년 9.1%로, 1937년에는 9.7%로 점차 증가하
였다.[40] 산업합리화 추진 과정에서 일본자본은 조선인 유년노동자를

---

38) 全國經濟調査機關聯合會 朝鮮支部 編, 앞의 책, 1939, 統計表 40쪽. 각년도 7
월의 수치를 기준으로 하였다.

39) 1933년 총독부 사회과의 조사에 의하면, 10명 이상을 고용한 전국 1,190개 공
장, 노동자 6만 5,374명 중 노동시간이 8시간 이내인 곳은 11개 공장, 노동자
521명뿐이었고, 9시간 이내인 곳도 67개 공장, 노동자 약 8천 명에 불과하였
다. 이에 비해 12시간 이상 노동하는 공장은 493개소, 노동자는 3만 7천 명으
로 총수의 57%에 달하였다(『朝鮮日報』 1933. 12. 7).

40) 통계청, 『통계로 다시 보는 광복 이전의 경제·사회상』, 1995, 56쪽. 여기에서

대거 이용하였던 것이다.[41] 다음 글은 당시 유년노동자의 노동조건과
신체 상태를 묘사한 내용으로, 그들의 노동조건이 어떠했는지를 잘 전
해준다.

　　공장에서 열살도 못된 섬약한 유년을 소위 견습생이라는 명목으로
다른 직공들이 작업하는 그대로 하로에 열한 시간 이상 열여덜 시간
이라는 도저히 유소년으로서는 힘에 부치는 작업을 식히면서도, 그가
숙년공이 안이라는 핑게로 하로 십전 이상 이십전 이내의 점심값은
물론 신발값도 못되는 임은을 주고 함부로 부린다……그 유소년의 직
공-노동자들은 근본 체질이 완전히 발육되지 못한데다가 일은 남이
보기에 처참하도록 과히 하게 되고 먹고 잠자는 것조차 어룬 이상 부
족하니, 그 유소년의 체질은 발육되기 전에 지즈러저서 불구자나 조금
도 다름이 없는 육체의 소유자가 되고 그가 장성하면 장성할사록 육
체의 구조는 등이 굽다거나 허리가 굽다거나 다리가 뒤틀닌다거나 또
는 얼골빛이 다르고 눈동자가 보통 건강한 사람보다 병적 상태에 빠
짐을 잘 보히고 있는 것이다.[42]

유년노동자는 저렴한 임금을 받으면서 성년노동자와 비슷한 장시간 노
동에 시달려야 했으며,[43] 과중한 노동에 따른 재해와 질병에 무방비 상

　　는 15세 이하의 노동자를 유년노동자로 파악하였다.
41) 곽건홍, 「일제하 공장 유년노동자의 형성과 성격」, 『역사와 현실』 20, 한국역
　　사연구회, 1996, 239쪽.
42) 金潤植, 「工場取締規則의 朝鮮實施에 對하야-資本家들은 어쩌한 態度를 가
　　지고 잇는가?」, 『四海公論』 3-8, 1937. 8.
43) 1936년 현재 노동자의 임금은 조선인 성년 남성이 94전, 여성이 48전이었고,
　　유년 남성이 37전, 여성이 32전이었다. 이에 비해 일본인 성년 남성은 1엔 85
　　전, 여성이 90전이었고, 유년 남성이 91전, 여성이 65전이었다. 즉 유년노동자
　　들은 성년노동자와 비슷한 정도의 장시간 노동을 해도 그 임금은 반 이하에
　　불과하였으며, 여기에 민족차별 현상이 뚜렷하였고, 더욱이 여성 유년노동자
　　의 경우 성별에 따른 차별로 더욱 낮은 임금을 받고 있었다(鈴木正文, 『朝鮮
　　經濟の現段階』, 帝國地方行政學會朝鮮本部, 1938, 298쪽).

태에 있어 정상적인 성장마저 어려웠다는 지적이다.

당시의 노동 환경과 노동자의 상태는, 경무국장이던 池田淸조차도 1935, 36년에 걸쳐 경성, 인천, 영등포 부근의 공장을 시찰한 후 "임금이 싸고 승급이 느리다. 퇴직·사망의 경우 수당이 없다. 상해나 재해에 대한 구조 방법이 불충분하다. 유년공·여공의 근로시간이 너무 길다. 취업시간에 비해 휴식시간이 적다. 건축이 불완전하여 채광, 환기가 불충분하다. 식당 설비가 없어 먼지가 많은 장내에서 식사를 해야 한다"는 등의 문제점을 지적하고 공장주에게 시설 개선, 정비를 지시할 정도였다.[44]

일제가 대공황기 산업합리화 과정에서 일방적으로 노동자들에게 회생을 요구하자, 1930년대 초반 임금인하 반대를 주장하는 파업이 증가하는 등 노동운동이 격렬해지고 파업투쟁이 최고조를 이루었다. 이에 따라 각 언론을 비롯하여 사회 일각에서는 노동법 혹은 공장법을 시행하라는 요구가 무성하였다.[45] 어떤 논자들은 "노동임금의 기아적 저렴과 노동자의 각성으로 노동쟁의가 해마다 격증하고 있으며, 쟁의 원인의 6할이 임금인상 요구에 있다"고 지적하면서,[46] 공장법이 포함해야할 내용으로 노동시간 제한, 최저임금 규정, 위생과 안전설비, 부상 보험, 실업수당 보장, 단결권 확립 등을 제시하였다.[47]

---

44) 「警務局長の工場主招待」,『朝鮮』, 1936. 5, 137~138쪽.
45)『東亞日報』1931. 7. 25와『朝鮮日報』1934. 3. 12 사설을 비롯하여 당시 많은 언론에서 공장법 시행을 촉구하고 있었다.
46)『東亞日報』1934. 3. 23.
47) 다음은 한 일간지의 사설에서 공장법이 포함해야 할 내용을 제시한 것이다. "工場法은 勞動者의 生活과 健康을 相對的으로 保障하는 것이 그 目的인 以上 一, 最低勞賃制를 確立하는 同時에 二, 最高勞動時間을 마련하는 것은 絶對로 必要한 일이며 三, 職工의 災難, 傷病, 死亡에 對하야 相當한 扶助, 療養, 慰籍金을 支出케 할 것과 四, 解雇制限 及 解雇金에 對한 規定과 五, 危險勞動 及 非衛生의인 勞動에 對한 特別規定과 六, 少年, 少女 及 婦女職工에 對한 特別規定이 잇어야 할 것은 勿論이어니와 七, 工場의 衛生的 設備와 八, 職工保健工作 及 公休日 等에 對한 規定도 크게 必要하다"(『東亞日

요컨대 대공황기의 위기를 벗어나기 위해 조선총독부는 공업화 정책과 더불어 노동력 공급정책을 추진하되, 산업 현장에서는 주로 노동생산성을 강화하는 방식으로 산업합리화를 추구하였다. 이러한 방식의 산업합리화 정책은 곧 일제의 자본 증식을 위한 노동정책이 조선에서 실현되는 과정이었다. 이에 대한 조선인 노동자의 저항이 거세지자 총독부는 노동자의 저항을 억제하기 위한 또 다른 제도적인 뒷받침을 필요로 하였다. 이제 총독부의 노동문제 대책은 사회적으로는 노동통제 이데올로기로서 勞資協調를 강조하는 방향으로, 그리고 법률상으로는 1925년부터 적용하기 시작한 치안유지법의 실행을 강화하고 공장법의 실시를 저지하는 방향으로 추진되고 있었다.

2) 노자협조론과 工場法 논의의 부결

(1) 대공황기 노자협조론의 대두

대공황기 宇垣一成 총독의 경제정책은 조선의 자원 개발을 통해 일본자본주의의 재생산 구조와 생산력 확충을 확보한다는 블록개발 정책으로서, 철저히 일본 독점자본의 이식과 독점 본위의 개발통제에 기초한 자본주의 생산력 증대 정책이었다. 노자협조 정신이 농공병진 정책의 경제통제 이데올로기로서 제창되었지만, 그것은 분배문제 해결에 주안점을 둔 것이 아니라 기본적으로 생산력 증대를 위한 개발통제 이데올로기였다.[48]

조선에서 노동통제 이데올로기로서 '勞資協調'가 강조되기 시작한 시점은 대공황 이후 산업합리화가 추진되면서부터이다. 일제는 조선에서 산업합리화를 고창하면서 본질적으로 노동강화를 꾀하되 한편으로

報』 1934. 4. 12).
48) 방기중, 「조선 지식인의 경제통제론과 '신체제' 인식-중일전쟁기 전체주의 경제론을 중심으로-」, 『일제하 지식인의 파시즘체제 인식과 대응』(방기중 편), 혜안, 2005 참조.

노자협조 이데올로기를 제기하였다. 산업합리화를 위해서는 노동자의
역할이 클 수밖에 없었고, 무엇보다 체제의 안정이 요구되었으므로 노
동자에 대한 일방적인 착취를 통해서는 소기 목적을 달성할 수 없었기
때문이다. 노동자들을 포용하기 위한 사회정책의 하나로 '노자협조' 이
데올로기를 제기한 것은 이러한 배경에서였다. 따라서 조선에서의 산업
합리화는 앞에서 보았듯이 노동강화를 통한 생산력 증대에 초점이 있
었고, 노자협조론도 그 일환으로서 제기되는 경향이 강하였다.

노자협조론은 자본주의 발달에 부수하는 사회모순을 수습하기 위해
제기된 사회정책의 하나로서 자본주의 국가에서 일반적으로 표방하는
바였다.[49] 이는 형식상으로는 노동자와 자본가 양측의 협조를 요구하
였지만, 노자간의 역학관계와 제기하는 주체에 따라 그 내용과 강조점
을 달리하였다.[50] 조선에서는 일제가 1930년대 대륙침략을 위해 '생산
력 증대'를 최우선 과제로 제기하던 시점에 자본의 이익을 대변하던 정
책 당국에 의해 노자협조론이 제기되고 있었다. 따라서 조선사회에서
'협조'의 본질은 노동자의 자발성과 주체의식이 배제되는 것을 의미하

---

49) 노자협조, 즉 계급협조론은 이미 19세기 말부터 독일과 일본에서 제기되고 있
    었다. 1873년 독일의 사회정책학회 창립에 이어 1897년 일본에서도 사회정책
    학회가 설립되었다. 이 학회는 창립 당시 자유방임주의 반박, 사회주의 배격,
    사회개량의 견지에서 사회문제를 학리적으로 강구한다는 세 가지 목표를 표
    방하였다. 일본의 사회정책 연구가 독일 신역사학파의 영향 아래 있었던 것은
    일본자본주의의 후진성과 국가권력 구조의 절대주의적 성격, 관료제 국가라는
    면에서 독일과 유사한 성격 때문이었다(大河內一男,『獨逸の社會政策思想
    史』, 日本評論社, 1936, 208~230쪽 ; 住谷悅治,『日本經濟學史의 一齣』, 大畑
    書店, 1934, 324~331쪽).
50) 노자협조론은 일반적으로 자본주의 사회에서 자본가와 노동자의 이해는 궁극
    적으로 일치한다고 보는 견해를 말한다. 1차대전 후의 경제적 불안과 사회주
    의 국가의 성립으로 자본가계급은 심각한 위기의식을 지니면서, 국가주의와
    융합하여 노자협조적 사고를 더욱 강조하였다. 노자협조론은 사회개량주의의
    내용이 되고, 이 사회개량주의는 근대 파시즘의 사상적 근거가 되었다(風早八
    十二,『日本社會政策史』, 日本評論社, 1937, 358~362쪽 참조).

였고, 따라서 노동자의 사회적 지위의 상승이나 정체성의 확보는 달성하기 어려운 것이었다.51) 노자협조론의 이러한 측면에 대해 경제학자 白南雲은 미국의 뉴딜정책을 평가하는 글에서 借地農과 노동자계급에 대한 생활보장을 약속하고 있지만, 실제로는 자본주의의 본질을 은폐하였고 대중의 생활조건도 악화되고 있다는 점에서 자기모순의 대중화를 결과하고 있다고 지적하였다.52)

노자협조의 주장은 대공황 이후 조선의 민족주의자 내부에서도 제기되고 있었다. 그들은 대개 자본가와 노동자의 주종관계를 전제로 한 채 자본가의 慈惠에 의해 노자협조가 이루어지면 노동문제가 해결될 것이라고 인식하였다.53) 강점기 민족·자본주의 계열의 경제적 실력양성운동은 1930년대 들어 전반적으로 개량화되는 경향을 보였다. 이러한 분위기에서 이전부터 소농주의 입장에서 민족경제 자립을 주창하던 李勳求, 李順鐸, 李鍾萬 등 일부 지식인이 1930년대 후반 小農主義와 勞資協調의 슬로건 아래 추진된 총독부 통제경제정책에 일말의 기대를 가지고 편입되어 가면서 계급협조·노자협조론을 제기하였다.54)

예컨대 李勳求는 소농 본위의 자본주의 농촌경제의 자립을 추구하면서, 농민의 협조주의적 각성과 사회정책적 농정에 의해 지주제와 결합된 독점자본주의 체제를 수정하고자 하였다. 경제적 합리주의, 계급협

---

51) 일본의 경우 1920년대 중반 이후 이미 사회정책의 성격을 지닌 노동정책 논의가 사라졌지만, 조선에서는 1930년대에 들어서서 노자협조 차원의 노동정책이 논의되고 있었다. 이는 대공황기의 필요에 의해 제기된 것으로서, 기왕에 일본에서 제기된 사회정책과는 다른 성격을 지니고 추진된 것이었음을 짐작할 수 있다.
52) 白南雲,「뉴딜의 展望 (6)」,『東亞日報』1935. 6. 21(방기중,『한국근현대 사상사연구』, 역사비평사, 1992, 198~199쪽 참조).
53) 李肯鐘,「新産業主義의 善과 惡」,『大衆公論』2-6, 1930. 7, 399~402쪽.
54) 홍성찬,「한국 근현대 李順鐸의 政治經濟思想 연구」,『역사문제연구』창간호, 역사비평사, 1996 ; 방기중,「일제하 李勳求의 農業論과 經濟自立思想」,『역사문제연구』창간호, 역사비평사, 1996 ; 方基中,「日帝末期 大同事業體의 經濟自立運動과 理念」,『韓國史硏究』95, 韓國史硏究會, 1996 등 참조.

조주의, 협동조합주의 원칙에 의한 국가권력의 통제와 조정으로 당시의 농업문제를 타개해야 한다는 논리였다.[55] 또한 李鍾萬은 노자협조의 조합경제론에 입각하여, 생산협동조합을 기반으로 한 기업과 농업경영의 집단화·협동화, 계획적 경제통제, 적정 이윤분배제도 등을 통해 생산력을 고도화하고 경제자립을 달성하고자 하는 자본주의 개혁 논리로서의 조합주의 경제통제론을 제기하였다.[56]

이와는 다른 측면에서 일제는 조선에서 공황 타개를 위한 산업합리화의 주된 실현 방도를 노동강화에서 구하면서 노동자 동원 방법의 하나로 노자협조론을 제기하였다. 당시 조선은행 총재였던 加藤敬三郎은 산업합리화를 강조하는 한편 노자협조를 역설한 인물이다. 그는 독일의 산업합리화 과정에 대하여, 조국의 부흥을 목표로 자본가와 노동자가 각성하여 세계에서 가장 우수하고 싼 제품을 만들기 위해 노동자는 임금을 탐하지 않고 자본가는 사업에 전력을 다한 거국일치의 결과라고 평가하였다. 또한 산업합리화를 완전히 하기 위해서는 "단순히 과학적 지식을 적용해 능률증진을 계획하는 것만으로는 불충분하고, 勞資 양자가 각각 다른 입장을 적당히 조화시켜 국가적 착안점을 갖는 것을 근본으로 해야 한다"고 주장하였다.[57]

이러한 경제적 배경과 사회 분위기 속에서 점차 조선에서 노동법을 시행하자는 여론이 등장하였고, 이는 총독부 내의 공장법 논의 진행으로 연결되었다. 특히 농업에서의 朝鮮農地令 시행 논의와 맞물려 공업에서의 공장법 시행 논의가 진행되었다. 1934년 조선농지령이 시행되기에 이르자 공장법 실시 여론은 더욱 확대되었다.

---

55) 방기중, 앞의 글, 『역사문제연구』 창간호, 1996, 158~160쪽.
56) 方基中, 앞의 글, 『韓國史硏究』 95, 1996 ; 방기중, 앞의 글, 2005, 34쪽.
57) 『每日申報』 1930. 1. 7, '産業合理化는 勞資協調가 緊切, 新年 財界 推移에 대하야 加藤 鮮銀總裁談'.

(2) 공장법 적용 논의의 부결

1930년대 전반기 노동정책의 본질은 공장법 적용에 관한 논의 과정에서 잘 드러난다.[58] 공장법 적용에 관한 논의는 회사령 폐지 이후 1920년대 들어 일본인 자본가와 조선인 자본가의 공업부문 투자가 증가하고, 그에 따라 노동문제가 사회문제로 등장하면서 시작되었다. 특히 대공황 이후 임금인상 또는 임금인하 반대, 노동조건 개선, 대우 개선 등을 요구하는 노동자의 대중파업이 폭발적으로 증가하자 총독부 일각에서는 노동운동을 완화시키기 위해서 공장법을 적용할 필요가 있다는 인식이 싹트기 시작하였다.[59] 이 시기 일제는 노동쟁의에 대해 노동자의 검거, 투옥으로 대처하였으며, 노동자들의 모든 활동을 불법화하여 그 조직과 집회를 지속적으로 억압·해체하는 방침을 고수하고 있었다. 나아가 총독부는 경찰기구를 확대하고 警防團, 고등경찰과 헌병 정보망을 광범하게 동원하여 노동운동을 적극 억제하는 한편, 노자협조 이데올로기를 동원하면서 공장법 적용을 논의하기에 이르렀다. 즉 "노동운동 격화에 따른 포괄적 노동대책"으로서 공장법을 구상하고 있었다.[60]

이미 일본에서는 오랜 논쟁 끝에 1911년 공장법을 제정·공포하여 1916년부터 이를 시행하였고, 1923년과 1926년의 개정을 통해 공장법 적용의 범주를 점차 확대해가고 있었다.[61] 이와 함께 노동자보호 법령

---

58) 공장법 논의 과정에 대해서는 宣在源, 「植民地와 雇用制度-1920·30年代朝鮮と日本の比較史的考察」, 東京大學大學院 經濟學研究科 博士學位論文, 1996 ; 金美賢, 「1930~36年 日帝의 勞動統制政策」, 성균관대 사학과 석사학위논문, 1998 ; 이상의, 「일제강점기 '勞資協調論'과 工場法 論議」, 『國史館論叢』 94, 國史編纂委員會, 2000 참조.

59) 朝鮮總督府, 『施政三十年史』, 1940, 391~392쪽.

60) 朝鮮總督府, 『道警察部長會議諮問事項答申書』, 1935. 4, 71~90쪽(신주백 편, 『日帝下 支配政策資料集』 7, 高麗書林, 1993).

61) 일본에서 실시되던 공장법의 골자는 다음과 같다. ① 14세 미만자는 공업에 고용할 수 없다. 단 12세 이상 중 소학교 교과를 수료한 자는 허가한다. ② 16

92

으로서 1916년부터 鑛夫勞務扶助規則을 시행하여 유년노동자의 고용에 대한 제한을 두었고, 업무상의 부상·질병·사망의 경우에는 본인이나 유족에게 일정한 부조료를 지급할 것을 규정하였으며, 1927년 1월 健康保險法과 1932년 勞動者災害扶助法 등을 제정하여 시행하고 있었다.62)

조선에서도 1921년 7월 총독부 내무국에 사회과가 설치되면서 공장법 적용에 관한 총독부 내부의 논의가 잠시 진행되었다.63) 3·1운동 이후 1920년대의 정책은 사회안정을 꾀하는 방향으로 시행되었다. 이에 내무국에 특설된 사회과에서는 공장법 적용을 위한 준비작업으로 1923년 8월 일부 회사와 공장 노동자의 노동상황을 조사하여 발표하였다.64)

세 미만자를 고용할 경우 회사측은 주소, 학력 등을 명부에 적어 작업장에 둔다. ③ 16세 미만자는 1일 취업시간이 11시간을 초과할 수 없다. 단 법무대신이 업무의 종류에 따라 2시간 이내에서 연장할 수 있다. ④ 16세 미만자와 여자는 오후 10시부터 오전 5시까지의 야간작업을 금지한다. 단 행정관청의 허가를 얻은 경우는 오후 11시까지 허가한다. ⑤ 16세 미만자와 여자는 매월 2회의 휴일을 준다. 1일 취업시간이 6시간을 초과할 경우 30분, 10시간을 초과할 경우 1시간의 휴식시간을 준다. ⑥ 16세 미만자와 여자는 운전 중인 기계 또는 동력전도 장치의 위험한 부분의 청소, 주유, 검사 등 위험한 업무에 종사할 수 없다. ⑦ 16세 미만자는 독약, 폭발성 등의 제품, 기타 위험·유해한 장소에서 업무에 취업시킬 수 없다(木村淸司, 『勞動保護法』, 日本評論社, 1936, 1~51쪽).

62) 矢野達雄, 앞의 책, 1993 ; 石井照夫, 『勞動法總論』, 有斐閣, 1957, 1~62쪽.
63) 관련 행정부서가 설치된 이후 비로소 공장법 실시 논의가 진행된 현상은 일본에서 공장법이 제정된 이후인 1922년 내무성 내에 사회국이 설치된 것과 대비된다(宜在源, 앞의 글, 1996, 178쪽).
64) 조사의 대상은 1922년 7월 말 현재 상시 10명 이상의 노동자를 사용하는 664개의 회사와 공장에 다니는 노동자 4만 8,043명이었고, 조사항목은 12세 미만 유년자의 노동실태를 포함하여, 연령별 노동자수, 1일 실제 취업시간과 휴식시간, 1년간의 공휴일수, 지역별·연령별·남녀별·민족별 임금, 교육정도, 근속년수, 복리시설의 유무 등이었다. 또한 이 조사서에는 광산노동자, 노동자 총수, 농업노동자 수지상황표가 수록되어 있고, 파업의 참가인원과 원인, 해결의 전말 등의 내용을 비롯하여 동맹파업 일람표가 부록으로 포함되어 있다(朝

또한 최대의 공업 지역이었던 경기도에서 공장법과 관련된 논의가 진전되어, 1922년 9월에는 京畿道令으로 製造場取締規則을 공포하기에 이르렀다. 이는 경성과 인천, 기타 경기도지사가 지정한 지역에 있는 ① 음향·진동을 발하거나 화기를 사용하는 제조장, ② 매연·분진·유해가스나 오수가 생기는 제조장, ③ 이외의 위해하거나 위생을 해칠 염려가 있는 제조장에 대하여 공장 시설의 위험을 방지하기 위한 단속규정을 마련한 것으로서,65) 그 자체가 직접 노동자 보호를 규정하는 내용은 아니었다.

이후 한동안 공장법에 관한 논의는 소강상태를 보였고, 다만 공장법 대신 일본 공장법에 준하는 道令으로 보안과 위생에 대한 통제만이 시행되고 있었다. 그 내용은 각 도별로 달랐으나, 대개 공장시설에 대한 위험방지 차원에 머무는 것이었다. 그나마도 잘 시행되지 않아, 마산경찰서에서는 공중위생상 공장지역을 별도로 설정하고자 하였으나 공장주와 府尹의 반대로 무산되기도 하였다.66)

공장법 적용에 관한 논의가 본격화한 것은 대공황 이후 산업합리화 정책의 추진 과정에서 일방적으로 노동자의 희생이 요구되자 이에 저항하는 노동쟁의가 격증하여 사회문제로 대두하면서부터이다.67) 이 시점에는 총독부 입장에서도 '조선공업화' 정책을 추진하고 사회를 안정시키기 위해서는 노동력을 보전하기 위한 최소한의 규제를 마련할 필요가 있다는 인식이 대두하였다. 총독부는 노동자의 재해·질병·사망 등의 경우 각 공장·광산에 대개 일정한 내규가 있어 거의 일본에서와

鮮總督府 內務局 社會課, 『會社及工場における勞動者の調査』, 1923 참조).

65) 朝鮮商工會議所, 『朝鮮經濟雜誌』 82, 1922. 10, 24~25쪽.

66) 金美賢, 앞의 글, 1998, 6쪽.

67) 이 시기 조선에는 약 5천 개의 공장과 11만 명의 노동자가 있었으나 노동조건 중 가장 기본적인 노동시간과 임금에 대한 법률적 규정은 전혀 없는 상태였다. 이에 대해 언론에서는 "자본 생산의 조선에 봉건노동제를 강제하는 자가 당착적 모순을 범하고 잇는 것"이라고 지적하였다(『東亞日報』 1934. 4. 11).

94

같이 扶助를 하고 있다고 판단하였다. 그러면서도 "그러나 그것은 소위 은혜에 불과하고 취급이 일정하지 않아 분쟁을 낳을 수도 있으므로 조선에서도 공장법을 적용하고자 하는 논의가 상당히 강할 것"이라고 하여,[68] 장차 조선 내에서 공장법 시행의 요구가 강력하게 대두할 가능성을 잘 파악하고 있었다.

이미 각 언론에서는 노동쟁의가 격증하는 원인을 저렴한 임금과 노동자의 각성으로 파악하면서, 극히 열악한 상태에 있는 노동자의 생존권 보장을 위해 공장법을 적용할 것을 촉구하고 있었다. 이들은 대개 유년노동자와 부인노동자의 사용에 대한 단속을 위해서는 재해 예방 차원의 규칙이나 자본가의 도의에 의지해서는 안된다고 지적하였다. 법적인 규제가 없는 한 정책당국이나 자본가에 의해 노동자 보호는 외면될 것이므로 노동자의 생존을 위해서는 공장법을 시행해야 한다고 주장하고 있었다.[69]

공장법은 일반적으로 유년노동자와 여성노동자의 노동시간을 제한하고, 노동자의 교육·보건에 관한 조건 등을 정비하는 것을 골자로 하였다. 이를 자본가의 입장에서 보면 자본이 필요로 하는 질과 양의 노동력을 확보하기 위해 노동력을 일정하게 보호하여 재생산을 보장하고자 하는 것이었다. 곧 노동시간 제한, 재해부조제도, 공장감독관에 의한 전문적인 감독기관의 설치 등을 입법화하는 공장법을 시행하는 것은, 경영자와 노동자의 관계를 기업주의 자의에 의한 주종 관계에서 법률에 입각한 상호 관계로 전환시키는 것을 의미하였다.

더욱이 당시는 총독부가 공업화 정책을 추진하면서 일본자본의 유입을 적극 추진하는 과정에서[70] 조선의 저렴하고 풍부한 노동력, 그리고

68) 朝鮮總督府, 『施政二十五年史』, 1935, 951쪽.
69) 1930년대 전반기 『朝鮮日報』, 『東亞日報』, 『朝鮮中央日報』 등의 각 언론지에는 이와 관련된 기사가 지속적으로 게재되었다.
70) 宇垣一成, 앞의 책, 1971, 1004쪽(1935. 3. 5) ; 河合和男·尹明憲, 앞의 책, 1991, 23쪽.

무엇보다 공장법이 실시되지 않는 현실을 일본자본을 유치하기 위한
장점으로 제시하던 형편이었다. 이러한 상황에서 조선에 공장법이 적용
될 경우 그것이 가지는 의미는 결코 작지 않았을 것이다. 공장법은 공
권력이 노사의 계약 내용에까지 관여하여, 법정 수준에 달하지 않는 계
약을 무효화하고 법이 정하는 수준을 노동조건의 기준으로 인정하게
하는 근거라는 논리에서 보면, 이 시기 공장법의 시행은 노동입법사상
획기적인 것이 될 수도 있었다.

그러나 한편으로 공장법은 노동자들을 포섭하고 노동운동에 대응하
기 위한 방편으로서의 성격 또한 강하게 내포하고 있었다. 이는 궁극적
으로 자본가들이 공장을 더욱 효율적으로 운영하기 위해 노동력의 재
생산을 보장하는 정책이었으므로 그 본질상 자본가 위주의 법령이라는
한계를 가지고 있었다. 따라서 이 시기 한 저널리스트는 공장법에 대하
여 "프로레타리아-트의 강대화와 함께 制定치 아니치 못한 제 개량주
의적 회유법"[71]이라고 그 실체를 파악하고 있었다.[72]

이런 상황에서 노동력을 확보하고 노동운동의 성장에 대응하기 위해
서는 조선에서도 공장법을 시행해야 한다는 논의가 총독부 警務局 保
安課와 學務局 社會課에서 제기되었다.[73] 그런데 공장법 도입을 둘러
싸고 총독부 내에서는 경무국 보안과와 학무국 사회과, 그리고 殖産局

---

71) 金世政, 「判例를 通해 본 保安法과 制令 第7號」, 『批判』1-1, 1931. 5, 98쪽.
72) 風早八十二는 이 시기 일본의 사회정책을 "주종관계를 전제로 하는 은혜에
    불과한 복지시설"이라고 평가하였다. 그는 또한 일본의 사회정책에는 만주사
    변을 계기로 이전까지의 慈惠型, 治警型(치안경찰법적 단속)에 더해 나치스
    형(총력전적, 생산력확충적 통제)이 나타났는데, 이는 1932년 이후 노동자측의
    비판성의 후퇴, 우익조합의 발생, 조합조직률의 저하, 쟁의 수와 규모의 축소
    에 조응하는 것이라고 보았다(野田良之·碧海純一 編集, 『近代日本法思想
    史』, 有斐閣, 1979, 352~359쪽).
73) 『朝鮮中央日報』1933. 10. 28, '勞資爭議 尖銳化로 工場法 施行 準備, 利益에
    汲汲한 惡德 雇主 取締, 九萬餘名의 工場 鑛山 勞動大衆에 影響 重大, 各地
    工場 實況 調査'.

商工課 사이에 공장법의 적용 대상, 실시 시기, 그리고 무엇보다 적용 여부의 문제에 대한 이견이 매우 컸다. 특히 치안유지를 위해 "사회정 책상 공장법 실시를 지지"하던 경무국과, "조선은 공업발달의 초기에 있는 만큼, 공장법 실시는 공업의 활발한 발전을 방해할 우려가 있으므 로 시기상조"라고 반대하던 식산국 상공과의 견해가 대립하고 있었 다.74)

총독부 내부에서 공장법의 적용을 가장 적극적으로 추진한 부서는 경무국 보안과였다. 보안과는 당시 노동운동에 대한 통제를 담당하던 부서로서, 노동자와 직접 충돌하면서 노동운동 상황의 변화와 노동자의 실태를 가장 정확히 파악할 수 있었다. 경무국에서는 이미 1926년에 내 무국 사회과와는 별도로 노동 현황을 조사하고 있었다. 당시 경무국은 "조선에서는 아직 공장법이 시행되지 않고 있는데 그대로 방임하면 보 건 위생 교육상 여자노동자와 유년노동자에게 커다란 영향이 있을 것 이다. 성년노동자의 대우도 개선할 필요가 있으므로 공장법을 시행하기 위해 조사를 진행한다"고 이 조사의 목표를 밝힌 바 있었다.75)

경무국의 인식은 "紛爭議에 대한 주의자의 개입방지, 주의 선전의 기회 배제를 위해서는 공장법을 제정하여 勞動紛爭議의 방지에 힘쓸 필요가 있다"는 표현에 잘 드러나 있다.76) 노동쟁의가 급증하는 상황에 서 일정하게 노동조건을 보장하여 파업의 폭발과 노동운동에 대한 사 회주의자들의 영향력 확대를 방지하자는 의도였다.77) 1933년 道警察部

---

74) 『朝鮮中央日報』 1934. 11. 10, '朝鮮도 工場法 實施?, 勞動者 保護를 主旨로, 警務局에서도 이를 研究中, 商工課는 反對 意見'.

75) 『東亞日報』 1926. 7. 4.

76) 朝鮮總督府, 『道警察部長會議諮問事項答申書』, 1935. 4, 71~72쪽(신주백 편, 『日帝下 支配政策資料集』 7, 高麗書林, 1993).

77) 1933년 1월 평양 대동경찰서에서는 관내의 공장주들과 협의하여 "一, 工場의 職工(臨時雇 含) 雇入 又는 解雇 時는 警察에 通報하야 相互 連絡으로 適當 한 取調를 한 後 署에서 必要에 依하야 身分調査를 行할 것. 二, 工場側에서 勞賃의 變更 又는 職工에 對한 施設改善 事項에 對한 實施가 잇슬 時에도

長會議에서 경기도를 비롯하여 공장이 많이 있는 도에 勞動爭議調整法과 工場法을 실시하자는 의견이 제출되었다.[78] 경무국에서는 다음해 혁명적 노동조합 운동에 대한 대책을 강구하는 자리였던 도 경찰부장회의에서 공장법 시안을 작성하여 토론에 부쳤다. 이 자리에서는 노동자 선도대책의 하나로 공장법의 실시가 필요하다는 주장이 적극 제기되었다.[79] 이후 식산국 등에서 공장법 적용에 반대하는 움직임을 보였을 때에도 경무국에서는 "최근 조선산업의 현상을 보고 어떠한 보증도 없는 노동자에 대한 법령이 반드시 필요하다는 견해를 가지고 이 법령의 제정 골자를 연구"한다고 하여 적극적인 입장을 보였다.[80]

한편 사회과는 1932년 2월 내무국에서 학무국으로 이관된 후 재차 공장노동자와 광산노동자의 노동 상황을 조사하고 다음 해 3월 그 결과를 발표하였다.[81] 이 시기 사회과에서는 노동력 수급에 관한 업무를 담당하고 있었으므로, 일본자본의 진출과 그로 인한 많은 공사 계획에

署에 通報할 것. 三, 勞動爭議 五名 以上의 解雇 及 爭議 容疑者의 出入 等時에는 事件의 輕重을 勿論하고 署에 急報할 것. 四, 各 工場마다 警察連絡係를 設置할 것. 五, 職工中 罷業煽動 詐欺 暴行 等 工場 平和를 攪亂하거나 또는 그 念慮가 잇는 것은 各工場에 通報 連絡上 覺醒에 努力케 할 것"을 결정하였다(『每日申報』1933. 1. 11). 이는 '不穩分子 及 浮浪者의 潛入을 防止하기 爲하야' 추진된 것으로, 당시 경무국이 공장법 적용을 추진하고 노자협조를 주장했던 입장이 드러난다.

78) 이러한 견해는 1935년의 도 경찰부장회의에서도 계속 제출되었다(朝鮮總督府, 『道警察部長會議諮問事項答申書』, 1935. 4, 71~74・83・90쪽(신주백 편, 『日帝下 支配政策資料集』7, 高麗書林, 1993)).

79) 『東亞日報』 1934. 4. 11.

80) 『東亞日報』 1934. 6. 3 ; 『每日申報』 1935. 3. 24.

81) 그 결과는 『工場及鑛山に於ける勞動狀況調査』(朝鮮總督府 學務局 社會課, 1933)로 발표되었다. 조사는 1931년 6월 말 현재 상시 10명 이상의 공장과 광산에 있는 노동자를 대상으로 행하였다. 조사항목은 민족별・남녀별・연령별 노동자수, 민족별・남녀별・연령별 임금, 하루 취업시간과 휴식시간, 일개월 소정 공휴일수와 기타 공휴일수, 야간작업의 유무, 의료・경제・재해구조・교육과 수양・운동 오락시설의 유무, 노동단체의 현상 등이었다.

따라 노동자 수요가 증가할 것에 대비하여 통제책을 미리 마련한다는 의도를 가지고 있었다. 당시 사회과장은 조선인 노동자는 체격이 좋고 임금이 낮으며 어떠한 일에도 순응하는 장점을 지니고 있다고 인식하고 있었다. 또한 노동쟁의의 증가에 대해서도 경무국과 달리 "조선의 노동자는 순박하여 아직 노동쟁의조정법과 같은 법규로 쟁의를 방지할 정도는 아니"라고 보았다. 오히려 문제는 이후 증가할 조선인 노동자를 어떻게 이끌고, 그 노동력을 어떻게 활용할 것인가에 있다고 파악하고 있었다.[82] 이러한 관점에서 사회과는 기본적으로 공장법 적용에 소극적인 입장을 보였으나, 이후 통제경제의 범주 속에서 안정적이고 장기적인 노동력 수급 방법을 강구할 필요에 닥쳐 점차 공장법 시행을 위한 절차를 마련해 갔다.

그러나 공업화 정책 추진 과정에서 정책 입안자들은 기본적으로 조선인 노동자들의 계급의식이 점차 성장해 가고 있음은 인정하면서도 노동법 적용의 필요성은 부인하는 경향을 보였다. 이들은 노동력의 동원 가능성에 대해 "현재 조선인의 8할은 농민이고, 그 중 8할은 소작농 또는 소작 겸 자작농이므로, 특수한 숙련직공을 제외하면 부족한 노동자를 농촌에서 구하는 것은 곤란하지 않을 것"[83]이라 하여, 노동력의 수요가 증가해도 공급에는 곤란이 없을 것이라는 견해를 지니고 있었다. 즉 몰락농민을 통한 노동력의 공급가능성을 확신하고, 나아가 수많은 유휴노동력의 존재에 기반하여 可變資本의 감소 가능성을 타산하였다. 나아가 조선에서는 임금이 싸고 공장법이 적용되지 않으므로 어떠한 종류의 가혹한 노동도 가능하다고 보고 있었다.[84] 따라서 조선의 자

82) 朝鮮總督府 社會課長, 「朝鮮の社會事業(六)」, 『朝鮮社會事業』 12-4, 朝鮮社會事業協會, 1934. 4, 4~5쪽.
83) 朝鮮總督府 學務局 社會課, 『朝鮮社會事業』, 1933, 87~88쪽.
84) 조선의 풍부하고 저렴한 노동력이 일본 자본을 유치하는 계기가 되었다는 것은 당시 논자들이 이구동성으로 지적하는 바였다(賀田直治, 「朝鮮人ノ勞力能力ニ關スル硏究」, 앞의 책, 271~278쪽 ; 全國經濟調査機關聯合會 朝鮮支部

본축적이 부족한 상황에서 급속한 공업화를 달성하기 위해 일본의 기업진출을 촉진하되, 공장법 등의 미적용을 조선의 이점으로 최대한 활용한다는 방침이었다.[85] 또한 조선으로 진출해 온 일본자본의 요구도 총독부의 정책입안 과정에 상당한 압력으로 작용하였고, 만주사변의 발발은 이러한 경향을 증폭시켰다.

이러한 분위기에서 식산국 상공과에서는 조선에서 공장법을 적용할 경우 조선의 공업발전을 저해한다는 이유를 들어 時機尚早論을 적극 주장하였다. 이 시기에는 공장법이 시행되지 않기 때문에 유년노동자와 여성노동자의 야간 작업이 가능하고, 임금 규정에 대한 제한도 없다는 조건에 착안한 일본자본의 투자 열기로 인해 공장 설치가 매년 증가하고 있었다.[86] 그런데 공장법을 적용하게 될 경우 "외래의 대재벌을 끌어들일 필요가 상당히 요구되는 조선에서는 애써 진출한 대재벌의 공장건설을 저해"[87]하는 결과를 낳게 되므로, 아직은 공장법을 실시할 때가 아니라고 하였다. 조선이 공업 발전을 하려는 시기에 공장법을 실시하면 일본 독점자본이 조선 진출을 꺼리게 되어 지장을 준다는 주장이었다. 한 잡지에서는 식산국 상공과의 입장을 다음과 같이 서술하였다.

> 殖産局에서 警務局案의 工場取締規則에 대하야 주저하고 고려하는 리유는 조선의 공업계의 현상은 아즉까지 이러타고 내세울만큼 발전되지 못하얏고 로동자-직공의 산업적 기술도 유치하야 공산품이 빈약한데 그것은 즉 공장경영자에게 큰 고통이오 조선산업 경제상으로 보아 유감이다. 이러한(過渡期)에 있는 조선공업계에 대하야 공장취약(체의 오기-필자)규칙을 강행하려는 것은 로동자-직공의 생활을 보장식히는 효과보다도 공장경영을 곤란하게 하는데 지나지 않이한다.

編, 앞의 책, 1939, 133~136쪽 등 참조).
85) 平澤照雄, 『大恐慌期日本の經濟統制』, 日本經濟評論社, 2001, 259쪽.
86) 姬野實, 앞의 책, 1940, 269쪽.
87) 『東亞日報』 1935. 10. 11.

100

警務局에서 안출한 工場取締規則은 조선에서 실시하기는 아즉 시기
가 일으다. 그럼으로 압날에 있어서 일반 공장경영이 일본 내지와 같
이 완고한 기초가 서기까지는 그 규측시행을 유예하는 것이 조타는
것이다.[88]

이 글은 공장법 시행안이 난항하게 되자 경무국에서 그 대안으로 마
련한 공장취체규칙의 실시에 관해 논한 것이었지만, 공장법 적용에 대
한 식산국이나 자본가들의 견해 역시 이와 같았다. 공업이 취약한 조선
에서 공장법이나 그와 유사한 정책을 적용할 경우 공장 경영이 곤란하
게 될 것이므로 그 적용은 시기상조라고 하는 이유에서 식산국이 반대
하고 있다는 지적이다.

상공과의 이러한 주장은 조선공업화 정책을 추진하던 총독 宇垣一成
의 일본자본 유치 방침 속에서 나온 것이었다. 총독부에서는 일본 독점
자본의 이윤을 보장해주기 위해 자본가를 위한 모든 편의를 제공하고
노동자를 안정적으로 공급하도록 지시하였다. 이는 자본가의 이윤추구
활동이 일본 국내에 비해 간섭·통제되지 않는 조건을 의미하는 것이
자 자본가를 위협하는 노동운동을 통제하는 것을 의미하였다.[89]

자본가들 역시 공장법 적용에 적극 반대하는 입장을 보였다. 일본인
과 조선인 상공업자들로 구성된 조선상공회의소 측은 공장법 적용에
관해 그 필요성을 인정한다고 하면서도 '조선인의 민도'와 '조선의 특수
성'을 운운하고 있었다.[90] 당시 상공회의소는 최대 목표를 일본자본의
유치에 두고 있었다.[91] 예컨대 부산 상공회의소는 「內地資本과 工場의

88) 金潤植, 앞의 글, 1937. 8.
89) 金美賢, 앞의 글, 1997, 60~61쪽.
90) 朝鮮商工會議所, 『朝鮮人職工に關する一考察』, 1936, 45~46쪽.
91) 이러한 입장은 당시 경성상공회의소 회장을 맡고 있던 賀田直治가 "조선은
내지의 경제와 서로 의지함을 생명으로 하고, 내지인의 경제진출에 기대하는
바가 크므로 내선의 경제제휴와 내지 자본·지식의 조선유치를 강구할 것을
요한다"고 언급한 데서도 확인된다(賀田直治, 「昭和九年財界の趨勢並に希

留置策에 대한 意見」으로, 일본인 자본가에게 조선 공업계의 실정을 정확히 알릴 필요가 있다고 하면서 여러 방책을 제시하였다. 그 중 노동력 문제와 관련해서 ① 조선노동자가 대개 악질이고 노동쟁의가 빈발할 것이라는 일본인 자본가의 오해를 깨우쳐줄 것, ② 노동임금이 저렴한 것, ③ 아직 일본과 같이 엄격한 공장법규를 시행하지 않는 것 등을 일본 자본가에게 널리 선전할 것을 제기하였다.[92] 공장법 시행에 관한 여론이 비등하고 총독부 일각에서 공장법 적용 논의가 진행되고 있음에도 불구하고, 상공회의소는 공장법이 적용되지 않는 당시 조선의 상황을 일본자본을 유치하기 위한 좋은 조건의 하나로 광고하였던 것이다. 오히려 상공회의소는 대공황 이후 경기 회복의 중요한 요소로서 인적 자원의 개발을 강조하면서,[93] 이를 위해 노동자의 능률을 조사하고 그것을 증진시키고자 하였다.[94] 이러한 방향에서 마련된 방안은 노동력의 보존이나 보호와는 무관한 차원의 것이었다.

공장법 적용에 반대하는 입장은 조선인과 일본인 자본가로 구성된 민간측 유력단체인 朝鮮工業協會 역시 마찬가지였다. 1937년 경무국에서는 工場取締規則을 실시하기 위해 조선공업협회에 자문하였다. 이에 대해 조선공업협회는 작업시간의 제한과 유년노동자의 연령 제한에 반대하면서, 조선공업의 발전은 일본자본의 진출에 의한 것이고 일본자본의 진출은 공장취체규칙이 실시되지 않기 때문이므로 그 실시에 반대한다는 입장을 보였다.[95]

총독부 내의 각 부서와 자본가측이 다른 입장을 보이는 가운데 1934

望」,『經濟月報』217, 京城商工會議所, 1934. 1, 2쪽).
92) 朝鮮商工會議所,「朝鮮工業の現世(上)」,『經濟月報』222, 京城商工會議所, 1934. 6, 10~12쪽.
93)『每日申報』1934. 4. 1, '商工從業員 表彰 昨日 盛大히 擧行 八十六名에 表彰狀授與'.
94) 朝鮮商工會議所, 앞의 책, 1936.
95) 金潤植, 앞의 글, 1937. 8.

년 4월 경무국과 학무국의 공장법 시안이 작성되었다. 각각의 구체적인
내용은 확인되지 않지만, 대개 일본에서 시행되고 있는 공장법에 기초
해 조선의 특수 사정을 참작하였으며, 무엇보다 유년·여성노동, 노동
시간, 고용주가 노동자를 무리하게 해고하는 경우의 노동자 생활 보증
등에 관한 내용을 중심으로 구성되었다.[96]

공장법 시안의 수준은 일본의 공장법에 준거한다고 하였지만, 상공
과와 자본가들이 끊임없이 제기하던 조선의 특수성이 강조되면서 사회
입법으로서의 성격은 이미 약화된 상태였다. 그 적용 범위에서도 당시
일본에서 시행하던 공장법은 10명 이상의 직공을 상시 고용한 공장을
대상으로 하였으나,[97] 조선에서는 직공 50명 이상의 공장을 대상으로
하였다. 또한 유년노동자와 여성노동자에 대한 규정이 일본의 공장법과
차이가 있었다.[98] 사전부터 법령의 적용 범위가 크게 제한되는 등 공장
법으로서의 성격이 상당 부분 희석된 상태로 추진되었던 셈이다.

이 시기는 마침 소작법의 시행이 강하게 추진되던 시기여서 사회입
법으로서의 공장법 적용 논의가 한층 더 사회적으로 주목을 받고 있었
다. 1934년 4월 소작인 보호법령으로서의 朝鮮農地令이 공포되고 그
해 10월부터 시행되었다.[99] 일제는 농촌진흥운동이 성과를 거두기 위
해서는 무엇보다 소작관계의 안정이 필요하며, 행정적인 조정방식에 의
존하던 종래의 소작문제 대책만으로는 농업생산력의 증진과 소작농민

---

96) 『每日申報』 1934. 4. 11 ; 『東亞日報』 1934. 4. 11.
97) 일본에서는 1923년 공장법을 개정하여, 상시 15명에서 10명 이상의 공장으로
  적용 대상을 확대하고, 유년노동자의 연령을 15세 미만에서 16세 미만으로 인
  상하며, 위반하였을 때의 벌금도 5백엔 이하에서 1천엔 이하로 증액하는 등
  적용 범위를 확대하여 그 시행을 강화하였다(石井照夫, 앞의 책, 1957, 36~37
  쪽). 일본정부는 공장법의 개정을 통해 유년·부인노동자를 보호하고 노동력
  을 보전하고자 하였는데, 이는 한편으로는 당시 노동운동의 고양에 대한 대응
  책이기도 하였다.
98) 『朝鮮日報』 1934. 4. 11 ; 『每日申報』 1934. 4. 11.
99) 『朝鮮總督府官報』 2306, 1934. 9. 14.

의 생활안정을 기하기 어렵다고 보았다. 이에 농지령을 시행하여 제한
적이나마 소작권을 강화하고자 하였다. 宇垣一成 총독은 "小作令은 노
자의 협조를 진전시키고 계급투쟁을 방지하고 산업의 발전을 획책하기
위해 제정된 것이다. 이로 하여금 노자의 싸움, 계급투쟁이 일어나지
않게 해야 한다. 조선에서는 이 같은 싸움에 곧바로 민족의식이 주입되
기 때문에 부주의해서는 안된다"고 파악하고 있었다.[100]

조선농지령 시행과 때를 같이 하여 공장법 적용 논의도 가속화하였
다. 그런데 보안과에서는 초안을 작성하였지만,[101] 사회과와 상공과에
서는 작업을 진전시키지 않았고, 특히 상공과가 조선공업의 유치함을
계속해서 주장함으로써 총독부 내 각 부서 사이에 대립이 표면화되었
다. 그러다가 7월 초순에 세 부서는 각각 마련한 시안을 중심으로 초안
작성을 위한 聯合協議會를 열기로 결정하였다.[102] 그러나 총독부 내부
에서 일본 독점자본의 이익을 대변하던 식산국 상공과의 時機尙早論
이 지지를 받으면서 공장법 적용 논의는 결국 중지되고 말았다.

1936년 3월 경무국장 池田淸은 공장주들과의 간담회를 열어 공장법
적용의 유보, 폐기를 공식 표명하였다.[103] 그는 경성·인천 지역의 공
장주들과 총독부의 경무국·학무국·식산국 관리, 경기도지사 등이 참
석한 이 자리에서 "공장법의 시행은 조선에서 시기상조이므로 법률에
의하지 않고 勞資協調의 實을 거두고자 한다"고 하면서 공장 당사자의
자발적인 시설 개선, 정비를 희망한다고 하였다. 결국 일본 독점자본이
투자하기에 유리한 환경을 조성한다는 일제의 조선 지배정책의 방향과
본질 속에서 노동력 재생산을 위해 최소한의 노동조건을 규율하는 공

100) 宇垣一成, 앞의 책, 1970, 955쪽(1934. 4. 11).
101) 경무국에서 작성한 시안은 전문 40조로, 내용은 대체로 일본의 공장법과 비슷
하나 조선의 특수 사정을 참작하여 작성되었다(『朝鮮日報』1934. 6. 3 ;『中央
日報』1934. 6. 4).
102)『東亞日報』1934. 6. 3 ;『中央日報』1934. 6. 4.
103)「警務局長の工場主招待」,『朝鮮』, 1936. 5, 137쪽.

장법조차 적용되지 않은 채, 당시의 열악한 노동환경과 노동문제는 그 대로 방임, 조장되고 말았다.[104)

공장법 실시가 부결된 후 자본가들은 오히려 노동자를 강력히 통제 하는 기구를 마련해 갔다. 조선공업협회는 노동력을 관할하는 관제기구 의 창설을 주장하고, 이 기구를 통해 노동력 공급을 원활히 하는 동시 에 노동 조사를 철저히 하고 노동에 관한 과학적 연구를 행할 것을 제 안하였다. 더불어 관제기구 창설이 어렵다면 노자협조를 취지로 한 재 단법인을 만들어 관제기구의 역할을 겸하게 할 것을 제안하기도 하였 다.[105) 또한 1936년 3월 청진 지역에서는 경찰과 자본가가 결합하여 노 자협조를 앞세운 노동자 통제 기관 '勞摭社'를 만들었다. 이 단체에 가 입한 회사에서는 경찰서의 신원조사를 거친 후에 노동자를 고용하였고, 노동자는 자신의 사진을 넣은 노동표를 소지해야만 했다. 이 단체는 노 동자의 소질 개선, 생활 향상 도모를 표방하여 기관의 이익금으로 공동 숙박소, 소비조합, 공동 목욕탕 등의 사회시설비에 충당할 것을 내세웠 지만, 단체 결성의 주목적은 임금인상 방지와 '異分子의 침입 방지'에 있었다.[106)

---

104) 宣在源은 小野田 세멘트사의 일본공장과 조선공장을 비교 분석하여, 정책의 차이가 실제 적용과정에서 어떠한 차이로 연결되는지를 연구하였다. 일본에 있는 本工場의 茶話會는 1920년 각 掛長과 직공 중에서 선출된 대표협의원을 의사에 참여하게 하고, 회의는 직공측 회원이 주도하며, 직공 인사를 담당하 는 공무과 직원도 참석하였다. 이 자리에서 직공들은 대우, 복리시설, 작업방 식 개선 등을 요구하였고, 직원은 직공의 요구에 대한 조치와 경영방침 등을 전하였다. 즉 茶話會는 자발적으로 발족하였고, 개편과정을 통해 경영자측과 협의하는 기구의 성격을 가지게 되었다. 이에 비해 小野田 세멘트 평양공장에 서는 1921년 共勵會를 조직하였으나 이 단체는 일본인 職人만으로 구성된 친 목단체로서, 노동자의 대부분을 점하는 조선인 일반직공은 물론 그 대표자조 차 제외되어 있었다. 즉 조선에서는 기업운영에 대하여 경영자와 노동자가 협 의하는 모임 자체가 마련되지 않았다(宣在源, 앞의 글, 1996, 160~170쪽).

105) 朝鮮工業協會, 『朝鮮の産業地位と今後の工業方針』, 1936, 34~35쪽.

106) 金美賢, 앞의 글, 1998, 37쪽.

이후 공장법을 둘러싼 논의는 工場取締規則 제정 논의로 전환되었다. 이러한 분위기는 1935년 말 경무국이 공장취체규칙 시안을 작성하면서 그 해 초부터 조성되고 있었다.107) 공장취체규칙에는 공장법과는 달리 노동력 재생산을 보장하는 내용, 곧 노동자 보호에 관한 내용이 포함되지 않았다.108)

조선의 산업정책 전반을 결정하기 위해 1936년 개최된 朝鮮産業經濟調査會에서는 공장법 적용 문제에 대해서는 전혀 언급하지 않은 채 노자융화와 노동자의 능률향상에 대한 논의를 전개하였다.109) 자원·공업분과의 논의 내용에서도 공장노동 문제에 관한 심의내용으로 '노동효율의 昻上을 촉구하는 동시에 노자간의 융화를 꾀하여 공업의 순조로운 발달에 이바지할 것을 요함'이라는 항목을 설정하였다. 여기에서는 구체적으로 "노동효율을 앙상, 노자간의 융화 등에 관해 적당한 방책을 수립하기 위해 공장노동에 관한 기본 조사를 할 것과 함께, 공장주로 하여금 한층 노동자의 보건, 위안, 교양, 기타 생활의 향상과 능률의 증진 등을 꾀하기 위해 필요한 시설을 강구하게 하는 한편, 노동자의 자립정신 함양에 힘써 노자간의 융화에 힘쓸 것"을 제기하였다.110)

---

107) 『每日申報』1935. 3. 24, '勞資衝突 事件 頻發로 工場取締法 起草, 완전한 취체법규가 업기 째문, 京畿道서 率先 着手'.

108) 공장취체규칙 제정 논의과정에서 1936년 경무국에서 대강의 단속 방침을 만들어 일반 경찰관에게 시달한 내용은 ① 원동기·공장·자동차 사고의 방지 대책과 각 도의 검사 표준의 결정, ② 원동기·공장·자동차 관계 법령의 정비에 관한 기술적 조사, ③ 각 도 기술관의 지도 감독과 일반 경찰관의 공장지식의 보급, ④ 공장 종업원의 보안 위생 재해의 방지 대책 등 소극적인 것이었다(『東亞日報』1936. 7. 5).

109) 이 조선산업경제조사회는 조선에서 두 번째로 열린 산업정책회의로서, 宇垣一成 총독 시기부터 준비되어 南次郎 총독이 부임한 이후 곧 바로 열리게 되었다. 이 회의는 일본·조선총독부·만주국의 관리와 일본·조선의 자본가와 학자들이 모여 향후 조선의 산업정책을 결정하는 자리였다(이승렬, 앞의 글, 1996, 185쪽).

110) 朝鮮總督府, 『朝鮮産業經濟調査會會議錄』, 1936, 397쪽.

106

즉 노동자의 능률을 증진하고 노자간의 융화를 위해 총독부에서는 공장노동에 관한 조사를 행하는 한편으로 각 기업에게 복리시설을 확충할 것을 권하였다. 법적인 강제성을 지닌 형태로 논의되던 勞資協調論이, 권장 사항으로서 자본가의 자율에 위임되는 형태로 유지되었던 셈이다.

그러나 노자융화의 차원에서 제기된 공장취체규칙 적용 논의 역시 공장법 적용 논의 과정에서와 마찬가지로 식산국 상공과와 자본가층의 반대에 부딪혔다. 사회적으로 공장법의 적용, 실시가 계속 요구되고 있었음에도 불구하고 공장법은 물론 노동효율 향상과 노자융합을 주장하는 제한적 성격의 工場取締規則마저도 조선에서는 실시되지 않았던 것이다.

공장법에 이어 공장취체규칙의 시행 논의도 부결됨에 따라 조선에서 노동자 보호·노동력 보전의 문제는 법령에 의해 전혀 보장받지 못하게 되었다. 총독부는 조선에서 공장법을 실시하지 않음으로써 조선을 일본인 자본가들이 투자하기 지대로 만들어 놓았다.111) 1930년대부터 조선의 경제적인 위치를 자본의 투자처로 재조정하면서 공업화를 추진하였던 일제는, 식민정책의 전환에도 불구하고 노동자를 보호하는 정책은 애초부터 구상하지 않았다. 그것은 한편으로는 일제가 조선인 노동자 세력이 아직은 식민지배에 위협적이지 않다고 판단하고 있었음을 보여주기도 한다. 곧 일제는 당시 조선인 노동자를 공장법 시행의 대상으로 파악하지 않았던 것이다.

111) 일본자본 유치를 위한 총독부의 이러한 노력은 重要産業統制法 시행 유예 주장으로 이어졌다. 조선산업경제조사회 총회에서 식산국장 穗積眞六郎은 조선에서의 중요산업통제법의 전면 실시에 반대하는 입장을 취하여 공장법 적용 논의 당시와 같은 입장을 보였다. 조선에 일본 독점자본이 투자하기 적합한 환경을 조성하고자 한 식산국으로서는 당연한 견해였다. 총독부의 중요산업통제법 논의와 시행과정에 대해서는 방기중, 앞의 글, 혜안, 2004 ; 裵城浚, 「日帝下 京城지역 工業 硏究」, 서울대 국사학과 박사학위논문, 1998 ; 이상의, 앞의 글, 『일제하 한국사회의 근대적 변화와 전통』, 2005 참조.

　요컨대 대공황의 타격을 입자 일제는 경제블록을 형성하고 경제통제를 행함으로써 그 위기를 타개하고자 하였다. 이에 조선의 경제 구조를 農工竝進 체제로 변화시켜 갔고, 노동정책도 경제정책의 하나로서 본격 추진되었다. 이 시기 조선의 공업화 정책 시행을 위해 일제는 노동강도를 강화하는 노동생산성 위주의 산업합리화를 추구하면서, 자본가 중심의 노자협조를 강조하였다. 그러므로 계속되는 공장법 시행 요구에도 불구하고 총독부 내부의 공장법 적용 논의는 식산국과 자본가들의 반대 속에 부결되지 않을 수 없었다. 결국 조선에서 제기된 노자협조론은 사회를 안정시키고 식민지배를 용이하게 하기 위해 모색된 이론의 하나로서, 노동자를 통제하기 위한 지배 이데올로기의 성격을 강하게 지니고 있었다. 이 시기에 추진된 노동력 공급정책은 총독부와 자본가들의 이러한 인식 수준에 바탕하여 진행되었다.

2. 노동력 공급정책과 노동력 재배치

1) 노동력 공급정책의 추진

(1) 궁민구제사업과 사회간접자본의 구축

　일제는 조선에서 공업화 정책을 추진하기 위해 노동력 공급문제를 정책차원에서 구체화하였다. 그 과정에서 몰락농민을 비롯하여 빈민과 실업자 등의 노동력이 풍부하며 따라서 이들을 저렴하게 동원할 수 있다는 점을 활용하고 있었다. 앞에서 살펴보았듯이 이 시기 일제는 안정적인 식민지배를 위해 몇몇의 社會安定策을 시도하기도 하였지만, 조선에서의 산업합리화의 방향은 노동생산성 향상을 목표로 한 노동강도의 강화로 일관하고 있었다. 이 때문에 조선에서는 공업화 정책과 관련하여 노동력 수급기관을 운영하거나 노동력의 이동을 알선하는 등 노동력의 안정적인 공급에 중점을 두는 제한적인 노동정책만이 강구되었다.

대공황기 노동정책의 성격은 '窮民救濟事業'을 통해 가장 잘 드러난
다. '궁민구제사업'은 일제가 소위 궁민구제를 명분으로 일자리를 창출
하여 대공황기의 사회적, 경제적 위기를 타개하고자 추진한 사업이었
다. 지주적 농정의 강화와 산업시설의 미비로 실업자가 격증하여 커다
란 사회문제로 등장하자, 조선총독부는 소극적이나마 대책을 세우지 않
을 수 없었다. 당시의 산업구조로는 이들 이촌 몰락농들을 수용할 여력
이 거의 없었던 까닭이다. 그런데 당시는 조선총독부의 공업화 주창과
더불어 日窒을 비롯한 일본 신흥자본이 조선으로 진출하기 시작한 시
기였다. 이들이 공장을 건설하고 원료와 상품을 운반하기 위해서는 동
력과 함께 운송시설이 확보되어야 했다. 일제는 농촌에서 분출되는 값
싼 노동력을 대량 수용하여 산업의 기초시설을 확보하는 한편, 이를 통
해 실업자 급증으로 인한 지배체제의 불안을 해소하고자 하였다. 그 중
일제정책의 중심은 전자에 있었고, 후자는 부차적인 것이었다.

공황의 여파로 실업문제가 더욱 심각해지고 여론이 악화되자 조선총
독부는 두 가지 대책을 강구하고 있었다. "최근 경제계의 불황으로 일
반 민중의 피폐 곤란이 심해져 그 응급책으로서 일반 궁민을 구제하여
민력의 함양과 국토의 개발을 꾀한다"는 명분하에 1931년부터 1935년
까지 3차에 걸친 '窮民救濟工事'를 벌이고, 1932년부터 1934년까지 '時
局應急救濟工事'를 시행하였다.[112]

궁민구제공사는 일본자본의 요구에 따라 대부분 공업화의 기간시설
인 사회간접자본을 구축하는 데 집중되었다. 그 결과 사업의 내역은 ①
원료·상품의 운송을 위한 도로 개량, ② 경지를 확보하고 공업 동력을
마련하기 위한 하천 개수, ③ 기타 漁港과 地方港 수축, 수도·하수도
등 도시환경 시설의 신설 또는 확장, ④ 砂防工事 등으로 구성되었
다.[113] 즉 일제는 실업률 완화를 통해 당면한 사회문제를 해소하는 한

---

112) 朝鮮總督府 內務局, 『朝鮮窮民救濟治水工事年報』, 1933, 1쪽.

편, 광범한 실업자군을 바탕으로 "가능한 한 인력에 의존하여"[114] 사회
간접자본 건설을 시도하였다.

이 사업은 1931~33년간의 제1차 사업비 6,522만여 원, 1934년 제2차
사업비 1,600만원, 1935년 제3차 사업의 800만원과 時局應急施設事業
의 597만여 원, 그리고 이외의 공사에 투여된 것을 합치면 총비용이 1
억원에 가까운 대규모 사업이었다.[115] 이 예산은 道地方費와 국고보조
비로 구성되었다. 그 중 도지방비는 일본 大藏省 預金部와 朝鮮殖産銀
行에서 차입한 것으로,[116] 장기적으로 공업부문에서 자본의 투자처를
개발하기 위한 일제의 자본 투입 과정의 하나로 이루어졌다.[117] 이 예
산은 대부분 도로공사와 치수공사를 중심으로 배정되었는데, 3차에 걸
친 사업 총비용의 지출 내역을 보면 도로공사에 38%, 치수공사에 34%,
기타공사에 17%가 소요되었다.

그런데 이 사업에서 국고보조비의 비율과 배정액은 공사별·지역별
로 큰 차이를 보였다. 공사별 국고보조비의 비율은 치수공사는 78%, 도

---

113) 朝鮮總督府 內務局, 앞의 책, 1933, 1~3쪽.
114) 朝鮮總督府 內務局, 『第2次·第3次 朝鮮窮民救濟治水工事年報』, 1940, 11
    쪽.
115) 朝鮮總督府 內務局, 위의 책, 1940, 1~2쪽.
116) 이 차입금은 대장성 예금부가 약 3/4, 식산은행이 약 1/4을 부담하였다. 대장
    성 예금부의 경우 연간 3分 5厘~4分 5厘, 식산은행의 경우 5分~7分 3厘의
    이자를 지불해야 했고, 상환 자금은 수익 면적에 따라 부과되었다(朝鮮總督府
    遞信局, 『朝鮮に於ける社會公共事業に關する諸調査 其一』, 1934, 245~246
    쪽 ; 朝鮮總督府 遞信局, 『朝鮮に於ける社會公共事業に關する諸調査 其二』,
    1935, 136~137쪽).
117) 이 중 특히 대장성 예금부의 차입금은 5년 거치, 15년 균등 분할하여 상환하
    기로 되어 있었다. 즉 일제는 '救窮'의 명분으로 대규모 토목사업을 진행하면
    서 궁극적인 부담은 조선인에게 떠맡기고 있었다. 더욱이 조선총독부는 '지방
    자치'의 명분을 내세워 그 사업을 지방단체에 이관함으로써 재정상의 제 부담
    을 지방에 전가시켰고, 이는 각 도 재정에 대한 일본 금융자본의 지배력이 강
    화되는 조건을 만들어냈다(李鍾範, 「1930년대 초의 '窮民救濟土木事業'의 性
    格」, 『全南史學』 2, 1988, 14·22쪽).

로공사 59%, 기타공사 40%로 치수사업에 대한 비중이 가장 컸다. 지역
별로는 도로공사 1차사업의 경우 남부지방의 전라남도와 경상남북도는
국고보조비의 비율이 40%였던 데 비해, 평안북도 강원도 함경남북도
등 북부지방은 80%를 차지하여 남부지방 보조율의 2배에 달하였다. 지
방의 항만 수축공사 등에서도 강원도와 함경남북도에 대한 보조율이
높아서 대부분 70% 가량에 달하였다. 즉 도별 국고보조비의 지급은 한
강·낙동강·대동강 등 直轄河川 사업일수록, 그리고 북부지방 공사일
수록 비중이 컸다. 또한 도별 배정액도 빈민이 가장 많았던 전라남북도
지역보다는 함경남도, 경상남북도, 충청남도, 경기도에 대한 것이 많았
다.118) 1930년대, 특히 후반기에 들어 북부지방이 군수공업화 정책을
추진하는 중추지대가 되었던 점을 고려하면, 이러한 예산집행 내역을
통해 사업이 목표하였던 바를 분명히 알 수 있다.

'窮民救濟事業'의 성격은 그 고용규모와 임금을 통해서도 드러난다.
이 사업의 부역 예정 연인원은 약 5천만 명에 달하였다.119) 그런데 <표
9>에서 보면 1933년 하반기의 부역 연인원은 약 403만 명으로, 이들이
1인당 1개월에 20일씩 부역하는 것으로 추산하더라도 실제 고용이 가

<표 9> 1933년 하반기 窮民救濟事業 부역인원과 지불임금(단위 : 명, 원)

구분\민족	부역 연인원			총지불임금			1인당 지불임금		
	직 영	청 부	계	직 영	청 부	계	직영	청부	평균
조선인	2,786,173	1,081,751	3,867,924	1,463,474	686,336	2,149,810	0.52	0.63	0.55
일본인	104,661	54,864	159,525	145,238	73,763	219,001	1.38	1.34	1.37
중국인	970	1,253	2,223	1,332	1,881	3,213	1.37	1.50	1.44
계	2,891,804	1,137,868	4,029,672	1,610,044	761,980	2,372,024	0.55	0.66	0.58

자료) 朝鮮社會事業協會, 「窮民救濟事業ニ使役シタル勞動者數及賃銀調 第2期
分成績槪況」, 『朝鮮社會事業』 12, 1934. 2, 61쪽.

---

118) 朝鮮總督府 內務局, 『第1次 朝鮮窮民救濟治水工事年報』, 1940 ; 『第2次·第
3次 朝鮮窮民救濟治水工事年報』, 1940.
119) 朝鮮總督府, 「窮民救濟事業調」, 『朝鮮總督府調査月報』, 1931. 9, 11쪽.

능하였던 인원은 1일 약 3만 3,600명이었다. 이는 같은 해에 조사된 총 빈민 604만여 명[120]의 0.55%에 불과한 수치로, 이 사업을 통해 빈민을 구제한다는 것은 구조적으로 불가능한 일이었다.

또한 노동자들의 임금은 이 사업을 통해 받은 것만으로는 최저 생계를 유지하기도 곤란할 정도였다. 이 표에 의하면 1933년 당시 궁민구제사업에 참여한 조선인 노동자의 평균임금은 하루 55전이었다. 그러나 이는 工場雇・工夫・職工 등 특수공의 임금까지 포함한 경우이고, 공사현장 노동력의 대다수를 차지한 人夫의 임금은 이보다 훨씬 낮았다. 예컨대 榮山江 狹搾部 굴착공사에 참여했던 노동자들의 1934년 임금은 평균 51전이었는데, 이 중 특수공은 2원 안팎의 임금을 받았으나, 노동자의 대부분을 차지했던 인부들은 대개 45전 정도를 수령하는 데 불과하였다.[121] 그나마 노동자들의 실제임금은 그에도 훨씬 못 미쳤다. 토목공사장에서의 일반적인 임금 지불방식이었던 錢票制와[122] 청부업자간의 담합에 따른 임금 공제,[123] 임금의 10% 이상의 강제저축[124] 등으로 인해 노동자들의 실제임금은 15~40전에 머물렀다.[125] 일례로 전

---

120) 朝鮮總督府 學務局 社會課, 「細窮民及浮浪者又は乞食數調」, 『朝鮮社會事業』 13-6, 朝鮮社會事業協會, 1935. 6, 64쪽.

121) 朝鮮總督府 內務局, 『第2次・第3次 朝鮮窮民救濟治水工事年報 附表』, 1940, 24쪽.

122) 錢票制에 대해서는 정진성, 「일제하 조선에 있어서 노동자 존재형태와 저임금-1930년대를 중심으로-」, 『한국자본주의와 임금노동』, 화다, 1984, 84쪽 참조.

123) 『朝鮮新聞』 1931. 8. 5, '(평안북도) 窮民救濟事業의 人夫 百여명이 同盟罷業, 그 원인은 賃金의 低廉에서, 請負事業의 弊인가'.

124) 朝鮮總督府 內務局, 『第1次朝鮮窮民救濟治水工事年報』, 1940, 13쪽.

125) 당시의 소설 중에는 궁민구제사업의 이러한 실상을 잘 나타낸 글이 있다. 이 글에 의하면, H읍의 수도공사가 입찰 결과 장기조에 공사 길이 1미터 당 20전에 낙찰되었는데, 장기조는 이를 십장에게 1미터당 5전을 제하여 15전씩에 넘겨주었고, 십장도 여기에서 1미터당 5전을 제하고 10전씩을 인부에게 주었다. 또한 인부들에게는 매일 열흘 단위의 전표가 배부되어, 대부분은 당일로 전표장사에게 전표액의 1할이 할인된 액수의 현금으로 바꾸어 사용하였다(이북명,

112

라남도 나주군 多津水利組合 공사와 강원도 강릉군 왕산면 목계리의
도로연장공사 등 대부분의 공사현장에서는 하루 13시간 노동에 평균
30전의 임금이 지불되었는데, 이 중 밥값 24전을 제하면 노동자들의 하
루 벌이는 6전에 불과하였다.126) 이는 가족의 생활비는 물론이고 공사
에 종사하던 노동자 개인의 하루 생활비도 안되는 수준이었다.

이에 釜山救窮工事場 등 일부 공사현장에서는 노동자가 모집되지
않아 공사를 제대로 진행하지 못하는 '취업난 시대의 기현상'이 나타났
다.127) 그러나 그 대책은 임금인상이 아니라 什長의 인부 쟁탈전 등의
형태로 미봉될 뿐이었다.128) 일제는 광범한 잠재적 실업자를 배경으로,
동원된 노동자들에게 최소한의 임금만을 지불하고 사회간접자본을 건
설해 갔다. 따라서 궁민구제사업은 그 표방과는 달리 사업 자체의 한계
와 계속된 불황으로 인해 실업 해소에 그다지 효과를 거둘 수 없었다.
조선총독부가 궁민구제사업만으로는 "도저히 다수의 궁민을 구제할 수
없어" 다시 새로운 형태의 궁민구제사업인 '시국응급구제공사'를 시행
한다고 밝혔던 것도 이 때문이었다.129)

신의주 간선도로 공사장, 輪城川 개수 공사장, 兄山江 개수 공사장
등 전국 도처의 공사현장에서 저임금을 비롯한 열악한 노동조건에 저

「구제사업」,『문학』, 1936. 1(안승현 엮음,『한국노동소설전집』3, 보고사, 1995
재수록)). 즉 대개의 인부들은 하루 12시간 동안 5미터를 공사하면서 본래는 1
원씩을 받아야 했으나 실제로는 50전을 수령하였고, 다시 전표를 바꾸는 과정
에서 수입이 45전으로 감소되었다.
126)『東亞日報』1931. 10. 1·1932. 5. 13.
127)『東亞日報』1933. 10. 22 朝刊, '釜山 救窮工事場 勞賃 올리고 人夫募集, 노
임이 너무 헐해 지장이 생겨, 五十錢을 七十五錢으로' ;『東亞日報』1934. 11.
8 朝刊, '就業難時代 奇聞, 勞動者의 供給不足, 임금의 저렴한 것이 최대원인,
饑饉地인 高原의 現狀'.
128)『東亞日報』1933. 9. 23, '羅津各工事에 人夫爭奪戰, 방법은 임금인상이 아니
다, 什長이 넘나들며 爭奪'.
129) 朝鮮總督府, 「昭和7年中職業紹介所取扱成績」,『朝鮮總督府調査月報』4-5,
1933. 5, 59쪽.

항하는 동맹파업이 잇따라 발생하였다.[130) 그러나 토목공사에 종사하는 노동자들은 대부분 계절적으로 농업과 미분리 상태에 있었고, 토목노동 자체가 지닌 이동성으로 인해 저항에 한계가 있었다. 또한 궁민구제사업은 조선의 수많은 몰락농민을 배경으로 가능하였고 지속될 수 있었기 때문에, 대부분의 저항은 실패로 끝날 수밖에 없었다.

당시 총독부는 貯金契를 조직하여 사업에 동원된 노동자들에게 임금의 1/10 이상을 반드시 저축하도록 강요하고 있었다. 임금 살포를 구실로 동원된 노동력을 조직적으로 파악하고자 했던 것이다. 이는 장기적인 목적에서 동원된 노동력을 파악하기 위해서도, 그리고 공사 중의 저항을 방지하기 위해서도 필요하였다. 궁민구제사업을 통해 조선인 노동력에 대한 동원과 함께 통제의 단서를 마련해 갔던 것이다.[131)

조선총독부는 궁민구제사업이 끝난 뒤 여기에 동원된 노동자를 북부지방의 공사현장으로 동원할 계획을 세웠다. 이 시기 북부지방에서는 토목사업이 한창 일어나면서 항상적으로 30%, 장소에 따라서는 필요한 노동력의 50%까지 부족한 곳도 있었다.[132) 이에 이미 파악된 노동자를 북부지방으로 보내 그 지역의 노동력 수요를 해결하는 한편, 궁민구제사업이 끝날 경우 더욱 심각해질 실업문제의 파장을 줄이고자 하였

---

130) 『朝鮮新聞』1931. 8. 5・12. 11 ;『京城日報』8. 9・9. 22 ;『朝鮮民報』1931. 9. 12 등 참조.

131) 朝鮮總督府,『施政三十年史』, 1940, 391쪽. 함경남도에서는 노동자로 하여금 '貯金契'를 조직하기 위해 다음과 같은 규약을 제정하기도 하였다. 1. 계에서는 계원 저금대장을 작성하여 저금 월 일, 금액 누계를 기입할 것. 2. 저금액은 1인 代金 日額 1할 이상으로 할 것. 3. 저금은 契長이 出役者 개인명의로 가까운 우편국 또는 금융조합에 할 것. 4. 저금은 다음 사항을 제외하고는 일절 지불하지 않을 것. ① 공사종료로 계가 해체된 경우, ② 천재, 질병 등으로 인한 극심한 생활고와 타지방으로 이주하는 경우, ③ 생산에 필요한 농구, 가축, 기구, 기계 구입시에 계장이 적당하다고 인정하는 경우. 5. 계장은 매월 10일까지 전월분 저금 상황을 府尹, 邑・面長에 보고하고, 읍・면장은 군수, 군수・부윤은 도지사에게 전보할 것(李鍾範, 앞의 글, 1988, 18~19쪽).

132) 북부지방의 노동력 부족현상에 대해서는 본장에서 후술한다.

114

다.[133)

이처럼 일제는 '窮民救濟事業'을 통해 경제적으로는 최저의 노동조
건으로 조선 공업화의 기반이 되는 사회간접자본을 구축해 갔으며, 사
회적으로는 실업자 격증으로 인한 지배체제의 위기를 타개하고자 하였
다. 그러나 일제정책의 우선적인 목표는 전자에 있었고, 당시의 실업문
제는 이 같은 사업을 통해서는 해결이 불가능하였다.

(2) 직업소개소의 설치와 확대

1930년대 노동력 수급을 담당하였던 대표적인 기관은 職業紹介所다.
일제하의 직업소개 사업은 1913년 京城救護會가 석방자를 보호한다는
명목하에 사업을 개시한 것을 효시로, 1920년이래 점차 주요 도시에 직
업소개소를 설치하면서 본격화되었다.[134) 1920년대의 직업소개소는 실
업문제가 사회문제로 등장한 상황에서 일종의 사회사업 기관으로 운영
되었다. 농촌과 도시를 막론하고 실업자가 증가하고 이와 함께 대중운
동이 활발해지자 일제는 대책을 강구하지 않을 수 없었다. 그리하여
1920년 이후 전국 주요 도시 지역에 '사회구제사업'으로서 인사상담소,
공설 시장·목욕탕, 공동 숙박소·탁아소, 간이식당 등의 사회시설을
설치하기 시작하였고, 직업소개소도 그 일환으로 설치하였다.[135)

직업소개소 설치의 또 다른 목적은 조선인의 일본 도항을 억제하는
것이었다. 당시 일본에서는 1차대전기의 호황에 대한 반동으로 1923년
경부터 만성공황이 시작되면서 공장의 축소·해산 등에 의해 실업자가
증가하고 있었는데, 일제는 그 원인의 하나를 조선인 노동자의 유입에

133)『京城日報』1934. 1. 19, '多數의 失業勞動者 사람이 不足한 北鮮으로, 窮救
　　事業 中斷後의 處置'.
134) 朝鮮總督府, 「昭和7年中職業紹介所取扱成績」,『朝鮮總督府調査月報』, 1933.
　　5, 59쪽.
135) 大邱府,『大邱府社會事業要覽』, 1937, 26쪽.

서 찾았다. 이에 1919년 旅行證明書制度, 1925년 渡航沮止制度, 1932
년 身分證明書 發給制度를 시행하는 한편, 渡日을 원하는 자들이 전국
각지에서 모여드는 부산의 직업소개소에 직원을 상주시켜 조선인 노동
자의 渡日을 적극적으로 제지하였다.[136] 조선총독부는 이와 함께 1927
년 社會課 직원을 증치해 노동자 수급 관계를 조사할 방침을 세우는
한편, 공설 직업소개소를 장려하기 위해 건설비의 5할, 경영비의 2할에
해당하는 보조금을 교부하는 등의 조치를 취하였다.[137]

    그러나 조선의 유휴노동력은 일제가 '조선공업화'를 추진해 가는 과
정에서 필수적인 존재였다. 따라서 일제의 정책은 실업문제 자체의 해
소보다는 조선내 사회간접자본의 구축 혹은 공업화 과정에서 저임금구
조를 유지하기 위한 노동력 공급에 중점이 두어졌다.[138] 이에 따라 직
업소개소는 실업문제를 해소하기 위한 사회사업적 기관에서 1930년대
들어 본격적으로 노동력을 공급·조절하는 기관으로 그 성격이 변화되
어 갔다.[139]

    이러한 정책적 필요에 따라 조선총독부는 경성에 직업소개 중앙사무
국을 두고 지방 大都市에 支部를 두어 기구를 확대하는 등 조직의 중

---

136) 小林英夫, 「朝鮮總督府の勞動力政策に就いて」, 『都立大學 經濟と經濟學』
    34, 東京大, 1974, 58~59쪽. 이러한 기능의 강화로 부산 직업소개소는 각지에
    서 몰려든 대일 도항자를 일괄하여 조선내에 분산, 배치하는 역할을 하였다
    (김민영, 『일제의 조선인노동력수탈 연구』, 한울아카데미, 1995, 59쪽).
137) 朝鮮總督府, 「昭和7年中職業紹介所取扱成績」, 『朝鮮總督府調査月報』, 1933.
    5, 59쪽.
138) 咸興府立職業紹介所, 「再び公營職業紹介所の效益を說く」, 『朝鮮社會事業』,
    1934. 1, 60쪽.
139) 朝鮮總督府遞信局, 『朝鮮に於ける社會公共事業に關する諸調査 其一』, 1934,
    25쪽. 이러한 과정을 『京城府社會事業要覽』에서는 "본 사업은 처음에는 구제
    사업으로 발달하였지만, 경제조직의 발달에 따라 점차 성격이 변화해서……장
    래 일층 시설의 개선 충실을 계도하고, 직업소개소의 主旨인 노무의 수급조절
    에 더욱 힘쓸 것"이라고 밝히고 있다(京城府社會課, 『京城府社會事業要覽』,
    1934, 25~26쪽).

앙집권적인 통일화 작업을 추진하였다. 전국적으로 노동력을 조절하여
다수의 노동력을 필요로 하는 북부지역 혹은 도시지역으로 농촌의 노
동력을 공급하고자 했던 것이다. 1930년 현재 직업소개를 담당한 곳은
① 경성 대구 부산 평양 신의주 선천 함흥 청진부 등의 府營 직업소개
소, ② 和光敎園, 京城救護會, 인천 기독교 청년회, 부산 노동공제회에
서 경영하는 민영 직업소개소, ③ 조선총독부 사회과 소속 직업소개소
등 총 13개소의 직업소개소, ④ 대전 군산 청주 보령 천안 평양 원산 신
갈파 웅기 혜산진 홍원 북청 등 각지의 경찰서에 소속되어 있는 12개소
의 인사상담소 등이 있었다.140) 조선총독부는 이후에도 노동력 수요의
증가에 발맞추어 대도시와 북부지방을 중심으로 계속해서 직업소개소
를 확대해 갔다.

그런데 일본 국내와는 달리 이들 직업소개소는 1940년까지 職業紹介
法조차 제정되지 않은 채 운영되었다.141) 각 직업소개소는 국내의 기존
직업소개소 혹은 일본 직업소개소의 규정을 모방하거나, 다소의 첨삭을
가한 規定 혹은 執務準則을 토대로 운영하는 데 불과한 상태였다. 또
한 이를 지도·감독하거나 연락·통제하는 전문기관도 설치되지 않았
다.142) 노동행정 전반을 통괄하는 기관조차 존재하지 않던 당시의 상황
과 일맥상통하는 것이었다. 이에 노동자의 고용은 대부분 개별적인 모
집에 그쳤고, 일부만이 직업소개소의 소개나 관청의 알선에 의해 이루
어졌다.143) 일제가 조선의 노동력에 대해 장기적인 수급이나 양성계획

---

140) 朝鮮總督府, 「昭和5年中職業紹介成績」, 『朝鮮總督府調査月報』, 1931. 4, 41
    ~42쪽.
141) 1920년 워싱턴에서 개최된 국제노동회의에서는 실업자 구제에 관한 조약안으
    로 공설 직업소개소 설치와 영리 직업소개소 폐지를 결의하였다. 일본도 이
    조약에 조인하여 일본 국내에서는 1921년 4월 직업소개법을 제정·시행하였
    으나, 조선·대만 등지에서는 이 법을 시행하지 않았다(朝鮮總督府 學務局
    社會課, 『朝鮮の社會事業』, 1933, 95~96쪽).
142) 水津正雄, 「職業紹介所の現況及將來に對する希望」, 『朝鮮社會事業』, 1933.
    10, 43~46쪽.

이 없이 일본자본의 요구에 따라 응급적·단기적으로 포섭과 배제의
과정을 되풀이하였기 때문이다.144)

　직업소개소의 활동은 일반직업소개와 일용소개로 구분되었는데, 그
취업 현황을 나타낸 것이 <표 10>이다. 여기에서 보면 1930년대 내내
직업을 잃고 직업소개소를 찾는 구직자가 해마다 증가해, 일반직업소개
의 경우 1930년 2만 8,816명에서 1934년에는 4만 7,754명, 1940년에는 5
만 2,141명으로 증가하고 있었다. 그러나 1930년대 전반기까지 직업소
개소를 통한 취직률은 매우 낮았다. 공황의 여파가 미치기 시작했던
1930년의 경우 일반직업소개는 32%에 불과하였고, 일용소개도 80% 수
준을 밑돌았다. 1932년의 일반직업소개에서도 求人數는 求職者數의 약
반에 불과하였고, 소개건수는 구직자수의 약 1/3로 취직률이 32.6%에
그쳤다. 더욱이 紹介件數와 就職者數의 차이를 감안하면 실제 취직률
은 20% 정도였을 것으로 추정된다.145) 또한 그 취직자 중에는 일본인
이 적지 않게 포함되어 있었다.146)

---

143) 1930년대 전반기에는 물론이고, 1940년에 이르러서도 일반 노동자의 고용 경
　로는 연고 소개가 전체의 61.4%, 문전 모집이 23%, 모집 종사자에 의한 것이
　13.3%였고, 府郡島의 알선은 1.6%, 직업소개소 알선은 0.7%에 불과하였다(京
　城職業紹介所,『京城職業紹介所所報』特輯號, 1940, 64쪽).
144) 이에 대해서는 일제 당국도 "조선에는 내지의 직업소개법 실시, 기타 국가총
　동원에 관한 각종 법규와 아울러 노무수급 조정의 완벽을 기할 기본 법규가
　전혀 없고, 그 때문에 사변 하에 중요 제 정책의 수행상 적지 않은 곤란을 느
　끼는 상태"라고 자인하고 있었다(京城職業紹介所, 위의 책, 1940, 3쪽).
145) 직업소개소의 사업 현황에서 취직자수는 엄밀히 말해서 소개 건수라고 보아
　야 할 것이다. 소개 건수는 직업소개소에서 구직자를 구인자에게 소개한 수로
　서 실제의 취직자수와는 큰 차이가 있는데, 그것은 특히 토목·건축, 농림업
　등에서 두드러진다. 예컨대 경성부 인사상담소의 1927년 직업소개 상황을 보
　면, 총 소개 건수 중 취직자수의 비율은 58.7%에 불과하였고, 그중에서도 토
　목·건축과 농림업 부문은 각각 38.7%, 33.3%에 그쳤다(「京城府人事相談所
　の昭和2年統計」,『朝鮮社會事業』6-3, 1928. 3, 43~44쪽). 이 책에서는 편의
　상 자료의 표현에 따라 소개 건수를 취직자수로 서술한다.
146) 일례로 1932년 직업소개소의 취직자수 중에는 일반소개의 경우 17%, 일용소

118

<표 10> 職業紹介所 취업현황(단위 : 명, %)

구분 연도	일반직업소개						일용소개					
	구인	구직	지수	취직	지수	취직률	구인	구직	지수	취직	지수	취직률
1930	16,326	28,816	100	9,293	100	32.2	7,511	8,353	100	6,652	100	79.6
1932	22,129	43,103	149	14,085	151	32.6	186,757	194,737	2,331	186,314	2,800	95.6
1934	33,505	47,754	165	19,341	208	40.5	177,668	180,493	2,160	177,581	2,669	98.3
1936	33,130	44,771	155	19,170	206	42.8	15,483	16,628	199	15,316	230	92.1
1938	45,301	48,407	167	27,014	290	55.8	110,235	111,350	1,333	110,175	1,656	98.9
1940	53,702	52,141	180	27,658	297	53.0	19,410	19,825	237	19,372	291	97.7

자료) 朝鮮總督府, 『朝鮮總督府統計年報』, 각년도판.

그런데 여기에서 주목되는 것은 일반직업소개의 경우 구인수에 비해 취직자수가 현저하게 적다는 점이다. 이러한 현상은 1930년대 전반기는 물론이고 노동력 부족이 심각하게 논의되던 1930년대 후반기, 1940년에 들어서도 여전하였다. 부문별에서도 공·광업이나 토목·건축 분야뿐만 아니라, 특별한 기능이 요구되지 않고 취직률이 가장 높았던 戶內使用人이나 雜業에 이르기까지 전 부문에 걸쳐 구인수에 비해 취직자수가 크게 적었다.147) 저임금과 우수한 질의 노동력을 원하는 구인자의 요구와 좀 더 나은 노동조건을 기대하는 구직자의 요구의 차이에서, 즉 구인자가 제시하는 노동조건이 구직자수의 요구에 미치지 못한 데 기인한 것이었다.148) 이를 통해 일제가 계속해서 강조하던 노동력 부족의

개의 경우 12%의 일본인이 포함되어 있었다(朝鮮總督府, 「昭和7年中職業紹介取扱成績」, 『朝鮮總督府調査月報』, 1933. 5, 63~67쪽).
147) 직업별로 일반소개의 구인수와 취직자수를 비교해 보면 다음과 같다.
<표> 1938년 일반소개의 직업별 구인·취직자수(단위 : 명, %)

업종 구분	공광업	토목건축업	상업	농림업	수산업	통신운수	戶內使用人	잡업	계
구인수	5,477	1,457	8,061	87	46	1,333	23,589	5,251	45,301
취직자수	3,239	1,004	5,457	43	12	600	18,016	3,132	31,503

자료) 朝鮮總督府, 「職業紹介事業施設數調」, 『朝鮮總督府調査月報』, 1940. 2, 70쪽.
148) 이러한 현상은 결국 노동력 부족이라는 양상으로 표출되었는데, 이는 다음의

원인은 노동력의 절대적인 부족에 있는 것이 아니라, 자본가가 제시하는 노동조건, 특히 임금이 기본적인 생활도 유지할 수 없을 만큼 저열한 데 있었음을 알 수 있다. 즉 일제의 조선인 노동력에 대한 정책은 풍부한 노동력을 바탕으로 가능한 한 최저의 노동조건을 통해 최대의 이윤을 확보하기 위한 방향으로 전개되었고, 그러한 정책의 본질이 노동력 부족이라는 양상으로 나타났던 것이다.

한편 일용소개에서는 구인수와 구직자수, 취직자수 모두가 해마다 큰 차이를 보였다. 1930년대 전반기와 후반기에 일시적으로 취급건수가 급증하였는데, 이는 전반기에는 '窮民救濟工事'와 '時局應急救濟工事'에 필요한 노동자를 직업소개소에서 알선하였기 때문이고,[149] 후반기에는 전쟁 수행을 위한 생산확충이 강행되면서 곳곳에서 토목공사가 발흥하였기 때문이다.[150] 그런데 이 시기를 제외하면 일용소개의 취급건수는 일반직업소개에도 미치지 못할 만큼 크게 감소되었다. 이 또한 직업소개소를 통한 노동력의 수요가 일제의 사회·경제정책의 변화에 따라 일시적, 응급적으로 이루어져 갔음을 반영한다.

1930년대 후반에 들어서면서 직업소개소의 취직률은 점차 높아졌다. 직업소개소의 노동력 수급기관으로서의 성격이 강화되어 간 것이다. 그런데 취직률을 직업별로 살펴보면, 구인자와 구직자는 물론이고 취직자도 불안정하게 고용된 비율이 컸음이 확인된다. 전체 취직자 중에서 일용소개가 절대적인 비중을 차지하는 가운데,[151] 常用勞動者라고 할

기사에서도 확인할 수 있다. 『東亞日報』 1936. 8. 26 조간, '나진 매립공사장에 노동자 부족으로 두통, 임금이 저렴하고 대우가 나빠서, 취직난 시대의 기현상' ; 『東亞日報』 1937. 10. 23 朝刊, '평북 제반 공사에 노동자 태부족, 로동임금이 저렴한 것이 큰 원인, 공사 진행에 대지장'.

149) 『東亞日報』 1933. 11. 7.
150) 廣瀨貞三, 「"官斡旋"と土建勞動者-'道外斡旋'を中心に」, 『朝鮮史研究會論文集』 29, 朝鮮史研究會, 1991. 10.
151) 1934~38년간 부산과 대구 두 직업소개소를 통해 북부지방으로 이송된 노동자의 직업 알선 상황을 보면 취직자 총수 33만 5,547명 중 일용노동자가 32만

<표 11> 일반직업소개의 직업별 취직자수 비율(단위 : %)

구분 연도	공광업	토건업	상 업	농림업	수산업	통신 운수	호내 사용인	잡 업	계
1930	5.1	4.1	31.3	1.5	-	1.1	47.2	9.4	100.0
1932	7.1	3.3	24.8	0.3	-	1.3	54.1	8.8	100.0
1934	8.5	1.6	22.3	0.3	-	1.6	53.5	11.8	100.0
1936	9.0	3.3	21.2	0.5	0.1	1.1	53.1	11.3	100.0
1938	10.2	3.1	17.3	0.1	0.0	1.9	57.1	9.9	100.0

자료) 朝鮮總督府, 『朝鮮總督府調査月報』, 1931. 4 · 1933. 5 · 1935. 7 · 1937. 9
· 1940. 2.

수 있는 일반 직업소개의 각 직업별 취직자수의 비율에서도 <표 11>에
서 볼 수 있듯이 소위 '가정부'인 戶內使用人이 전체의 반수 이상으로
단연 수위를 차지하였다. 더욱이 이는 해마다 지속적으로 증가하여
1938년에는 전체 취직자의 57%를 넘어섰다.[152] 단순 노동력의 수요가
절반 이상의 비중을 차지하면서 계속하여 증가해 갔던 것이다. 그 다음
으로 큰 비중을 차지한 분야가 상업이었으나, 이 분야의 취직률은 해마
다 감소해 1930년 31%에서 1938년에는 17%로 줄어들었다. 즉 일용소
개가 절대 다수를 차지하는 가운데, 일반직업소개 중에서도 호내사용
인 · 잡업 등의 '不要不急'한, 고용이 불안정한 직업으로 취직된 경우가
전체의 2/3를 차지하였다.[153] 이는 산업구조가 취약했던 당시 고용구조

4,166명으로 96.6%의 압도적인 비중을 차지하였다(小林英夫, 앞의 글, 1974,
61쪽).

152) 뿐만 아니라 戶內使用人의 취직률도 해마다 증가하여, 1930년 46.8%에서
1934년에는 54.3%, 1938년에는 76.5%를 기록하였다(朝鮮總督府, 『朝鮮總督
府調査月報』, 1931. 4 · 1935. 7 · 1940. 2).

153) 이러한 양상은 1934년 전반기 인천부 직업소개소의 직업별 취직자수에서도
확인된다. 즉 소개자 전체 247명 중 하녀 108명, 호내사용인 34명, 애보기 9명,
유모 7명 등 총 64%가 일반 가정의 심부름꾼으로 소개되었고, 이외에 직공 34
명, 급사 23명, 점원 16명, 사무원 11명, 간호부가 5명으로, 일부를 제하면 대부
분이 불안정한 직업으로 소개되었다(高野治介, 「最近に於ける職業紹介事務
の狀況」, 『同胞愛』 13, 朝鮮社會事業協會, 1935, 42~43쪽).

의 특징을 단적으로 드러내는 것이다.

이와 함께 이 표에서는 공·광업 부문 취직자수가 완만하게 증가하는 현상이 주목된다. 1930년에 비해 1938년 이 분야의 취직자수는 5.1%에서 10.2%로 2배의 증가를 보였다.[154] 1930년대 전반기 공업화가 추진되고 전시체제하에서 그것이 군수공업으로 확대 재편되면서 공광업 부문의 노동력 수요가 상대적으로 증가하였고, 직업소개소의 성격이 노동력 수급기관으로 강화되면서 이 분야의 구인수와 취직자수가 점차 증가하였던 것이다. 이러한 양상은 산업별 노동력 구성에서 기타 부문과 공·광업 부문 유업자가 증가했던 현상과도 일치한다.[155]

직업소개사업 가운데 가장 중시되었던 것은 1934년부터 실시된 '勞動者移動紹介事業'이었다. 노동력은 대개 남부지방에 분포되었던 데 비해 그 수요지는 주로 대도시 혹은 북부지방에 편재되어 있었기 때문에 노동력을 이동시키는 데 주력하였던 것이다. 1934년 이래 부산·대구 직업소개소가 중심이 되어, 경상도 전라도 충청도 등 주로 남부지방의 노동인구를 '勞動移民'[156]이라는 명칭 아래 赴戰江·長津江 水電工事, 혜산선·만포선·백무선·동해 북부선 철도 공사장, 小野田 세멘트 공장, 나진 도시계획 공사장 등 북부지방의 각 공사장이나 탄광 등으로 이송해 갔다. '노동자이동소개사업'에 의해 이동된 노동자는 1934년 4,418명, 1935년 1,076명, 1936년 2,810명, 1937년 1만 1,956명 등 4년간 2만 260명에 달하였다.[157] 이후 이 사업은 중일전쟁 이래 시행된 官

154) 그리고 1939년에는 이 부문의 구직자수가 6,908명인 데 비해 구인수는 7,504명으로 求人 초과현상을 보였다(正久宏至,「朝鮮に於ける勞動力の量的考察」,『殖銀調査月報』33, 1941. 2, 63쪽).
155) 1930년대에 증가된 유업자는 전반기에는 주로 토목노동자, 후반기에는 전시 생산확충을 위한 공장노동자와 광업노동자, 토목노동자가 주종을 이루었다. 그런데 그 중에는 공장노동자에 비해 토목·광산 노동자의 증가가 두드러졌고, 공장노동자가 차지하는 비중은 1930년대 말까지 낮은 편이었다(이상의, 앞의 글,『韓國史의 構造와 展開』, 2000, 859~864쪽).
156)『木浦新報』1934. 1. 29 ;『朝鮮新聞』1937. 4. 8.

122

幹旋政策의 모델이 되었다.158)

이와 같이 1910년대 사회사업 기관으로 출발한 직업소개소는 1930년
대 들어 노동력 수급기관으로 변모하고 있었지만, 관련법조차 없는 상
황에서 주로 일용노동자와 戶內使用人 등의 하층노동자를 소개하고
있었다. 그러나 한편으로 공·광업 부문 노동자의 소개를 점차 확대하
고 있었다. 이후 전시통제경제기에 일본자본주의의 성격이 변화하고 조
선인 노동자에 대한 필요의 정도가 달라지면서, 직업소개소는 총독부
산하의 '國營' 기관으로 그 기능이 변모하였다.

(3) 북부지방 개발과 노동력 공급

일본 독점자본이 조선에서 공업화를 추진하는 데 기본이 되었던 조
건은 저렴한 노동력과 동력원, 그리고 풍부한 지하자원이었다.159) 그런
데 노동력은 주로 농촌과 남부지방에, 지하자원과 동력원은 주로 북부
지방에 존재하고 있었다. 이에 1920년대 말 이미 북부지방의 지리적 조
건과 풍부한 자원에 착안한 野口遵의 日本窒素肥料株式會社에 의해
水電開發이 시작되었다.160) 1930년대 전반기 日窒은 조선인 노동력을
동원해 부전강과 장진강 발전소를 완성해 남부지방에까지 전력을 공급
하였고, 함경남북도 지방을 중심으로 중화학공업을 일으켰다.161) 이는
1930년대 후반기 일본 독점자본이 대거 조선으로 진출하는 계기가 되
었다.

일제는 만주사변 이래 만주를 그 지배하에 두고 북중국과 내몽고까

157) 朝鮮總督府 內務局, 「職業紹介事業成績」, 『朝鮮總督府調査月報』, 1939. 1,
28~34쪽.
158) 중일전쟁 이후의 노동력 동원 과정에 대해서는 이 책 제3장 1절 1)항 참조.
159) 朝鮮銀行 調査部, 『大戰下の半島經濟』, 1944, 6~8쪽.
160) 이 과정에 대해서는 尹明憲, 「朝窒による電源開發」, 『朝鮮における日窒コン
ツェルン』(姜在彦 編), 不二出版, 1985 참조.
161) 小林英夫, 『大東亞共榮圈の形成と崩壞』, 御茶の水書房, 1975, 80쪽.

지 세력을 확장하고자 기도하였다.162) 이러한 구도에서 북부지방에 공
장을 건설할 경우, 지리적으로 인접한 만주와 몽고 지방도 자국의 상품
시장으로 편입시킬 수 있는 동시에 만주의 원료를 이용할 수 있다는 측
면에서 매우 유리할 것으로 보았다.163) 이에 일제는 조선 북부지방으로
의 일본자본 진출을 꾀하기 위해 여러 방안을 마련하고 있었다. 앞에서
살펴본 것처럼 1930년대 전반기에 조선에서 重要産業統制法과 工場法
등을 적용하지 않았던 것이 그 대표적인 예이다.

　한편 조선총독부는 1932년부터 1946년에 이르는 15년 계획으로 '北
鮮開拓事業計劃'을 세웠다. 이는 압록강과 두만강의 상류지대인 개마
고원 지대, 즉 함경북도의 무산, 함경남도의 갑산 삼수 풍산 장률, 평안
북도의 후창 자성 강계 등 북부지역 8개 군을 대상으로 삼림의 이용 개
발을 꾀하는 동시에,164) 백두산을 중심으로 하는 이 일대 각지에 營林
署와 支署를 설치하고 山林主事와 主事補를 배치하여, 국경 일대의 감
시를 강화하고 벌채 구역 내 조선인의 사상 동향을 감시하고자 하는 방
안이었다.165)

　북부지방 개발은 1930년대 조선총독부의 가장 중요한 정책으로서 추
진되고 있었다.166) 이 정책의 목적은 우선 북부지방 일대의 풍부한 지
하자원과 수력자원·산림자원을 대대적으로 동원하여 군수물자를 조달
하고,167) 교통망을 확장함으로써 이 일대의 군사전략적 역할을 높이려

---

162) 宇垣一成, 앞의 책, 1970, 832쪽(1932. 3. 7)·839~840쪽(1932. 4. 4).
163) 일제가 이렇게 조선의 북부지방에 주목한 것은, '日鮮滿 블록' 경제체제를 이
　　루어 동해를 '瀨戶內海化'한다는 宇垣一成 총독의 '일본해 중심론' 구상과도
　　관련된 것이었다(鎌田澤一郎, 『宇垣一成』, 中央公論社, 1937, 340~343쪽).
164) 朝鮮硏究社 編, 「北鮮に於ける主要なる事業」, 『新興之北鮮史』, 1937, 79~80
　　쪽.
165) 조선민주주의인민공화국 사회과학원 력사연구소 근대사연구실 편·金曜顯
　　譯, 『日本帝國主義統治下の朝鮮』, 朝鮮靑年社, 1978, 251쪽.
166) 南次郎, 「南總督訓示(口演要旨)」, 『北鮮開拓事業實行事務打合會同に於ける
　　總督訓示及農林局長演示集』, 朝鮮總督府, 1937, 29쪽.

124

는 것이었다. 당시 일제는 "조선의 북부지방은 일본 장래의 초석이고, 北鮮의 開拓은 일본 국민이 일본의 건설과 함께 일치 협력해서 완성해야 할 국가적 대사업"이라고 하면서 적극적인 참여를 강조하였다.[168) 따라서 조선총독부는 '北鮮開拓'이라는 슬로건 하에 북부지방의 지하자원을 개발하고, 그것을 운반하기 위한 철도와 항만 등의 교통시설을 확장하는 데 주력하였다.[169)

'북선개척' 정책의 가장 중요한 내용은 이 일대에 중화학 군수공업을 건설하는 것이었다. 일제가 군수산업 시설을 북부지방에 설치한 것은, 우선 이 지역이 대륙과 인접하여 전략적 위치상 대륙침략전쟁을 수행하는 데 유리하기 때문이었다. 이와 함께 일제는 조선이 일본보다 자원과 동력, 노동력이 풍부하고 저렴하다는 데 주목하였다. 조선에 공장을 건설함으로써 풍부한 원료자원과 저렴한 노동력을 이용하여 식민지 초과이윤을 증대하고 전쟁의 수요를 충족시키려 했던 것이다.[170)

1937년에 들어서면서 일제는 조선을 보다 중요한 군수품공급기지, 군사전략기지로 강화하기 위해 전기, 화학, 금속, 기계공업 등 중공업 위주의 군수산업 건설을 강행하기 시작하였다. 이 방침에 따라 日本製鐵, 三菱重工業, 日産 등 유수의 일본 독점자본이 군수공업 부문에 대대적으로 진출하여 조선의 산업을 지배해 갔다.[171) 이들은 청진·흥남

---

167) 朝鮮總督府,『施政三十年史』, 1940, 306쪽 ; 朝鮮總督府,『施政二十五年史』, 1935, 725쪽.
168) 岩本善文·久保田卓治,『北鮮の開拓』, 北鮮の開拓 編纂社, 1928, 1~9쪽.
169) 이는 '북선루트'를 건설하기 위한 작업으로 추진되었다. '북선루트'는 조선의 북부지방과 동북만주 일대의 식량과 원료를 수탈하고 일본의 이민과 상품을 이동시키는 '일선만 블록'의 중요한 루트로 기능하였다(安裕林,「1930年代 總督 宇垣一成의 植民政策」,『梨大史苑』27, 1994).
170) 북부지방을 중심으로 한 이와 같은 '조선공업화' 정책은 安田, 三井, 三菱, 住友 등 일본 독점자본의 자원 독점과 노동력 수탈 강화를 동반한 이식자본의 독점적 발전에 불과한 것이었다(白南雲,「朝鮮經濟の現段階論」,『改造』16-5, 1934. 4 ; 白南雲,『東亞日報』1935. 1. 2, '朝鮮勞動者 移動問題 2' 참조).

지구의 마그네슘·알루미늄 등의 경금속공장을 비롯해 순천화학공장 등의 화학공장, 금속공업 부문의 군수품 생산과 관련된 공장 등을 북부 지방에 급속히 신설하거나 확장함으로써 군수산업 체계를 수립하고 있었다.[172)

이와 함께 일본 독점자본의 광업 진출도 전국에 걸쳐 성행하였다.[173) 중일전쟁 이후 계속되는 軍備의 수입으로 인해 외환 보유고가 고갈되자 일제는 1938년부터 産金五個年計劃을 추진하는 한편, 朝鮮産金令, 朝鮮重要鑛物增産令, 製鐵事業法 등의 법령을 제정하였다. 이를 통해 총독부 통제하에 三井, 三菱 등 대규모 독점자본을 중심으로 각종 장려금을 교부하면서[174) 금, 석탄, 철광 등 군용 필수품인 중요 광물을 증산해 갔다. 특히 새로 개척된 북부지방의 철도 연변과 삼림지대를 중심으로 광산 개발이 진척되었다.[175) 북부지방의 광업은 1930년대에 걸쳐 꾸준한 증가 추세를 보여, 함경남북도·평안남북도·강원도의 출원건수가 1930년에 비해 1936년에 3.9배, 1940년에 5.6배로 되었고, 생산액은 1936년에 6배로 증가하였다.[176)

'북선개척' 정책이 가능하기 위해서는 끊임없이 인적 자원이 동원되

---

171) 許粹烈, 앞의 글, 1983 참조.
172) 조선민주주의인민공화국 사회과학원 력사연구소 근대사연구실 편·金曜顯 譯, 앞의 책, 1978, 249쪽. 당시에 일본 독점자본이 투자한 자본액은, 조선에 본점을 가진 회사의 경우 1937~1941년 사이에 9억 3,467만엔에서 16억 8,954만엔으로 증대하였고, 일본에 본점이 있고 조선에 지점을 둔 회사의 자본액은 같은 기간에 34억 9,871만엔에서 43억 6,687만엔으로 증대하였다.
173) 일제의 조선 광업 지배는 독점자본을 중심으로 수행되었다. 일제는 독점자본의 최대 이윤을 안정적으로 실현시키고 투자를 촉진하기 위해 장려금 교부를 비롯한 제반 시책을 행함으로써 조선 광업에 대한 지배를 강화하고 광물 자원의 약탈을 극대화하였다(柳承烈, 「日帝의 朝鮮鑛業 支配와 勞動階級의 成長」, 『韓國史論』 23, 서울대 국사학과, 1990. 8, 417~423쪽).
174) 朴慶植, 『日本帝國主義의 朝鮮支配』, 청아출판사, 1986, 429쪽.
175) 安裕林, 앞의 글, 1994, 163쪽.
176) 朝鮮總督府, 『朝鮮總督府統計年報』, 1930·36·40년판.

126

어야 했다. 그러나 북부지방은 남부지방에 비해 노동력이 적었고, 일본 독점자본이 제시하는 노동조건 하에서 북부지방의 노동력만으로는 그 수요를 감당하기 어려웠다. 이에 일제는 남부지방의 노동력을 북부지방 으로 이송하기 위한 각종 수단을 모색하였다. 총독 宇垣一成은 "북선 을 일본의 대륙 진출의 발판으로 만들어야 하고, 대륙 진출의 한 수단 으로서 우선 북선으로 이민을 보내 인구증가를 꾀해야" 한다고 강조하 였다.177) 그는 '北鮮開拓'의 목적으로 ① 매장된 자원을 개발하여 조선 의 부를 증진시키는 것, ② 인구가 조밀한 중부 이남에서 이민을 시켜 토지와 인구를 조절, 안배하는 것, ③ 대규모 만주 진출의 기반을 공고 히 하는 것, ④ 고원 개척의 모범을 보여 일본 농업과 인구문제에 광명 을 주는 것 등을 들고 있었다.178) 이와 함께 일제는 '북선개척사업계획' 의 일환으로 화전민 지도를 내세워, "화전민은 평지 농업의 낙오자이므 로 이들의 보호 정착은 인구문제를 해결하는 한 수단이 된다. 또한 개 척 지역에 이민을 보내 과잉인구를 해소하고 개간에 의해 새로운 자원 을 얻는 것은 民族北進의 이상에서도 심각한 의의가 있다"179)고 주장 하였다. 조선의 富의 증진과 인구밀도 조절을 명분으로, 북부지방의 자 원 수탈과 남부지방 노동력의 북부지방으로의 이주정책을 합리화하고 있었던 것이다.

조선총독부는 우선 철도, 항만, 치수와 수전공사 등 대규모 토목공사 를 담당할 노동자를 알선하기 위해, 1927년부터 노동자의 기차, 기선 요금을 할인해 주는 등의 방법으로 이주를 장려하였다. 또한 부산에 상 시적으로 직원을 주재시켜 일본으로 건너가려 하는 노동자들을 북부지 방으로 돌리고자 하였다.180) 그런데 각종 토목건축 공사나 지하자원 개

177) 朝鮮總督府,「(宇垣總督訓示)北鮮開拓事業實行事務打合會同に於ける口演 要旨」,『北鮮開拓』20, 開拓會, 1936. 3, 3쪽.
178) 宇垣一成, 앞의 책, 1970, 998쪽(1935. 2. 7).
179) 鎌田澤一郎,「人口問題と北鮮開拓の意義」,『朝鮮』, 1934. 8.
180) 朝鮮總督府,『朝鮮總督府施政年報』, 1936년판, 212~213쪽.

발 등이 강행되면서 북부지방의 노동력 부족 현상은 "고양이 손까지 빌리고 싶을" 만큼 시급해져,[181] 공사업자 간에 노동자 쟁탈을 위한 유혈 참사가 일어날 정도였다.[182] 이에 조선총독부는 언론을 통해 북부지방으로의 이주를 대대적으로 선전하였다. 당시 신문에는 "실업자가 없는 도시 우리들의 청진", "노동자 대부족, 함남은 완연 노동왕국", "남선의 노동자를 북선에서는 대환영, 계약도 극히 유리", "직업을 잃은 노동자는 북선으로, 타도에서는 상상할 수 없는 혜택받은 조건" 등 연일 북부지방의 공사 현장으로 남부 지방 노동력을 유지하기 위한 선전성의 기사가 게재되었다.[183]

또한 1934년 3월부터는 대량으로 남부지방 노동자를 서북부지방으로 이송시키기 시작하였다. 이를 위해 學務局 社會課에서는 1934년 조선총독부 촉탁 竹內淸一을 파견하여 북부지방 일대의 노동력 수요 실상을 조사하였다. 조사 결과 竹內 촉탁은 북부지방 대부분의 공사에 30% 정도의 노동력이 부족하다고 보고하였다.[184]

1934년 한 해 동안 북부지방의 주요 공사에는 1일 평균 약 4만 2,700

181) 『京城日報』 1937. 1. 17.
182) 『朝鮮新聞』 1933. 12. 22 ; 『西鮮日報』 1934. 5. 11 ; 『平壤每日新聞』 1936. 10. 30 ; 『京城日報』 1939. 8. 1.
183) 『北鮮日日新聞』 1933. 7. 7 ; 『朝鮮新聞』 1933. 12. 22 ; 『京城日報』 1934. 3. 10 ; 『大版每日新聞 朝鮮版』 1934. 4. 6.
184) 竹內淸一 촉탁은 북부지방 노동력 문제의 실상을 다음과 같이 보고하였다. "북선, 서선에서는 1934년도 사업으로 羅津港 공사, 輸城川 치수공사, 長津江 수전공사, 赴戰江 수전공사, 圖寧線 철도공사, 吉惠 철도공사, 淸津港灣 수축공사 등 8공사를 비롯한 제 공사가 행해지는데, 1934년도 사용 예상 연인원 1,300만인, 부족 예상 인원 400만인으로 1일 평균 사용 인원 4만 3천인, 부족 예상 1만 4천인으로 드러나, 평남, 강원, 함북, 함남에서는 전 노동자를 취급해도 3할 가량 부족하다. 앞에서 본 8대 공사는 1935, 6년 최성기에 들어설 것으로 보인다. 이에 3, 4년은 노동자가 가장 많이 수요되는 시기인데, 현재 각 도에서 흡수하고 있는 수성천 치수공사에서는 노동자가 부족해 부인, 소아, 노인을 사용해 사업을 계속하고 있고, 청진 저수지공사는 10만 인의 노동자를 필요로 하는데 3할이 부족하다"(『朝鮮新聞』 1934. 2. 7).

명의 노동력이 필요하였는데, 그 중 약 1만 3,600명이 부족하였다.[185]
이에 조선총독부는 남부지방의 노동자를 북부지방으로 대량 이동시켜
그 수요에 충당하는 것이 급무라고 강조하면서 勞動者需給調節案을
마련하였다. 농촌의 잉여노동자와 실업자를 북부지방으로 대량 이동시
켜 식량을 주면 춘궁기도 퇴치할 수 있고, 일본 도항도 방지할 수 있으
며, 나아가 노동자 수급 조절까지도 해결할 수 있을 것이라고 전망하였
다. 이에 ① 경성, 평양, 대구, 청진의 4개소에 大職業紹介所라고 부를
만한 연락 직업소개소를 설치할 것, ② 각지 노동자를 등록할 것, ③ 노
동자의 대량 이송을 위해 가건물을 건축할 것 등의 구체안을 수립하였
다.[186]

조선총독부는 이어 남부지방의 노동력 수급상황을 조사하고, 각 도
의 社會主事會議를 개최해 전국 단위의 종합적인 노동력 수급망을 마
련하려 하였다. 그리고 이 조사에 기초해 羅津과 長津江 水電의 공사
현장으로 경상남북도의 노동자를 이송시킨 것을 시작으로,[187] 지속적
으로 남부지방 노동력을 북부지방으로 이송시켰다. 이와 함께 각 도에
있는 직업소개소를 활용하여 '노동자이동소개사업'을 추진하고, 남부지
방의 이재민을 坑夫가 부족한 서북부지방의 탄광 등으로 이주시켰
다.[188] 따라서 남부지방 노동자를 북부지방으로 이동시키는 작업이 연
일 계속되었고, 이들의 모집·동원 계획은 언론을 통해 거의 매일 보고
되었다.[189]

1937년 한 해 동안 조선총독부 사회과의 알선에 의해 이송된 숫자만

---

185) 朝鮮社會事業協會, 「北鮮地方主要工事ニ於ケル勞動者數調」, 『朝鮮社會事
業』 12-4, 朝鮮社會事業協會, 1934. 4, 63쪽.
186) 『朝鮮新聞』 1934. 2. 7.
187) 『朝鮮日報』 1934. 3. 10.
188) 朝鮮總督府遞信局, 『朝鮮に於ける社會公共事業に關する諸調査 其二』, 1935,
314쪽 ; 『朝鮮每日新聞』 1935. 6. 8~9.
189) 『大版每日新聞 朝鮮版』 1934. 3. 30 등이 그 예이다.

해도 알선노동자 1만 1,545명, 가족 1,348명으로 합계 1만 2,893명에 달하였다. 이들 중에는 남부지방 4개 도 출신이 전체의 3/4을 차지할 정도로 큰 비중을 차지하였다.[190] 이러한 남부 노동력의 북부지방으로의 이송은 농촌지역에 누적된 몰락농민을 토대로 진행되었다. 그동안 양산된 유휴노동력의 동원을 통해 북부지방에서 대공업을 발흥시킬 수 있었던 것이다.

노동력의 동원은 북부 공업지대에 필요한 노동력을 저렴·풍부하게 공급하는 데 목표가 있었다. 따라서 이들의 노동조건은 열악하기 그지없었다. 예컨대 장진강 수전공사 間組의 경우 1933년 12월 현재 조선인 雜夫의 1일 최저임금이 55전이었는데,[191] 이 중 하루 식비가 쌀밥일 경우 35전, 혼식일 경우 30전에 달해, 실수령액은 20~25전으로 저축·송금은 커녕 개인의 이주 생활을 유지하기에 곤란할 정도였다.[192] 이에 비해 일본인 잡부는 1원 30전, 중국인은 80전으로, 조선인의 최저임금은 일본인의 반에도 미치지 못했고 중국인보다도 적었다. 이러한 민족차별 현상은 미장이, 목수 등 숙련노동자의 경우에도 마찬가지였다.[193]

따라서 각 공사장과 공장에서는 노동조건의 개선을 요구하는 파업이 끊이지 않았다. 예컨대 1934년 10월 興南製鍊所 溶鑛係 노동자들은 파업시에 ① 야근수당비 지출, ② 6개월 개근비 평등 지불, ③ 보너스 지

---

190) 이들을 출신 도별로 보면, 경기 1,367, 충북 132, 충남 928, 전북 4,241, 전남 3,943, 경북 1,034, 경남 404, 황해 324, 평남 520 합계 1만 2,893명이었다(『元山每日新聞』1937. 8. 12).

191) 조선인의 경우 최고임금을 받는 노동자는 소수였고 대부분 卒人夫로서 최저임금을 받았으므로, 최고임금과 최저임금의 평균치인 보통 임금보다는 최저임금을 기준으로 임금 내역을 살펴보는 것이 보다 적당한 방법일 것이다.

192) 이러한 면에 대해 당시 언론에서는, 1일 50전으로는 노동자 개인의 순연한 식비와 피복료, 잡비 밖에 안된다고 하면서 '임시적 호도책'이라고 비판하였다(『朝鮮日報』1934. 3. 11).

193) 朝鮮社會事業協會, 「北鮮地方主要工事に於ける賃銀及生活費調」, 『朝鮮社會事業』12-4, 朝鮮社會事業協會, 1934. 4, 63~66쪽.

불, ④ 퇴직수당 지불, ⑤ 3년 이상 개근자에게 상여금 지불, ⑥ 임금인 상, ⑦ 1년 2차 승급, ⑧ 처우개선, ⑨ 작업장 설비 개선, ⑩ 무조건 해 고 절대반대 등을 요구하였다.[194] 이외에도 당시 북부지방 노동자들이 주로 임금인상과 처우개선을 요구하였던 사정을 통해서 이들 이주 노 동자들의 실상을 짐작할 수 있다.

열악한 노동조건으로 인해 북부지방으로 이송된 노동자 중에는 귀향 자가 속출하여, 1935년의 경우 이송자 중 무려 31%가 귀향하였다.[195] 뿐만 아니라 이송된 노동자 중 태반이 임금에 대한 불만으로 도망하는 등 공사현장에서 탈출하는 사례가 빈발하였다.[196] 이에 대해 일제 당국 자는 "남선 방면에서 빈둥빈둥하고 있던 노동자들이 북선지방에 가면 황금비가 내릴 것처럼 일확천금을 꿈꾸어 왔던 것이 파탄을 가져온 첫 번째 원인"이라고 하면서 조선인 노동자에게 그 원인을 돌렸다. 그러나 이는 이주자 모집 당시 조선총독부와 북부지방의 고용주나 공사 청부 업자간에 약속된 임금, 노동시간, 기숙사 등에 관한 계약조건을 고용주 가 이행하지 않고, 노동조건 또한 지나치게 혹독한 데서 비롯되었 다.[197] 곧 일본 독점자본이 제시한 노동조건 자체가 노동력의 공급을 원활하지 못하게 했던 것이다.

한편 1930년대 전반기에 구축된 철도와 항만 등 기간산업을 기초로 하여 후반기에는 여러 공장의 신설·확장 공사가 복합적으로 진행되면 서 하루 평균 35만 명의 노동자가 필요하게 되었다. 그러나 노동자들이 탈출하는 사례가 빈번해지고 공사현장에서의 노동자 부족 현상이 계속 되자, 조선총독부는 북부지방으로 '도시의 부랑자를 총동원'할 방침까 지 세우고 있었다.[198] 나아가 중일전쟁 이후에는 이 지방을 대륙침략의

194) 『中央日報』 1934. 10. 2.
195) 朝鮮總督府 學務局 社會課, 「南鮮過剩人口北移」, 『同胞愛』 14-3, 朝鮮社會 事業協會, 1936. 3, 86쪽.
196) 『釜山日報』 1934. 4. 29.
197) 『北鮮時事』 1934. 4. 28 ; 『朝鮮日報』 1934. 4. 26.

전초기지로 간주하고 군수물자의 생산확충을 위해 본격적으로 군수공업을 발흥시키고 있었다. 전쟁이 확대되고 그에 따라 노동력의 부족 현상이 발생하면서, 일제는 결국 노동력 동원을 위해 공권력을 행사하는 방침을 모색하기 시작하였다.

이상에서 보았듯이 대공황기 노동정책의 방향은 노동력 동원 과정에서 그대로 확인된다. 총독부는 실업 구제의 명분으로 빈민을 동원하여 최소비용으로 공업화를 위한 기간사업을 구축해 갔고, 직업소개소를 설치 확대하여 노동력을 동원하였으며, 대륙침략을 목표한 북부지방 개발을 위해 행정기관을 통하여 남부지방 노동력을 조직적으로 이주시켰다. 일제는 일본자본주의의 확대 발전을 위한 기반으로, 또한 그 모순의 배출구로서 조선인 노동력을 활용하고 있었던 것이다. 그 과정에서 조선인은 지역별로, 산업별로 재배치되어 갔다.

2) 노동력 재배치와 산업별 구성의 재편

⑴ 북부지방과 도시의 노동력 증가

대공황기 공업화 정책의 추진 과정에서 조선에는 많은 공업 시설이 들어섰다. 공장지대의 입지는 주로 자원, 교통, 소비력에 의해 결정되었다. 교통 편의와 소비력에 따라 일본 독점자본의 공장이 들어선 곳은 서울·인천 등이 있는 경기도와 부산·마산·대구를 포함한 경상남북도였고, 자원이 풍부하여 공장이 들어선 곳은 평안남북도, 함경남북도 등 서북부지역이었다. 다시 말해 소비력이 크고 교통이 발달한 京仁工業地帶에는 금속·기계공업 등의 중공업과 방적·식품공업 등의 경공업이 주로 발달하였고, 수출 공업지로 교통이 편리한 南部工業地帶에는 주로 경공업과 조선업이 들어섰다. 또한 西部工業地帶에는 무연

---

198)『大阪每日新聞 朝鮮版』1936. 12. 6, '勞動者 總動員 準備, 관계자가 모여 大評定'.

탄·석회석·소맥·목재 등을 자원으로 하는 중공업과 경공업이 같이
분포되었고, 지하자원이 풍부한 北部工業地帶는 조선질소와 일본질소
등 화학공업을 중핵으로 하는 중공업지대로서의 특색을 지니고 있었
다.[199]

　　각 도별 공업 생산액을 살펴보면 이러한 지역별 특성이 두드러진다.
<표 12>는 1937년의 공업 생산액을 도별로 살펴본 것이다. 당시는 아
직까지 북부지방의 중화학공업이 적극적으로 추진되지 않았던 시기임
에도 불구하고 이미 공장이 밀집되어 있던 경기도와 함경남도, 그리고
경상남도 지역의 공업생산액이 타도에 비해 월등하게 높은 수치를 보

<표 12> 1937년 道別 공업생산액(단위 : 천원)

부문 도	액 수					비 율				
	총액	식료품	화학	방직	기타	총액	식료품	화 학	방 직	기 타
경기	187,944	44,191	17,998	53,954	71,801	19.5	18.5	5.9	38.2	26.0
충북	10,825	5,670	1,107	1,692	2,356	1.1	2.3	0.3	1.1	0.8
충남	16,649	7,234	792	3,498	5,125	1.7	3.0	0.2	2.4	1.8
전북	32,582	13,740	3,640	3,070	12,132	3.3	5.7	1.1	2.1	4.4
전남	58,020	20,378	4,500	22,556	10,586	6.0	8.5	1.4	15.9	3.8
경북	57,152	22,085	4,754	9,754	20,559	5.9	9.2	1.5	6.9	7.4
경남	101,860	39,567	11,578	27,612	23,103	10.6	16.6	3.7	19.5	8.3
황해	72,590	12,492	17,196	2,553	40,349	7.5	5.2	5.6	1.8	14.6
평남	72,610	37,270	6,777	7,691	20,872	7.5	15.6	2.2	5.4	7.5
평북	33,535	9,847	10,513	3,116	10,059	3.4	4.1	3.4	2.2	3.6
강원	27,426	8,946	11,601	2,470	4,409	2.8	3.7	3.8	1.7	1.6
함남	225,724	11,163	165,851	2,670	46,040	23.5	4.6	54.3	1.8	16.7
함북	62,391	5,449	48,641	518	7,783	6.5	2.2	15.9	0.3	2.8
계	959,308	238,032	304,948	141,154	275,174	100.0	100.0	100.0	100.0	100.0

　자료) 朝鮮總督府, 『朝鮮總督府統計年報』, 1937년판, 128～129쪽.
　비고) 기타는 금속·기계기구·가스 및 전기·요업·목제품·인쇄와 제본 공업
　　　등 포함.

---

199) 川合彰武, 「朝鮮工業の分布と其の將來」, 『朝鮮工業協會會報』 76, 1939. 10,
　　1～9쪽.

이고 있다. 특히 함경남북도와 평안남북도 등 북부지방 4개 도의 공업
생산액은 전체의 41%를 차지하였다. 그 중 함경남도의 경우 화학공업
부문에서 전국의 54%를 차지하였고, 전체 공업 생산액에서도 24%로
수위를 차지하였다. 따라서 노동자는 주로 이들 공장이 밀집되어 있는
도시와 북부지방에서 수요되었고, 한편으로 농촌에서 밀려난 몰락농민
의 상당수는 노동력의 직접적 수요와 무관하게 이 지역으로 이동하여
빈민층을 형성하였다.

특히 북부지방 인구의 증가에는 조선총독부의 노동력 이송정책이 크
게 작용하였다. 일제는 북부지방 일대에 중화학 군수산업을 일으키기
위해 '북선개척' 정책을 추진하였고, 이를 위해 남부지방 노동력을 끊임
없이 이주시키고자 하였다. 대규모 토목공사를 담당할 노동자를 알선하
기 위해 1927년부터 여비를 할인해 주는 등의 소극적인 방법으로 이주
를 장려하였고, 나아가 1934년 이후에는 행정력을 동원하여 적극적으로
남부지방 노동력을 서북부지방으로 이송시켰다. 이 지역으로의 노동력
유입 양상은 도시만이 아니라 전 지역에 걸쳐 나타난 현상이었다. <표
13>에서 道別 인구변동 양상을 보면, 충청도·경상도·전라도 등 남부
지방은 인구 증가율이 전국 평균보다 훨씬 낮았던 데 반해, 함경도·평
안도 등 북부지방과 경기도는 훨씬 높은 증가율을 유지하면서 꾸준히
증가 추세를 보이고 있다.

<표 13> 道別 인구증가율(단위 : %)

도\연도	경기	충북	충남	전북	전남	경북	경남	황해	평남	평북	강원	함남	함북	평균
1925~30	6.8	6.2	7.8	9.8	8.0	3.6	5.6	4.2	7.2	10.2	11.6	11.7	18.9	7.8
1930~35	13.6	6.5	10.4	6.8	7.5	6.0	5.2	9.8	10.3	9.4	7.9	9.0	14.4	8.7
1935~40	16.8	-1.5	3.2	-0.5	5.2	-3.5	-0.2	8.2	13.1	3.3	9.9	9.1	29.2	6.2

자료) 朝鮮總督府,『昭和五年朝鮮國勢調査報告』全鮮編 ; 朝鮮總督府,『昭和十
年朝鮮國勢調査報告』全鮮編 ; 朝鮮總督府,『朝鮮昭和十五年國勢調査結
果要約』; 朝鮮總督府,『人口調査結果報告』, 1944.

여기에서 보면 1930년대 전반기까지는 인구가 감소하는 道가 없었고, 각 도의 인구증가율도 큰 편차를 보이지 않았다. 이는 함경북도와 경기도·충청남도·평안남도 지방의 인구 증가율이 높았지만, 다른 지역에서도 자연적인 인구 증가에 비해서 이출하는 인구는 상대적으로 적었음을 보여준다. 그러나 1930년대 후반기에는 그 양상이 달라졌다. 인구가 감소하는 도가 속출하는가 하면, 함경북도를 중심으로 한 북부 지역에서는 인구가 대폭 증가하였다. 특히 함경북도의 경우는 이미 1920년대 후반에 이 지역의 자원에 주목한 일본 독점자본에 의해 水電開發 등의 대규모 토목공사가 진행되면서[200] 높은 인구증가율을 보인 이래, 1930년대 전반기에는 14.4%의 인구가 증가해서 전국 평균의 1.7배, 후반기에는 무려 29.2%가 증가하여 전국 평균의 4.7배의 속도로 인구가 증가하였다. 한편 경상남북도와 충청북도, 전라북도 등 남부지역에서는 인구가 감소하는 양상을 보여 주목된다. 이러한 양상은 강점 후 지주 중심의 상업적 농업 추진과정에서 큰 피해를 입었던 경상북도 지방에서 가장 심하여,[201] 1930년대 후반기에는 3.5%의 인구가 감소하였다.

한편 일제하 노동력 이동 양상 중 북부지방으로의 이동과 함께 나타난 또 다른 양상은 도시를 중심으로 노동력이 집중되는 현상이었다. 대도시를 중심으로 공업화 정책이 추진되면서 도시에서는 소공업은 물론 토건노동자·교통운수노동자·상업종사자 등이 필요하게 되었는데, 이러한 노동력 역시 대부분 농촌에서 유출된 몰락농민으로 충당되었다. 이는 당시 직업소개소의 구직자들이 대부분 직업소개소가 소재한 도시의 주변 지역, 곧 농촌 지역 출신이었음을 통해서도 확인된다. 예컨대 경성부 직업소개소의 1934년 구직자의 본적을 보면, 경성부 출신은

---

200) 堀和生, 앞의 책, 1995, 제5장 ; 尹明憲, 앞의 글, 1985 참조.
201) 李潤甲, 「韓國近代의 商業的 農業 硏究-慶尙北道의 農業變動을 중심으로 -」, 연세대 사학과 박사학위논문, 1993.

28%에 불과하고 36%가 경기도 농촌지역, 26%가 남부지방 출신이었다.[202] 또한 대구부 직업소개소의 1936년 구직자 역시 26%만이 대구부 출신이었고, 50%가 경상북도의 농촌지역 출신이었다.[203]

　도시와 농촌 인구의 증가율을 비교한 <표 14>에서 보면, 1925~30년과 1930~35년간 농촌 인구는 각각 5.1%와 8.3%가 증가한 데 비해 도시 인구는 각각 38%와 48.3%가 증가하여, 농촌 인구가 분산되면서 도시로 집중하는 현상을 보였다.[204] 이러한 현상은 1930년대 후반부터 더욱 강화되어 1935~40년간에는 농촌 인구가 1% 증가한 데 비해 도시 인구는 무려 91%의 증가를 보였다. 1926~1935년 10개년간에 도시의 인구는 75만 명이 증가한 데 반해, 그 이후 5년간인 1936~1940년에는 120만 명에 가까운 증가를 보였다. 여기에서 자연증가를 공제한 추계를 보면, 이 5년간에 농촌에서 150만 명의 인구가 이탈하여, 그 중 110만 명, 연평균 21만 6천명이 도시로 이동하였고, 그 외 30만 명은 국외로 이주하였다. 이렇게 1930년대 후반기에는 도시 인구가 급증하여, 총인구에 대한 도시 인구의 비율도 1930년 4.4%, 1935년 5.6%를 차지하였고, 5년 후인 1940년에는 전체 인구의 10.1%를 차지하게 되었다.[205] 즉

---

202) 京城府職業紹介所, 『職業紹介事業要覽』, 1935, 23쪽.
203) 大邱府, 『大邱府 社會事業要覽』, 1937, 30쪽.
204) 이 시기 도시 인구의 증가는 도시수의 증가나 기존 행정구역의 확대로 인해 진행되기도 하였다. 그러나 이 역시 도시 주변의 인구가 증가하거나 도시의 중요성이 커지면서 나타난 현상이므로, 여기에서는 별도의 현상으로 구분하지 않았다.
205) 인구의 도시로의 유입은 도시의 규모와 수를 증대시켰다. 인구 1만 명 미만의 소규모 府邑面은 1930년 2,004개에서 1940년 1,644개로 줄고, 거주 인구도 1,357만 명에서 1,181만 명으로 감소되었다. 이에 비해 인구 1만 명 이상의 중·대규모 부읍면은 꾸준히 증가해 갔다. 1930년대 전반기에는 인구 5만~10만 명의 도시가 1930년 2개에서 1935년 12개로 증가하였고, 거주 인구도 16만여 명에서 73만여 명으로 증가하였다. 또한 1930년대 후반기에는 인구 10만 명 이상의 대도시가 그 수와 인구에서 높은 증가율을 보여, 1935년 4개에서 1940년 7개로 증가하는 동시에 거주 인구도 91만여 명에서 213만여 명으로 격증하

인구가 소규모 읍면에서 중·대규모 도시로 이동하는 경향을 보이는
가운데, 특히 1930년대 후반기에 대도시를 중심으로 집중되는 경향을
보였다.

<표 14> 府部·郡部別 조선인 인구수와 증가비율(단위 : 명, %)

지역 연도	全 國		府 部		郡 部		비 율	
	실 수	증가율	실 수	증가율	실 수	증가율	府部	郡部
1925	19,020,030	-	608,152	-	18,411,878	-	3.2	96.8
1930	20,438,108	7.5	839,082	38.0	19,349,026	5.1	4.4	95.6
1935	22,208,102	8.7	1,244,394	48.3	20,963,208	8.3	5.6	94.4
1940	23,547,465	6.0	2,377,283	91.0	21,170,182	1.0	10.1	89.9

자료) 朝鮮總督府,『昭和五年朝鮮國勢調査報告』全鮮編 ; 朝鮮總督府,『昭和十
年朝鮮國勢調査報告』全鮮編 ; 朝鮮總督府,『朝鮮昭和十五年國勢調査結
果要約』.

<표 15>에서 각 도시의 인구 증가수와 증가율을 살펴보면, 도시의
인구가 꾸준히 증가하는 가운데 1920년대 후반기와 1930년대 전반기,
그리고 1930년대 후반기의 변화 양상에는 일정한 차이가 나타난다.
1920년대 후반기와 1930년대 전반기까지는 대전·광주·청주·나진부
등의 인구 증가율이 높았고, 인구수의 증가에서는 대도시인 경성·부
산·평양부가 두드러졌다. 이와 함께 소도시 또는 인구가 적은 지역이
었던 대전·광주나 청진·나진 지역도 급속히 인구가 집중되어 도시로
성장해 가는 양상을 보였다.[206] 한편 1930년대 후반기에는 경성부와 인

였고, 전국 인구에서 차지하는 비중이 4%에서 8.7%로 증가하였다. 나아가
1944년에는 인구 10만 명 이상의 대도시가 9개로 증가하고, 전국 인구의
10.1%를 차지하게 되었다(經濟企劃院,『제11회 韓國統計年鑑』, 1964, 17쪽 ;
朝鮮總督府,『人口調査結果報告』, 1944).

206) 나진의 경우 新安面이라고 하는 소규모의 농촌에 지나지 않았으나, 1932년 8
월 京圖線 철도의 終端港으로 결정된 이래 인구가 급격히 증가해 1934년 4월
읍으로 승격하고, 다시 1936년 10월 府制를 실시하게 되었다(朝鮮硏究社 編,
「北鮮の都邑」,『新興之北鮮史』, 1937, 58~59쪽).

<표 15> 도시별 인구수와 증가비율 추이(단위 : 명, %)

도 시		인 구 수				인구 증가수			인구 증가 비율		
연 도		1925	1930	1935	1940	25~30	30~35	35~40	25~30	30~35	35~40
경기	경성	342,626	394,240	444,098	935,464	51,614	49,858	491,366	15.0	12.6	110.6
	인천	56,295	68,137	82,997	171,165	11,842	14,860	88,168	21.0	21.8	106.2
	개성	46,337	49,520	55,537	72,062	3,183	6,017	16,525	6.8	12.1	29.7
충남	대전	8,614	27,594	39,061	45,541	18,980	11,467	6,480	220.3	41.5	16.5
전북	군산	21,559	34,556	41,698	40,553	12,997	7,142	-1,145	60.2	20.6	-2.7
	전주	22,683	38,595	42,387	47,230	15,912	3,792	4,843	70.1	9.8	11.4
전남	광주	23,734	39,463	54,607	64,520	15,729	15,144	9,913	66.2	38.3	18.1
	목포	42,412	47,908	60,734	64,256	5,496	12,826	3,522	12.9	26.7	5.7
경북	대구	76,534	93,319	107,414	178,923	16,785	14,095	71,509	21.9	15.1	66.5
경남	부산	106,642	146,098	182,503	249,734	39,456	36,405	67,231	36.9	24.9	36.8
	진주	20,304	25,190	30,478	43,291	4,886	5,288	12,813	24.0	20.9	42.0
	마산	22,874	27,885	31,778	36,429	5,011	3,893	4,651	21.9	13.9	14.6
황해	해주	19,287	23,820	30,447	62,651	4,533	6,627	32,204	23.5	27.8	105.7
평남	평양	89,423	140,703	182,121	285,965	51,280	41,418	103,844	57.3	29.4	57.0
	진남포	27,240	38,296	50,512	68,656	11,056	12,216	18,144	40.5	31.8	35.9
평북	신의주	23,176	48,047	58,462	61,143	24,871	10,415	2,681	107.3	21.6	4.5
함남	원산	47,151	51,822	60,169	79,320	4,671	8,347	19,151	9.9	16.1	31.8
	함흥	31,679	43,851	56,571	75,320	12,172	12,720	18,749	38.4	29.0	33.1
함북	청진	20,649	37,143	55,530	197,918	16,494	18,387	142,388	79.8	49.5	256.4
	나진	3,919	5,966	30,918	38,319	2,047	24,952	7,401	52.2	418.2	23.9

자료) <표 14>와 같음.
비고) • 진주·해주부의 1930, 35년 수치는 진주읍·해주읍 인구수.
　　　• 나진부의 1930년 수치는 新安面, 1935년 수치는 나진읍 인구수.

·
천·대구·부산부를 비롯한 대도시와 평양·원산·함흥·청진부 등 북
부지방의 인구증가 현상이 매우 두드러졌다. 특히 경성부의 인구 증가
율 111%, 인천부의 106%를 비롯해 대구·부산·평양부 등 소위 5대
도시의 인구 증가율이 높았고, 1930년대 후반기 청진부의 인구 증가율
은 무려 256%에 달하였다.207) 이를 통해 1930년대, 그 중에도 후반기에

---

207) 청진은 吉會 철도-북부지방 철도(圖們線 등)-북조선 3항(웅기, 청진, 나진)-
　　일본 중부의 항구(新寫, 敦賀 등)를 연결하는 '북선루트'에 속해 있었다. 이로

군수공업화가 집중적으로 추진되었고 노동력의 수요가 많았던 대도시와 북부지방으로의 인구 이동도 활발하게 진행되었던 사정을 확인할 수 있다.

그런데 이렇게 도시와 북부지방으로 이동한 노동력은 그 구성이 일반적인 양상으로 진행되지 않았다. 대개 산업화 초기의 離村向都는 주로 남자노동력과 생산연령인구를 중심으로 진행되므로 도시지역에서 이들의 비율이 높은 것은 농민 이촌의 결과로서 나타나는 일반적인 현상이다. 농촌에서 상대적으로 우수한 노동력을 지닌 자가 보다 높은 노동성과를 구해 도시로 가는 것이다.[208] 더욱이 당시 조선 농촌에는 유휴노동력으로서의 다수의 몰락농민이 존재하고 있었다.

그러나 1930년대 도시의 남자인구와 생산연령인구는 실수에서는 증대하였지만 그 비율에서는 다른 양상을 보였다. 이 시기 府郡別 인구의 남녀 구성을 보면, 도시와 농촌 모두 남자인구가 여자인구보다 많았는데, 농촌보다는 도시의 남자인구 비율이 더 높았다. 그런데 1930~35년간에는 여자인구에 대한 남자인구의 비율이 농촌지역에서는 일정한 데 비해 도시에서는 감소하는 추세를 보였다. 도시에서는 수치상 남자인구와 여자인구의 차이가 적을 뿐만 아니라, 여자인구가 더 많이 증가하였다. 이는 1930년대 전반기 도시에 남성노동력을 흡인하는 요인이 상대적으로 적었으며, 주로 여성 노동력을 많이 필요로 하는 방직공업 등의 경공업 위주의 산업이 발전해 갔음을 말해준다. 한편 1935~40년간에는 도시와 농촌 모두에서 남자노동력의 증가수와 증가율이 여성에 비해 적었다. 농촌에서는 남자인구의 수치와 비율 모두가 감소하였고, 도시에서는 남녀가 모두 급증하였다. 전시체제가 본격화되면서 그에 대비한 군수물자 생산확충을 위해 농촌에 있는 남자 노동력을 이 지역으로 동

인해 이 지방의 인구가 특히 1930년대 후반기에 폭증한 것으로 보인다(安裕林, 앞의 글, 1994).

208) 正久宏至, 「朝鮮に於ける農民離村」, 『殖銀調査月報』 34, 1941. 3, 22쪽.

원하면서 드러난 양상이다.

이와 함께 전국적으로 남자인구의 비율이 꾸준히 감소된 현상이 주목된다. 특히 도시에서의 여자인구에 대한 남자인구 비율이 1925년 1.13배에서 1935년 1.07배, 1940년 1.06배로 감소세를 보이는 현상은, 남자 노동력이 국내에서 고용되지 못하고 국외로 이주해 갔음을 반증하는 것이다.[209]

일제하에 국내에서 고용되지 못한 몰락농민들이 가장 많이 향하였던 곳은 일본과 만주 두 지역이다. 만주 지역의 경우 몰락농민을 중심으로 고용과 생활수단을 찾아 이 지역으로 떠나는 행렬이 계속되었는데,[210] 특히 산미증식계획이 끝난 1930년대에 많은 노동력이 이동하였다. 1910년 20만 명이던 재만 한인은 1930년에 60만 명으로, 1938년 100만 명으로 급증하였다. 이들은 농촌에서 생산수단을 잃고 몰락하였으나 국내에서 새로운 고용 기회를 얻지 못하고 만주 지역으로 옮겨가 다시 농업에 종사하였는데,[211] 대개는 자소작농이나 소작농 등 하층 농민이 중심이 되었다.

동시에 일본으로 이주한 농민수도 꾸준히 증가하여 1925년 18만여 명이었던 일본 거주민이 1930년에는 41만 명을 넘어섰다. 이들은 대개의 지역에서 철도·전기·도로·하천 등의 토목공사 인부, 炭坑인부, 짐꾼과 날품팔이 등 소위 自由勞動者로 일본 노동시장의 최하층에 편

---

209) 노동력의 국외 이동에 대해서는 이 책 제4장 2절 1)항 참조.

210) 尹輝鐸, 「1920~30年代 滿洲中部地域의 農村社會 構成-間島地方의 朝鮮人 農民을 中心으로-」, 『韓國史學論叢』 下, 박영석교수 화갑기념논총간행위원회, 1992 참조.

211) 만주 이민은 조선 내부의 사회구조 변동에 의한 것만이 아니라 당시 일제의 정책적인 필요에 의해 더욱 장려되었다. 일제는 조선 사회의 모순을 과잉인구의 국외 유출을 통해 해소하고, 이민을 조직적으로 통제함으로써 만주 지역의 반일운동을 통제하고자 하였다(이형찬, 「1920~30년대 한국인의 만주이민 연구」, 『일제하 한국의 사회계급과 사회 변동』, 문학과지성사, 1988, 221~230쪽).

입되었다.212) 일본으로 이주한 조선인 노동자들의 직업은 남자인구의 80% 이상은 土工夫를 비롯한 육체노동자였다. 1930~40년 10년동안 국외로 유출된 조선인도 일본 지역 85만 3천여 명과 만주 지역 71만 1천여 명을 비롯해 158만여 명에 달하였다. 이들의 성별 구성을 살펴보면, 1940년 당시 재일조선인 중 60%가 남성이었고, 1940년 만주로 건너간 조선인 중 남성이 63%를 차지하였다.213)

노동력의 국외 유출 현상은 생산연령인구의 구성 변화에서도 확인할 수 있다. 府郡別로 15세 이상 59세 이하의 생산연령인구 구성을 보면, 1930년에는 도시 61.1%, 농촌 53.9%에서 1935년에는 각각 59.4%, 53.0%로 변화하였다.214) 즉 전체적으로 생산연령인구는 농촌보다 도시에서 더 큰 비중을 차지하였지만, 1930~35년간 도시의 생산연령인구 비율이 감소되어, 농촌과의 차이가 7.2%에서 6.4%로 축소되는 경향을 보였다. 이는 성별 변동의 경우와 마찬가지로 생산연령에 해당하는 다수의 노동력이 국내에서 흡수되지 못하고 국외로 유출되어 갔던 특성을 보여주는 것이다.215)

이처럼 일제의 조선인 노동력 확보 정책 추진에 따라 1930년대에는 조선인의 이동이 촉진되어 그 지역별 분포가 크게 변화하였다. 변화의 방향은 일제의 경제정책과도 관련되어 주로 농촌에서 도시로, 그리고 남부지방에서 북부지방으로의 이동이 진행되었다. 그러나 한편으로는 생산연령의 남성노동력이 국내에서 고용되지 못하고 국외로 유출되어

---

212) 재일 노동자의 생활에 대해서는 朴在一, 『在日朝鮮人に關する綜合調査研究』, 1957, 53~64쪽 ; 서현주, 「1920年代 渡日 朝鮮人 勞動者階級의 形成」, 『韓國學報』 63, 1991 참조.

213) 朴在一, 위의 책, 1957, 27~32·103~104쪽 ; 金哲, 앞의 책, 1965, 27~35·40~43쪽.

214) 『朝鮮昭和十五年國勢調査結果報告要約』에는 연령별 인구가 도별로만 분류되어 있어서, 1940년의 부군별 생산연령인구 통계치는 얻지 못하였다.

215) 재일 조선인의 경우 1930년에 15~44세의 남자가 남자인구의 80%를 차지하였고, 인구 총수의 57%를 점하고 있었다(朴在一, 앞의 책, 1957, 105쪽).

그 비중이 크게 감소하고 있었다. 이와 더불어 노동력의 산업별 구성도 크게 변동하고 있었다.

(2) 산업별 노동력 구성의 변동

1920년대 조선의 산업구조는 농업을 중심으로 구성되어 있었다. 전 산업부문 중 농업은 정책과 자본의 투자, 인구구성 모두에서 가장 많은 비중을 차지하였다. 이에 비해 1930년대에는 '조선공업화' 정책과 이를 위한 일련의 노동정책이 추진된 결과 산업구조나 산업별 노동력 구성에 많은 변화가 있었다. 여기에는 지주 중심의 농정에 따라 파생된 수많은 농민의 이촌과, 그로 인해 증가된 도시 빈민의 존재가 全産業 부문에 미친 영향이 복합되어 있었다.

산업별 노동력 구성의 변화 양상은 직업별 有業者와 無業者數의 추이를 통해 검토할 수 있다.[216] 1930년에서 1937년까지 조선인 총인구는 약 200만 명이 증가하였다. 그 중 <표 16>에 나타나는 1930년대 산업별 노동력 구성의 변화 양상에서 두드러진 특징은 첫째, 유업자가 감소하고 무업자가 증가한 것과 둘째, 농업유업자가 감소하고 공·광업유업자와 기타 유업자가 증가한 것이다. 1930~37년간 총유업자는 약 111만 명이 감소하였고, 무업자는 같은 시기에 310만여 명이 증가하였다. 곧 무업자 증가가 총인구의 증가 규모를 훨씬 넘어섰다.[217]

---

216) 일반적으로 사용되는 『朝鮮總督府統計年報』의 職業別 人口統計는 직업별 有業者 統計와 약간의 차이가 있다. 직업별 인구통계는 호주의 직업을 기준으로 작성한 것으로, 일정 직업의 종사자뿐만 아니라 그 종속자, 즉 가족까지 포함하고 있다. 그러나 산업별 노동력 구성의 변화를 고찰할 때에는 각 산업의 실제 종사자를 대상으로 하는 有業者와 無業者의 변동을 통해서 살펴보는 방식이 더 적합할 것이다.

217) 더욱이 이 무업자 통계에는 半失業상태나 半無業상태에 있는 절대다수는 제외되어 있다. 만일 그들을 각각 실업자수와 무업자수에 가산하면 실제 실업자와 무업자는 훨씬 많았을 것이다(李如星·金世鎔, 「朝鮮의 失業者」, 『數字朝鮮研究』 3, 1932, 85쪽).

총유업자의 감소는 주로 농업유업자가 줄어든 데 원인이 있었다. 농업유업자는 1930년부터 1937년까지 약 133만 명이 감소하였고, 총유업자에 대한 비율도 1930년 85%에서 1937년에는 80.8%로 줄어들었다. 농업유업자의 감소는 앞에서 살펴본 바와 같이 1920년대의 지주적 농정의 강화와 농업공황, 1930년대 총독부의 농업에 대한 일정한 정책적 조정에도 불구하고 여전히 강인하게 존속했던 지주제와 고율 소작료 등에 의한 것이었다.218) 이와 함께 이전에 비해 상대적으로 노동력을 흡수할 수 있는 산업부문이 생겨나기 시작한 것도 몰락농민의 이촌을 촉진하고 농업유업자를 감소시키는 요인으로 작용하였다.

<표 16> 조선인 직업별 有業者數와 無業者數(단위 : 名, %)

연도별 직업별	1930		1937		인구 증가수
	실 수	비율	실 수	비율	
총 인 구	19,685,587		21,682,855		1,997,268
총유업자	11,015,799	100.0	9,906,754	100.0	-1,109,045
농 업	9,338,020	84.7	8,002,335	80.8	-1,335,685
어업 수산업	180,294	1.6	139,237	1.4	-41,057
공 업	210,510	1.9	245,639	2.5	35,129
광 업	31,103	0.2	166,568	1.7	135,465
상업 교통업	612,403	5.5	571,883	5.8	-40,520
공무 자유업	219,274	1.9	217,775	2.2	-1,499
기타 유업자	455,298	4.1	563,317	5.7	108,019
무 업 자	8,669,788	78.7	11,776,101	118.9	3,106,313

자료) 朝鮮總督府, 『朝鮮總督府統計年報』, 1930·37년판 ; 正久宏至, 「戰時下朝鮮の勞動問題(下)」, 『殖銀調査月報』 38, 1941. 7, 3~4쪽.

비고) * 無業者는 ① 恩給·年金, 小作料, 地代·家賃·有價證券 등의 수입이 있는 자와 ② 學生·生徒, 從屬者, 精神病院·感化院·慈善病院 등에 있는 자, 官公 또는 자선단체 등의 구조를 받는 자, 在監人, 기타 無業者 또는 직업을 신고하지 않은 자 등 수입이 없는 자를 이른다.
　　 * 비율은 총 유업자에 대한 각 직업별 유업자의 비율.

218) 金容燮, 『韓國近現代 農業史研究 - 韓末·日帝下의 地主制와 農業問題 -』, 일조각, 1992 ; 鄭然泰, 「日帝의 韓國 農地政策」, 서울대 국사학과 박사학위논문, 1994 ; 河合和男, 『朝鮮に於ける産米增殖計劃』, 未來社, 1986 등 참조.

그러나 근본적으로 유업자의 감소는 농촌을 떠난 농민들을 수용하는 도시의 산업부문이 가지는 고용구조의 취약성에 기인하였다. 특히 총인 구와 몰락농민의 막대한 증가에도 불구하고 어업·수산업과 상업·교 통업, 공무 자유업 부문 등에서 유업자가 감소하였다. 광업과 공업, 기 타 부문의 노동력 흡수로 약간의 회복세를 보였지만, 유업자 감소와 대 규모의 무업자 증가는 이 시기의 큰 흐름이었다.[219]

유업자의 변동에서는 공·광업 부문 유업자수의 증가가 두드러진다. 이를 통해 농촌을 떠난 많은 사람들의 일부가 산업부문에서 취업하였 음을 알 수 있다. '조선공업화'가 제창되던 이 시기에 공업유업자는 3만 5천여 명이, 광업유업자는 13만 5천여 명이 증가하여, 1937년 현재 공 업유업자는 24만여 명에 달하였고, 광업유업자는 16만여 명에 이르렀 다. 같은 시기에 이들이 총유업자에서 차지한 비율은 공업에서는 1.9% 에서 2.5%로 증가하였고, 광업에서는 0.2%에서 1.7%로 증가하였다.

이와 함께 잡역부, 일용노동자 등을 포괄하는 기타 유업자의 증가 현 상이 주목된다.[220] 이들은 1930년 45만여 명에서 1937년 56만여 명으로 증가하였고, 총유업자에 대한 비율도 4.1%에서 5.7%로 증가하는 추세 를 보였다. 기타 유업자는 공·광업 부문의 종사자에 비해서 절대수에 서도, 비율면에서도 더 많은 증가를 보였다. 이는 1930년대에 걸친 일 제의 공업화 정책과 군수산업의 발흥으로 공·광업 노동자가 증가하기

---

219) 무업자수는 이후에도 계속해서 절대적, 상대적으로 증가하는 양상을 보였다. 그 결과 1942년 조선인 무업자는 1,484만여 명에 달하였다. 총인구 중 무업자 의 비율이 58%를 차지하는 가운데, 농업·수산업·광업을 제외한 모든 분야 에서 60%를 넘어섰다. 특히 교통업이 68.6%에 달하였고, 공무업이 67.8%, 공 업 분야에서도 65.5%에 달하였다(朝鮮總督府, 『朝鮮總督府統計年報』, 1942 년판, 28~35쪽, 現住戶口 職業別調査 참조).
220) 『朝鮮總督府統計年報』에서는 기타유업자의 범위에 대해 지정한 바가 없다. 그런데 같은 종류의 직업별 인구조사 보고서인 『朝鮮國勢調査報告』에서는 기타유업자의 범위를 관청·회사 등의 급사, 안내인, 수위, 창고부, 청소부, 잡 역부, 日傭(신고한 자) 등으로 규정하고 있어 참고가 된다.

는 했지만, 사실상 그 규모는 전체 노동자수와 비교하면 그다지 큰 비중을 차지하지 못하였음을 말해 준다.[221] 일부를 제외한 대다수의 노동자가 기타 유업자, 곧 고용이 불안정한 일용노동자나 잡업 종사자 등의 하층노동자로 존재한 것이 당시의 현실이었다.[222]

산업별 노동력 구성에서 나타나는 이러한 노동력 수요의 성격은 공·광업 부문에 한정해서 살펴보아도 마찬가지이다. 1930년대에 걸쳐 고용이 증가된 노동자는 주로 공장·광산·토건 부문에 속하였다.

<표 17>에 의하면 공장, 광산, 토목건축 세 부문 노동자수의 합계는 1933년 21만여 명에서 1935년 36만여 명, 1937년 49만여 명으로 누년 증가하여 1938년에는 약 60만 명이 되었다. 그런데 이 3부문의 노동자 중에서 공장노동자에 비해 광산·토건노동자의 증가율이 매우 높았다. 1933년에서 1937년 사이에 공장노동자는 9만 9천여 명에서 16만 6천여 명으로 약 1.67배의 증가를 보인 데 비해, 광산노동자는 약 7만여 명에서 16만 6천여 명으로 2.35배, 토목노동자는 4만 3천여 명에서 16만 1천여 명으로 3.7배가 증가하여 상대적으로 높은 증가율을 보였다. 이에 따라 공장·광산·토건 노동자의 비율도 1933년 47 : 33 : 20에서 1937년에는 33 : 33 : 32로 변화되었다. 대부분 일용노동자로 구성되었던 토목 건축 노동자의 증가는 도로·철도·항만의 건설, 동력 개발 등 기간 산업 부문의 구축, 그리고 1930년대 중반부터 활발해진 일제 독점자본

---

221) 1932년 당시 조선의 공장 종업자수는 11만 650명으로 전체 인구의 0.56%에 불과하였다. 이에 비해 같은 해 일본 국내의 공장 종업자수는 175만 명으로, 총인구의 2.7%에 달하였다(李如星·金世鎔, 「工業朝鮮의 解剖」, 『數字朝鮮 研究』 5, 1933, 37쪽). 또한 1930년대 전반기 공장 종업자수는 생산액에 비해 상대적으로 낮은 증가율을 보였는데, 중후반기에 걸쳐 일제 독점자본의 투자가 점차 확대되면서 이 격차는 더욱 확대되어 갔다.
222) 이러한 양상은 앞에서 살펴보았듯이 직업소개소의 활동이 대개 일용소개를 중심으로 이루어졌고, 일반직업소개의 경우에도 호내사용인, 잡업 등과 같이 고용이 불안정한 직업의 취직이 대부분을 차지하였음을 통해서도 확인된다(이 책 제2장 2절 1)항 참조).

의 진출과 군수품 생산을 위한 시설 공사가 계속되면서 나타난 현상이
었다.[223]

<표 17> 공장·광산·토건노동자수의 추이(단위 : 명, %)

연도 직종	1933			1935			1937			1938		
	수	비율	지수	수	비율	지수	수	비율	지수	수	비율	지수
공 장	99,430	46.5	100	135,797	37.6	136	166,709	33.6	167	182,771	30.4	183
광 산	70,711	33.0	100	142,039	39.3	200	166,568	33.6	235	223,790	37.3	316
토 건	43,588	20.3	100	83,215	23.0	190	161,499	32.6	370	193,237	32.2	443
계	213,729	100.0	100	361,051	100.0	168	494,776	100.0	231	599,798	100.0	280

자료) 正久宏至, 「戰時下朝鮮の勞動問題(下)」, 『殖銀調査月報』 38, 1941. 7, 3~
4쪽.

광산노동자의 증가현상은 전쟁자금 조달 방안의 일환으로 추진된 産
金獎勵政策과 공업원료 확보를 위한 중요광물증산정책의 시행으로 전
국에 걸쳐 광산이 개발된 데 기인하였다.[224] 이에 광산노동자는 1930년
약 3만여 명으로 총유업자의 0.3%에서, 1940년에는 약 16만 5천여 명으
로 총유업자의 1.9%를 차지해 무려 5.4배의 증가를 보였다.[225] 이처럼
1930년대 공·광업 노동력 수요의 증가는 공장노동자의 증가와 더불어
주로 육체노동자, 일용노동자였던 광산·토목노동자의 증가로 인한 것
이었다.[226]

223) 廣瀬貞三, 앞의 글, 1991. 10.
224) 許粹烈, 「1930年代 軍需 工業化政策과 日本 獨占資本의 進出」, 『일제의 한
국 식민통치』(車基璧 엮음), 정음사, 1985, 240~243쪽.
225) 공·광업 인구 중에는 광업 인구가 35%를 차지하고 있었다. 『朝鮮總督府統
計年報』에는 1930년, 1935년의 광업 인구 통계가 별도로 수록되어 있지 않으
므로, 여기에서는 朝鮮總督府, 『昭和五年朝鮮國勢調査報告』 全鮮編, 246~
247쪽 ; 朝鮮總督府, 『朝鮮昭和十五年國勢調査結果要約』, 72~73쪽을 참고
하였다.
226) 이러한 양상은 조선총독부가 인구이동 상황을 조사한 보고에서도 확인된다.
이 보고는 경기도 평택군 송탄면 長安里·二忠里, 전라북도 남원군 운봉면

요컨대 대공황기 조선에서는 실업문제가 심각한 상태에서, 그리고 공업화 정책을 추진하는 가운데 노동정책이 경제정책의 하나로서 본격적으로 논의되기 시작하였다. 그러나 조선에는 노동력이 풍부하였고, 또한 일제의 입장에서는 기본적으로 노동력 수급정책을 제외한 식민지에서의 노동정책을 체계화할 필요성이 적었다. 따라서 이 시기에는 아직 제도적, 기구적 정비를 통한 적극적인 형태의 노동정책은 추진되지 않았다. 사회간접자본의 부분적인 구축을 위해 일정 부분의 유효수요를 창출하고, 광범위한 노동력을 바탕으로 최저의 노동조건을 조성하여 자본가가 이윤을 추구할 수 있도록 정책적으로 보장하는 형태로 노동정책이 시행되었던 것이다.

한편 공업화가 추진되면서 공장·토건·광산 노동자를 중심으로 노동력이 고용되어 갔다. 有業者 구성에서도 농업 부문이 감소하고 공·광업, 기타 유업자가 증가하는 변화를 보였다. 그런데 무려 165만 명의 유업자가 농촌에서 배제된 데 비해, 새롭게 증가된 유업자는 그 수의 약 1/4에 해당하는 공·광업유업자 혹은 기타 유업자 뿐이었다. 따라서 1930년대에 걸쳐 전국적으로 인구의 대규모 이동이 진행되고 실업률이 감소되었음에도 불구하고, 총유업자는 오히려 감소하고 무업자가 대폭 증가하는 양상을 보였다. 이는 곧 당시 조선 내 각 산업간의 유기적인

杏亭里·山德里, 경상북도 영천군 금호면 新月洞·元堤洞, 경상북도 김해군 김해읍 內洞里·外洞里, 황해도 서흥군 용평면 月灘里 지역을 대상으로 하여, 1934년 1월부터 1944년 3월 중순까지의 인구이동 상황을 조사한 것이다. 총 조사호수 980호 중 농가 826호의 총인구 4,711명, 남자 2,338명, 여자 2,373명을 대상으로 조사한 결과, 구직을 위해 유출한 자는 종속 유출자를 제외하면 남자 248명, 여자 15명, 총 263명이고, 유출 지역별로는 국내가 134명, 국외가 129명이었다. 농촌에서 구직을 위해 유출한 자의 이주 후 직업은 공장노동자가 14.8%, 광업노동자 13.6%, 토건노동자 32.3%로, 세 부문으로의 전업이 전체의 60%를 넘어섰다. 새로 구직한 자 중 토목노동자와 탄갱부, 年雇 등 소위 육체노동자가 전체의 53.8%를 점하였으며, 이외에 식량난으로 인해 다른 지역을 전전하여 행방이 확인되지 않는 자도 상당수였다(朝鮮總督府, 「農村人口移動調査報告」, 『朝鮮總督府調査月報』, 1944. 12).

연관성이 결여된 데서 비롯된 것으로, 농업 부문에서는 수많은 노동력
이 유출되고 있었지만 이들을 수용할 새로운 산업 부문의 노동력 수요
는 매우 제한적이었음을 반영한다. 이에 북부지방이나 일부 대도시를
제외한 지역에서는 여전히 실업자 혹은 잠재 실업자로 존재하는 노동
력이 상당수에 달하였다.

제3장 중일전쟁기의 '勞資一體論'과 노동력 동원체제

1. 대륙병참기지화와 '국가' 통제하의 노자관계

1) 병참기지화 정책과 노무동원계획

(1) 대륙병참기지화와 내선일체론

블록 형성을 통한 새로운 시장의 개발로 일본자본주의의 위기를 벗어나고자 했던 일제는 1931년 만주사변을 도발한 데 이어 1937년 다시 중일전쟁을 일으켰다. 전쟁의 확대를 통해 시장을 개척하려는 의도를 분명히 한 것이다. 이후 일제는 대륙침략을 위한 전시통제경제를 본격적으로 가동하고 高度國防國家體制 건설과 生産力擴充을 위해 경제체제를 전면 재편하였다.[1]

1938년 11월 일제는 「支那事變의 意義와 우리의 使命」이라는 성명을 통해 중일전쟁의 의의는 동아의 영원한 안정을 확보하는 신질서를

---

[1] 중일전쟁 직후 일제는 임시 각료회의에서 중일전쟁을 국지전으로 마무리할 방침을 결정하였다. 그러나 1개월 후 '對中國 膺懲 聲明'을 발표하고 명칭도 北支事件에서 北支事變으로, 그리고 支那事變으로 개칭하는 등 전쟁을 확대하는 방향으로 태도를 바꾸었다. 이에 따라 그 해 9월 전쟁 추진을 위하여 무역과 금융을 통제하기 위한 臨時資金調整法과 輸出入品等臨時措置法을 제정하였고, 10월에는 기획원을 설치하였다(小林英夫, 「총력전체제와 식민지」, 『日帝末期 파시즘과 韓國社會』(최원규 엮음), 청아출판사, 1989, 36~37쪽).

150

건설하는 데 있다고 강변하였다. 여기에서 신질서의 건설이란 일본과
만주, 중국이 제휴하여 동아시아에서 경제 결합과 共同防空을 이루는
것을 의미하였다. 즉 東亞는 東亞人을 위한 것이어야 하며, 구미 제국
에게 밟혀온 동아의 현실을 타파하고 새로운 동아를 건설해야 한다는
것이었다.2) 이른바 大東亞共榮圈의 논리를 제기한 것이다.

신질서 건설은 "동아의 운명을 결정하는 중요 계기"로서 어떠한 희
생을 치르더라도 달성해야 하는 것으로 강조되었다.3) 이는 일제가 고
도국방국가체제의 확립과 '국민'의 총력 발휘를 강조하는 명분이었다.
고도국방국가체제란 "언제 어떠한 강적이 나타나도 그에 대응하여 격
멸할 수 있는 국가체제"였다.4) 제1차 대전을 계기로 전쟁이 總力戰의
형태로 변화된 '廣義國防' 시기에는 군비 외에도 외교, 정치, 문화, 산
업, 일반인의 가정생활까지 모두 전쟁 목적을 달성하기 위해 재조직해
야 한다는 것이 고도국방국가체제의 내용이었다.5)

<hr/>

2) 厚生硏究會, 『國民皆勞 - 戰時下の勞務動員』, 新紀元社, 1941, 13~18쪽. 나
  아가 서구에서는 독일이 이태리와 협력하여 유럽의 신질서 건설에 노력하고
  있다고 하여, 독일·이태리·일본의 삼국동맹에 의해 세계의 신질서를 건설하
  게 되었다고 하였다. 곧 당시 세계는 신질서를 건설하고자 하는 국가군과 구
  질서를 유지하고자 하는 국가군이 대립하고 있다고 하였다(「總督の銃後國民
  訓發表」, 『朝鮮』 314, 1941. 7, 68~69쪽).
3) 國民總力朝鮮聯盟 編, 『國民總力讀本の趣意』, 國民總力朝鮮聯盟, 1941, 1~
  3쪽.
4) 국방국가란 1931년 陸相 宇垣一成이 '국방은 정치에 선행한다'고 한 것의 연
  장으로, 육군의 幕僚들과 소위 혁신관료들이 1936년 발족한 國策硏究會에서
  작성한 국방국가 건설의 초안 「國防의 本義와 그 强化의 提唱」에서 보다 구
  체적으로 드러났다. 그것의 핵심은 국민의 모든 생활이 국방에 기초하도록 하
  는 것으로서, 이후 일본의 정치형태는 광의의 고도국방국가를 내용으로 하였
  다(橋川文三, 「日本ファシズムの思想的特質」, 『講座日本史 7』(歷史學硏究會
  ·日本史硏究會 編), 東京大學出版會, 1971, 344~346쪽 ; 奧村喜和男, 『變革
  期日本の政治經濟』, ささき書房, 1940).
5) 일제는 고도국방국가체제의 모델을 독일의 경험에서 구하였다. 즉 1차대전에
  서 패배한 독일이 교육을 개선하고 국민의 정신을 국방으로 향하고 일체의 생

이러한 시기에 조선의 경제는 일본경제의 일부분으로 간주되었고, 조선에 대한 정책 역시 일본제국주의의 전쟁 노선에 의거하여 전면 재조정되었다. 중일전쟁 이후 본격적인 전시체제로 들어가면서 군사기지로서 조선의 입지가 강조되자, 조선 경제 구조의 일국적인 완결성은 무시되었고 통제경제체제 내에서 北進型의 지역경제 구조가 요구되었다. 또한 전시체제로의 전환과정에서 일제는 조선인에게 전쟁수행을 위한 전면적 협력을 강요하기 시작하였다. 그리하여 사상적으로는 천황제 파시즘 하에서6) 內鮮一體와 皇國臣民化를 표방하면서 國民精神總動員運動을 추진하였고, 경제적으로는 農工竝進을 통해 군수공업 중심의 경제 재편성과 전시통제경제로의 전환을 꾀하여 조선의 兵站基地化를 적극 추진하였다.7)

1936년 8월 제7대 조선총독에 취임한 南次郎은, '內鮮一如 鮮滿相依'라는 슬로건 하에8) 國體明徵 鮮滿一如 敎學振作 農工竝進 庶政刷

활을 집결한 결과 2차 대전에서 승리하고 있다고 보았다. 이에 일제도 고도국방국가체제를 급속히 정비하여 중일전쟁을 치르고자 하였다(國民總力朝鮮聯盟 編, 앞의 책, 1941, 1~3쪽).

6) 명치유신 이후에 성립된 일본의 천황제 이데올로기는 ① 萬世一系, 신성불가침의 천황에 의한 통치의 절대 불가침성=국체의 절대성, ② 충효일치=천황과 신민의 공적 관계를 父와 赤子라고 하는 의제적 가족 관계로 바꾼 가족국가관, ③ 애국=민족주의의 독점이라는 3가지 원리로 구성되었고, 이 원리는 1945년 8월까지 유지되었다. 만주사변 이후 일제는 입헌주의와 부르주아 합리주의 이데올로기를 전반적으로 금지하였고, 그에 대신해 이 세 원리와 결합한 대동아공영권, 국방국가, 멸사봉공, 산업보국, 국민협동체론 등의 '천황제 파시즘 이데올로기'를 등장시켰다. 이 이데올로기는 1940년 7월 近衛文麿 내각의 각료회의에서 결정된 기본국책요강에 의해 國是로 되었다. 그것은 神武神話 등을 근거로 하는 일본주의 국체론을 중심으로, 대동아공영권과 국방국가의 이념을 아우른 3위1체의 이데올로기였다(木坂順一郞, 「『大日本帝國』の崩壞」, 『講座日本歷史 10』(歷史學研究會·日本史研究會 編), 東京大學出版會, 1985, 307~308쪽).

7) 朝鮮總督府, 『施政三十年史』, 1940, 827~828쪽.

8) 『每日申報』1936. 8. 28, '日滿一體를 目標로 한 朝鮮으로서의 使命, 躍進半島

152

新을 조선통치의 5대 정강으로 발표하였다.[9] 그리고 뒤이은 중일전쟁을 계기로 이들 통치방침을 일부 변용하여 총동원체제를 확립할 것을 강조하였다.[10] 중일전쟁이 '聖戰'으로 추인되고 이를 계기로 國家總動員의 명분이 서자, 총독부는 조선의 대륙병참기지화와 내선일체화를 표방하면서 조선에서의 총동원체제 확립 작업에 착수하였다. 당시 정무총감 大野綠一郎은 조선통치의 중요성은 두 개의 각도에서 고찰해야 한다고 하였는데, 그 하나는 내선일체의 내용을 파악하고 나아가 전쟁의 목표인 東亞民族의 단결에 앞장서는 본보기로서 '도의적 의의'에 대한 것이었고, 다른 하나는 일제의 대륙전진병참기지로서 조선이 가지는 '국책적 임무'에 대한 것이었다. 이 양자 중 내선일체론이 정신적인 측면을 강조하는 것이라면, 대륙병참기지론은 물적 경제적 측면을 강조하는 것으로서, 이 두 논리는 조선 지배 이데올로기의 두 축을 이루고 있었다.[11]

대륙의 전진병참기지로서 조선의 임무가 공식적으로 거론된 것은 1938년 8월 제1회 각 도 산업부장회의에서 발표된 총독 南次郎의 訓辭를 통해서였다.[12] 이후 같은 해 9월 시국대책조사회에서 南次郎이 조선을 '대륙병참기지'로 소개한 이래 그 용어는 정책 입안자들에게 조선의 시정 목표로서 강조되고 일상적으로 사용되었다.[13] 여기에서는 대륙병참기지라는 용어를 사용하는 이유와 함께 병참기지를 조선이 짊어

의 現狀에 卽하야 促進, 新總督 總監 施政의 大綱'.

9) 「道知事會議」,『朝鮮』, 1937. 5, 172~174쪽.

10) 중일전쟁 전후 총독부 경제정책의 전환에 대해서는 방기중, 「1930년대 조선 농공병진정책과 경제통제」,『일제 파시즘 지배정책과 민중생활』(방기중 편), 혜안, 2004, 102~111쪽 참조.

11) 山本有造,『日本植民地經濟史硏究』, 名古屋大學出版會, 1992, 48~49쪽.

12) 鈴木武雄,『大陸兵站基地論解說』, 綠旗聯盟, 1939, 29~30쪽.

13) 江上正士,「銃後朝鮮一年의回顧」,『同胞愛』16-8, 朝鮮社會事業協會, 1938. 8, 5~17쪽 ; 南次郎,「朝鮮總督府時局對策調査會에於ける告辭의要旨」,『同胞愛』16, 1938. 10, 2~8쪽.

져야 할 역할로 강조한 것이 주목된다. 일제는 자국 영토가 아닌 조선을 병참기지화하고 대륙병참기지라고 명명하였다.14) 일본 국내에 있어야 할 병참기지가 조선에서 추진된 것은 전쟁 무대인 대륙의 일각에 병참기지를 前進 배치하여 병참의 거리를 단축시킨다는 의미와 함께 수송상의 안전을 확보한다는 의미를 지녔다.

조선을 大陸前進兵站基地라고 명명한 것은 당시 조선의 산업경제 수준을 일컫기보다는 전쟁 과정에서 조선이 짊어져야 할 사명을 강조하기 위한 것이었다.15) 일제는 전쟁수행상 필요한 중요물자를 수송력과 노동력의 측면에서 조선에 의존하지 않으면 안되었다. 특히 경금속, 철강, 석탄 등의 증산과 그에 필요한 노동력의 확충 정비가 긴급 대책의 하나로서 조선에 요구되었다. 한층 광범하고 공고한 물적 자원의 조달을 위해 대륙전진병참기지로서 조선의 역할을 설정하고 강조한 것이다.16)

조선을 병참기지로 운용하기 위해서는 그 역할을 담당할 만큼의 경제력을 갖추는 동시에, 조선인을 충실한 일본인으로 변화시키기 위한 이른바 皇國臣民化 과정이 필요하였다. 조선이 경제적, 정신적인 조건을 갖추어야 했기 때문이다. 따라서 일제는 조선을 대륙병참기지로 설정하면서 內鮮一體와 함께 農工竝進을 요구하였다. 南次郞 총독은 大陸前進兵站基地로서 조선의 사명에 대해, 식량 잡화 등의 군수물자 공수는 물론, 본토로부터 대륙 작전군에 대한 해상 수송로가 차단될 경우

---

14) 兵站이란 본국 영토 밖의 군대가 본국의 軍需와 긴밀한 연계하에 작전을 수행하기 위해 운용하는 시설과 물자를 총칭하는 말이다. 이때 병참을 담당하는 본부로서 국내에 설치하는 것이 兵站基地고, 국외 작전 부대에서 병참기지로부터 수송된 군수품을 담당하는 것이 兵站主地다. 일반적으로는 병참기지는 국내에 두었고, 국외의 작전지대에는 병참주지를 두었다(鈴木武雄, 앞의 책, 1939, 7~15쪽).

15) 大野綠一郞, 「朝鮮總督府時局對策調査會に於ける挨拶の要旨」, 『同胞愛』 16, 1938. 10, 9~18쪽.

16) 南次郞, 앞의 글, 1938. 10, 2~8쪽.

154

조선의 능력만으로 그것을 보충할 수 있을 정도까지 산업 분야를 다각화하고 특히 군수공업을 육성해야 한다고 하였다.[17] 그리하여 5대 정강의 하나로 제기한 농공병진이 조선이 짊어져야 할 책무로서 강조되었다.[18] 이를 위해 '日滿支 경제블록' 상의 조선의 역할을 고려하여 농림, 수산 등 식량과 원료생산 부문에서 자원을 최고도로 증가시키도록 요구하였다. 특히 공·광업에서 중공업, 정밀기계공업 등의 高度産業을 발전시키는 것은 일본산업의 대륙진출과 국방을 위해 필수적이라고 하였다.[19]

이와 함께 '내선일체'는 대륙병참기지 조성을 위한 전제로서, 대륙병참기지론이 물적 경제적 측면을 강조하는 데 비해, 그 정신적인 측면을 담당하였다. 중일전쟁 발발 이후 강조된 내선일체는 전시하 조선의 역할을 시사하는 표어로서 통치의 근본 방침이 되었고, 제 정책이 이 위에서 마련되었다.[20] 일제는 내선일체에 대해 일본과 조선의 존립·발전은 양자의 일체적 결합에 의존하며, 조선인과 일본인의 거리를 넘어서서 다 같은 황국신민이라는 철저한 자각 위에 천황에게 모두를 바쳐야 한다는 것으로 설명하였다. 그러면서도 조선인을 일본 국민으로 만들기 위해서는 "조선의 수준을 하루 빨리 일본의 수준으로 끌어올림으로써 内地的인 사고와 감동을 하게 해야" 한다고 하여, 내선일체의 표준은 오로지 일본과 일본인임을 분명히 하였다.[21]

식민지를 전쟁에 동원해야 할 필요성이 절박해졌음에도 불구하고 현실적으로는 일본인과 조선인 간에 지배자와 피지배자라는 민족 간의 갈등이 심화되어 갔고, 더욱이 저항이 계속되면서 조선인에 대한 일제의 의구심은 커져 갔다. 이 문제를 해결하기 위해 일제가 제기한 정책

17) 全國經濟調査機關聯合會 朝鮮支部 編, 『朝鮮經濟年報』, 1939, 403쪽.
18) 鈴木武雄, 앞의 책, 1939, 30~33쪽.
19) 「道知事會議」, 『朝鮮』, 1937. 5, 172~174쪽.
20) 鈴木武雄, 앞의 책, 1939, 16~21쪽.
21) 國民總力朝鮮聯盟 編, 앞의 책, 1941, 37~42쪽.

이 황민화정책으로서,22) 이는 宇垣一成 총독기에 전개된 內鮮融和의 차원이 아니라, 일본민족과 운명을 같이 해야 한다는 내선일체 이데올로기를 내걸고 전개되었다.23)

일제는 전쟁을 치르기 위해 조선인을 동원하면서 경제적인 반대급부를 제시할 여력이 없었다. 조선인에게 제시할 수 있는 유일한 것은 조선인을 일본인과 똑같은 '천황'의 신민으로서 대우한다는 정신적인 '혜택' 뿐이었다. 따라서 일제는 최고 통치 목표로서 '내선일체'를 강조하지 않을 수 없었고, 끊임없이 조선인에게 '황국신민'이라는 용어를 주입하고 황국신민으로서 행동할 것을 세뇌시키고 있었다. 물론 '황국신민'으로서 조선인에게 주어지는 것은 권리가 아닌 천황의 신민으로서의 의무를 철저히 수행하는 것이었다.

전쟁을 수행하기 위해서는 조선이 지닌 모든 '자원'을 충분히 이용해야 했으나, 이 과정은 그간의 통치 경험에 비추어 볼 때 결코 용이하지 않았다. 따라서 끊임없이 내선일체를 강조하고 조선인에게 황국신민으로서의 정신 무장을 요구하였다. '2,300만 新同胞'에게 황국신민의 신념을 수립시키는 문제는 일제에게 시급한 일이 아닐 수 없었다.24) 이에

---

22) 조선과 대만, 만주에서 일제가 추진한 황민화정책은 제국주의 일반의 민족 억압정책과는 질적으로 구별되는 것이었다. 황민화정책은 '천황 신앙'의 강제를 축으로 민족의 정체성을 빼앗고 민족성의 말살을 단기간에 꾀하고자 한 특징을 지녔으며, 나아가 각 민족을 일본제국에 동화시킬 것을 목표로 한 정책이었다(須崎愼一, 「アジアの中のファシズム國家」, 『講座日本歷史 10』(歷史學研究會 · 日本史研究會 編), 1985, 260~261쪽).

23) 君島和彦, 「조선에 있어서 전쟁동원체제의 전개과정」, 『日帝末期 파시즘과 韓國社會』(최원규 엮음), 청아출판사, 1989, 157쪽. 내선융화에서 내선일체로의 슬로건 변화는 조선인에 대한 민족말살정책을 의미하는 것이었다. 이 시기에는 조선인이 조선인으로서 산다는 것 자체가 바로 '황민화의 敵'으로 파악되었다. 내선일체를 심화하기 위해서는 '일본 국민'으로서의 국체 관념을 갖도록 하는 것이 중요하였으며, 이는 결국 조선인을 '충량한 황국신민'으로 만드는 것에 지나지 않았다. 이에 대해서는 宮田節子 著 · 李熒娘 譯, 『朝鮮民衆과 「皇民化」政策』, 一潮閣, 1997 참조.

156

따라 통치의 방침이 조선 내의 모든 세력을 포섭하는 방식으로 변화해
갔는데, 그 방향은 철저한 일본인으로서 일본이라는 '국가'를 위해 전쟁
을 승리로 이끌도록 기여하는 것이었다. 곧 일제는 조선인의 자발적인
전쟁 참여를 강조하고 있었다.

요컨대 일제는 중일전쟁 도발과 함께 전시통제경제를 본격 가동하고
고도국방국가체제를 건설하기 위한 新體制를 지향하는 가운데 조선에
대륙병참기지의 역할을 요구하였다. 이 시기 일제의 조선지배 정책은
사상적으로는 내선일체 정책으로, 또 경제적으로는 농공병진 정책으로
구체화되었다.

(2) 생산력확충정책과 노무동원계획

전쟁에 필요한 막대한 물자의 생산을 강조한 고도국방국가체제 건설
의 논리는 生産力擴充政策의 실행으로 이어졌다. 이 정책은 군수산업
의 생산 능력을 높이기 위해 1935년부터 만주 關東軍을 중심으로 추진
해 온 軍需産業擴充計劃의 연장선에서 추진되었다.[25] 일제는 1939년 1
월 각료회의에서 生産力擴充計劃要綱을 결정하여, 중요한 국방산업과
기초산업에 대해 1941년까지 소요 목표를 달성하도록 생산력의 종합적
인 확충계획을 수립하였다.[26]

생산력확충계획은 강력한 행정기구 하에서 자립적인 군수 기초소재
부문의 생산력을 확대하고, 이를 뒷받침하는 강한 군사력을 육성하고자
하는 것이었다.[27] 따라서 철강, 경금속, 석탄, 전력, 석유, 공작기계, 철
도차량, 자동차 등 兵器工業을 뒷받침하는 산업을 그 대상으로 하였

24) 國民總力朝鮮聯盟 編, 앞의 책, 1941, 20~25쪽.
25) 安藤良雄 編, 『近代日本經濟史要覽』, 東京大學出版會, 1979, 133쪽.
26) 「生産力擴充計劃ノ現況ト將來展望」, 『日帝下 戰時體制期 政策史料叢書 5』
   (民族問題研究所 編,), 韓國學術情報株式會社, 2000, 186~205쪽.
27) 小林英夫, 앞의 글, 1989, 38쪽.

다.28) 또한 전쟁이 일어날 경우 중요 자원을 일본세력권 내에서 조달하기 위해 일본 군부는 조선을 포함하여 일본과 만주, 북중국을 일환으로 하는 경제블록을 구성하고자 하였다.29)

이러한 구도 위에서 일제는 본국으로부터 해상 수송로가 차단될 경우 조선의 능력만으로 군수물자를 조달할 수 있을 정도로 조선의 산업 분야를 다각화하고, 특히 군수공업을 육성하여야 했다. 이는 곧 대륙작전군에 대한 軍需補給을 일본 본국에 의지하지 않은 채 조선 산업이 담당하고, 조선과 만주, 중국 등의 民需도 조선의 산업이 인수하며, 나아가 조선 해협이 차단될 경우에도 대륙에서 독립적으로 군수와 민수를 보급하기 위해서는 조선을 그 최종 기지로 삼아야 한다는 방안이었다. 따라서 이를 감당해 낼 정도로 조선의 산업을 각 부문에 걸쳐 충실하게 발전시켜야 하였다. 조선은 대륙에서의 제2의 내지 혹은 내지의 분신으로 변화되어야 했고, 그를 위해서는 조선을 산업의 거점이자 전위로 만드는 것이 대륙병참기지로 완성시키는 필수적인 조건이 되었다.30)

총독부는 時局對策調査會를 통해서 조선의 산업 구성을 재편성하여 시국산업 부문을 보호·육성하고, 거액의 자금을 집중하여 대륙침략의 병참기지를 구축할 것, 노동자군을 양성·배치할 것, 중소기업을 재편성하여 하청화할 것 등을 구상하였다.31) 이후 산업재편의 방향은 조선에는 풍부하게 존재하지만 일본 국내에서는 희소한 군수자원과 1930년대 전반기부터 건설된 풍부하고 저렴한 전력과 결합한 철강, 경금속, 인조석유 부문을 육성하는 것으로 설정되었다.32)

---

28) 中村隆英·原朗 編,『現代史資料 43 : 國家總動員 1』, みすず書房, 1970, 219
~231쪽.
29) 徐廷翼,「戰時 日本의 生産力擴充計劃 硏究」,『湖西大學校論文集 社會科學
篇』20, 2001.
30) 鈴木武雄, 앞의 책, 1939, 21·29~32쪽.
31) 朝鮮總督府,『朝鮮總督府 時局對策調査會 會議錄』, 1938.

158

이렇게 중요산업으로서 장려된 각 부문은 상호 유기적 연계보다는 값싼 전력과 저렴한 노동력을 기반으로 일본 독점자본이 산업을 군사적으로 재편성하고 전시 초과 이윤을 확보할 수 있는 분야였다. 조선 공업의 확대 재생산을 위한 필수분야였던 기계기구공업 부문의 경우 장려정책이 나오지 않은 채 기계류의 태반을 여전히 일본에 의존하고 있었으므로 주요 기계기구의 자급률은 대단히 낮았다.[33] 조선 산업이 일본경제의 재생산 구조의 일환으로 깊이 종속되어 갔던 것이다.

생산력 확충을 위해 병참기지 조선에 주어진 역할의 하나는 지하자원의 개발이었다. 전쟁의 진행에 따라 미국이 對日 원자재 수출을 금지하고 이어 석유수출까지 금지하는 등의 조치를 취하여 원료의 수입이 두절되면서,[34] 일제는 모든 자원을 자급하거나 식민지에서 획득할 수밖에 없게 되었다. 이러한 정세 하에 조선에서 지하자원 증산이 광범위하게 추진되었다. 조선에는 지하자원이 풍부하고 일본 국내에서 얻을 수 없는 자원이 많았다. 특히 전쟁에 긴요한 자원이 잇따라 발견되면서 철광석, 경금속, 특수광물 등 각종 지하자원의 개발 대책이 적극 강구되었다.[35]

이와 더불어 일제가 조선에 가장 강도 높게 요구한 것은 노동력이었다. 생산력 확충을 위해서는 물자와 자본, 노동력 삼자의 동원이 병행

32) 철광업은 兼二浦製鐵所와 淸津製鐵所를 중심으로 하였으며, 1937년부터 제철사업법이 적용되면서 모든 제철회사가 日本製鐵株式會社를 축으로 하여 일본 독점자본의 지배하에 들어갔다. 또한 비료, 경금속, 인조석유 등의 분야는 조선질소비료주식회사가 대부분을 담당하였다(小林英夫, 『大東亞共榮圈の形成と崩壞』, 御茶の水書房, 1975, 202~206쪽).
33) 小林英夫, 앞의 책, 1975, 201~212쪽.
34) 1940년 8월 일제의 북부 인도차이나 침략을 전후하여 미국은 항공기용 휘발유의 수출 제한 조치를 취한 데 이어 철강 수출을 금지하였으며, 1941년 7월 남부 인도차이나 침략 후에는 석유 수출도 금지하였다(姜東鎭, 『日本近代史』, 한길사, 1985, 409·418쪽).
35) 柳承烈, 「日帝의 朝鮮鑛業 支配와 勞動階級의 成長」, 『韓國史論』23, 서울대 국사학과, 1990. 8.

되어야 했지만, 그 중에서도 현실적으로 생산력 확충의 근간이 되는 것
은 결국 노동력이었다.[36) 중일전쟁 초기 단계에는 資金 문제가 일제 전
시통제경제의 주 관심사였고, 이어 관심의 중점은 資材로 전환되었으
나, 이내 勞動生産性의 양양이 중요한 문제로 대두되었다. 국가자금계
획과 물자동원계획에 의해 자금과 자재를 책정하고 있었지만, 자금 자
재 수송 등 모든 면에서 상당한 제약을 받고 있던 일제의 경제 능력 내
에서 지속적으로 동원 가능한 유일한 자원은 노동력이었기 때문이다.

전쟁은 거대한 병력을 요구하였고, 대병력이 소모하는 군수품을 보
급하기 위해서는 산업 특히 공업과 운수업에 다수의 노동력이 필요하
였다.[37) 교전군에 비견하는 '産業軍'을 필요로 하였고, 교전 병력 역시
대부분 노동자에 의지해 구성되었다. 산술적으로 100만 명의 병사가 전
선에서 싸우기 위해서는 1,200~1,300만 명의 노동자가 생산에 종사하
여야 했다.[38) 따라서 일제는 전선에 있는 장병을 후방에 대한 염려 없
이 활약시키는 한편 대동아공영권을 확립하기 위해서는 노동력이 풍부
해야 한다고 하면서 노동력 증가의 필요성을 역설하였다.[39)

중일전쟁 발발 이후 조선인 노동력에 대한 일제의 인식은 획기적으
로 변하였다. 전쟁 발발 전 조선인 노동력이 풍부하다거나 부족하다고
하는 언급은 주로 조선 내에서의 현상에 바탕한 것이었다. 그러나 전쟁
발발 이후 조선의 인적 자원은 조선 내 뿐만 아니라 일본제국주의 판도
전체의 노동력 공급원으로서 중시되고 있었다. 일본과 그 외 지방에도

---

36) 森谷克己, 「大東亞の建設と半島の人的資源の重要性」, 『朝鮮』323, 1942. 4, 1
   ~8쪽.
37) 森武夫, 『戰時統制經濟論』, 日本評論社, 1939, 155~156쪽.
38) 제1차 대전에서는 병사 1명에 대해 대개 3명의 군수노동자가 필요하였다. 그
   러나 제2차 대전에서는 병기의 발달 등으로 인해 병사 1명에 대해 11~13명의
   노동자가 필요하게 되었다. 또한 전차 1대에 대해 50명 전후, 비행기 1대에
   100명 정도의 노동자가 필요한 것으로 파악되었다(津田剛, 「勞務者と思想」,
   『朝鮮勞務』1-1, 1941. 10, 38~40쪽).
39) 厚生硏究會, 앞의 책, 1941, 13~18쪽.

군인, 군속 혹은 노동자의 형태로 조선인 노동력을 동원하고자 하였기 때문이다.[40] 그 결과 1934년 이후 조선인 노동자의 일본 도항을 거듭 제한하였던 일제는, 중일전쟁 이후 조선인 노동력을 일본으로 적극 동원하는 방향으로 방침을 바꾸었다.[41] 따라서 이 시기에 계속해서 강조되었던 조선인 노동력 부족 현상은 일본의 노동력 부족 현상의 연장에서 나온 것이었다.

전쟁 발발 후 다수의 청장년 노동력이 전쟁터로 동원됨에 따라 일본에서는 후방의 군수산업을 담당할 노동력의 확보가 중대한 문제로 대두되었다.[42] 일제는 노동력 부족문제를 식민지 지역의 노동력 동원을 통해 해결하고자 하였다. 그 대상은 노동력의 숫자나 노동 능력의 측면을 고려할 때 조선이 될 수밖에 없었다. 이에 일제는 조선을 부족한 일본인 노동력의 보충지로서 재평가하고 조선인을 일본 국내로 동원하고자 하였다.[43]

---

40) 全國經濟調査機關聯合會 朝鮮支部 編, 앞의 책, 1939, 133~136쪽. 이는 당시 일제 정책 입안자들의 일반적인 견해로서 일상적으로 강조되고 있었다. 조선 총독부 간행물에서도 조선인 노동력은 "銃後의 산업전사로서 활용될 뿐만 아니라 대동아 제지역의 건설에도 充用되어야 하고, 내지에 부족한 노동력을 공급해야 한다"고 주장하였다(森谷克己, 앞의 글, 1942. 4, 1~3쪽).

41) 『大版每日新聞 朝鮮版』 1838. 8. 17, '朝鮮人 勞動者의 渡航 制限을 緩和, 內地側과의 諒解 이루어져'. 이에 관해서는 김민영, 『일제의 조선인노동력수탈 연구』, 한울아카데미, 1995, 33~38쪽 참조.

42) 일본은 중일전쟁 이후 다수의 일본인을 군인으로 동원하였다. 특히 1941년 12월 미국과 전쟁을 시작한 후부터는 일본 노동인구의 대부분을 전쟁터로 동원하지 않을 수 없었다. 일본의 육해군 수는 1937년 중일전쟁을 시작할 당시 107만 8천명이었으며, 1945년에는 무려 719만 명으로 증가하였다(木坂順一郎, 앞의 글, 1985, 312~313쪽).

43) 노동력 부족 현상이 심각해지자 일본의 석탄연합회를 비롯한 각 단체에서 조선인 노동력을 요구해 왔다(『釜山日報』 1937. 11. 5, '半島勞動者의 內地移出 困難한가, 勞力調整으로 具體的 調査'; 『大阪每日新聞 朝鮮版』 1938. 1. 26, '內鮮滿을 一丸으로 해서 勞動力의 需給調整, 鮮內 勞動豫備軍 67萬人을 半 强制的으로 總動員하는가'; 『木浦新報』 1940. 8. 26, '南鮮勞動者를 모집, 점

일제는 본국의 많은 노동력을 전쟁터로 동원한 상태에서 이제 조선이 가장 중요한 노동력 공급지라고 판단하였다. 특히 조선의 인적 자원은 양·질에서 모두 우수하고 장래 크게 늘어날 여지를 가지고 있다고 보았다. 양에서는 일본제국주의 영역 내 총인구의 1/4을 점할 뿐만 아니라 인구 증가율이 높다는 점에 주목하였다.[44] 또한 노동자로서의 質에 대해서는 조선인은 일본인에 비해 몇가지 결점이 있지만, 다른 동아제 민족과 비교할 때는 "일본제국 신민으로서 대동아 제 민족의 지도적 실력을 가지고 있다"고 하면서 두각을 나타낸다고 평가하였다.[45] 일본제국주의 판도에서 조선인 2천여 만명은 가장 적당한 인적 자원의 공급원이었다.

한편 이 시기에는 조선 내에서도 대륙전진병참기지의 역할을 강요받으면서 지하자원과 수력전기의 개발이 증가하고, 군수산업과 생산력 확충을 위한 대규모 산업이 발흥하여 노동력 수요가 급격히 증가하였다. 특히 중요산업으로 분류되던 군수산업, 생산력확충계획 산업, 운수통신업, 생활필수품 산업, 국방 토목건축업 부문 등에서 노동력 수요가 급속히 증가하였다. 이러한 산업들은 주로 서북부지방에 편재해 있었으므로 중남부지방의 노동력을 서북부지방으로 송출하는 방향으로 노동력의 수급이 진행되었다.[46]

점 內地渡航, 國境出入者는 咸北知事 許可, 下村課長談').

44) 일제하 일본제국주의 영역 내 총인구 중 조선인은 1925년 23.4%, 1930년 23.3%, 1935년 23.4%로 1/4 정도의 비중을 차지하였다. 민족별로는 1935년 현재 일본 국내 인구가 70.9%, 조선인 23.4%, 대만인 5.3%, 사할린인 0.3%로 구성되었다(朝鮮總督府, 『昭和十年朝鮮國勢調査報告』 全鮮編, 10쪽).

45) 田原實, 「朝鮮の勞務資源に就て」, 『朝鮮勞務』 2-3, 1942. 6, 2~17쪽. 이러한 평가는 1920, 30년대의 평가와는 크게 다른 내용이다. 이는 조선인 노동력을 동원해야 할 필요성이 시급한 데서 나온 평가로, 조선인이 다른 민족에 비해 일본어에 능숙하다는 점 등에 착안한 것이었지만, 한편으로는 그간 조선인이 노동자로서 성장해 간 모습을 단편적이나마 인정하는 것이기도 하다.

46) 이 과정에서 국내에서 동원된 노동자는 1940년까지 조선총독부 알선에 의한 수만 해도 14만 6천 명을 넘어섰다. 조선총독부 알선에 의해 동원된 노동자는

1938년 한 해 동안에도 60만 명의 새로운 노동력이 필요한 것으로 추산되었다.[47] 이 해 북부지방에서 시행된 주요 토목공사만 해도 함경북도의 무산 철도, 무산 철광개발, 富寧 수력전기, 日紡·日鐵 공장 신설, 청진 漁港 築港工事, 함경남도의 虛川江 수력전기, 朝窒系 제 공장 신설, 평안북도의 압록강 수력전기, 定朔 철도, 강계 수력전기, 多獅島 築港과 철도, 압록강 철교, 평안남도의 순천 비료공장, 中央 鐵道, 西鮮 鐵道, 황해도의 朝鐵 개량, 강원도의 동해북부 철도, 삼척 무연탄 개발에 따른 공사 등이 진행되었다. 이외에도 各道에 걸친 중앙선 철도, 경부·경의선 철도 공사 등이 행해졌다.[48] 각종 공사에 노동력을 공급하고자 총독부 사회과에서는 노동 예비군 동원 계획을 작성하고, 그에 기초해 남부지방 거주자를 함경남북도, 평안북도, 강원도로 이주시키고자 하였다.[49] 1938년 광산부문을 제외하고도 약 26만 명의 노동자가 부족하게 되자, 총독부는 각 도별로 그 인원을 할당하여 半强制的으로 노동력을 동원해 갔다.[50]

이 시기 국내의 노동자수 증가 추세를 보면, 1931년 말 8만 명이었던 공장노동자는 1937년 말 16만 명, 1939년 말 21만 명으로 증가하였고, 광산노동자는 1931년 6월 4만 명에 미치지 못하였으나 1937년 16만 명,

---

1934~38년에 3만 9,860명에 달하였고, 이후 1939년 4만 5,289명, 1940년 6만 1,527명으로 급증하였다. 이를 부문별로 보면 광업 6,674명, 교통·운수 1,582 명이고, 토목·건축 분야가 13만 8,220명에 달하였다(朝鮮經濟社 編, 『朝鮮經濟統計要覽』, 1949, 135쪽).

47) 『東亞日報』 1938. 3. 31.

48) 土建協會 회원의 1936년 말 수지공사는 5천만원에 불과하였지만, 이후 토목공사가 계속 증가하여 1941년 말에는 3억 5천만원에 달하였다. 그 작업지는 주로 북부와 서부지방에 있었으므로 대공사에 필요한 노동자를 총독부 알선에 의해 남부지방에서 충당하였다(朝鮮總督府 勞務課 調査係, 「朝鮮の勞務者移動狀況」, 『朝鮮勞務』 2-5, 1942. 10, 51쪽).

49) 『大阪每日新聞 朝鮮版』 1938. 1. 29.

50) 『大版每日新聞 朝鮮版』 1938. 6. 2, '勞動者饑饉 對策으로 過剩勞力을 動員, 社會主事會議에서 評定'.

1940년 25만 명으로 증가하였다. 더욱이 조선의 노무동원계획 산업에서 필요한 총노동자수는 1940년 9월 말 현재 127만 명으로 그중 남자가 115만 명, 여자가 12만 명이었다. 이들을 산업별로 보면 군수산업 1만 명, 생산력확충산업 35만 명, 수출산업 11만 명, 운수통신업 35만 명, 토목건축업 28만 명, 생활필수품산업 및 생산확충부대산업 16만 명이었다. 이들 각 산업부문에서는 매년 30만 명 정도의 수요 증가를 보였고, 그 수요는 대개 공광업이 발달하고 인구가 부족한 서북지역에 집중되어 있었다.[51]

이렇게 조선 자체에서 노동력 수요가 급증하는 데 더해, 일본의 노동력 부족으로 인한 조선인 노동력 공출 요구가 상당수에 이르면서 조선의 노동력은 점차 수급의 탄력성을 잃어갔다. 노동력 공급의 어려움이 커지자 노동력 동원의 방식도 점차 변화해 갔다. 전쟁 발발에 따른 군수산업 부문의 증강, 광업부문으로의 노동력 집중의 필요성이 '권력'에 의한 노동력 통제의 필요성을 낳았다. 조선총독부는 그러한 요구에 응하기 위해 1938년의 國家總動員法 시행을 계기로 조선에서 20여 종에 가까운 노동통제법령을 실시하여 노동력 공급처로서 기반을 다져갔다.[52]

이와 함께 노동력의 양적 확보·양성을 강조하였다. 시국대책조사회에서는 군수공업과 그 관련 산업 부문에 노동력을 집중시켜 전쟁수행을 원활하게 하고, 전 기구적 관점에서 노동력의 확보와 배치를 목적으로 한 노동력 공급정책을 입안하도록 하였다. 회의의 자문답신서 중「勞務調整과 失業防止, 救濟에 關한 件」에서는 ① 노동조정기관을 정비·확충할 것, ② 노동자, 노동 통계, 기술노무자, 필수 노동력 등 노무수급을 조사할 것, ③ 기술자와 기술노무자 양성, 반농 노동자 훈련 등

---

51) 「朝鮮ニ於ケル勞務需給(內地供出ヲ含ム)狀況槪要並ニ需給計劃ト實績トノ 對照(最近三ケ年)」, 『日帝下 戰時體制期 政策史料叢書 15』(民族問題硏究所 編), 韓國學術情報株式會社, 2000, 304~317쪽.
52) 노동통제법령에 관해서는 이 책 3장 2절 2)항에서 상술한다.

164

노동자를 양성・훈련시킬 것, ④ 부인, 학생, 청년층의 노동 권장과 근로배가운동 등으로 노동자원을 함양할 것, ⑤ 취로 가능한 노동력과 노동력 사용 예상수 조사, 노동자 모집 단속 등을 통해 노무수급을 조절할 것, ⑥ 노동자의 이산과 쟁탈을 방지할 것 등 군수공업 확충에 요구되는 노동력을 확보하기 위해 구체적인 방책을 제시하였다.[53]

나아가 일제는 총동원 경제의 정비를 위해 국가총동원계획을 수립하고, 각 방면에 걸친 종합적인 계획을 수립하고자 1939년 물자동원계획, 자금통제계획, 무역계획, 교통전력동원계획 등과 더불어 勞務動員計劃을 설정하였다. 이후 企劃院이 중심이 되어 매년 그 해에 요구되는 노동자의 배치와 노동력의 유지 배양에 대한 종합계획을 수립하고, 이 계획을 기초로 노무의 제반 대책을 운행하였다. 노무동원계획은 군수산업과 생산력확충산업 부문의 생산력을 높이기 위해 1939년부터 전쟁 말기까지 해마다 일본 내각 각료회의에서 노동력 동원의 내용을 결정하고 시행한 노동력 동원조처였다. 이 계획에서는 첫째, 노동력 수급계획으로서, 時局産業에 요구되는 일반노동자의 수를 계산하고 이를 각 방면의 노동력 공급원에서 공출할 방법을 강구하였다. 둘째로는 노동력의 保全增强에 관한 것으로, 노동력을 질적으로 향상시키고 이를 유지하기 위해 노동자의 정신적 훈련, 보건, 위생, 재해 방지, 후생시설의 충실, 노동조건의 적정화, 능률 증진 등의 방책을 강구하였다.[54]

1939년 7월 수립된 제1차 노무동원계획은 그 해의 노무동원 규모의 대강을 정한 것으로, 군수 충족, 생산력확충계획 수행, 수출 진흥, 생활필수물자의 확보에 중점을 두고, 여기에 요구되는 노동자를 약 110만 명으로 잠정하였다.[55] 또한 1940년 7월 제2차 노무동원계획에서는 115만 명을 책정하였는데, 여기에서는 신규 노동력 공급원으로서 조선인

53) 朝鮮總督府, 『朝鮮總督府 時局對策調査會 諮問答申書』, 1938, 113~122쪽.
54) 厚生硏究會, 앞의 책, 1941, 56~62쪽.
55) 河棕文, 『戰時勞動力政策の展開-動員のロジック, 動員機構, 勞動力需給狀況を中心に-』, 東京大學日本史學硏究室, 1996, 132~136쪽 참조.

노동력의 동원을 공식적으로 언급하였다.

노무동원계획 실행에 따라서 조선에서 본격적으로 노동력 문제가 강조되기 시작하였다. 제1차 노무동원계획에서 일제는 조선인 8만 5천 명의 일본 송출을 요구하였다. 이에 따라 기왕에 실시하던 모집허가 방법에 의한 개별도항 외에, 다시 일본측 사업주에게 도항에 관한 일체의 업무를 알선시켜 노동자들을 집단적으로 도항시키는 방법으로 계획적인 송출을 시행하였다. 그러나 조선 내에서 노동력의 수요가 증가하여 일본으로의 노동력 공급이 곤란해지고, 또한 개별 도항시의 상황이 명확히 파악되지 않아 1939년의 노동력 동원 수는 애초 계획의 45.5%인 3만 8,700명에 그쳤다.[56] 따라서 1940년부터는 일본으로의 노동력 송출을 위해 조선 내에서도 노무동원계획을 설정하여 체계적으로 노동력을 동원하게 되었다. 개별 도항을 억제하고 집단 도항 중심으로 일본에서의 노동력 동원 요구에 응하게 한 것이다.[57]

일제의 노무동원계획 추진은 조선에서의 노동력 재편성의 직접적인 계기가 되었다. 조선에서도 그에 맞추어 1940년도부터 노무동원계획을 설정하였기 때문이다. 이 계획에 의한 1940년도 일반노동자 신규 수요 수는 42만 5,400명으로, 그 중 군수·생산확충산업·그에 부대하는 산업 등에서의 수요가 약 14만 8천 명, 이 부문의 감소 보충요원수 약 15만 명, 일본과 사할린 이주자 9만 7천 명, 만주 개척민 3만 명이었다. 이들의 공급원은 신규 학교졸업자 5만 6,700명, 농촌에서의 공출 가능자 25만 명, 도시에서의 공출 가능자와 여자 무업자, 기타 물자 동원 부문의 이직자 약 11만 8천 명으로 책정되었다.[58]

56) 企劃院, 「昭和十七年度國民動員實施計劃策定ニ關スル件-參考資料」, 『日帝下 戰時體制期 政策史料叢書 86』(民族問題硏究所 編), 韓國學術情報株式會社, 2000, 273쪽.
57) 「戰爭と朝鮮統治」, 『日本人の海外活動に關する歷史的調査 10』(大藏省 管理局 編), 1947, 65~67쪽.
58) 「昭和十五年度勞務動員實施計劃綱領ニ關スル件」, 『日帝下 戰時體制期 政

또한 1941년도 일반노동자 신규 수요수는 42만 명으로, 그중 군수산
업, 생산확충산업, 그에 부대하는 산업과 기타 중요산업의 요구수 16만
7천 명, 이 부문 감소 보충요원수 12만 3천 명, 일본·사할린·남양 이
주자 10만 명, 만주개척민 3만 명이었다. 이들의 공급원은 신규 학교졸
업자 8만 1천 명, 농촌에서의 공출 가능자 27만 7천 명, 도시지역의 공
출 가능자 5만 4천 명, 일본에서의 이주자 8천 명으로 계 42만 명이 책
정되었다.[59]

이에 총독부는 농촌노동력의 분포 상황을 조사하고 그 결과를 토대
로 1941년 농촌에서 '객관적으로 취로 가능하다고 인정되는 자' 중 남자
31만 7,400명과 여자 5만 4,300명을 동원할 계획을 세웠다. 또한 전시하
에 '不要不急'하다고 인정되는 접객업, 가사사용인, 기타 유업자 중에서
도 일정 비율로 노동력을 공급하고자 하였다. 접객업 종사자 중 15%,
가사사용인 중 50%, 농업유업자 중에서도 5~10% 정도를 추출하고, 무
업자·기타 종업자 등 소위 유휴노동력의 80% 정도까지 동원하여, 40
만 명 정도의 남자 노동력을 공출하고자 한 것이다.[60]

요컨대 전시 생산력확충계획을 추진하면서 노동력의 수요가 급증하
자 일제는 勞務動員計劃을 추진하면서 조선인 노동력을 조선 내외의
각 지역으로 동원하고자 다양한 방식을 시도하였다. 한편으로는 공권력
을 이용하여 법적 행정적으로 노동력 동원조처를 취하면서, 한편으로는
조선인이 정신적으로 일제의 전쟁을 지지하고 나아가 전쟁수행에 자발
적으로 참여하도록 변화시켜 나가고자 하였다. 이에 일제는 파시즘 체

策史料叢書 86』(民族問題硏究所 編), 韓國學術情報株式會社, 2000, 34~44
쪽.

59) 刑事課, 「最近ニ於ケル犯罪一般槪況ニ付テ承リ度シ」, 『日帝下 戰時體制期
政策史料叢書 22』(民族問題硏究所 編), 韓國學術情報株式會社, 2000, 308~
309쪽.

60) 「朝鮮ニ於ケル勞務給源ノ調査ノ結果槪要」, 『日帝下 戰時體制期 政策史料
叢書 15』(民族問題硏究所 編), 韓國學術情報株式會社, 2000, 318~319쪽.

제에 맞추어 새로운 노동관을 주입하고 동시에 새로운 노자관계를 모
색해야 하는 과제를 안게 되었다.

2) 파시즘적 노동관과 노자일체론

⑴ '皇國勤勞觀'의 주입과 '國民皆勞'

국가총동원체제 하에서 일본제국주의 국가와 자본가, 조선인 노동자
삼자의 관계는 이전 시기와 크게 달라져 갔다. 그리고 노동정책에는 이
변화된 삼자의 역관계가 밀접하게 반영되었다. 특히 이전부터 행정 기
관의 권한이 막강하였던 조선에서는 이 시기에 들어 조선총독부 나아
가 일본제국주의의 영향력이 노동자와 자본가에게 더욱 직접적으로 작
용하고 있었다.

전시하의 생산력확충계획 추진으로 조선 내에서 노동력의 수요가 크
게 증대한 데 더해 일본에서의 노동력 공출 요구도 상당수에 달하였으
나, 그간 노동력의 저수지로서 역할해왔던 농촌의 노동력은 점차 탄력
을 잃어갔다.[61] 따라서 노동력 공급의 어려움은 일제의 예상 밖으로 커
져 법제상의 대책과 행정적 조치만으로는 전시체제를 이끌어 나가기
어려웠다. 조선인의 자발적 협력이 있어야 제반의 시책을 원활히 수행
할 수 있었고, 노동력 동원의 면에서 그 필요성은 더욱 절실하였다.

전시 파시즘 하에 일제의 노동정책은 새로운 내용의 노동관을 강요
하는 형태로 변화되었다. 이에 무엇보다 먼저 노동의 개념 변화가 요구
되었다. 이 시기에는 노동자라는 용어가 지칭하는 범위가 확대되어 노
동력 혹은 인력과 동등한 의미로 대체되어 사용되고 있었다. 일제는 특
정 분야에 종사하는 경우만이 아니라 전시하의 생산력 확충을 위해 동
원되었거나 동원할 대상을 통틀어 노동자로 일컫고 있었다. 곧 정신노
동자와 육체노동자의 범주를 넘어서서 모든 직업에 종사하는 사람들을

---

61) 농촌 노동력 유출 양상에 대해서는 이 책 제2장 2절 2)항의 서술 참조.

168

포괄하여 노동자 혹은 근로자로 지칭하였다.

　일제하에는 '노동'을 대신하는 다양한 용어가 혼용되었으며, 노동자
를 가리키는 말에도 노동자, 노무자, 종업자, 근로자 등의 다양한 표현
이 혼재하고 있었다.62) 그런데 중일전쟁 이후 특히 1940년대에는 기왕
의 勞動이나 勞務를 대신하는 용어로서 '勤勞'가 주로 사용되고 있었
다. 이는 대개 정책 입안자들의 문건에서 발견되는데, 의도적으로 노동
이라는 용어를 피하고 근로라고 사용하고자 했기 때문이다. 노동관 대
신 근로관이라 칭하고, 노무관리를 점차 근로관리라고 불렀으며, 노무
과의 명칭을 근로과로 바꾸고, 근로신체제 등의 용어를 사용한 것이 그
것이다. 그만큼 일제는 근로라는 용어에 새로운 개념을 주입하고, 나아
가 그 개념을 일반화하여 새로운 노동관을 부식시키고자 하였다.

　노동이란 노동자가 자신의 노동력을 상품으로 제시하고 그에 따른
대가를 요구하는, 즉 임금이 전제되는 권리이다. 이에 비해 근로란 임
금을 전제하지 않고 봉사의 차원에서 부지런히 일하는 것을 의미하였
다. 더욱이 여기에서 봉사란 자율적인 헌신의 개념이 아니라 국가가 강
조되고 국민이 강조되던 파시즘 체제하에서 나온 '국민의 의무'로서의
개념이었다. 職域奉公, 國民皆勞, 勤勞報國 등 이 시기에 총독부가 주

---

62) 예컨대 1939년에 제정된 임금통제령에서는 이 법령의 적용을 받는 자를 勞務
者라 하여, 그 범위를 널리 상품의 생산과 배급에 관계된 노동에 종사하는 자
라고 하였다. 즉 노무자란 첫째로 노동에 종사하는 자 둘째, 임금통제령 제2조
에 열거된 사업의 노동 또는 조선총독이 지정한 노동에 종사하는 자 셋째, 고
용 계약에 기초하여 노동에 종사하는 자라고 정의하였다. 여기에서 노동이란
정신 노동을 제외한 육체 노동만을 의미한다고 하여, 직공, 광부 등 협의의 노
동자가 행하는 노동과 더불어 토목건축, 농업 등의 각종 노동, 은행 회사 상점
등의 소사, 급사, 수위, 타이피스트, 잡역부, 승강기 운전자 등이 행하는 노동
을 가리킨다고 하였다. 또한 勞務를 '노동이 그 직역에서 조직적으로 행해지
는 것'이라고 보거나, 노무자란 농촌 사람들부터 공장, 광산에서 일하는 사람,
산에서 벌목하는 사람, 탄을 태우는 사람까지 포함한다고 규정하기도 하였다
(慶尙南道 鑛工部 勞務課,「賃金統制令」,『勞務關係法令集』, 1944, 1~7쪽 ;
田村浩,「勞動の國家的意義」,『朝鮮勞務』 1-1, 1941. 10, 31~33쪽).

창한 용어들은 대개 조선인에게 '근로'를 강요하기 위한 구호였다.

1940년 11월 일본 각료회의에서 결정된 「勤勞新體制確立要綱」에서는 근로의 본질을 '황국민의 봉사활동'이라고 규정하고, 고도국방국가 체제의 완성과 전시 생산력의 증강을 위해서는 '국민의 충실한 근로'가 필요하므로 근로의 국가성, 인격성, 생산성을 일체화하여 고도로 구현할 것을 요구한다고 하였다.[63] '勤勞報國' 정신을 고취시키기 위해서는 우선 노동의 중요성을 모두가 인식하여, 남녀노소를 불문하고 일할 능력이 있는 자는 노무동원에 응해야만 하였다. 여기에서 근로는 "국가에 대한 국민의 책임인 동시에 영예"여야 했다. 이에 각자 자신의 職分에서 능률을 최고도로 발휘할 것이 요구되었고, 질서에 따르고 복종을 중시하고 협동하여 산업의 전체적 효율을 발양하는 한편, 창의적 자발적일 것이 요구되었다. 곧 노동의 국가성과 생산성, 도덕성이 강조되고 있었다.[64]

'근로는 국가적인 행위'라고 하는 개념이 가장 잘 드러나는 것은 1940년 11월 일본산업보국회의 전국 조직으로 결성된 大日本産業報國會의 창립선언이다. 여기에서는 "직장은 우리에게 臣道 실천의 道場이다. 근로는 우리에게 봉사이고 환희이고 영예이며, 수단이 아니라 목적"이라고 하였다.[65] 그 봉사의 대상은 천황으로 상징되던 일본제국주의 국가였다. 즉 근로는 "국가에 보답하는 봉공이자 폐하를 섬기는 신하의 의무"로서 강조되었다. 그리고 이것은 황국신민이 지켜야 할 근로관, 즉 '皇國勤勞觀'으로 호칭되었다. 황국근로관은 '國體의 本意에 기초한' 노동관이라는 의미의 용어로[66] 정책 담당자들에 의해 통용되고

---

63) 厚生硏究會, 앞의 책, 1941, 338~340쪽.

64) 岩田龍雄, 「農業勞動力に關する若干の考察」, 『朝鮮勞務』 4-2, 1944. 3, 2~5쪽.

65) 『每日新報』 1940. 11. 23, '大日本産業報國會 今日 創立總會 開催'.

66) 「各種職域聯盟の內部を軍隊的組織に改正し仕奉隊を編成す」, 『朝鮮勞務』 3-4, 1943. 9, 71쪽. 여기에서는 국체의 본의는 '아국은 일계의 천황과 아울러 始終

160

있었다.67)

일제는 당시 독일에서 히틀러가 나치스 노동정책을 수행하면서 독일의 富는 독일 국민의 두뇌와 손에 있다고 하였듯이 일본에서도 勤勞의 새로운 의의가 인식되어야 한다고 하여, 새로운 노동관의 필요성을 강변하고 있었다. 새로이 확립되어야 할 노동관, 곧 황국근로관은 '고통의 근로에서 환희의 근로로' 노동의 개념을 바꾸어 받아들이도록 요구하였다.68) 근로가 환희로 되기 위해서는 기왕의 자본주의적 노동관을 일소하고 자신의 노동을 국가에 대한 봉사로서 인식하여야 했다. 따라서 모든 노동자가 기계적으로 일하는 것이 아니라 자신이 일의 주인임을 의식해야 하고, 또한 노동은 수단이 아니라 인생의 목적이라는 것을 체득해야 하고, 자신의 직역을 지키고 직분을 다하여 臣道를 실천할 것이 요구되었다.69) 이에 "노동은 신성하다고 하는 사유에서가 아니라 국가봉사 관념에 즉한 노무 자세"가 요구되었다. 어떠한 생산분야에 있든 불문하고 모든 사람들은 挺身報國해야 한다고 보았다.70)

하고, 고금영원에 걸쳐 하나이고 둘이 아니며, 항상 변함없는 것'이라고 설명하였다(林利治, 「惟神勤勞論」, 『朝鮮勞務』 3-4, 1943. 9, 23~29쪽).

67) 예컨대 道 사회과장 회의석상에서 사정국장이 훈시를 통해 황국근로관을 강조하거나 정무총감과 국민총력조선연맹 등이 전시하 노동자의 연성 준칙으로서 강조하였다(「道社會課長事務打合會議開催さる」, 『朝鮮勞務』 3-2·3, 1943. 8, 40~42쪽 ; 司政局長 新貝肇, 「工場就業時間制限令廢止に關する件」, 『朝鮮勞務』 3-2·3, 1943. 8, 74~75쪽 ;「決戰下生産戰力增强勤勞管理の刷新決る」, 『朝鮮勞務』 3-4, 1943. 9, 66~68쪽 ;「仕奉隊の編成-國民總力朝鮮聯盟の職域聯盟改造さる」, 『朝鮮勞務』 3-4, 1943. 9, 68~71쪽 등 참조).

68) 이는 독일 나치의 경험에서 빌려온 개념으로서, 히틀러는 노무관리의 기본 과제의 하나로 노동자가 노동을 환희로 받아들이게 할 것을 강조하고 있었다(티모시 메이슨 지음·김학이 옮김, 『나치스 민족공동체와 노동계급-히틀러, 이데올로기, 전시경제, 노동계급』, 한울아카데미, 2000, 158~160쪽).

69) 厚生硏究會, 앞의 책, 1941, 52~54쪽.

70) 井上收, 「勞務者と厚生の一考察」, 『朝鮮勞務』 2-5, 1942. 10, 64~72쪽. '挺身'이라는 용어는 당시의 자료에서 전시 하의 노동력 동원을 표현하는 경우 '그 사람이 지닌 능력을 최대한 동원해 낸다'는 의미의 보통명사로 사용되

일제는 노동이 그동안 임금을 얻기 위해 행하는 것이고 고통을 수반하는 것으로 해석되어 왔지만, '일본적 의미의 노동'은 국가와 세상과 '皇運扶翼'을 위해 힘을 합쳐 창출하는 것이라고 하였다. 그리고 이러한 일본적 의미의 노동은 독일적인 창조와 이탈리아적인 단결을 포함하되 그것을 '天業翼贊'이라 하는 최고이념으로 종합한 것으로서, 죄를 범하고 에덴동산을 쫓겨난 아담과 이브의 고통의 노동과 황실을 중심으로 종합한 노동인 근로는 그 의의가 완전히 다르다고 강조하였다.[71] 곧 일제는 노동의 '일본적 의의'에 대하여 "국체의 본의에 純一無雜, 폐하에게 仕奉하는 熱心의 구현"이라고 하면서, 거기에는 하등의 私念이 없고 일 그것이 기쁨이고 감사라고 하였다. 그래야만 어떠한 곤란이 있어도 그것을 극복하고 獻身奉公의 경지에 달할 수 있다는 것이다.

따라서 기왕의 노동관은 부정의 대상이 되었다. 우선 明治 이래 영국의 공리주의와 미국의 황금만능주의가 유입되어 인간의 가치를 금전의 양으로 결정하는 사고방식이 지배하고 있다고 하였다. 또한 사람들은 이러한 상태를 당연하게 생각하고, 근로의 목표를 금전에 둔 결과 근로생활은 실로 비참하였으며, 근로는 피해야 할 것 고통스러운 것 비천한 것으로 생각되고, 노동이 신성하다고 하는 것에 누구도 찬성하지 않는 상태가 되었다고 하였다. 따라서 대다수는 먹기 위해 또는 가족을 부양하기 위해서 일하고 있으며, "노동이란 고통을 참는 비용을 제공하여 임금을 얻는 하나의 경제 행위"로 정의되고 있다고 평하였다.[72] 그리고 마침내 이러한 근로관이 퇴장할 날이 왔다고 하였다. 일제는 자신들이 대동아에서 영국과 미국 세력을 구축하고 '道義 大東亞'를 건설하고 있다고 하면서, 영국과 미국을 몰아내기 위해서는 그들의 개인적 자유와

고 있었다. 이 용어는 주로 女子挺身勤勞令, 女子勤勞挺身隊 등에 사용되어 여성과 관련된 의미로 이해되고 있으나, 실제 정신대는 남녀 모두를 포괄하는 것으로 노동·의료·보도 등 여러 분야에 걸쳐 동원된 노동력을 의미하였다.

71) 南岩男, 「勞務管理の理論と實際」, 『朝鮮勞務』 2-6, 1942. 12, 19~25쪽.
72) 厚生硏究會, 앞의 책, 1941, 49~51쪽.

172

공리주의적 세계관을 무너뜨려야 한다고 주장하였다. 그리고 이를 위해서는 먼저 '국민' 자신의 근로 관념과 사회 체제에 일대 변혁이 필요하다고 하였다.73)

일제는 자유주의 자본제 경제에서는 노동을 생산 수단으로만 보았지만, 노동은 이미 상품이 아니라 국가에 대한 忠勤이고 의무이며, 노동은 인격성의 표현으로서 초경제적 가치를 가진다고 규정하였다. 노동은 권리가 아닌 의무로서 규정되고 있었던 것이다. 따라서 개인적인 필요에 의해 대가를 바라는 차원이 아니라 철저히 공적인 봉사의 차원에서 노동할 것이 요구되었다. 그리고 노동을 상품 혹은 이념으로 보는 자유주의나 사회주의는 당연히 거부되어야 한다고 하였다.74)

이러한 가치관 속에서 자연스레 일체의 노동력은 '국력'의 증진을 위해 존재해야 하는 것으로 규정되었다. 이에 모든 사람들의 경제 생활은 公益을 위한 것이고, 국력의 발전에 기여하기 위해 운영되어야 한다는 새로운 노동윤리가 제기되었다. 새로운 노동윤리 아래에서 노동자는 자본가와 함께 국가의 생산에 공헌하고 국력의 발전에 노력해야 하며, 결코 자본가와 대립해서는 안되고 자본가의 지도 아래 함께 국가 생산을 담당하여야 했다. 노동은 팔고 사는 상품이 아니라 '국민의 열렬한 奉公의 誠'으로 인식되어야 했기 때문이다. 따라서 모든 노동자와 자본가는 고용관계가 아니라 생산력 확충의 필요에서 각 사업장에 배치되어야 하고, 사업주는 그 지도자로서 역할할 것이 요구되었다. 그래야만 '국가의 생산력 향상'이라는 목적에 맞는 노무질서가 확립될 수 있었다.

전시체제하의 이러한 파시즘적 노동관은 우선은 조선인 노동력을 이른바 '國民皆勞'라는 이름 아래 동원하여 활용하고, 장기적으로는 징용을 무난하게 시행하기 위한 절차로서 마련되었다. 곧 일제는 노동의 신성함은 '국가 봉사'라고 하는 公益性을 자각함으로써 그 사명을 인식하

73) 江上征史, 「勤勞の新觀念」, 『朝鮮勞務』 2-1, 1942. 2, 20~23쪽.
74) 厚生硏究會, 앞의 책, 1941, 52~54쪽.

게 된다고 규정하여, 여기에서 '국민개로'의 개념을 추출하였다.[75] '근로
보국' 정신을 앙양시키기 위해서는 노동의 새로운 개념과 중요성을 조
선인 전부가 인식할 것이 요구되었다. 특히 당시 노동력은 일제가 기댈
수 있는 마지막 언덕으로서, "국가 총력 발휘의 첫 번째 요건"이라고
표현되고 있었다. 따라서 모든 조선인 노동력을 동원할 것이 강조되었
다. 일제는 "국민 중 한명의 有閑者, 不勞者, 無業者도 있으면 안된다.
전 국민이 이러한 각오로 국민근로총동원 태세를 이룬다면 敵性國家에
대한 무언의 위협이 되고, 어떤 것 보다 강한 의미를 지니게 된다"고 하
여[76] '국민개로'를 주장하고 있었다.

국민개로 주장은 "세계의 모습이 어떻게 변하든 일본은 일본의 길을
가야 한다. 금일에 의지할 것은 우리의 국력 뿐이다. 그외에 기댈만한
것은 아무 것도 없다"[77]는 위기감 속에서 나온 것이었다. 일제는 일본
제국주의 판도 내 모든 구성원의 奮起를 호소하면서, 국민개로에 임하
는 각자에게는 과거 일본의 武士와 같은 정신 상태를 지닐 것을 요구
하였다. 즉 "大君에게 불리워 정복하는 무사의 모습은 성스럽다. 무사
에게는 私心이 없다. 자식과 처에 대한 애착과 사모를 떨쳐버리고, 어
떠한 권세도 이욕도 돌아보지 않고 전장으로 향해 간다. 다만 국가를
위해 대군을 위해 불리웠으므로 마음도 육신도 개인의 것이 아니다"라
고 하면서, 바로 이 武士道가 "皇國의 大道이고, 국가봉사의 최고도덕
인 忠의 이념"이라고 하였다.[78]

조선총독부가 1939년에 들어 강점 후 처음으로 全國儒林大會를 열
었던 것도 노동력 동원을 위한 새로운 노동관의 강요와 무관하지 않았
다. 이 자리에서 총독 南次郎은 유림이야말로 동양 정신문화의 精華이

---

75) 田村浩, 앞의 글, 1941. 10, 31~33쪽.
76) 厚生研究會, 앞의 책, 1941, 332~335쪽.
77) 이는 일본 수상 近衛文麿가 '興亞奉公日'의 常會에 대해 라디오 방송에서 한
  발언이다(厚生研究會, 앞의 책, 1941, 332~335쪽).
78) 田村浩, 앞의 글, 1941. 10, 31~33쪽.

174

며, 仁義忠孝를 주로 하고 實踐躬行을 존중하는 전국의 대표 유림이 국체를 인식하고 황국신민으로서 깊이 자각하는 것에 기대가 크다고 하면서, 유림들의 분발을 촉구하였다.[79] 충효사상은 전근대사회를 공동체로서 지탱해 오던 사회 운영 원리였다. 그런데 파시즘 하에서 개인의 자유와 인권이 부정되고, 이에 대신하여 전체주의를 유지하기 위한 하나의 도구로서 충과 효가 강조되고 있었다. 일제는 조선을 지배하기 위해 전근대 사회에서의 통치 논리까지 끌어내어 통치상의 어려움을 덜고자 하였고, 그것이 과거의 유교 이념을 현실 속에서 다시 강조하는 양상으로 나타난 것이다.

국민개로 정책은 노동력 문제를 완화시키고자 하는 현실적인 필요에서 대두되었다.[80] 백만의 병사가 잘 싸워도 후방이 취약하면 총력을 발휘할 수 없다는 판단에서였다. 일제는 모든 구성원에게 "제일선에서 역전 분투하는 장병과 같은 기지로 똑같은 노력을 치를 것"을 요구하였다. 그리고 일본이 바라는 것은 "결코 일인의 영웅이 아닌 기백 있고 추진력 있는 백만 인 천만 인의 영웅"이라고 표현하였다.[81] 모든 사람이 전쟁 수행을 위해 협력하지 않으면 전쟁이 성공하기 어렵다는 것이다.

이에 정무총감 大野綠一郎은 조선에서 앵글로색슨류의 가치 관념을 버리고, 봉사 근로의 즐거움으로 국가의 經綸에 참가하고자 하는 대정

---

79) 이 대회는 1939년 10월 전국 유림의 각성을 촉구하여 동양 고래의 사상 도덕을 진흥하고, 전시하의 정신총동원운동을 달성하고자 하는 취지로 열렸다. 일제하에 들어 최초로 열린 이 대회에서 유림들은, 經學院을 중심으로 전국 유림단체를 조직하여 皇道精神에 기초해서 유도 진흥을 주선할 것, 국민정신총동원의 주지에 따라서 광범위한 충효 도의의 신념을 함양하여 황국신민으로서 단결을 공고히 할 것, 동아신질서 건설의 측면에서 동양 문화의 진수를 천명하여 '日滿支 영구 평화'를 위한 정신적 연결을 이룰 것을 선언하였다(「全鮮儒林大會開催」, 『朝鮮』 294, 1939. 11, 123쪽).
80) 「國民皆勞運動實施」, 『朝鮮』 316, 1941. 9, 60~61쪽.
81) 「總督の銃後國民訓發表」, 『朝鮮』 314, 1941. 7, 68~69쪽.

신, 대사상을 수립하여 국민개로 체제를 만들어 나갈 것을 강조하였
다.82) 전쟁을 치르고 있는 상태에서 한 명도 근로하지 않는 이가 없는
'근로신체제'를 이루어, "국민 전부가 국가가 필요로 하는 직장에서 국
민개로의 체제를 정비하는 것"이 불가결하다고 주장하였다.83) 일제는
급기야 "일하지 않는 자는 황국신민이 아니다"라는 표어로 국민개로의
필요성을 강조하였다.84)

국민개로의 논리는 일반 가정 내의 노동력 편성 문제까지도 거론하
기에 이르렀다. 가정의 지도자인 부모는 자신은 물론 자녀에 대해서도
국방신체제하의 하나의 병사로서 그 여력을 저축하거나 봉사함으로써
'국가'의 힘이 되도록 하여야 했다.85) 그리하여 전시하의 노동의 중요성
과 노동력 부족 현상에 비추어 솔선하여 '국가'가 필요로 하는 부문에
자녀를 취로시키고 銃後奉公의 誠을 본받도록 할 것, 부인을 헛되이
가정에 머물게 하지 않고 적극적으로 산업인으로서 활약시킬 것 등이
요구되었다. 소위 一家總動員을 강행하고자 한 것이다.

또한 일반가정에서 家事使用人을 가능한 한 절감하거나 폐지하고,
상가에서 물건 배달에 노동력을 사용하지 않을 것 등 노동력을 개인적
인 일에 사용하지 않을 것을 강조하였다.86) 일할 능력이 있는 자는 전
시하의 생산력 증강을 위해 가장 필요한 업무에 협력하여 국민개로를
실현해야 한다는 것이었다. 이에 사업주와 노동자가 직분을 다하고, 이
외의 직역에 있는 사람들도 각각 職域奉公을 하고, 학생들도 여유 노동
력으로 근로봉사할 것이 요구되었다.87) 남녀노소 모두 총력을 기울여

---

82) 大野綠一郎, 「天下の正位に立つ」, 『朝鮮勞務』 2-1, 1942. 2, 7~8쪽.
83) 厚生硏究會, 앞의 책, 1941, 69~73쪽.
84) 宮孝一, 「朝鮮の皆勞運動」, 『朝鮮勞務』 2-1, 1942. 2, 13~17쪽.
85) 國民總力朝鮮聯盟 編, 앞의 책, 1941, 54~57쪽.
86) 「朝鮮に於ける勞務供給源調査結果槪要」, 『日帝下 戰時體制期 政策史料叢
    書 15』(民族問題硏究所 編), 韓國學術情報, 2001, 318~319쪽.
87) 厚生硏究會, 앞의 책, 1941, 332~335 · 343~344쪽.

176

노동에 종사하고 자신의 직역에서 봉공해야 한다는 것이었다.[88]

여기에서 職域이란 자신이 선택한 직업이 아닌, '국가'의 필요에 의해 할당된 직장을 일컬었다.[89] 따라서 직역봉공은 국가의 총력을 발휘하기 위해서 자신이 선택한 직업에서 일하는 것이 아니라 '국가'가 요구하는 직역에서 그 특질을 발휘하고 모든 능력을 바쳐야 한다는 논리였다.[90] 이러한 논리에서 총독부는 중소상공업자의 직업 전환을 통해 군수산업 부문으로의 노동력 공급을 적극 추진하였고, 그 전제조건으로서 국민간에 職分倫理가 확립되면 轉業의 문제는 곧 해결될 것이라고 하였다.

곧 국민개로의 입장에서 무직자가 없게 하여 노동에 힘쓰되, 고용주는 산업전선의 지도자로서, 노동자는 산업전사로서 국가의 생산력에 기여하기 위해서는 직분 윤리를 확립하여야 했다. 일제는 각각의 주어진 직역에서 臣道를 실천하는 것이 직분 윤리를 확립하는 길이라고 하였다. 여기에서 私益의 관념에 의한 직업의 자유는 제한을 받게 되었다. 이 시기에는 생산력 확충을 위해 물자와 자금의 할당 운용이 중요산업을 중심으로 행해졌고, 산업에서도 중요산업은 '不要不急産業'의 희생에 의한 진흥이 강구되고 있었으며, 노동력에서도 중점적인 배치가 행해지고 있었다. 이러한 차원에서 개인의 직장 선택의 자유가 제한을 받는 것은 "시국하의 국가 목적 달성상" 당연하게 여겨지고 있었다.[91] 결국 개개인의 노동자에게는 직업 선택의 자유나 주어진 작업의 참여 여

88) 上瀧基, 「國民皆勞運動に就て」, 『朝鮮勞務』 1-1, 1941. 10, 5~7쪽.
89) 이러한 사고는 직업은 국가의 의지를 체현하는 방법이고 근로는 그 실천으로서, 결코 개인의 자의에 의해 정할 수 있는 것이 아니라는 논리에서 배태되었다(桐原葆見, 『戰時勞務管理』, 東洋書館, 1942, 73~75쪽).
90) 여기에서 일제는 노동자의 임의 배치에 대한 반발을 염려하여, 직업이 국력의 소장에 큰 관계가 있는 것이라면 직업을 비천하게 보는 폐풍을 없애야 하고, 더욱이 직업간에 귀천의 차이를 두어서는 안된다고 강조하였다(厚生硏究會, 앞의 책, 1941, 338~340쪽).
91) 厚生硏究會, 앞의 책, 1941, 52~54쪽.

부를 결정할 자유, 직장을 옮길 자유 등의 권리가 부정되었고, 오직 전
시하의 인적 자원의 하나로서 일제가 배치한 직장에서 皆勞의 행렬에
가담하여야 하는 의무만이 요구되었다.[92]

　더욱이 일제는 개로운동의 진행이 조선인의 내선일체 사상을 일층
심화하는 계기가 된다고 하였다. 조선에서는 병역의 의무가 부과되지
않고 있는데 국민개로에 의해 황국신민으로서 臣民의 道를 실천할 호
기가 왔다고 선전하고,[93] 조선의 모든 노동력은 일제를 위해 봉사할 것
을 요구하였다.[94] 국민개로를 통해 '황국신민'으로서 자질 鍊成에 이바
지하는 동시에 고도국방가체제의 확립을 위해 노동력을 바쳐야 한다
는 것이었다.[95] 황국근로관을 구체화하여 구성원 전체에게 '국가'로부
터 주어진 직역을 통해 봉사하도록 요구한 것이 '국민개로'로서, 이 국
민개로의 이념은 이후 전국에 걸친 勤勞報國運動으로 구체화되었다.

　요컨대 일제는 전시하의 노동을 '국가'에 대한 봉사 혹은 의무로서
개념화하고 이를 '皇國勤勞觀'이라 하였다. '황국의 신민'으로서 그에
걸맞은 노동관을 갖출 것을 요구한 황국근로관은 전시하의 노동력 부
족문제를 해결하기 위한 노동정책 이데올로기로서, 노동력의 총동원을
지향하고 의무화한 것이었다. 이러한 노동정책의 기조는 조선총독부와
노동자의 관계 외에 총독부와 자본가의 관계, 자본가와 노동자의 관계
에도 커다란 영향을 미치고 있었다.

---

92) 이러한 논리가 극대화된 것이 징용으로서, 징용의 경우 명령에서 해제에 이르
　　기까지 조선총독이 모든 것을 결정하였고, 모든 사람들은 이 결정에 따라야
　　했으며, 그렇지 않을 경우 바로 범법자가 되었다(大同書院編輯部 編, 『勞務
　　統制法規總攬』, 大同書院, 1942, 17~24쪽).
93) 田村浩, 앞의 글, 1941. 10, 31~33쪽.
94) 川岸文三郎, 「國民皆勞の總進軍」, 『朝鮮勞務』 1권 1호, 1941. 10, 10쪽.
95) 「國民皆勞運動實施す」, 『朝鮮』 316, 1941. 9, 60~61쪽.

178

(2) 일제의 자본가 정책과 公益優先論

일제는 자본가에 대해서도 파시즘 체제에 맞는 새로운 변화를 요구하고 있었다. 전시하 일제의 통제경제는 자본가가 존재하는 상태에서 '국가'가 주도하는 통제경제라는 점에서 사회주의적 통제경제인 국유화와는 근본적인 차이가 있었다. 이 시기의 경제 구조는 私的 經濟의 상층에 國家經濟가 존재하는 형태로서, 각 공장 사업장의 운영 내용은 일제 국가권력의 요구에 의해 변화되어 갔다. 전시통제 하의 파시즘적 경제 논리 속에서 자본은 기본적으로 국가 권력의 통제 하에 있었고 자유로운 경영이 허락되지 않았다. 기업은 자금 자재 노동력 등의 모든 생산조건이 '국가'의 기획과 통제하에 배당된 상태에서 주어진 생산 책임량을 달성하여야 했다.

일제의 국가독점자본주의로의 본격적인 이행은 만주사변 발발에 의한 준전시적 재정의 개시와 금본위제에서의 이탈로 시작되었다. 이후 일제가 전쟁에서 패하기까지 총력전 체제하에서 국가 권력은 경제 과정에 깊이 개입하였고, 결국은 재생산 구조의 파괴, 축소를 초래하였다. 그러나 이 과정은 어디까지나 독점자본과 국가권력이 유착된 형태로 추진되고 있었다.96) 일본 국가독점자본주의는 개별 자본은 통제하였지만, 그 틀은 전반적으로 대자본·전체 자본의 이해를 충족시키는 방향으로 나아갔다. 곧 전쟁이라는 특수 국면에서 국가독점자본주의가 발전하고 체제적으로 정착해 갔던 것이다.

이러한 구조에서 국가가 정책 입안의 주체라면, 자본가는 생산을 직접 담당하는 또 하나의 주체였다. 그러나 일본정부는 국가총동원법의 적용을 통해 "전시를 맞아 국가총동원상 필요"하다는 명분으로 기업의 시설에서 합병, 해산에 이르는 모든 것을 규제하고 있었다.97) 노동력,

---

96) 長幸男, 「戰爭と國家獨占資本主義」, 『講座日本史 7』(歷史學研究會·日本史研究會 編), 東京大學出版會, 1971, 281~282쪽.

97) 국가총동원법의 각 조항에서 언급하고 있는 특혜의 지원이나 보조금 교부는

설비, 상품의 수요를 국가가 장악, 결정하였고, 따라서 그 안에서 기업의 개별적인 이윤 추구는 제한될 수밖에 없었다. 나아가 일제 말기에는 기업주도 現員徵用의 범주에 포함되었다. 농업에서 공출제도로 인해 지주가 피해를 보는 것에 상응하는 정도의 희생이 자본가에게도 요구되고 있었던 것이다.

일제는 전시통제경제를 강화하기 위해 1940년 12월 「經濟新體制確立要綱」을 발표하였다. 이는 고도국방국가체제 수립을 목표로 육군이 계획경제, 특히 일원적 통제 기구의 정비와 공익 우선주의를 주장하면서 財界의 이윤을 제한하고자 한 안으로서, 재계의 반발 속에서 國土計劃設定要綱, 日滿支經濟建設要綱, 勤勞新體制確立要綱과 함께 결정되었다. 여기에서 經濟新體制는 "사익의 원리에서 공익의 원리로, 영리 경제에서 봉사 경제로, 자본 본위에서 직능 본위로" 변화할 것을 전제하고 있었다.[98]

이러한 정책 방향은 重要産業統制法과 1940년 10월 국가총동원법 제11조에 기초하여 칙령으로 발표된 會社經理統制令의 적용 등을 통해서도 살펴볼 수 있다. 일제는 회사경리통제령 제2조에서 회사의 사회적 사명에 대해 "국가 목적 달성을 위해 국민 경제에 부과된 책임을 분담하는 것"이라고 하였다. 또한 통제를 회피하는 행위는 허락되지 않는다고 하면서, 경영은 각종 통제가 시국의 부득이한 요청에 기초한 것임을 이해하고 적극 협력할 것을 강조하고 있었다.[99]

사적 경제를 국가경제의 범주로 포섭하는 매개고리가 되었다. 국가총동원법 제26조와 제28조에서는 총동원 물자의 생산이나 수리, 기능자 양성, 시험 연구를 하는 경우에 대한 정부의 보조금 지급을 규정하였다(大同書院編輯部 編, 앞의 책, 1942 國家總動員法 참조).

98) 谷口吉彦, 『新體制の理論-政治・經濟・文化・東亞の新秩序-』, 千倉書房, 1940, 147~152쪽. 경제신체제확립요강은 공익 우선과 소유와 경영의 분리를 기조로 하여 기업에 대한 국가 통제를 강화하고자 했던 육군과 혁신관료의 주장에 재계가 반대하면서 난항을 거듭하다가, 결국 독점자본의 자주적 통제라는 내용을 대폭 반영하는 형태로 작성되었다.

고도국방국가체제 건설을 목표로 한 경제신체제로 이행하는 과도기에 경제적 사회적 동요를 겪게 되자, 일제는 신체제 정책에 대한 민간의 협력을 강하게 요구하였다. 신체제하에서의 모든 경제생활은 '공익'을 위해 경영되어야 했고,[100] 특히 자본가들은 '산업보국'이라는 이름 아래 일제히 전쟁 수행을 위해 복무할 것을 강요받았다. 기업은 자본가 개인의 이익보다는 '국력'의 증진을 우선시해야 했으며, 따라서 종래 자본가에게 맡겨졌던 산업 경영은 이제 전시 생산력 확충을 위한 정부의 통제에 의해 제약되었다.[101]

일제는 독일 나치당의 강령 중 "공익은 사욕에 우선한다"는 방침이 당시 전체주의 경제정책의 기본원칙이 되고 독일 국내는 물론 '신체제 운동'을 벌이고 있던 세계경제의 중심 논리가 되고 있지만, 그것이 경제 생활을 끌고가는 최고 최후의 힘은 될 수 없다고 하였다. 전시하 경제 계의 지도자나 담당자는 일본의 독특한 경제관으로 돌아와야 한다고 하면서, 경제 최후의 근거를 "皇國的인 유일한 도덕"에서 구하도록 하였다. 그리고 이 황국적인 유일한 도덕은 "經世濟民의 시대적 재생"으로서, "천황의 대업을 보좌하고, 국가의 경영을 원활히 하고, 만민을 안전하게 하는 것을 제일 염원으로 한다"고 풀이하였다.

이러한 차원에서 일제는 각 기업에 대해 적정 이윤을 엄수하도록 강조하였다. 경제 일반이 계획적, 통제적, 공익적으로 전환된 이상 무제한

---

99) 「會社經理統制令」, 『經濟月報』 298, 朝鮮商工會議所, 1940. 11, 31~56쪽.

100) 일제는 신체제 하에서 모든 구성원이 '자유주의적 구체제'에서 벗어날 것을 강요하였다. 개인, 가족, 부락, 도시, 지방이 각각 통제된 국가 조직 속에서 지위와 직능을 얻고, 그에 의해 일본제국주의 국가는 언제라도 개인의 일거수 일투족을 좌우할 수 있어야 적국에 대해 기선을 제압할 수 있다는 것이었다. 이에 따라 중일전쟁 이후 '私를 버리고 公을 받든다'고 하는 '滅私奉公'을 비롯하여 노자일체, 산업보국 등 구성원을 전쟁에 동원하기 위한 각종 이데올로기가 만들어졌다(國民總力朝鮮聯盟 編, 앞의 책, 1941, 16~20쪽 ; 木坂順一郎, 앞의 글, 1985, 308쪽).

101) 國民總力朝鮮聯盟 編, 앞의 책, 1941, 44~48 · 119~121쪽.

의 이윤 추구는 허락되지 않는다는 것이었다. 즉 전시하의 경제는 "욕망을 기조로 한 이익 추구 경제에서 국가 봉사를 기조로 한 報酬經濟로 전환"하였다고 하고, 나아가 적정 이윤이라고 하는 명칭조차 이미 적당하지 않다고 하였다. 자본가가 일신의 이익을 위해 노동자의 입장과 국가사회에 대한 '공익'을 무시할 경우 생산의 능률을 올릴 수 없게 되고, 그것은 노자 상호의 손실뿐만 아니라 국익의 파괴·소모로까지 이어진다는 논리였다.[102] '公益優先'이 전시통제경제하의 최고 원리로 강조된 것이다. 그러나 공익우선이라는 논리는 국가 중심의 파시즘적 이데올로기를 대변하는 구호에 불과하였다. 여기에서 말하는 '公'의 범주에는 천황으로 상징되는 일본제국주의 국가가 중심에 있었고, 그를 둘러싼 군국주의 세력과 대기업이 있을 뿐이었다.

중일전쟁 발발을 계기로 일제가 전시 통제경제체제로 이행하자 조선도 일제의 통제체제에 규정받으면서 그 일부분으로 편입되었다. 따라서 일본과 동시에 혹은 약간의 시차를 두고 원료, 생산, 시장, 노동력 등 모든 부문에 걸친 경제통제가 시행되었다. 경제통제는 단기적·응급적 통제에서 장기적·계획적 통제로, 일부분에 국한된 통제에서 전면적이고 종합적인 통제로 변화하였고, 이를 계기로 통제기구도 설립, 정비되었다.[103]

일제는 1938년 5월 물자 자금 물가 노동력 등을 포괄적으로 규제하는 國家總動員法을 조선에서 시행하였고, 같은 해 9월에 열린 시국대책조사회에서는 대륙침략의 전진병참기지로서 조선 산업의 군사적 재편성 방침을 확립하였다.[104] 그리하여 중요 물자의 사용 제한을 확대하고, 생산에 대한 통제를 강화하는 한편 각종 통제 조직을 결성하여 갔다. 이후 원료·자재 입수의 곤란, 가격의 폭등, 자금의 핍박, 구매력 감

---

102) 위의 책, 101~113쪽.
103) 裵城浚, 「日帝下 京城지역 工業 硏究」, 서울대 국사학과 박사학위논문, 1998, 149~151쪽.
104) 鈴木武雄, 앞의 책, 1939, 30~33쪽.

퇴 등으로 民需工業 이른바 평화산업은 커다란 타격을 받았으며, 그 결과 대부분 민수공업이던 중소공업은 침체, 위축되어 갔다. 반면 정책 지원과 군수 호황에 편승하여 군수공업은 확대되고 있었다. 臨時資金調整法과 이후 각종 物資統制令과 企業整備令, 軍需會社法 실시에 이르는 전시통제는 군수공업에 자금, 물자, 노동력을 집중적으로 공급하기 위한 것으로서, 일제는 최소한의 생활필수품 공급시설을 제외한 생산, 유통의 전 부문을 군수품의 생산과 공급에 집중시켰다.105)

국가총동원법 성립 이후 일본 재벌들은 앞다투어 조선의 군수산업에 대규모로 투자하기 시작하였다. 그리하여 새로운 공장을 신설 확장하거나 신흥재벌의 군수부문을 인수하는 등의 방식으로 급속도로 자본을 집적 집중하였다. 국가총동원법에 의한 통제는 이들 재벌 독점자본의 이윤 획득에 기여하였으며, 그 결과 일본의 국가자본주의는 더욱 발전하게 되었고, 반면 중소기업은 대기업의 하청업체로 변화하지 않으면 사업을 유지할 수 없게 되었다. 특히 일찍이 조선으로 진출하였던 日窒은 그간 조선질소비료주식회사와 장진강발전소, 부전강발전소를 가지고 조선의 중공업 분야를 독점하다시피 하였다.106) 이러한 구조 속에서 중소자본가의 이해는 더욱 반영되기 어려웠다.

노동력 면에서도 일제는 군수공업 중심의 대기업 위주로 노동력을 배치하고 투자하였기 때문에 중소기업은 점차 운영이 곤란해져 갔다. 또한 생산력의 한계가 드러나고 전력, 석탄 등의 기근이 심해지면서 경제통제와 생산력의 동원은 그만큼 더 엄격해졌다. 따라서 중소기업은 위법을 통해서만 필요한 기능자를 확보할 수 있었다. 중소공업자들은 노동자의 이동을 방지하기 위해 제정된 從業者雇入制限令, 從業者移動防止令 등의 법령을 위반하여 암암리에 노동자를 스카웃하고 임금을 올려 기능자를 끌어들이는 경우가 많았다.107) 더불어 賃金統制令과 노

---

105) 裵城浚, 앞의 글, 1998, 174~184쪽.
106) 小林英夫, 앞의 책, 1975, 257~274쪽.

동력이동방지 법령들은 소규모 기업체나 계절적인 사업체가 노동력을 확보하기 위해서는 준수하기 어려운 것임을 총독부에 호소하기도 하였다.[108]

총독부의 노동정책 기조에 대해 기업 측에서는 조선 전국에 걸친 일률적인 노무 취급 규정이나 방법이 마련되지 않았다고 항변하였다. 또한 당시의 노동 행정이 주로 공장노동자나 일정한 공장·직역장에서의 노동자 조종 방책을 명시한 데 불과하고 노동력 공급 사업자에 관해서는 아무런 대책도 없다고 비판하면서, 노동력의 조정을 기하려면 총독부에 의한 노동력 공급 시설이 필요하다고 주장하였다.[109] 실제 노동력 모집의 경합, 노동자의 쟁탈 또는 노동자 자신의 이동 등이 사업계에 미치는 영향이 적지 않았으며, 이렇게 모인 노동자는 자질이 점차 저하되고 있다는 비난을 받고 있었다.

노동력 배치에 혼란이 생기고 노동력 문제 해결이 심각한 과제로 등장하자 총독부는 자본가들에게 노동통제정책에 대한 협력을 지속적으로 요구하면서, 노동통제 법규를 위반하는 것은 자본가가 노동통제를 경영독재권에 대한 제한으로 받아들이기 때문이라고 비판하였다. 그러나 한편으로는 총독부의 노동정책 입안자들도 노동력 문제의 실정은 그간 조선에서의 노동력 모집 양상이 '陋策'이었기 때문이라는 점을 인정하고 있었다.[110] 조선에 실질적으로 노동력 수급을 목표로 한 장기적인 정책이 없었다는 것이다.

---

107) 「從業者移動防止令の施行に就て-大竹內務局長 談」, 『戰時下朝鮮人勞務動員基礎資料集 Ⅱ』(樋口雄一 編), 綠蔭書房, 2000, 348~365쪽.
108) 「勞務者移動の主なる原因とその防止策について産業人の意見を聽く」, 『朝鮮勞務』 3-2·3, 1943. 8, 16~22쪽 ; 「勞務者移動の主なる原因とその防止策について産業人の意見を聽く(承前)」, 『朝鮮勞務』 3-4, 1943. 9, 52~61쪽 ; 「勞務者移動の主なる原因とその防止策について産業人の意見を聽く(完)」, 『朝鮮勞務』 3-6, 1943. 12, 42~49쪽 참조.
109) 金希俊, 「勞務供給事業の體驗」, 『朝鮮勞務』 4-5, 1944. 6, 17~18쪽.
110) 上瀧基, 앞의 글, 1941. 10, 5~7쪽.

요컨대 일제는 경제신체제를 추진하는 속에서 '公益優先'을 전시통제경제하의 최고 원리로 강조하여, 자본가에게 기업 경영의 목적을 영리 추구의 방향에서 군수생산력 증진의 방향으로 전환하도록 요구하였다. 그러한 내용의 정책은 국가총동원법에 근거한 각종 법률의 시행에 기초해 추진되었다. 전시통제경제 구조 하에서 일제의 경제정책은 궁극적으로 독점자본과 일제가 유착하는 형태로 진행되어, 모든 물자와 노동력은 군수산업을 운영하는 대기업 위주로 배치되었다. 전쟁의 진행과 함께 국가독점자본주의는 체제로서 정착되어 갔으며, 이러한 변화는 노자관계에도 그대로 영향을 미치고 있었다.

⑶ 총동원체제하의 노자관계와 勞資一體論

전시통제경제기의 자본가와 노동자의 관계 역시 이전 시기에 비해 크게 변화되었다. 가장 큰 변화는 노자관계에 일본제국주의 국가권력의 강력한 통제가 개입되었다는 점이다. 대공황기 산업합리화 방침 위에서 노자간의 협조를 내세웠던 총독부는 전시통제경제기로 들어가면서 다시 한번 勞資協調를 강조하였다.[111] 전쟁을 치르기 위해서는 자본가뿐만 아니라 노동자의 '협력'이 절대적으로 필요했기 때문이다. 일제는 개개 공장에서 노자의 조화를 요구하는 동시에 전국적으로 노동계급과 자본가의 관계를 대립 관계가 아닌 '협조 관계'로 유지시키고자 하였다.

이러한 분위기 속에서 노동자 보호와 관련되는 법령의 실시를 계획하기도 하였다.[112] 그 일환으로 1938년 9월 총독부는 朝鮮鑛業警察規則과 朝鮮鑛夫勞務扶助規則을 제정하였다. 특히 후자의 법령에서는 "광부의 보호, 노자의 협조, 노동력의 함양, 종업의 안전을 꾀할 것"이

---

111) 일제의 노자협조론에 대해서는 이 책 제2장 1절 2)항의 서술 참조.
112) 『每日新報』 1939. 3. 21, '工場勞動者에 光明, 工場法 압두고 朝鮮勞務者災害扶助令 實施, 全文 十五, 六條로 成案 卽後에 發布', '法令遵守 안흐면 工場主를 處罰, 一千圓 以下의 罰金에' ; 『每日新報』 1941. 2. 15, '勞動者 救助法 制定, 疾病과 傷害를 救護, 獨立될 本府 勞務課의 첫 膳物'.

라고 하면서 "노자협조의 실을 거두어 생산력확충의 목표를 달성함으
로써 조선 광업의 원활한 발전을 기할 것"을 규정하였다.113) 이 2개의
노동 관계 법령은 한편으로는 광업 부문의 재해를 가능한한 감소시키
고, 다른 한편으로는 심각해져 가는 조선에서의 민족적·계급적 모순을
완화할 목적으로 제정되었다.114)

또한 시국대책조사회의 노동문제에 관한 회의에서는 노자 융화와 능
률 향상에 대한 논의를 전개하였다. 이 회의에서는 '勞資의 融合'을 강
조하여, 노자가 서로에게 충분한 이해와 동정을 가짐은 물론 시국에 비
추어 일체의 대립관념을 청산하고 노자융합 일체로 되어 산업보국을
이룰 것을 강조하였다. 이를 위해 각종 회합 등의 기회를 마련해 노자
융합, 산업보국 정신을 강조할 것과 각 사업장 내에 노자간담회, 위원
회 등을 설치할 것을 제안하기도 하였다.115)

그런데 이러한 노자관계의 기조는 전쟁의 진행과정에서 신체제론이
등장하면서 이내 '勞資一體'의 주장으로 변화되었다. 1940년 11월 발표
된 勤勞新體制確立要綱에서는 단위 경영체에서의 노동조직이 기업 경
영자를 지휘자로 하여 경영체에 소속된 전 노동자로 구성하는 특별사
단 조직으로 되어야 한다고 명시하였다.116) 전시하에 생산력 문제를 좌
우하는 담당자라는 면에서 자본가와 노동자가 '협조'의 관계를 넘어서
서 '일체'의 관계를 유지해야 한다는 것이었다. 노자협조는 자본주의적
고용 관계에서 노동자와 자본가의 대립을 전제로 하는 것인 데 비해,
전시하의 국력증강을 위해서는 자본가와 노동자가 '국가적' 차원에서
협조의 관계를 넘어서서 일체화하는 '노자일체'의 관계를 이루어야 한
다고 하였다. 일제는 자본가에게는 산업보국을, 노동자에게는 근로보국
을 요구하면서, 일제권력의 틀 속에서 자본가와 노동자가 대립 관계가

113) 慶尙南道 鑛工部 勞務課, 『勞務關係法令集』, 1944, 208~215쪽.
114) 小林英夫, 앞의 책, 1975, 261쪽.
115) 朝鮮總督府, 『朝鮮總督府時局對策調查會 諮問答申書』, 1938, 121~122쪽.
116) 厚生硏究會, 앞의 책, 1941, 44~48쪽.

186

아닌 일체 관계로 되어 그 요구를 수행하도록 강조하고 있었다.

일본 파시즘의 논리에서 자본과 노동의 일체화는 "國家奉仕라고 하는 국가의 최고 도덕"을 실현하는 것에 의해 달성될 수 있었다. 노자가 '국가 봉사'의 공공성을 가지고 그 실천에 의해 고도국방국가를 건설해야 한다는 것이다. 이 시기 경제신체제에서 근본으로 삼았던 것은 물론 군수생산력의 확충으로서, 이를 위해서 생산의 기본 조건인 노동과 자본은 기업경영에서 일체화해야 했고 분리 대립이 허용되지 않았다. 따라서 자본은 이윤 추구를 목적으로 하는 경제 이념을 청산하고 '국가 봉사'를 위해 '적정한 이윤'만을 창출하고, 노동자도 '국가 봉사의 보수'로서 적정한 임금만을 받을 것이 요구되었다. 곧 자본과 노동이 "국가적으로 일체화하고 국가 목적으로 통합할 것"이 요구되었고, 이러한 노자일체의 논리에서 노동이 자본에 依屬하고 자본가가 노동자를 착취하는 자본주의적 관념은 청산되어야 할 대상이 되었다. 더불어서 노동자가 자본가에 대항하여 노동조합을 결성하고 단체권을 요구하는 것도 자유주의 제도라 하여 단호하게 부정되었다.117)

결국 자본주의적인 노자관계가 아닌, 파시즘하에서의 새로운 형태의 노자관계 형성이 요구되었다. 일제는 개인주의적인 경제관에 의하면 모든 경영자는 영리를 위해 행동하게 되고, 노동자가 인격적 존재가 아니라 상품으로만 취급된다고 비판하였다. 노동자가 자신의 노동력을 자본가에게 제공하고 임금을 취득하므로, 고용주와 노동자는 법률상으로는 채권법상의 계약 관계에 불과하고 경제적으로는 이해 대립 관계에 있다는 것이다. 이에 비해 새로운 체제하에서는 일체의 기업이 기업가 개인의 이익을 위해서가 아니라 국력의 증진을 위해 존재해야 한다고 강조하였다. 그래야만 '국민'의 경제생활은 모두 공익을 위해 행해지고, '국력의 발전'에 기여하게 된다는 것이다. 또한 이에 따라 노동도 단지 개인의 임금획득을 위해 행하는 것이 아니라, 각 직역을 통해 '국력의

117) 田村浩, 앞의 글, 1941. 10, 31~33쪽.

증대에 봉사'하는 것이고, 여기에서 새로운 '근로 윤리'가 확립된다고 하였다. 이러한 새로운 근로 윤리 하에서 노동자와 자본가는 서로 손잡고 국가의 생산에 공헌하여야 하는데, 그 정신의 중핵이 職分奉公의 정신과 산업보국의 정신이라고 하였다.118)

이에 맞추어 총독부는 조선에서 자본가와 노동자의 일체화를 강조하기 위해 "개인적 自由功利主義 사상"의 변화를 촉구하였다. 총독 南次郎은 "국민 각자의 신체는 폐하에게 속한다"고 하고, 정무총감 大野綠一郎은 "노동의 상품관을 배척"하자고 하면서, 자본가와 노동자가 신시대에 맞추어 각성할 것을 요구하였다. 즉 "자본가는 재산을 국가적 목적으로 운용하는 것에 의해, 노동자는 모든 지력과 체력을 戰場을 통해 국가로 경도하는 것에 의해 천황을 받들 것"을 강변하였다. 따라서 일제는 자본가에게는 "노동 착취자가 아니라 국가의 부탁을 받아 국책을 대행하는 산업의 지휘관"의 역할을, 그리고 노동자에게는 "노동력의 상인이 아니라 산업경제 군단의 병사"의 역할을 하도록 요구하였다.119) 총력을 기울여 생산력을 확충 증산하고 고도국방국가체제를 급속히 실현해야 하는 시대에는 자본가도 노동자도 한 명의 戰士라고 일컬었다. 자본가와 노동자 모두가 경제전선의 전사로서 제일선의 장병같이 노동하는 것이 '皇國生産業者'의 참 모습이라는 것이다.120)

이러한 측면에서 총독부는 노동자에게 근면을 강조하였다. 특히 전시하의 노동력 동원과 노동 강화에 저항하는 노동자에 대해, 자유주의 시대의 사상과 노동운동의 영향을 받아 노동을 기피하고 安易 休息을 구하는 경향이 심해져 노동에 대한 바른 관념조차 잃어버려 태업을 하

---

118) 이러한 노자관계는 독일 국민노동질서법에서 이미 제시된 것이었다. 그 제1조에서는 "경영에서 기업가는 경영의 지도자로서, 봉급 사용인과 노동자는 종속자로서 서로 협력하여 경영 목적의 촉진과 민족, 국가의 복지를 위해 노동해야 한다"고 규정하였다(厚生硏究會, 앞의 책, 1941, 44~48쪽).

119) 江上征史, 앞의 글, 1942. 2, 20~23쪽.

120) 國民總力朝鮮聯盟 編, 앞의 책, 1941, 101~105쪽.

고 있다고 표현하였다. 그리고 노동자로 하여금 관이 지정한 각 부서에서 "勤勞報國의 誠"을 바치게 하기 위해서는 자본가가 그 정신을 계도하고 철저한 시국인식을 바탕으로 "근로의 신성 숭고함"을 이해시킬 것을 요구하였다.121)

또한 일제는 국가의 흥망이 걸린 때 강권의 발동을 기다리지 않고 국가의 요망에 협력하는 것이 곧 국민으로서의 의무라고 주장하였다. 따라서 사용하는 측도 사용당하는 측도 구시대의 고용 관계를 청산하고, 시국에 맞는 체제를 확립하여 국가를 위해 솔선 挺身貢獻할 것을 요구하였다.122) 곧 전시하에 모든 사람들이 관의 명령을 기다릴 것이 아니라 자주적으로 언제든 전쟁을 위해 협력하도록 강조하였다. 자본가에게는 '皇國企業觀' 확립을 요구하여,123) 이윤 의식을 버리고 산업보국이라는 봉공심에 입각하여 노동자를 애호하고, 한 명의 낙오자도 내지 않고 생산 확충에 돌진할 각오가 되어 있어야 한다고 하였다. 그러므로 自己나 私利가 있어서는 안되고, 전선의 장병과 함께 항상 滅私奉公할 것을 강조하였다. 동시에 노동자에게도 시국산업의 전사라는 자각과 긍지를 가지고 각각의 직역에서 봉공할 것을 요구하였다.124) 결국 일제는 노자일체라는 구호를 통해 노동자가 '국가적 생산'이라는 명분 아래 개인을 희생하도록 요구하였고, 자본가와 일제의 철저한 통제 속에서 노동자에게는 전쟁을 치르기 위한 생산력 증강만을 강조하고 있었다.

그런데 노자일체가 강조되는 속에서도 조선인 노동자는 한 번도 주체적인 입장에 서지 못하였다. 고도국방국가로서의 신체제가 강조되면서 朝鮮勞務協會 등의 단체가 결성되는 과정에서도 노동자가 주체가 되거나 주체의 일부로서 참가한 단체는 구성되거나 인정된 적이 없었

---

121) 大野綠一郎, 「本協會の任重し」, 『朝鮮勞務』 1-1, 1941.10, 2~4쪽.
122) 上瀧基, 앞의 글, 1941.10, 5~7쪽.
123) 江上征史, 「增産と勤勞能率」, 『朝鮮勞務』 3-2·3, 1943. 8, 2~7쪽.
124) 井上收, 앞의 글, 1942. 10, 64~72쪽.

다. 나아가 조선인 노동자는 아무런 권익도 보장받지 못한 채 오히려
전시하에 최소한의 노동보호조차 유지되지 않는 상태에서, 일제 국가권
력의 행정적 법률적 강제에 의해, 그리고 노동현장에서는 자본가의 규
제에 의해 노동생산성 강화를 요구받고 있었다. 조선인에게 노동은 권
리가 아닌 의무로서만 규정되고 있었던 것이다.

이렇듯 전시하에는 노자관계에서도 일제 권력의 강력한 통제가 작용
하는 파시즘적 노자 관계가 요구되었다. 일제는 자본가와 노동자에게
국가 봉사의 차원에서 일체의 관계를 유지하여 전시하의 생산을 차질
없이 담당할 것을 요구하였다. 자본가와 노동자가 산업전사라는 의식
속에서, 노동자는 근면하고 자본가는 노동자를 엄격히 관리하도록 하였
다. 이러한 노자일체의 주장은 '국가적 생산'을 명분으로 노동자 개개인
의 희생을 강요한 노동력 동원 이데올로기였다.

2. 노동력 동원체제의 구축과 노동력 창출

1) 노동력 동원체제의 구축

(1) 國家總動員法과 노동력 동원법령의 적용

중일전쟁을 일으킨 후 본격적으로 고도국방체제로 전환한 일제는
1938년 4월 1일 國家總動員法을 제정하였다. 막대한 인적 물적 자원을
동원하여 생산력을 확충하고 그것을 바탕으로 전쟁을 치르기 위해서는
우선 동원을 법제화해 강제권을 부여할 수 있도록 강력한 법령을 만들
어야 했기 때문이다. 법률로서 제정된 국가총동원법은 전시경제를 통제
하는 수단이었다. 일제는 총동원의 신속 원활한 수행을 위한 각종 규정
을 정비하여 국가총동원법을 제정하고, 이 법의 발동에 의해 전쟁을 치
르기 위한 총동원 태세를 강화하고자 하였다. 나아가 1938년 5월 5일부
터 국가총동원법을 조선과 대만에서 시행한다는 칙령을 공포하여, 기왕

의 여타 법령과는 달리 제정 이후 바로 조선에 적용하였다. 그만큼 일본 본국과 식민지를 하나의 단위로 묶어야 할 필요성이 컸기 때문이다.

중일전쟁 이후 일제는 그 최고의 지표로서 국가를 始源的 實在로 내세웠다. 또한 국방을 유일 지상의 사유와 행동방식으로 규정하여, 모든 인적 물적 자원은 국방을 목적으로 사회적 직능을 담당해야 한다고 보았다.125) 곧 군국주의 국가 일본에서 국가는 至上의 존재였고, 그 안의 사람들은 인격체라기보다는 국가를 위해 동원하고 조정해야 할 인적 자원으로서 파악되고 있었다.

이러한 인식에 바탕하여 일제는 법은 국가 존위의 大本이므로 법의 권위가 확고하면 국가가 흥륭하고, 법의 위신이 땅에 떨어지면 국가가 괴멸한다고 하여, 국가의 성쇠를 국민의 준법정신의 소장에 직결시켰다. 특히 일본의 법령은 法律 혹은 勅令 등 명칭은 달라도 모두 다 천황의 재가에 의해 제정된 것이고 천황의 대권에 기초한 것이라고 하였다.126) 즉 일본의 國法은 모두 천황이 만민을 깨우쳐 기르기 위해 준 조칙이고, 그러므로 국법을 준수하는 것은 "만민이 서로 의지하여 위로 천황으로 귀일하여 받드는 것"으로서, 일본 정신을 실천하는 것이라고 하였다.127) 법을 구성원의 합의로 이루어진 사회운영 원리인 근대의 법으로서 인식한 것이 아니라 "천황이 만민을 깨우치기 위해 준 조칙"이라고 보았던 것이다.

만주사변 이후 점차 통제경제체제를 구축해 간 일제는 중일전쟁 도발 이후에는 자금 면에서 경제를 전면적으로 통제하고자 한 臨時資金

---

125) 中村彌三郎, 『新立法の動向』(早稲田大學東亞法制研究所 編), 嚴松堂書店, 1941, 6·8쪽(鈴木敬夫, 『法을 통한 朝鮮植民地 支配에 관한 研究』, 高大民族文化研究所 出版部, 1989, 344쪽에서 재인용).

126) 이 시기 일본의 헌법에서는 제5조에서 "천황은 제국의회의 협찬으로 입법권을 행한다"고 하고, 31조에서 "전시 또는 국가 사변의 경우 천황 대권의 시행을 방해할 수 없다"고 규정하였다(鈴木敬夫, 위의 책, 343~346쪽).

127) 國民總力朝鮮聯盟 編, 앞의 책, 1941, 46~50쪽.

調整法, 물자 면에서 통제하고자 한 輸出入品等臨時措置法, 중요 공장·사업장을 국가관리 하에 두어 전쟁을 위해 군수공업을 동원하고자 한 軍需工業動員法[128] 등을 통해 경제통제를 강화하였다. 그러나 오랫동안 총력전 혹은 국가총동원체제 확립을 이상으로 내걸었던 군부, 특히 육군과 만주사변 이래 군부와 밀착해 갔던 혁신관료들은 그 정도에 만족하지 않고 보다 완벽한 총동원체제의 확립을 목표로 하였다.

중일전쟁은 속전즉결할 것이라던 육군의 호언에도 불구하고 중국의 격렬한 항전에 의해 장기전화하였다. 더욱이 이 시점에 육군은 전쟁의 확대를 계획하고 있었다. 육군이 1937년 6월에 결정한 重要産業五個年計劃도 1941년 완성을 목표로 한 것으로서, 중국을 점령한 후 막대한 군수 자본을 축적하여 새로운 전쟁을 수행하고자 기도하고 있었다. 이같은 사정을 배경으로 일본에서는 육군이 이전부터 기도했던 총동원법 입법을 현실화할 수 있었다.[129] 전시체제하의 제반 입법과 각종 총동원 계획의 수립, 국가총동원법의 잇따른 발동 등은 고도국방국가체제를 정비하기 위한 일환이었다.[130]

국가총동원법은 총력전에서 의회의 동의 없이도 국내의 총력을 동원할 수 있도록 일본정부에 광범한 권한을 부여한 법률이었다.[131] 다시 말하면 국민의 기본 권리에 관련되는 중요한 사항을 정부가 칙령에 의해 좌우할 수 있게 한 강대한 '國權' 위임 입법이었다. 칙령이란 천황의

---

128) 군수공업동원법은 1918년 제정된 법률로, 총력전에 대비하여 평소에 산업 구조를 군사적으로 개편할 것을 규정하였다. 그 중 전시 군수공업의 노동력에 관해서는 정부에 통제권을 주어, 병역 의무가 있는 자를 징병령에 구애받지 않고 칙령이 정하는 바에 따라 소집, 징용하여 군수수송 기관 또는 정부가 관리하는 공장이나 사업장의 업무에 종사시킬 수 있다고 규정하였다(小林英夫, 앞의 글, 1989, 15~20쪽 ; 森武夫, 앞의 책, 1939, 163~168쪽).

129) 安藤良雄 等 編, 『昭和經濟史』, 日本經濟新聞社, 1976, 155~156쪽.

130) 厚生硏究會, 앞의 책, 1941, 56~62쪽.

131) 『每日申報』 1938. 2. 3, '戰時强力立法인 國家總動員法, 政府에 高度統制權 賦與'.

명령으로서, 여타의 법률과는 달리 의회에서의 입법, 심의 등의 절차를 거치지 않기 때문에, 전쟁 수행 과정에서 시간을 지체하지 않고 즉각 일을 처리할 수 있었다. 전시하에 의회 내에서 법안을 만들 여유가 없었을 뿐더러 의회에서의 반대로 정부의 의도가 기각될 우려가 있었으므로, 행정부가 자의적으로 필요에 따라 법령을 발표하는 방식을 택한 것이었다. 실제로 국가총동원법의 대부분의 조항은 "정부는 전시를 맞아 국가총동원상 필요할 때는 勅令이 정하는 바에 따라"로 시작된다.[132] 칙령에 의해 기업이나 노동력, 물자, 자금 등 어떠한 것이든 통제할 수 있음을 규정한 것이다.

국가총동원법은 이후 모든 분야의 기본법으로 작용하면서, 전시체제를 유지하는 틀로 작용했다. 국가총동원법 1조에서는 "국가총동원이란 전시 혹은 전쟁에 준하는 사변이 일어났을 경우에 국방 목적을 달성하기 위해 국가의 전력을 가장 유효하게 발휘하고자 인적・물적 자원을 통제 운용하는 것"이라고 규정하였다.[133] 전시 혹은 전쟁에 준하는 유사시라고 판단되면, 즉 언제든지 정부는 '국방의 목적'을 명분으로 어떠한 자원이든 동원할 수 있음을 법률로서 못박아 둔 것이다. 이 법은 전체적으로 노동력 물자 자금 기업 시설의 동원・통제를 중심으로 하여, 노동쟁의 금지, 신문 기타 출판물의 게재・반포 금지 등의 조항도 포함하고 있으며, 전시만이 아닌 평시에도 국민의 직업 능력 신고, 기능자의 양성, 물자의 보유 등을 명령하도록 규정하고 있다.[134]

그 내용은 크게 제국신민을 징용하여 총동원 업무에 종사하게 한다는 규정과 총동원 업무를 행하는 자에게 총동원 물자를 사용하거나 수용하게 한다는 규정으로 구성되었다.[135] 즉 노동력을 가졌거나 물자나

---

132) 大同書院編輯部 編, 앞의 책, 1942, 1~10쪽 참조.
133) 朝鮮總督府 編, 『朝鮮法令輯覽』 13, 1940, 188~190쪽.
134) 安藤良雄 等 編, 앞의 책, 1976, 157쪽. 중일전쟁에 적용되었던 군수공업동원법은 국가총동원법 제정 이후 이 법령에 흡수되어 폐지되었다.
135) 여기에서 총동원 물자는 병기, 함정, 탄약 기타의 군용 물자, 국가총동원상 필

시설을 소유한 모든 사람을 대상으로 그 능력의 동원 통제를 규정하였
다. 먼저 노동력을 가진 사람에 대해서는 각 개인을 징용하여 총동원
업무에 종사하게 하거나, 정부가 지정한 총동원 업무에 동원하여 협력
하게 하거나, 개인의 고용·해고·노동조건을 명령으로 규정하였고, 노
동쟁의를 금지하였으며, 개개인의 직업 능력을 검사하였고, 개인의 기
능 양성에 관해 고용주에게 명령할 수 있다고 규정하였다. 또한 각 규
정을 위반할 경우에 대한 처벌 규정도 함께 명시하였다. 남녀노소 구분
없이 노동력을 가진 사람을 대상으로 그 사람의 능력을 측정하고 등록
하고 양성할 수 있었으며, 고용 장소를 지정하거나 제한하고, 필요에
따라 수시로 동원할 수 있도록 하였으며, 나아가 징용에 이르기까지 개
인이 지닌 노동력을 최대한 끌어낼 수 있도록 규정하였다. 그리고 이에
대한 저항은 전혀 용납되지 않았다.136)

　　동원 혹은 통제는 물자나 시설을 소유한 사람, 곧 자본가를 대상으로
해서도 행해졌다. 국가총동원법에서 노동력의 통제와 관련된 것을 제외
하면, 물적 자원의 통제, 자금의 통제, 사업의 통제에 관한 대부분의 조
항은 자본가와 관련된 것이었다. 대표적으로 제11조에서는, "정부는 전
시를 맞아 국가총동원상 필요할 때는 칙령이 정하는 바에 따라 회사의
설립, 자본의 증가, 합병, 목적 변경, 社債의 모집 혹은 제2회 이후의 株
金의 불입에 대한 제한이나 금지를 하고, 회사의 이익금의 처분, 償却,

_____

　　요한 피복, 식량, 음료와 사료, 의약품, 의료기계 기구, 기타 위생용 물자, 가축
　　위생용 물자, 선박, 항공기, 차량, 말, 기타의 수송용 물자, 통신용 물자, 토목건
　　축용 물자와 조명용 물자, 연료와 전력, 그리고 이러한 물자의 생산, 수리, 배
　　급 또는 보존에 필요한 원료, 재료, 기계기구, 장치, 기타의 물자와 이외의 칙
　　령으로 지정한 국가총동원상 필요한 물자를 말하였다(국가총동원법 제2조).
　　총동원 업무는 총동원 물자의 생산, 수리, 배급, 수출, 수입 또는 보관에 관한
　　업무, 국가총동원상 필요한 운수와 통신, 금융, 위생, 가축 위생 또는 구호, 교
　　육 훈련, 시험 연구, 정보 또는 계발 선전, 경비에 관한 업무나 이외에 칙령으
　　로 지정한 국가총동원상에 필요한 업무를 가리켰다(국가총동원법 제3조).
136) 노동자의 저항과 그에 대한 통제에 관해서는 4장 2절에서 상술한다.

기타 경리에 관해 필요한 명령을 하거나, 은행 신탁회사 보험회사 기타 칙령으로 지정한 자에 대해서 자금 운용, 채무 인수, 혹은 채무 보증에 관해 필요한 명령을 할 수 있다"고 규정하고 있다. 또한 각 사업장의 시설 관리나 수용, 설비 확장, 권리 양도, 해산에 이르기까지 기업 운영에 관계된 모든 사항을 정부가 명령으로 규제할 수 있도록 규정하였다.137) 이러한 각각의 내용은 이후 회사이익 배당 및 자금융통령, 회사경리통제령, 은행 등 자금운용령, 공장사업장관리령, 중요산업단체령, 기업허가령, 기업정비령 등의 실현으로 구체화되었다.138)

이처럼 국가총동원법은 인적 자원, 물적 자원, 자금, 사업, 문화의 통제와 운영에 관한 내용을 규정하고 이후의 정책 방향을 정비한 것으로서, 이후 일제는 이 법에 기반하여 차례로 칙령을 발포하였다. 전쟁 초반기에 국가총동원법을 통해 이념, 체제를 구축하고 이후 전쟁 진행과정에서 이를 차례로 실현해 갔던 것이다.

노동정책 역시 국가총동원법을 기초로 한 법령의 발동에 의해 추진되었다. 중일전쟁 도발 후 군수산업과 생산확충산업 방면에서 노동력의 수요가 급증해 가자 노동력 동원의 필요성은 해마다 더욱 커졌다. 제한된 노동시장에서 격증하는 노동력 수요를 감당하기 위해 궁극적으로 가장 강한 국가 통제, 즉 법률적 강제를 사용하였다.139) 국가총동원법 중 노동력 동원·통제 관계 조문은 차례로 칙령이 발표되면서 발동되어, 총 20종에 가까운 법령이 제정·시행되었다. 노동력 동원은 국가총동원계획 상의 중요한 부문으로서, "노무동원계획을 經으로 하고 국가총동원법을 비롯한 관계 법규를 緯로 하여" 실시되었다.140) 국가총동원법의 시행은 노동정책에도 급격한 변화를 가져왔는데, 그 중 노동문제

---

137) 大同書院編輯部 編, 앞의 책, 1942, 1∼10쪽.
138) 국가총동원법 관계 칙령과 공포 시기에 대해서는 安藤良雄 編, 앞의 책, 1979, 132쪽 참조.
139) 森武夫, 앞의 책, 1939, 163∼168쪽.
140) 厚生硏究會, 앞의 책, 1941, 18∼22쪽.

와 밀접하게 관련되는 내용은 다음 6개 조항이다.

제4조 정부는 전시를 맞아 국가총동원상 필요할 때는 칙령이 정하는
　　　바에 따라[141] 제국신민을 징용하여 총동원 업무에 종사하게 할
　　　수 있다. 단 병역법의 적용을 방해하지 않는다.
제5조 정부는……帝國臣民과 帝國法人 기타 단체를 國, 지방 공공단
　　　체 또는 정부가 지정한 자가 행하는 총동원 업무에 협력하게 할
　　　수 있다.
제6조 정부는……종업자의 사용, 고입, 해고, 취직, 종업, 퇴직이나 임
　　　금, 급료 기타의 종업 조건에 대해 필요한 명령을 할 수 있다.
제7조 정부는……노동쟁의의 예방 혹은 노무의 중지 기타 노동쟁의에
　　　관한 행위를 제한하거나 금지할 수 있다.
제21조 정부는……제국 신민과 제국 신민을 고용 혹은 사용하는 자에
　　　게 제국 신민의 직업 능력에 관한 사항을 신고받거나 직업 능
　　　력에 관해 검사할 수 있다.
제22조 정부는……학교, 양성소, 공장, 사업장 기타 기능자의 양성에
　　　적당한 시설의 관리자 또는 양성해야 할 자의 고용주에 대해
　　　국가총동원상 필요한 기능자의 양성에 관해 필요한 명령을 할
　　　수 있다.[142]

이처럼 국가총동원법 중에서 '인적 자원' 곧 노동력 통제와 관련된
조문에는 징용, 일반인 동원, 노동력 통제, 노동쟁의 통제, 노동력 등록,
기능자 양성에 관한 내용이 들어 있다. <표 18>에서 볼 수 있듯이 일
제는 국가총동원법의 규정에 의거해 노동력 동원을 위한 각종 법령을
잇따라 공포하여 노동자 배치, 취업시간, 임금 등 노동조건 전반에 대
한 공권력의 강제 개입을 법제화하였으며, 마침내 강제동원에 의거한

---

141) 이 구절은 각 조문의 서두에서 거의 똑같이 반복된다. 이후 조문에서는 생략
　　 한다.
142) 朝鮮總督府, 『朝鮮法令輯覽』13, 1940, 188~190쪽.

196

<표 18> 전시통제경제기 노동력 통제 관련 법규

발표시기	조선적용	법규명	조항	형태, 비고
1938. 4. 1	1938. 5. 5	國家總動員法		법률
1938. 2.23		陸軍特別支援兵令		칙령
1938. 5. 4	1938. 5. 5	공장사업장관리령		칙령
1938. 5.12	1938. 9. 1	조선광부노무부조규칙		부령
1938. 6		학도근로보국대 실시요강	5조	
1938. 8.24	1938. 8.24	學校卒業者使用制限令	6조	칙령
1939. 1. 7	1939. 6. 1	國民職業能力申告令	21조	칙령
1939. 3.30	1939. 8. 1	賃金統制令	6조	칙령
1939. 3.30	1939. 8. 1	工場就業時間制限令	6조	칙령
1939. 3.30	1939. 4. 5	學校機能者養成令	22조	칙령
1939. 3.31	1939. 6.12	工場事業場機能者養成令	22조	칙령
1939. 3.30	1939. 8. 1	從業者雇入制限令	6조	칙령
1939. 7. 8	1944. 8	國民徵用令	4조	칙령, 1939.10.1 시행계획
1939		조선인노무자모집요강		
1939		조선인노동자 이주에 관한 사무취급수속		
1939.10.18	1939.10.27	임금임시조치령	6조	칙령
1940. 1.11	1940. 1.20	朝鮮職業紹介令		제령
1940. 2. 1	1940. 9	靑少年雇入制限令	6조	칙령
1940. 3.12		노무자원조사에 관한 건		내무국장
1940.10.19	1941. 6.30	개정 임금통제령	6조	칙령, 임금임시조치령 효력상실
1940.11.18		勤勞新體制確立要綱		일본 내각 각료회의
1940.11		노동자알선요강	6조	
1940.11	1940.12. 5	從業者移動防止令	6조	칙령
1941. 3.31	1941. 4. 1	공장사업장기능자양성령 개정	22조	칙령
1941.11. 8		對內地求人取扱要領		내무국장 통첩
1941. 9. 3		임금통제령 개정	6조	칙령
1941.10		조선국민저축조합령		
1941.10.22		청장년국민등록에 관한 건	21조	내무국장 통첩
1941.11.22	1941.12. 1	國民勤勞報國協力令	5조	칙령
1941.12. 2	1942. 4.21	노무동원실시계획에 의한 조선인노무자 내지이입에 관한 건		일본 내무성, 후생성 차관 통첩
1941.12. 8	1942. 1.10	勞務調整令	6조	칙령, 종업자이동방지령, 청소년고입제한령 폐지

발표시기	조선적용	법규명	조항	형태, 비고
1942. 2		重要事業場勞務管理令		
1942. 3.26		對內地求人取扱要領 개정		후생국장 통첩
1942. 9.	1942.10	朝鮮寄留令		制令
1942. 9.18	1942.11.24	勤勞顯功章令		칙령
1942.10.1	1942.11. 3	朝鮮靑年特別鍊成令		制令
1943. 1		생산증강근로긴급대책요강		
1943. 2.26		對內地求人取扱要領 개정		사정국장 통첩
1943. 5.20	1943. 8.31	俘虜勞務規則		陸軍省令
1943. 5.20	1943. 6.10	중요 공장광산 노무자 충족방법에 관한 건		사정, 경무국장 통첩
1943. 5.29		근로보국대 출동에 관한 건		사정국장
1943. 6.16		공장취업시간제한령 폐지	6조	칙령
1943. 6.18	1943. 8. 1	노무조정령 개정	6조	칙령
1943. 6.19	1943. 8. 1	임금통제령 개정	6조	칙령
1943. 7		海軍特別支援兵令		칙령
1943. 8. 1		근로관리 쇄신강화에 관한 건		정무총감 통첩
1943.10. 9		生産增强勞務强化對策		
1943.11		중요공장사업장 노무자 작업용 필수물자 배급요강		사정, 식산국장
1943.11		중요공장사업장 노무자식량 특배요강		사정, 농림국장
1943.12.18		학도근로동원에 관한 건		광공경찰부장 통첩
1944. 2	1944. 2	現員徵用 발동	4조	
1944. 2.10		工場事業場機能者養成令 전시특례에 관한 건		정무총감 통첩
1944.	1944. 4. 1	광부고용·노무규정 권한 도지사 위임 건		府令
1944. 3		사법보호대상자 근로동원실시요강		
1944. 4.28		학도동원본부규정		訓令
1944. 8		學徒勤勞令	5조	칙령
1944. 8		女子挺身勤勞令	5조	칙령
1945. 3. 6		國民勤勞動員令		學徒勤勞令 외 폐지
1945. 6		義勇兵役法		법률

자료) 朝鮮總督府 編, 『朝鮮法令輯覽』, 朝鮮行政學會, 1940 ; 大同書院編輯部編, 『勞動統制法規總攬』, 大同書院, 1942 ; 慶尙南道 鑛工部 勞務課, 『勞務關係法令集』, 1944 ; 朝鮮勞務協會, 「勞務關係法令通牒」, 『朝鮮勞務』3권 각호, 1943 ; 朝鮮勞務協會, 『朝鮮勞務』4-10, 1945. 4 ; 『每日新報』1942. 10. 26

노동력 조달정책을 실시하기에 이르렀다.

먼저 제4조의 징용 조항과 관련해서는 1939년 7월 國民徵用令을 제정하고 10월부터 조선에서 시행하고자 하였다.[143] 그러나 징용은 노동력 동원과 배치에 공권력이 가장 강하게 개입하는 형태로서, 조선인의 저항을 우려하여 제정 후 바로 시행하는 단계로 나아가지 못하였다. 일제는 패전이 예견되고 노동자의 현장 이탈 양상이 극심했던 1944년 2월 시점에 이르러서야 조선의 중요산업 부문에서 現員徵用을 실시하였으며, 이후 8월에는 국민징용령을 발동하여 조선인 청장년 남자를 대상으로 一般徵用을 시작하였다.[144]

제5조는 일반인의 동원에 대한 규정이다. 일제는 1938년 學徒勤勞報國隊實施要綱 발표를 시작으로 근로보국대를 동원하고, 1941년부터는 國民勤勞報國協力令을 시행하여 남녀노소를 불문하고 노동할 능력이 있는 모든 구성원을 총동원하고자 하였다.[145] 전쟁이 장기화하면서 노동력 부족문제가 심각해지자 일제는 근로보국대 동원의 범위를 점차 확대하였고, 전쟁 말기인 1944년 8월에는 學徒勤勞令과 女子挺身勤勞令을 실시하기에 이르렀다.

제6조는 노동력 이동 억제와 관련된 조항으로서, 1930년대 후반 노동력 동원체제의 주축은 기술자 확보를 목표로 한 學校卒業者使用制限令과 일반노동자를 대상으로 한 從業者雇入制限令, 靑少年雇入制限令에 있었다. 조선 내에서 군수공업이 급격히 팽창하는 반면 일본에서 유입되는 숙련노동자 수가 격감되자 각종 중공업 부문의 사업주는 기존의 노동력을 유지·확충하고자 하였고, 따라서 노동자의 쟁탈 현상이 벌어졌다.[146] 이에 일제는 1938년 8월 학교졸업자사용제한령을 공포해

---

143) 慶尙南道 鑛工部 勞務課, 앞의 책, 1944, 338~347쪽 참조.

144) 징용에 관해서는 이 책 제4장 2절 1)항에서 상술한다.

145) 慶尙南道 鑛工部 勞務課, 「國民勤勞報國協力令」, 『勞務關係法令集』, 1944, 237~239쪽.

146) 法令調査硏究會, 『誰にも解る從業者移動防止令靑少年雇入制限令解說』, 船

대학의 공학부와 이공학부, 공업 관련 전문학교, 공업학교, 기타 이에 준하는 각종 학교의 지정된 학과 졸업생을 고용할 때는 조선총독부의 인가를 받도록 규정하였다.147) 이 법령은 기술자의 수급 조정과 통제를 통해 조선에 필요한 노동력 수요를 조선인으로 충족시키고 '不急産業'으로의 노동력 유입을 차단하고자 한 것이었다.148)

그리고 1939년 6월부터 國民職業能力申告令에 기초해 '國民職業能力登錄制度'를 실시하는 한편,149) 같은 해 8월 종업자고입제한령을 공포해 금속·기계기구·화학공업, 광업 등 군수산업 관련 노동자의 이동을 막고 여타 공장의 기능자 고용을 제한하고자 하였다.150) 이후 이 법령의 적용 범위를 일반인에게 확대한 형태로 1940년 9월 청소년고입제한령을 시행하였다.151) 그런데 이러한 법령은 자본가를 대상으로 하여

場書店, 1940, 32~33쪽.

147) 전문학교의 경우 기계공학과(정밀기계과, 광산기계과, 금속공예과, 공작기계과, 화학기계과와 원동기계과 포함), 조선공학과, 항공공학과, 전기공학과(통신공학과 포함), 응용화학과(전기화학과, 색염료과, 요업과, 공업화학과와 인조섬유과 포함), 채광야금과(채광학과, 광산공학과, 광산학과, 야금학과, 야금공학과, 채탄공학과와 금속공학과 포함), 연료학과, 응용이화학과(응용물리학과 포함) 등을 지정하였다(大同書院編輯部 編, 앞의 책, 1942, 209~213쪽 ; 協調會, 『國家總動員法 勞動關係令規集』, 1939, 17~18쪽).

148) 朝鮮總督府, 『朝鮮總督府施政年報』, 1940년판.

149) 「國民職業能力申告令」, 『戰時下朝鮮人勞務動員基礎資料集 Ⅴ』(樋口雄一 編), 綠蔭書房, 2000, 433~437쪽 참조.

150) 고입제한 대상이 되는 종업자는, 16세 이상 50세 미만 남자로 계속해서 3월 이상 조선총독이 지정한 직업에 종사한 현직자 또는 고용 종료후 조선총독이 지정한 학교졸업자는 1년, 기타는 6월을 경과하지 않은 전력자, 계속해서 3월 이상 공장 사업장의 기능자 양성공 양성공 현직자 또는 그만둔 후 6월을 경과하지 않은 養成工 前歷者 등이었다(『京城日報』 1939. 8. 1).

151) 청소년고입제한령은, 만12세 이상 30세 미만의 남자로서 ① 대학, 대학 예과, 고등사범학교, 고등학교 고등과, 전문학교, 실업전문학교, 사범학교 또는 조선총독이 지정한 학교(양성소 포함)의 졸업자 또는 수료자, ② 학교졸업자사용제한령 제1조의 졸업자로서 ①에 해당하지 않는 자, ③ 조선총독이 지정한 검정이나 시험에 합격한 자 또는 조선총독이 지정한 면허를 받은 자, ④ 기타 상

다른 공장 노동자의 고용을 억제하도록 한 것으로서 노동자의 이동을
제한하는 데는 한계가 있었다. 따라서 일제는 종업자고입제한령과 청소
년고입제한령을 폐지하고, 1940년 12월에는 사용자를 대상으로 노동자
의 고용을 제한하는 동시에 직접 노동자를 대상으로 하는 從業者移動
防止令을 시행하여 노동자의 이동을 엄격히 규제하였다.[152]

　종업자이동방지령의 시행에 즈음하여 내무국장 大竹十郞은 "노무자
원의 감소에 따라 종업자고입제한령 밖의 일반직공, 광부 등에서도 이
동이 두드러지고, 기능을 가진 노무자의 이동 방법이 한층 교묘해져,
근본 방지책을 강구할 필요가 있어 종업자이동방지령을 제정 실시한
다"고 발표하였다.[153] 그러나 이러한 법령의 적용에도 불구하고 노동자

이군인, 府尹 郡守 또는 島司가 신체의 장애로 작업 능력이 현저히 열등하다
고 인정한 자 이외의 자를 대상으로 한 법령이다. 여기에서는 각 사업체가 이
대상자들을 7할 이하만 고용하도록 제한하였으며, 이에 비해 조선총독이 지정
한 공광업 등의 사업에서는 인원 제한 없이 자유로이 고용할 수 있게 하였다
(常設戰時經濟懇話會 編, 『朝鮮經濟統制 問答』, 東洋經濟新報社 京城支局
刊, 1941, 200~201쪽).

152) 이 법령은 노동자의 이동을 방지하기 위해 從業者雇入制限令에 비해 적용 범
위를 확대·강화하여, 연령 14세 이상 만60세 미만의 남자로, ① 조선총독이
지정한 사업(채광업, 금속공업, 기계기구공업, 화학공업, 전기 및 가스업, 요업
및 토석 가공업 중 일부, 제재 및 합판업, 위생 재료품 제조업, 벨트 제조업,
철도 및 궤도업, 자동차업, 항공업, 소운송업, 통신사업)을 행하는 공장, 사업
장 기타 장소에서 계속 1월 이상 고용계약에 기초해 조선총독이 지정한 노무
자(광부, 직공, 전공, 기관사, 통신사, 항공기 정비원, 운송 종업원, 우편 및 전
보 집배원)로서 사용되고 있는 자 혹은 고용을 종료한 날부터 1년을 경과하지
않은 자, ② 1개월 이상 고용계약에 기초한 조선총독이 지정한 기술자(광산
기술자, 야금 기술자, 전기 기술자, 전기통신 기술자, 기계 기술자, 항공기계
기술자, 조선 기술자, 화학 기술자, 토목 기술자, 요업 기술자)로서 사용되는
자 혹은 고용을 종료한 날부터 1년을 경과하지 않은 자의 고입 또는 사용을
제한한 것이다. 또한 노동자쟁탈 방지책으로서 현직에 있는 지정 종업자의 이
동, 선발 권유를 일절 금지하였다(常設戰時經濟懇話會 編, 위의 책, 1941, 202
~204쪽).

153) 「從業者移動防止令ノ施行ニ際シ內務局長談發表ノ件」, 『戰時下朝鮮人勞務

의 이동 현상은 여전히 계속되었고 일제의 생산력증강계획에 차질을 가져오고 있었다. 종업자이동방지령이 실시된 이후에도 각 指定從業者의 이동이 계속되어, 1941년도 전반기 6개월 간 전국 중요 공장의 종업원 퇴직률이 25%를 넘어서고 있었다.[154]

결국 이러한 법령으로도 노동력의 이탈을 방지하지 못하자, 1942년 1월에는 이들 법령을 통합·강화한 勞務調整令을 실시하였다.[155] 이를 통해 非軍需産業의 노동자 고용 금지와 軍需産業 노동자의 이동을 일절 금지하여 노동력을 군수산업 부문에 집중적으로 배치하고 이동을 봉쇄하고자 하였다. 노무조정령은 일본 본국과 조선에서 이례적으로 동시에 실시되었다.[156] 그만큼 노동력 이동을 방지하고 노동력을 동원할 필요성이 시급하였기 때문이다. 노무조정령은 국민징용령과 함께 노동력 부족문제에 닥친 일제가 노동력 배치에 관해 강제적인 조치를 행하도록 규정한 강권적인 이동방지 법규였다. 노동자의 해고 퇴직, 기능자의 고용 취직, 남자청소년의 고용 취직, 노동력 공급에 의한 노동자 사용 등에 관한 제반 사항은 國民職業指導所長, 즉 각 지역의 府尹·郡守·道司의 인가를 받아야만 가능하게 제한한 조처였다.[157] 다시 말해 중요한 공장·사업장에서 노동자의 해고와 퇴직을 제한한 조치로서, 실제 총독부는 朝鮮窒素肥料株式會社를 비롯한 69개사의 군수공장을 지

　　動員基礎資料集 Ⅰ』(樋口雄一 編), 綠蔭書房, 2000, 346~365쪽.
154) 田村浩, 앞의 글, 1941. 10, 31~33쪽. 이 당시는 일본의 경우에도 1년 내에 공장노동자가 4할 이상, 광산노동자가 8할 5분까지 바뀌는 등 노동자 이동이 빈번하였다(「從業者移動防止令ニ依ル指定從業者ノ行先不明(判明)調ノ件」, 『戰時下朝鮮人勞務動員基礎資料集 Ⅱ』(樋口雄一 編), 綠蔭書房, 2000, 407~415쪽 ; 厚生硏究會, 앞의 책, 1941, 129~131쪽). 노동자의 이동 현상에 대해서는 이 책 제4장 2절 2)항에서 상술한다.
155) 朝鮮總督府 厚生局, 『勞務調整令解說』, 1942, 1~2쪽.
156)「勞務調整令ノ施行ニ關シ厚生局長談話發表ノ件」, 『戰時下朝鮮人勞務動員基礎資料集 Ⅲ』(樋口雄一 編), 綠蔭書房, 2000, 23~26쪽.
157) 朝鮮總督府 厚生局, 『勞務調整令解說』, 1942, 27~52쪽 참조.

정하고 노무조정령을 적용하여 그곳에서의 노동자의 이동을 일절 금지
하였다.158)

이상의 제 법령에 의해 기술자, 일반 직공, 청소년 노동자는 道, 府,
面 노무과의 허가 없이는 고용할 수 없도록 규정되었다. 뿐만 아니라
총독부는 노동자가 군수산업 부문으로 轉業 轉職하도록 강력히 유도하
였다.159) 대다수의 노동자를 군수산업으로 집중시키기 위한 조치였다.
이를 계기로 비군수산업 부문 중소기업은 노동력이 부족하여 결국 공
장을 폐쇄하는 사태까지 속출하였다.160)

이와 함께 경험 노동자의 이동을 제한하면서 미경험 노동자의 쟁탈
이 격화되고, 생산력확충산업의 강화로 인한 취업시간 연장·과도한 잔
업 등으로 노동력 소모가 심해지면서 노동생산성이 감소되자 장기적인
노동력 대책을 마련하지 않을 수 없었다. 노동생산성의 향상은 노동력
부족과 노동자 이동의 증대, 과도한 노동시간 연장과 휴식시간 단축 등
에 의한 노동력의 마모, 공장재해와 罹病率의 증가, 파행적인 임금 지
불과 실질임금 저하에 의한 노동자 생활의 압박 등의 사유를 제거해야
만 달성될 수 있었다.

전시하에 들어서면서 취업시간이 과도하게 연장되거나 임금이 파행
적으로 지불되는 등의 현상으로 인해 각종 폐해가 발생되자, 일제는
1939년 8월 工場就業時間制限令과 賃金統制令 등을 통해 취업시간과
임금의 최저 요건을 마련하였다.161) 생산확대를 위해서는 노동의 강화
가 요구되었지만, 노동강화가 지속될 경우 오히려 능률이 감소하게 되

---

158) 小林英夫, 「朝鮮總督府の勞動力政策について」, 『都立大學 經濟と經濟學』
    34, 1974. 12, 71쪽.
159) 京城府 總務部 時局總動員課, 『事變下に於ける轉業轉職希望者への指針』,
    1939, 2쪽.
160) 小林英夫, 앞의 책, 1975, 454~455쪽.
161) 慶尙南道 鑛工部 勞務課, 앞의 책, 1944, 1~7쪽 ; 大同書院編輯部 編, 앞의
    책, 1942, 477~480쪽.

므로 전쟁이 단기간으로 끝나지 않는 이상 노동자에게 과도한 긴장을 요구하는 것은 결국 불이익이 되었기 때문이다.[162]

공장취업시간제한령은 중일전쟁 이후 군수의 급격한 증가에 따른 군수산업 부문의 노무강화에 의해 취업시간이 무제한 연장되자 이를 억제하여 노동력을 유지 배양한다는 취지에서 제정되어, 주로 중공업 공장을 대상으로 적용되었다.[163] 그러나 전쟁이 진행될수록 군수산업은 대대적으로 확장되었고, 노동력 동원의 필요성 역시 증가하여 노동력 부족문제가 보편화하였다. 이에 일제는 1943년 6월 전시 행정특례에 기초하여 공장취업시간제한령을 폐지하였다.[164]

그리고 임금 인상을 억제하기 위해 일제는 1939년 임금통제령을 제정하여 공장과 광산의 임금을 동결시키고, 미경험 노동자의 초급임금 공정도 이에 의거하였다. 또한 이 해 10월에는 賃金臨時措置令도 제정하였는데, 이는 1년간의 임시 조치로서, 물가의 급격한 등귀를 억제하기 위해 가격, 운송임, 보관료, 손해보험료, 임대료 등의 인상과 임금의 일제 인상을 억제하고자 한 조처였다. 이후 임금통제령은 군수공업 혹은 생산확충산업 부문의 노동자를 확보하기 위한 방안의 하나로서 누차 개정 작업을 거쳤다.[165]

국가총동원법 제21조와 관련해서 일제는 1939년 國民職業能力申告令을 제정하고 모든 기능자와 청장년을 등록한 국민등록제를 실행하여

---

162) 森武夫, 앞의 책, 1939, 199~201쪽.

163) 여기에서는 후생대신이 지정한 공장에서의 16세 이상 남자 노동자를 대상으로 1일 12시간 이하의 취업, 1개월 2일 이상의 휴일, 1일 30분 내지 1시간의 휴식을 규정하고 있다(大同書院編輯部 編, 앞의 책, 1942, 477~478쪽). 이러한 내용이 법령으로 규제되어야 했던 상황을 보아 당시 노동조건의 가혹성을 짐작할 수 있다.

164) 『朝鮮總督府官報』 4926, 1943. 7. 5, '工場就業時間制限令廢止', '工場就業時間制限令第二條ノ事業廢止', '工場就業時間制限令施行規則廢止'.

165) 임금통제령의 개정 내용에 대해서는 慶尙南道 鑛工部 勞務課, 앞의 책, 1944, 1~107쪽 참조.

204

군수산업과 생산력확충산업 부문에 노동력을 임의로 배치할 수 있는
조건을 갖추었다.166) 또한 노동력 분포 상황을 파악하기 위해 1941년부
터 노동자와 기술자를 조사하는 한편, 징병제도의 시행에 대비하여 노
동력의 동태를 파악하기 위해 朝鮮寄留令을 발포하였다.167)

　제22조는 기능자 양성에 관한 조항으로서, 일제는 1939년 4월 學校
機能者養成令과 6월 工場事業場機能者養成令을 제정하였다. 조선에
서 군수공업을 확장하고자 하였으나 일본에서의 기능자 유입이 여의치
않자 이 법령을 조선에 적용하였다. 이 법령에서는 생산력 확충에 필요
한 숙련노동자의 수요를 감당하기 위해 각 사업장에서 조직적으로 상
당수의 숙련노동자를 양성하도록 하였다.168) 구체적으로 22업종, 65직
종의 공장 또는 사업소로서 16세 이상의 남자노동자를 200명 이상 사
용하는 곳에서는, 총독부가 지정한 업종에서 등록 직공의 6%를 기술자
로 양성할 것을 의무로 규정하였다.169) 그러나 공장사업장기능자양성
령은 이후 점차 중요산업의 경우 현실적인 이유에서 기능자 양성 의무
의 전부 또는 일부를 면제하는 방향으로 개정되어 갔다. 따라서 조선인
노동자의 기능 양성은 명분에 머무른 경향이 컸고, 대개는 '中堅勞務
者'라는 이름으로 양성되어 일반노동자의 통제를 담당하고 있었다.170)

　노동력 동원과 관련하여 제정된 이들 제 법령은 學徒勤勞令을 제외
하고는 1945년 3월 國民勤勞動員令으로 통폐합되었다.171) 이 법령은

166) 「國民職業能力申告令」, 『戰時下朝鮮人勞務動員基礎資料集 Ⅴ』(樋口雄一
　　　編), 綠蔭書房, 2000, 433~437쪽.
167) 「朝鮮寄留令及其ノ關係法令」, 『日帝下 戰時體制期 政策史料叢書 35』(民族
　　　問題硏究所 編), 韓國學術情報株式會社, 2000, 646~651쪽.
168) 大同書院編輯部 編, 앞의 책, 1942, 371~376쪽.
169) 『朝鮮總督府官報』 3882, 1939. 12. 28, '工場事業場技能者養成令施行規則第
　　　四條第一項ノ比率'.
170) '중견노무자'의 양성 목적과 과정에 대해서는 이상의, 「일제하 조선인 '중견노
　　　무자'와 노동규율」, 『韓國史學報』 18, 高麗史學會, 2004 참조.
171) 「國民勤勞動員令」, 『朝鮮勞務』 4-10, 1945. 4, 표지~7쪽 ; 「國民勤勞動員令

국가총동원법의 제4조와 제6조의 노동력 동원과 관계되는 법률을 종합 통일한 것으로서, 일제강점 말기에는 이 법령 하나로 노동력의 강력한 동원을 규정하였다. 그리하여 "국민으로 하여금 총을 잡지 않은 자는 총을 만들어야 한다"는 취지를 법령을 통해 규정하였다.[172]

국가총동원법에서는 이러한 각 조문과 함께 그 규정을 위반할 경우에 대한 처벌 규정도 함께 명시하였다. 제7조는 노동쟁의 금지 조항으로서, 일제는 노동쟁의의 절멸을 꾀하는 것은 생산력 감퇴를 방지하고 治安維持法을 지키는 데 필요하다고 하면서[173] 노동운동을 전면적으로 금지하고, 이 규정을 어겼을 경우에는 노동 관련 법규로는 최고형이었던 3년 이하의 징역이나 5천원 이하의 벌금형에 처하였다. 또한 제4조와 제6조 즉 징용에 응하지 않거나 규정에 의한 업무에 종사하지 않은 자와 노동자의 고용, 해고, 노동조건에 대한 명령을 어겼을 경우는 1년 이하의 징역 또는 1천원 이하의 벌금에 처하였다. 제22조의 기능자 양성 규정을 위반하였을 경우는 3천원 이하의 벌금에 처하였고, 제21조의 직업 능력 신고 규정에 위반하여 신고를 게을리하거나 검사를 거부, 방해, 기피한 자에게는 50원 이하의 벌금이나 구류 혹은 과태료를 부과하였다.[174]

이처럼 일제는 국가총동원법을 제정한 후 이에 근거하여 노동정책의 기조를 이루는 법령을 잇따라 제정하고 조선에서도 이를 적용해 갔다. 그러나 각 법령은 실행과정 속에서 누차 개정되거나 시행규칙 혹은 요강, 통첩 등을 통해 보완되었다. 이는 한편으로는 전쟁이 격화하면서 내용을 더욱 강화하여 통제의 강도를 높여야 했기 때문이기도 하였지만, 다른 한편으로는 노무조정령의 적용에 이르는 과정에서 볼 수 있듯

施行規則」,『朝鮮勞務』 4-10, 1945. 4, 7~30쪽.
172) 「卷頭言」,『朝鮮勞務』 4-10, 1945. 4, 표지.
173) 日高己雄, 「國家總動員法解說」,『法律時報』 10-5, 1938, 16~17쪽(鈴木敬夫, 앞의 책, 346쪽에서 재인용).
174) 大同書院編輯部 編, 앞의 책, 1942, 1~10쪽.

이 조선인의 끊임없는 저항으로 인해 일제의 노동정책이 조선에서 제대로 실현될 수 없었으며, 따라서 법적인 구속력을 더욱 강화할 수밖에 없었기 때문이기도 하였다.

(2) 노동력 동원기구의 정비

일제하 조선은 총독을 중심으로 한 행정 위주·행정 만능의 사회로 편성되고 통제되었다.[175] 특히 중일전쟁 이후부터는 행정기관에 권력이 집중되었고, 모든 제도의 입안과 시행이 행정부서를 통해 직접 추진되었다.[176] 노동력 동원이 긴급한 문제로 등장하자 일제는 노동자에 대한 일부의 포용 정책을 시도하였으나, 통제를 우선으로 하여 진행되어 온 노동정책의 기조는 그대로 유지되었다. 따라서 전시하의 급작스런 변화 속에서 노동정책의 방향은 한동안 불명확하고 혼란스러운 양상을 보이고 있었다.

노동력 통제와 직접 관련되는 부서로서 총독부 내에는 우선 經濟警察課와 勞務課가 설치되었다. 총독부는 1938년 11월 經濟警察制度를 창설하였다. 총독부 경무국 학무과에 經濟警察係를 두고 지방에 警視 이상 565명을 배치하여 경기도에서는 경제경찰과에, 그 외의 도에는 보안과에 경제경찰계를 두었다. 이후 기구를 확대하여 1940년 2월 총독부 경무국에 경제경찰과를 신설하고, 지방청에서는 경기도의 경우 경제경찰과를 확충 강화하고 각 도에서도 보안과에서 경제경찰계를 분리하여 경제경찰과를 신설하였다. 특히 경북·경남·평남 3개 도의 경제경찰과는 경시를 과장으로 하고 도시 경찰서의 진영을 증강시켰다.[177]

---

175) 姜東鎭, 『日帝의 韓國侵略政策史』, 한길사, 1980, 295~296쪽.

176) 더욱이 각 도 단위로 행정을 운영하면서 노동력의 동원과 배치가 도별로 진행되었다. 예컨대 노무조정령 시행에서 노동자를 고용하고 통제하는 국민직업지도소장의 역할을 각 지역의 府尹·郡守·島司가 담당하고 있었다. 거주 지역의 행정부서가 직접 노동력 동원과 통제의 역할을 한 것이다(朝鮮總督府 厚生局, 『勞務調整令解說』, 1942, 27~52쪽 참조).

중일전쟁이 발발하기 이전에도 경찰은 노동문제의 많은 부분에 간여해왔다. 노동쟁의 단속, 노동자의 쟁탈이나 도주, 부정 모집 단속에서부터 노동자의 정착, 일본·사할린으로의 도항 단속, 渡滿·渡支의 단속 등에 이르기까지 경찰이 관할하는 내용은 다양하였다. 노동문제 제반의 사항에 대해 간여하면서, 치안의 확보와 더불어 직접·간접으로 노동행정을 관장해 왔던 것이다.[178] 그런데 중일전쟁 발발 이후 경찰의 사무가 급증하였다. 전시하의 노동 현장에 사상운동의 영향이 점차 스며들면서, 고도국방국가체제 확립 과정에서 이데올로기의 통일을 책무로 하는 경찰의 임무가 가중되었다. 外諜 단속, 방공 경비, 경제 통제, 금 밀수 단속, 지원병제도에 관한 사무 등으로 그 업무가 확장되면서 경찰조직도 크게 확대되었다. 그리하여 경무국에 防護課를 두어 소방, 수방과 함께 이들 업무를 일괄 관장하게 하였고, 기왕의 방호단, 소방조, 수방단 등을 警防團으로 일원화하였다. 이렇게 하여 이루어진 조직은 2,427개의 團 조직에 단원이 20만 명에 달하였다.[179]

나아가 전시에 물자동원계획이 수립되어, 물자의 생산 배급 소비나 수출입 가격에 대한 강력한 통제가 가해지면서 그에 따라 발생하는 범죄에 대처하기 위해 經濟警察을 배치하게 되었다.[180] 경제경찰은 전시하의 민간 생활과 식민지 경제통제 전반을 전담하던 경찰 기구로서, 주로 물가 단속이나 각종 경제통제, 경제 정보의 수집과 민심 통제 등을 담당하고 있었다.[181] 價格統制令을 비롯하여 家賃地代統制令, 小作料統制令, 暴利取締令 그리고 미곡의 수급 조정에 관한 법령 등 경제통

177) 「經濟警察機構を擴充强化す」, 『朝鮮』 298, 1940. 3, 97~98쪽.
178) 三橋孝一郎, 「朝鮮勞務協會の設立に際して」, 『朝鮮勞務』 1-1, 1941. 10, 8~9쪽.
179) 「警防團の誕生に際し當局談」, 『朝鮮』 294, 1939. 11, 119~120쪽.
180) 「朝鮮統治の最高方針」, 『日本人の海外活動に關する歷史的調査 3』(大藏省管理局 編), 1947, 29~33쪽.
181) 김상범, 「日帝末期 經濟警察의 設置와 活動」, 『日帝의 朝鮮侵略과 民族運動』(한국민족운동사연구회 편), 國學資料院, 1998 참조.

208

제에 관한 법령이 계속해서 공포되면서 경제경찰의 업무 범위는 매우 광범하고 복잡해져 갔다.[182] 경제통제와 관련된 경제경찰의 활동은 전쟁의 안정적인 수행과 바로 연결되는 것이었다.

경제경찰은 대부분 중요 공장·광산 사업장을 관할하는 제일선 경찰서에 배치되어 노동문제를 담당하였으며, 경우에 따라서는 직접 공장 등에 배치되어 노무관리의 전면에 걸쳐 간섭하기도 하였다. 노무관리에 대한 경찰의 협력이란 주로 정보활동을 의미하였다. 경제경찰의 정보활동은 대개 사전방지의 차원에서 행해졌는데, 사업주에게는 노무 관계의 애로를 타개하기 위한 일이었으므로 사업주 측은 경찰의 활동을 적극 원조하였다. 경찰 또한 전폭적으로 자본가에게 협력하여 그들의 이익을 보호해 주었다.

경찰과 자본가가 "쌍방이 의지하고 의지받는" 관계를 유지하는 가운데 경제경찰은 주로 노동자의 후생 시설이나 공급 배치, 이동 방지, 임금 대책 등을 담당하였다. 노동자 후생 시설의 면에서는, 식량과 물자의 배급 과정에 나타나는 횡령을 감찰하고 경우에 따라서는 배급에도 직접 관여하였으며, 주택 건축용 자재도 배급 알선하였다. 노동자의 공급 배치에 대해서는 알선 노동자의 공출 독려, 일용노동자의 통제 훈련, 장기 결근자의 취로 독려, 근로보국대의 취로 독려, 징용 실시에 관한 제조사 등을 담당하였다.

그 중에서도 경찰력이 가장 집중된 부분은 노동자 이동방지 문제로서, 피징용자·알선노동자·근로보국대원의 취로 기피, 轉退職, 탈주 등 노동자의 현장 이탈에 대해서는 적극적으로 나서서 억제하였다. 그리고 노동통제 법령을 위반한 경우, 예컨대 노동자의 스카웃, 暗賃金 지불, 특별 배급 물자의 횡령, 취로의 기피, 도주 등으로 법령에 저촉하는 경우는 생산 증강에 지장을 주는 사범이라 하여 엄벌 방침으로 단속하였다. 또한 '不要不急'한 임금 인상의 억제를 통해 군수산업 부문의

182)「經濟警察機構を擴充強化す」,『朝鮮』298, 1940. 3, 97~98쪽.

노동력을 충족시키고자 하였다. 이외에 경제경찰은 사업장에서 각종의 '협력'을 요청할 경우에도 적극 개입하여 활동하고 있었다.[183]

한편 1941년 3월 13일 訓令으로 총독부 內務局에 勞務課가 신설되었다.[184] 노동문제를 전담하는 행정 부서가 전시하의 부족한 노동력 공급을 담당하기 위해 이 시기에 들어서 비로소 등장한 것이다. 노무과는 조선의 대륙전진병참기지로서의 역할이 강조되면서 군수와 생산력확충을 위한 노동력 수요가 급격히 증가하자, 특히 일본 본토의 노무동원계획에 따른 노동력의 동원·공급을 담당할 부서로서 설치되었다.[185] 전쟁 진행에 따라 조선에서도 노동력 충족에 적잖은 어려움을 겪게 되자 노동력 동원을 위한 대책을 노무 행정 차원에서 모색하고자 한 것이다.

노무과는 기왕의 社會課 업무 중 노무 행정에 관한 사항을 전담하였다. 그 담당 업무는 ① 직업 소개 기타 노무의 수급조정에 관한 사항, ② 실업 대책에 관한 사항, ③ 노동력의 유지·증강에 관한 사항, ④ 노동조건에 관한 사항, ⑤ 노동 보전에 관한 사항, ⑥ 직업 능력의 등록과 징용에 관한 사항, ⑦ 기타 노무에 관한 사항 등이었다.[186] 국가총동원법 발동에 기초하여 전시 노동력 대책으로 실시되고 있던 國民職業能力申告令, 工場就業時間制限令, 國民徵用令, 賃金臨時措置令, 靑少年雇入制限令, 從業者移動防止令 등 주요 법령의 운용과, 노무동원계획의 실시에 의한 노동력 공급, 朝鮮職業紹介令에 의한 노동력 배치의 규제 혹은 희생 산업 노동자의 전직 알선 등이 노무과의 주요 업무가 되었다.[187]

---

183) 警務局 經濟警察課,「勞務管理と經濟警察」,『朝鮮勞務』4-3, 1944. 4, 2~3 쪽.

184)『朝鮮總督府官報』號外, 1941. 4. 13, '朝鮮總督府 訓令 23號 事務分掌規程改正'.

185)『每日新報』1940. 7. 29, '本府에 勞務課를 新設, 勞力總動員에 萬全, 國策事業에 人的 資源을 供給'.

186)『朝鮮總督府官報』號外, 1941. 4. 13, '朝鮮總督府 訓令 23號 事務分掌規程改正'.

설치될 당시 노무과의 직원은 사무관 2명, 이사관 1명, 기사 1명, 屬 21명, 기수 2명과 囑託 5명으로 구성되어 있었다. 이들은 대개 조선에서 5~10년의 행정 경력을 지니고 있었으며, 그 중 다수가 내무국 사회과에서 근무한 경험을 지닌 전문 직원이었다. 이외 부분적으로 기왕에 경찰서나 지방 경찰부 경무과, 식산국 광산과, 지방 산업부 산업과에서 근무한 사람들이 있었다.[188]

1941년 10월 노무과는 총독부 내의 厚生局 신설과 함께 부서를 옮겨 갔다. 노동력 동원을 위한 복잡한 업무를 처리하기 위해 후생국을 신설하였기 때문이다. 후생국은 노무과 외에도 기왕에 내무국에 속하였던 사회과와 경무국에 속하였던 위생과를 옮기고, 별도로 보건과를 신설하여 총 4과로 조직하였다.[189] 주된 업무는 노무대책의 마련과 함께 보건위생 체력증진 대책, 각종 사회시설, 복리시설 등 인적 자원의 기초배양을 위한 응급적이거나 항구적인 대책을 마련하는 것이었다.[190] 노무과에서는 그 중 직업 소개 기타 노동력의 수급·조정, 실업 대책 마련, 노동력의 유지·증강, 노동 조건에 관한 사항, 노동 보호에 관한 사항, 직업 능력의 등록과 징용 등에 관한 사항을 담당하고 있었다.[191]

이러한 행정 조직과는 별도로 총독부는 1940년 기왕의 직업소개소를 총독부 관할의 '국영'으로 바꾸고, 朝鮮職業紹介令을 발포한 후에 각 도마다 1개소씩 설치해 갔다.[192] 1930년대 관련법조차 없이 주로 일용 노동자의 노동력 수급 문제를 담당하였던 직업소개소는 전시하에 들어서면서 그 역할이 새롭게 조명되었다. 각 직업소개소에서는 구직자를

187) 「勞務課新設に就て內務局長談」,『朝鮮』311, 1941. 4, 106쪽.
188) 朝鮮總督府 編,『朝鮮總督府及所屬官署 職員錄』참조.
189) 「總督府機構改革案發表」,『朝鮮』318, 1941. 11, 59~60쪽.
190) 京城日報社,『朝鮮年鑑』, 1943, 99쪽.
191) 「厚生局の新設」,『朝鮮社會事業』20-1, 朝鮮社會事業協會, 1942. 1, 37~38쪽.
192) 慶尙南道 鑛工部 勞務課,「朝鮮職業紹介令」,『勞務關係法令集』, 1944, 273~274쪽 ;『每日新報』1939. 12. 15, '一道에 一個所主義로 國營職業紹介所'.

거주지역 사업에 공급함은 물론, 서북부지방의 시국산업 부문으로도 송출하고 있었다.193)

전쟁이 진행될수록 노동력 부족문제가 강조되었고, 산업계에서는 노동력 수급이 가장 중요한 문제로 부각되었다. 이에 조선총독부는 기술자로부터 일반노동자에 이르기까지 점차 확대된 고용 제한 법령을 적용해 인위적으로 노동력을 시국산업에 집중 배치하고자 하였다. 따라서 그간 勞動者募集取締規則에 기초해 지원모집, 연고모집, 청부모집, 업자 직접모집 등의 다양한 방식으로 행해지던 탄광 광산과 토목사업 등의 노동력 모집은, 1939년 7월 노무동원계획 하에 그 성격이 크게 바뀌었다. 소위 '국가적 요청'이 강조되는 상태에서 고용조건이나 모집 지역, 모집 기간, 수송 방법 등이 엄격한 통제 하에 행해지게 되었다.

그 해 9월 일본에서는 조선인 노동자 모집에 대비하여, 「朝鮮人勞動者募集要綱」과 「朝鮮人勞動者 移住에 관한 事務取扱手續」을 제정하여 모집허가의 신청과 노동자의 도항, 도착 후의 조치 등을 규정하였다. 그러나 1939년도 분으로 인가된 조선인 노동자 모집에 응한 노동자 수가 계획에 크게 못미치자 일제는 1940년 3월 말에 1939년도 제2차 추가 모집을 행하였다. 추가 모집에 앞서 1940년 1월 종래의 勞務者募集取締規則을 폐지하고, 새로이 制令 제2호로 朝鮮職業紹介令을 공포하였다. 이후 노동자의 모집은 朝鮮職業紹介令施行規則의 '노무자 모집'에 관한 규정에 의거하여 진행되었다.194)

조선직업소개령은 노무동원계획 추진에 대응하여 "인적 자원의 계획적 배치를 꾀"195)한다는 취지로 제정되었다. 따라서 직업소개사업은 "정부 관장으로 정부가 무료로 행"한다고 하여 조선총독부가 직업소개사업과 직업 지도를 행하도록 규정하고, 그와 관련하여 일반직업소개

---

193) 京城職業紹介所, 『京城職業紹介所所報』 特輯號, 1940, 4쪽.
194) 前田一, 『特殊勞務者の勞務管理』, 山海堂, 1943, 29~36쪽.
195) 大野綠一郎, 「道知事會議に於ける大野政務總監訓示の要旨」, 『同胞愛』 17-6, 朝鮮社會事業協會, 1939. 6, 19쪽.

사업·노무 공급 사업과 노무 모집 등은 조선총독 또는 도지사의 허가를 받을 것을 규정하였다.[196] 이 법령의 시행으로 노동자 모집의 형식은 완전히 統制募集의 형태를 띠게 되었다.

총독부는 1940년 기존의 府營 직업소개소 중 경성을 비롯하여 대구, 부산, 평양 등 6개 도시의 직업소개소를 총독부 소속의 '국영'으로 이관한 데 이어[197] 대전, 광주, 청진의 직업소개소를 국영으로 신설하고,[198] 이듬해에도 신의주, 함흥 등 7개 직업소개소를 신설 혹은 이관하였다.[199] 직업소개소가 조선총독부의 직접 관장 하에 일제의 목적에 따라 조선인을 동원하는 중심기구로, 곧 노동력 통제 기관으로 확대·변질되었던 것이다.

조선직업소개령의 시행에 맞추어 총독부는 직제를 개정하여 노동자 모집에 관한 일체의 사무를 警務에서 內務로 이관하였다. 곧 제 원서의 수리와 취급이 총독부에서는 保安課에서 社會課로, 각 도청에서는 고등경찰과에서 사회과로, 각 군에서는 경찰서에서 군청으로 이관되었다.[200] 경찰력으로서 노동자를 통제하는 것보다는 내무행정으로서 노동력 동원과 통제에 중점을 두기 위해 행한 조처였다. 이는 일본의 노무동원계획에 따라 조선인의 일본 이송을 적극적으로 추진하기 위한 과정이었으며,[201] 또한 官斡旋, 徵用 등의 강제동원을 실행하기 위한 사전 포석으로서의 성격이 짙었다.

생산력 확충을 위해 토건사업과 공광업 부문의 노동력 공급문제가 중요 과제로 강조되면서, 직업소개소의 노동력 공급기관으로서의 역할

196) 朝鮮總督府, 『朝鮮法令輯覽』, 1940, 186~196쪽.
197) 『每日新報』 1939. 4. 20, '公立職業紹介所 六個所를 國營, 知事會議에서 指示'.
198) 『每日新報』 1940. 12. 5, '國營직업소개소 大田 光州 淸津에 新設'.
199) 朝鮮總督府, 『朝鮮總督府施政年報』, 1941년판, 181~182쪽.
200) 前田一, 앞의 책, 1943, 29~36쪽.
201) 小林英夫, 앞의 글, 1974, 76쪽.

이 강화되었다.[202] 일제는 군수 노동력의 확보를 비롯해 생산확충을 위한 노동자의 충족, 전쟁으로 인한 轉·失業者와 상이군인의 취직 알선 등을 통해 생산력을 전면적으로 증대하고자 했다.[203] 이에 공장과 광산 부문에 많은 노동력이 필요하게 되었고, 직업소개소가 이 부문의 노동력 공급에 그 활동을 집중하게 된 것이다.

또한 공업화 과정 초기에 공장의 주요 부문에서 대다수의 노동자를 일본인으로 채웠던 총독부는, 전시체제로 들어서면서 일본인 노동자의 징병이 추진됨에 따라 직공 확보 문제가 다급해져 가자 조선인에 대한 직업 훈련을 실시할 수밖에 없게 되었다.[204] 이와 함께 총독부는 조선인 미숙련공 확보에도 총력을 기울였다. 직업소개소의 구직 노동자 중 상당수가 20세 이하의 보통교육을 경험한 층이라는 점에서,[205] 이들은 당시 공장 노동력 수급의 중요한 대상이 되었다. 따라서 이미 '보통학교－직업소개소－고용주' 체제를 형성해 나가고 있던 각 지역의 직업소개소들은, 이후 보통학교 졸업생들을 '견습공' 혹은 '소년공' 등으로 칭하면서 이들을 주요 군수공장의 노동자로 공급하는 데 주력하였다.[206] 직업소개소는 노동력의 동원과 공급, 나아가 훈련과 통제 등 다양한 역할을 담당하다가, 이후 총독부알선과 도알선에 의한 노동자 동원이 행해지고 현원징용과 일반징용 등 노동력 강제동원이 실현되기에 이르면

---

202) 『每日新報』1939. 4. 28, '勞動力參謀本部로 職業紹介所 機構擴充, 國營으로 公營의 中樞機關化';『每日新報』1939. 12. 12, '國營職業紹介所 少, 壯, 女子의 三部 두고 勞務斡旋을 擴充, 1月 1日부터 看板도 새로'.

203) 大野綠一郞, 앞의 글, 1939. 6, 19쪽.

204) 京城職業紹介所, 앞의 책, 1940, 85~86쪽.

205) 1936년도 대구 직업소개소 구직자의 연령과 교육 정도를 보면, 총구직자 2,326명 중 20세 이하가 1,552명으로 67%였고, 보통학교 졸업 이상인 자가 1,470명으로 63%였다. 20세 이하로 보통학교 졸업 이상인 자는 1,060명으로 전체의 46%에 달하였다(大邱府, 『大邱府社會事業要覽』, 1937, 26~33쪽).

206) 이상의, 「1930년대 日帝의 勞動政策과 勞動力收奪」, 『韓國史研究』94, 1996, 189~190쪽.

서, 1943년 12월에 폐지되었다.

이외에도 노동력 동원 과정에서는 민간 단체의 역할이 적지 않았다. 그런데 당시 대부분의 민간 단체에는 관의 영향이 크게 미치고 있었다. 대개의 단체는 半官半民의 형태를 유지하였지만, 실제 내용상은 관변 단체로서 기능하였다. "신체제 하에서는 국가내의 각종 단체를 모두 大國家 세포조직의 일 단위로 하고, 그 목적을 국가 목적으로 통합시켜야" 함을 강조하는 논리에서 취해진 조치였다.[207] 노동력 동원과 관련된 대표적인 단체였던 朝鮮勞務協會와 朝鮮土木建築協會 역시 관변 단체로서의 성격이 짙었다.

조선총독부는 중요산업에 대한 노동력 공급과 노동력의 유지·배양, 노동 능률의 증진 등 노동력에 대한 양적·질적 대책을 강화해야 하였다. 따라서 이러한 시책에 적극 협력할 만한 유력한 기관을 설치하고자 하였다.[208] 1941년 6월 말 민간의 사업주를 노동력 동원 행정 기구로 포섭하기 위해 총독부 노무과 내에 설립한 행정 보조 단체가 朝鮮勞務協會이다.[209] 조선노무협회는 노동력 수급의 조정과 노동력의 유지 증강에 관한 사업의 수행·발전에 협력할 것을 목적으로 설립된 행정 보조 단체였다. 그런데 실제 조선노무협회의 구성과 사업의 내용은 단순한 협력의 수준을 넘어섰다.

이 협회의 중앙 관리직은 총독부의 고위직 관료 혹은 노동 관련 관료와 외곽 단체의 간부들로 구성되어 있었다. 정무총감이 회장을, 내무국장과 경무국장이 부회장을 맡았으며, 상무이사에는 "본회의 사업에 밀접한 관련이 있는 자"를 임명하도록 회칙에 정하는 등의 조치를 통해 총독부 내의 각 구성원들이 요직을 담당하고 있었다. 설립 초기의 직원을 보면, 상무이사에는 노무과장과 경무국 보안과장이, 이사에는 국민

207) 國民總力朝鮮聯盟 編, 앞의 책, 1941, 74~78쪽.
208) 大野綠一郎, 앞의 글, 1941. 10, 2~4쪽.
209) 三橋孝一郎, 앞의 글, 1941. 10, 8~9쪽.

총력과장, 지방과장, 사회과장, 토목과장, 상공과장, 광산과장, 농무과장, 운수과장 등 노동력 동원과 관련된 과장급이 망라되었다. 또한 민간에서는 이사로서 西松組, 鹿島組 등의 대규모 건축업자, 朝鮮石炭組合聯合會 이사장, 朝鮮鑛業振興株式會社 이사장, 朝鮮金山開發株式會社 이사 등이 위촉을 받았다. 이와 함께 參與로서 식산국장, 농림국장, 기획국장, 철도국장 등 노동력 동원 관련 국장급과 국민총력조선연맹 사무국 총장, 조선토목건축업협회 회장, 국민총력조선광산연맹 회장, 조선상공회의소 소장 등이 임명되었다.

조선노무협회의 하부 조직은 지방행정 단체와 유사한 형태로 만들어졌다. 전국 13도에 지부를 두고, 그 아래 직업소개소가 있는 지역은 직업소개소에, 없는 지역은 府郡島에 분회를 두었다. 지부장은 도지사, 분회장은 직업소개소장 또는 부윤·군수·도사와 같이 각각의 지방 행정 단체장이 협회 지방조직의 장에 임명되었다. 그리고 그 예산은 국고 보조와 道費에서 지출되었다.210)

조선노무협회의 회칙에 게시된 사업 내용은 ① 노무자의 교양훈련에 관한 사항, ② 노동 사정 및 직업 문제에 관한 조사 연구 및 그 보급 선전,211) ③ 노무 자원의 개척, ④ 노무 관리의 지도, ⑤ 노무자와 그 가족의 보호 지도, ⑥ 관청 및 민간과의 연락, ⑦ 기타 필요한 사항 등으로

---

210) 「協會會報」,『朝鮮勞務』1-1, 1941. 10, 109쪽 참조.

211) 조선노무협회는 기관지『朝鮮勞務』를 월간 혹은 격월간으로 발행하여, 일제와 조선총독부의 노동행정에 관한 사항을 알리거나 노동력 통제 관련 법안을 게재하고 각 사업장의 노무관리 실상 등을 소개하였다.『朝鮮勞務』는 1941년 10월에 창간되어 1943년 12월까지는 격월간으로 발행되었고, 1944년 2월부터 1945년 4월까지는 월간으로 발행되었다. 일제 말기, 특히 태평양전쟁기 노동 문제에 대한 일제와 총독부의 견해가 자세히 소개되어 있고, 각 법령을 비롯하여 요강, 통첩에 이르기까지 다양하게 수록하고 있어, 자료가 대단히 드문 이 시기 노동문제 연구에 귀한 참고문헌이다. 국내에서는 고려대 아세아문제 연구소에서 소장하고 있으며, 일본에서는 2000년 庵逧由香의 해설과 함께 綠蔭書房에서 영인되었다.

서, 그 중에서도 ①~③이 협회의 중심 사업이었다.212) 즉 조선노무협
회는 관민일체의 특수 기관임을 자임하면서 '근로'에 관한 新精神을 확
립하고, 이를 보편화하여 노자일체의 풍조를 만들며, 조선의 노동력을
조직 훈련하여 효율을 높이는 것을 임무로 하고 있었다.213) 실제 조선
노무협회의 활동 범주는 조선총독부의 방침에 따른 中堅勞務者의 鍊
成, 노무관리의 지도, 노동자 공출에 대한 협력, 노동사정과 직업문제에
관한 조사연구 등 제반의 국책사업을 담당하여,214) 직접 노동행정의 일
부를 대행하고 있었다. 이 협회의 회칙에서는 활동의 목적을 "노무수급
의 조정 및 노동력의 유지 증강에 관한 사업의 원활한 수행 및 발전에
협력하는 것"이라고 하였으나, 실제 사업 내용은 노동력 동원정책의 일
익을 담당하는 것에 가까웠다.

이와 같이 조선총독부는 국가총동원법을 조선에 적용한 이후 각종
법률에 기반하여 법적으로 노동력 동원체제를 만들어 갔다. 중일전쟁
이전까지의 노동정책이 단순하고 응급적인 차원에서 추진된 데 비해,
전시체제로 들어가면서 국가총동원법에 기반한 고도의 노동통제법령이
일본과 동시에 시행되었다. 일제는 조선의 노동력을 활용하고자 새로운
노동력을 끊임없이 동원·양성하고자 하였으나, 현실에서는 이내 노동
력의 부족이 드러나고 있었다. 따라서 노동력 동원을 위한 법률적 정비
를 완료한 일제는, 이어 노동행정 기구를 정비하고 半官半民의 성격을
지닌 외곽단체들도 적극 활용하는 체제를 갖추어 갔다. 노동력 동원기
구를 정비하여 동원 체제를 갖춤으로써 전쟁의 확대에 대비해 간 것이
다. 이러한 체제를 기반으로 일제는 조선인 노동력의 분포 상황을 조사,
등록하고 그에 근거해 최대한 노동력을 동원하고자 하였다.

---

212) 庵逧由香,『朝鮮勞務 別冊』, 綠蔭書房, 2000, 7~10쪽 참조.
213)「創刊の言葉」,『朝鮮勞務』 1-1, 1941. 10, 1쪽.
214)「朝鮮勞務協會設立趣意書」,『朝鮮勞務』 1-1, 1941. 10, 100쪽.

2) 노동력 조사와 노동자 통제

⑴ 노동력의 조사와 등록

전쟁이 초기의 예상보다 오래 지속되면서 군수물자 생산과 지하자원 개발 등이 가속화되자 노동력 부족 현상은 점차 심화되었다. 우선 조선 자체 내의 노동력 수요가 크게 증가하였을 뿐만 아니라 일본, 만주 등지에서도 조선인 노동력을 요구하고 있었다. 총독부는 일본과 조선, 만주를 一環으로 하는 노동력수급 조정회의의 개최를 제창하고, 우선 동원 가능한 노동력을 조사하였다. 그리고 각 도별로 인원을 할당하여 군, 면 등 행정기관을 통해 노동력을 동원하기 시작하였다.[215]

이렇게 확보한 노동력은 1939년 5만 3천여 명, 1940년 약 6만 명, 1941년 6만 7천여 명 등 해마다 증가해 갔고, 그중 대부분은 일본으로 동원되었으며 일부는 사할린과 남양지역으로 동원되었다. 조선 밖으로 동원된 조선인 노동자들은, 체격이 우수하여 근육노동이나, 耐熱・地下 勞動에서 좋은 성적을 거두고 있다는 평가 아래 대부분 노무동원계획 산업인 광공업, 토목건축업 등의 중노동 분야에 투입되었다.[216] 1941년 현재 이미 일본 내 각 사업장에서는 전체 노동자 중 조선인 노동자의 비율이 적게는 7.5%에서 많게는 36.8%에 이르렀으며, 조선인 노동자의 일본 이출이 늘어나면서 그 비율은 점차 높아지고 있었다. 특히 탄광 坑內夫의 경우는 최저 66%에서 최고 97.6%까지 되었으며, 그 중에서

---

215) 조선총독부 내무국은 잉여 노동력을 조사한 결과, 조선에서는 細農 36만 1,927, 농업일용자 21만 1,024, 기타 일용자 3만 71, 토건 일용자 6만 7,848, 합계 67만 870명의 동원이 가능하다고 보았다. 이를 각 도별로 보면 경기 5만 3,015, 충북 4만 1,222, 충남 5만 7,525, 전북 8만 2,668, 전남 9만 9,720, 경북 7만 3,576, 경남 9만 7,890, 황해 3만 5,422, 평남 2만 5,578, 평북 2만 1,576, 강원 4만 4,991, 함남 2만 5,712, 함북 1만 1,975명이었다(『大阪每日新聞 朝鮮版』 1938. 1. 26).

216) 近藤釰一 編,「最近に於ける朝鮮の勞務事情」,『太平洋戰下の朝鮮(5)』, 友邦 協會, 1964, 167~169쪽.

도 採炭夫・支柱夫・運搬夫의 비율은 압도적이었다.[217]

  급증해 가는 조선인 노동력의 수요를 충족시키기 위해 총독부는 보다 체계적인 대책을 마련하여야 했다. 노동력의 수급 문제를 해결하기 위해서는 전 인구의 7할에 달하던 농촌의 노동력에 크게 의지할 수밖에 없었다. 따라서 노동력 대책은 무엇보다 농촌 노동력과의 관련 속에서 고려되었다. 그런데 이 시기 조선의 농촌은 미가의 상승 등으로 인해 농업공황기에 비해 상대적으로 안정기에 들어서 있었다.[218] 또한 1930년대에 지속된 만주・일본 등 국외로의 이주가 증가하면서 전반기에 비해 유휴노동력이 감소하는 경향을 보이고 있었다. 중일전쟁을 계기로 농촌의 인구가 급속히 유출되어, 농민의 이동률은 전국 평균 8%에서 1940년대에는 14% 정도로 상승하였다.[219] 군수산업 위주의 산업구조 편성으로 비료의 입수가 곤란해지면서 농업 경영의 수익이 점차 감소하고 소작인의 생활이 더욱 궁박해지는 데 비해, 광공업 방면은 상대적으로 임금이 높고 물자배급이 원활하다는 점이 농민 이동의 큰 원인으로 작용하였다.[220] 전시하의 물자 배급의 편재와 노동력 공출이 농촌 노동력 이동의 직접 원인이 되었던 것이다.

  일제는 전시에 식량 공급과 노동력 공급이라는 두 가지 과제를 조선에 부여하고 있었다. 식량 공급을 위해 1940년 이래 11개년을 기간으로

---

217) 김민영, 앞의 책, 1995, 110쪽. 이 글에서는 일본 노동과학연구소가 1941년 현재 14개 광산, 3개 토목건축 현장, 3개 공장을 대상으로 조사한 「半島勞務者 勤勞狀況에 關한 調査報告」(1943. 5)를 참고하여 내용을 작성하였다.

218) 鄭然泰, 「日帝의 韓國 農地政策(1905~1945년)」, 서울대 국사학과 박사학위 논문, 1994.

219) 岩田龍雄, 앞의 글, 1944. 3, 3쪽.

220) 예컨대 전북 부안군의 한 지역에서는 1938년 전호수 124호 중 약 10%가 이촌하였는데, 생활 곤란으로 인하여 일본에서 노동자가 된 경우가 3호, 소작료 미납에 의한 소작권 박탈 때문에 인근 지역으로 이동한 경우가 6호, 만주 이민 2호, 범죄 1호로서, 대부분 생활난에 근거한 것이었다. 또한 일본으로 이주한 경우에도 그 원인을 "조선에서는 먹고 살 수 없기 때문"이라고 답한 자가 많았다.

하는 增米計劃과 1941년 이래 5개년을 기간으로 하는 食糧畑作物增産計劃을 진행하고 있었다.[221] 따라서 농촌 노동력의 동원은 이제 식량생산 확보에 지장을 받지 않는 한도 내에서 진행되어야 했다.[222] 더욱이 당시 농촌의 노동력은 자연 감소 상태에 있었다. 國勢調査 결과에 의하면 1930~35년의 인구 자연 증가수는 110만여 명으로, 1925~30년의 150만여 명에 비해 크게 줄었다. 게다가 생산연령인구인 15~59세가 국외로 이동하여 점차 감소하는 현상은 노동력 동원의 관점에서 볼 때 심각한 문제가 되었다.[223]

그러나 일제는 매년 勞務動員計劃을 통해 조선에서 동원할 노동자 수를 증가시켜 갔다. 이에 총독부는 일정 수의 노동력 공급을 위한 가능성을 진단하고 새로운 공급을 창출하기 위해 노력하였다.[224] 특히 전쟁의 확대에 따라 끝없이 확대되는 노동력의 수요를 감당하기 위해서는 노동 통제 조직의 정비와 함께 조선의 노동력 사정에 관한 참고자료가 필요하였다.[225] 총독부는 노동력 편재 현황에 대한 종합적인 통계자료를 얻기 위해 전체 인구의 70%를 차지하는 농촌 인구를 조사하고, 전국의 노동자와 기술자를 조사하였다.[226] 또한 노동력의 동태를 파악

---

221) 石井辰美, 「昭和十七年春期農繁期勞務調整に關して」, 『朝鮮勞務』 2-2, 1942. 4, 40쪽.
222) 近藤釖一 編, 앞의 글, 1964, 172쪽.
223) 姬野實, 『朝鮮經濟圖表』, 朝鮮統計協會, 1940, 29~30쪽.
224) 총독부는 장기적인 차원의 노동력 확보책으로 출산을 장려하기도 하였다. 후생국의 초대 국장이었던 石田千太郎은 후생국 설립의 취지가 전시 인적 자원의 확보와 국민동원을 원활히 하는 데 있다고 하면서, 인적 자원의 증강을 위해서는 적극적으로 결혼을 장려하고 출산을 증가시켜야 한다고 강조하였다. 이에 대해서는 소현숙, 「일제시기 출산통제담론 연구」, 『역사와 현실』 38, 한국역사연구회, 2000. 12, 246쪽 참조.
225) 1930년대 중반까지 조선에서의 노동력 수급은 응급적으로 추진되었고, 노동력 사정에 관한 연구·조사는 거의 진행되지 않았다.
226) 그 결과는 1941, 42, 43년 세 차례에 걸쳐 『朝鮮勞動技術統計調査結果報告』로 작성되었다.

하기 위해 1942년 9월 朝鮮寄留令을 발포하고 현 거주지를 기재한 寄
留簿를 작성하였으며,[227] 노동력 동원 혹은 노무관리에 관한 법안과 요
강을 잇따라 발표하였다.

총독부는 우선 체계적인 노동력 동원을 위해 대대적으로 노동력 조
사를 실시하였다. 먼저 당장 필요한 노동력을 파악하기 위한 조사를 진
행하였다. 여기에서는 노동 가능자의 조사 기준을 공장·광산·기타 물
품 제조 등에 종사하고 있는 노동자를 제외한, 보통 노동에 종사할 수
있는 체격을 가진 18세 이상 50세 이하의 남자로 정하였다. 노동 가능
자로 파악된 사람은 1937년 10월 1일 현재 노동을 주업으로 하는 자가
64만여 명, 기타 유업자가 184만여 명 등으로 총 248만 명을 넘었다.[228]
조선총독부는 그 결과를 각 道·府·邑·面 등에 배포하여 노동력 배
급을 조정하도록 조치하였다.

노동력 조사는 이외에도 다양한 방식으로 진행되었다. 우선 직업별
인구 배분을 기초로 하여 無業者, 不急 部門의 직업 종사자, 농경 종사
자 등에서 각 직업별로 적당하다고 인정되는 비율에 따라 공출 가능인
구를 산정하는 방법이 있었다. 또한 농촌 재편성의 견지에서 각 지방별
로 이상적인 농가 호수를 산출한 후 과잉 호수를 다른 산업으로 향할
수 있는 노동력 공급원으로 보는 방법이 있었다. 이와 함께 1938년부터
는 매년 상당액의 비용을 지출하여 본격적으로 노동력을 조사하였다.
전국의 각 里洞에 1명씩의 조사원을 두고, 일정 면적 미만을 경작하는
소작농과 농업노동자 각 호에 대해 동원 가능자수와 출가 희망자를 조
사하게 하였다.[229]

---

227) 「朝鮮寄留令公布さる」, 『朝鮮』 329, 1942. 10, 114~116쪽.
228) 이들을 지역별로 보면 경상남도와 전라남북도가 가장 많고 함경남북도가 가
　　장 적었으며, 인구 100명당 남부지방 13, 서부지방 12, 중부지방 10, 북부지방
　　8명의 분포를 보였다(『朝鮮民報』 1938. 3. 5).
229) 朝鮮總督府 司政局 勞務課, 「朝鮮の勞務に就て」, 『朝鮮勞務』 3-2·3, 1943.
　　8, 11~15쪽.

그런데 당시에 행해진 여러 조사는 그 결과가 거의 일반에게 발표되지 않았으며, 기왕에 관청에서 필요에 따라 수집하였던 자료도 "시국의 정세상 공표되기 어려운 것이 많아",[230] 조사가 완료되고 결과가 나와도 정책 입안 당사자가 아니면 그 내용을 알기 어려웠다. 총독부는 조사 결과에 대신하여 다만 조선에는 상당수의 공출 가능한 노동력이 있다고 발표하였으며, 특히 다수의 청년을 군대로 보내고 있는 일본과 비교하면 조선의 노동력 자원은 아직 상당히 탄력이 있다는 내용을 되풀이하고 있었다.

조선인 노동력 조사의 가장 큰 목표는 농촌 노동력의 분포를 파악하는 데 있었다. 1930년 농업 인구는 약 1,556만 명으로 전체 인구 1,968만여 명의 79%를 차지하였는데, 1940년에는 농업 인구가 약 1,672만 명으로 전체 인구 2,295만여 명의 72.8%로 점차 그 비율이 감소되었다.[231] 그러나 농업 인구가 총인구에서 여전히 큰 비중을 차지하고 있다는 점에 일제는 주목하였다. 1940년 3월 내무국장은 각 도지사에게 「勞務資源調査에 關한 件」이라는 통첩을 보냈다. 여기에서는 노동력 수급 조정은 종래의 심상한 수단으로는 도저히 소기의 효과를 기대할 수 없다고 하면서, 이후 소요 노동력의 대부분은 농촌의 인적 자원에서 구할 수밖에 없는 실정이라고 지적하고, 이에 속히 과잉노동력의 소재와 양을 구명하여 전시 노무 대책에 이바지할 수 있도록 당해 연도부터 농촌의 노무자원을 조사한다고 하였다.[232]

이를 위해 내무국에서는 1936년도의 총경지면적을 기준으로 하여, 각 도별로 임의로 '理想面積'을 산출 가정하고, 그에 따라 얻은 理想戶數와 過剩戶數의 결과를 「勞務資源調査要綱」에 수록하여 각 도에 보냈다.[233] 그리고 이를 기준으로 각 도에서 지방의 실정을 고려하여 郡

---

230) 田原實, 「朝鮮の勞務資源に就て」, 『朝鮮勞務』 2·3호, 1942. 6, 2~17쪽.

231) 朝鮮總督府, 『朝鮮總督府統計年報』, 1930·40년판.

232) 朝鮮總督府, 「勞務資源調査ニ關スル件」, 『戰時下朝鮮人勞務動員基礎資料集 Ⅰ』(樋口雄一 編), 綠蔭書房, 2000, 201~205쪽.

222

別 이상 경지 면적을 정하고 출가노동이나 전업이 가능한 자와 희망하는 자의 숫자를 조사하게 하였다. 「노무자원조사요강」에 수록된 별표에서는, 전국 농촌의 이상 호수를 203만 5,264호로 보고 현재 호수는 305만 8,755호이므로 무려 102만 3,491호가 과잉 호수라고 파악하였다.[234] 이후 요강에 따라 각 도마다 군별로 동원 가능한 노동력 숫자를 조사하였다. 이 조사에서는 12∼45세에서 出家나 轉業이 가능하다고 판단되는 사람과 실제로 희망하는 사람을 같이 조사하였다. 그 결과는 출가나 전업이 가능하다고 파악한 남자가 92만여 명, 여자가 23만여 명이고, 희망하는 남자가 24만여 명, 여자가 2만여 명이었다.[235]

사전에 내무국에서 이후의 노동정책은 농촌의 노동력을 기반으로 추진될 수밖에 없음을 밝혔지만, 각 도별로 조사한 출가나 전업을 희망하는 자의 수는 가능자로 파악된 수와 큰 차이를 보였다. 또한 가능자수도 기왕에 내무국에서 파악한 이상호수와 큰 간격이 있었다. '희망자수 < 가능자수 < 이상호수 < 필요한 노동력'의 구조였던 것이다. 따라서 해마다 제시되는 필요 노동자의 수가 확대되는 상태에서 농촌에서의 노동력 동원이 지속적으로 추진되었고, 그 방식 또한 현실을 고려하지 않은 채 강압적으로 진행될 수밖에 없었다.

노동력 조사와 더불어 일제는 더욱 체계적으로 노동력을 동원하고자 1939년 1월 국가총동원법 제21조의 규정에 기초해 國民職業能力申告令을 공포·시행하였다. 노무동원계획 수립에 맞추어 노동력을 적정히 배치한다는 취지에서 마련된 이 법령은 조선에서도 같은 해 6월 1일부

---

233) 「勞務資源調査要綱」의 別表로 첨부하여 내무국장이 각 도지사에게 보낸 문건에서도 "이상 호수와 과잉 호수의 산출에서는 농가 1호당 이상적 수입의 원천을 전담 경작에서만 구하였으므로, 농가에서의 부업 수입 기타의 현금 수입을 고려하면 이상 호수는 증가하고 과잉 호수는 감소할 것"이라는 단서를 달고 있다(樋口雄一 編, 위의 책, 2000, 210쪽).
234) 樋口雄一 編, 앞의 책, 2000, 209∼210쪽.
235) 朝鮮總督府, 「勞務資源調査ニ關スル件」, 앞의 책, 2000, 325∼336쪽.

터 실시되었다.236)

국민직업능력신고령에 의해 실행된 국민등록제는 모든 기능자와 청장년을 등록하여, 군수산업과 생산력확충산업 요원을 신속히 확보하고 능률을 최대한 발휘시키기 위한 인적동원체제를 확립하는 기초작업이었다.237) 곧 국민직업능력신고령에 의한 등록은 國民登錄과 靑壯年登錄 두 가지로 구분되었다. 국민등록은 기능을 가진 사람이 신고하는 등록으로 일명 技能登錄이라 부른 데 비해, 청장년등록은 기능이 없는 사람을 등록하는 것이었다.238)

그 중 특수한 기능을 가진 자, 곧 현직자와 전직자, 특정 학교 졸업자, 기능자 양성 시설 수료자, 검정시험에 합격한 자 혹은 면허를 받은 자에 대한 국민등록은 이미 1939년 6월 1일부터 16세 이상 50세 미만의 남자 중 137종239)의 기술·기능을 가진 자를 등록한 것으로, 등록 후에는 기능자임을 인정하는 신고 수첩을 주었다. 총독부는 그 내용을 기초로 일부 기능자를 취업 장소에 중점적으로 배치하고 있었다.240)

그러나 기능자의 배치만으로는 생산력확충정책을 이행하기 어려웠다. 이에 일제는 국민개로 정신을 강조하면서 일정 연령의 가동 능력이 있는 자는 모두 종사 지위, 기술 정도, 병역을 포함한 자신의 능력을 신

---

236) 일제의 노무동원계획에 기초해 1939년 이래 일본 본국, 사할린, 남방지역 등으로 송출된 조선인 노동자는 1943년 6월 말 현재 43만 명에 달하였다. 그 외 별도로 군요원으로서 송출된 자도 1944년 9월 말 현재 9만 명에 이르렀다(近藤釗一 編, 앞의 글, 1964, 165쪽).

237) 「國民登錄制の實施」, 『朝鮮』 290, 1939. 7, 105~106쪽.

238) 宮孝一 著·上田龍男 譯, 『朝鮮徵用問答』, 每日新報社, 1944, 10~19쪽.

239) 이 중 3종은 1940년에 추가되었다. 1940년 8월 조선총독부 사회과에서는 『國民登錄關係法令通牒』이라는 소책자에 국민직업능력신고령 제2조 제1호 지정 직업에 대한 해설을 적어 각 관계 관청에 배포하였으며, 이후 상세한 내용을 다시 『朝鮮勞務』에 발표하였다(柳質郎, 「國民登錄職種解說」, 『朝鮮勞務』 2-3, 1942. 6, 48~53쪽).

240) 「朝鮮ニ於ケル國民登錄實施成績槪要」, 『日帝下 戰時體制期 政策史料叢書 15』(民族問題硏究所 編), 韓國學術情報株式會社, 2000, 323~324쪽.

224

고하여241) 언제든지 노동력 동원에 응하게 하는 총동원 태세를 갖추고
자 하였다. 1941년부터는 가동 능력을 가진 일반인, 즉 16세 이상 40세
미만의 남자를 대상으로 1년에 한번씩 매년 9월 말에 청장년등록을 실
시하여 약 400만 명을 등록하였다.242)

조선인 기술자의 양성 문제는 중일전쟁 이후부터 긴급한 과제로 대
두하고 있었다. 군수산업의 확대와 기술자의 수요 증대, 대량의 병력
동원에 의한 일본인 숙련노동자의 부족 때문이었다. 따라서 시국대책조
사회의 자문답신서 중 '노무자의 양성 훈련에 힘쓸 것'이라는 항목에서
는 "수요의 격증에 따른 노무자 부족 현황에 비추어 속히 적절한 방도
를 강구해 그 양성 훈련에 힘써 충족을 원활히 할 것을 요한다"고 하고,
그 시설 계획으로 기술자 양성과 기술노무자 양성, 반농노동자의 훈련
을 들고 있었다. 즉 ① 필요한 기술 계통의 교육기관을 특설하거나 확
충하여 기술자의 양성에 힘쓸 것, ② 기술노무자 양성을 위해 國 또는
공공단체에 속성 양성 기관을 설치하고, 사업자에게 경비를 보조하여
양성을 담당하게 할 것, ③ 다수 미숙련된 半農 노동자의 능률을 증진
시키기 위해 그 중심이 될만한 인물을 양성하고, 일반 반농노동자에 대
해서도 전임 지도 직원을 두어 지도 훈련을 실시할 것을 제기하였
다.243)

그러나 이 같은 양성정책이 시행되던 시기에도 조선인 숙련노동자의
비율은 상당히 낮은 편이었다. 예컨대 1940년 인천에 있는 한 기계기구
공장의 노동자 1,426명 중 3년 이상의 경험을 가진 숙련노동자는 일본
인 120명, 조선인 424명, 계 544명으로 공원 2.6명당 숙련노동자 1명의
비율이었다. 그런데 이 공장 전체 노동자들의 민족별 구성은 일본인

241) 그 내용은 조선총독부 관방조사과에서 펴낸 『朝鮮昭和十五年國勢調査結果
要約』에 수록되어 있다.
242) 「朝鮮ニ於ケル國民登錄實施成績槪要」, 『日帝下 戰時體制期 政策史料叢書
15』(民族問題硏究所 編), 韓國學術情報株式會社, 2000, 323~324쪽.
243) 朝鮮總督府, 『朝鮮總督府時局對策調査會 諮問答申書』, 1938, 116쪽.

120명, 조선인 1,306명이어서, 일본인은 모든 직공이 숙련노동자의 지위
에 있었음을 알 수 있다.244)

일본인 숙련노동자가 징병되고 일본 국내에서도 숙련노동자의 수요
가 증대하면서 조선으로 진출하는 일본인 숙련노동자 수는 크게 감소
하였다. 조선인 미숙련노동자를 숙련노동자로 양성하여 군수산업 부문
으로 집중시킬 필요성이 강해진 것이다. 이 시기의 숙련노동자 양성 작
업은 工場事業場機能者養成令 공포를 계기로 朝鮮工業協會 熟練工養
成所가 중심이 되어 조선내의 공장과 일본의 공장에 양성공을 파견 훈
련하는 공장 위탁의 형식으로 이루어졌다. 예컨대 1941년도 조선공업협
회 숙련공양성소 기계과 학생 300명이 용산공작회사, 조선기계제작소,
조선상공회사 등 6개 회사에 배치되어 훈련을 받았고, 일본 기업 위탁
훈련생 330명이 일본으로 갔다. 이와 함께 鑿岩工養成所의 착암공 육
성, 연료연구소의 측량공 교육 등이 행해졌다.245)

공장 위탁 형식의 숙련노동자 양성 작업은 해당 공장에 커다란 부담
이 되었고, 또 영리기업이 노동자 훈련을 완벽히 행하기도 어려웠다.
이에 따라 훈련설비를 독립, 확대시키고 보통교육을 철저히 할 필요가
있다는 요구가 제기되었다.246) 실제 학교의 기초교육 과정이 충실하지
않은 상태에서는 양성공을 위탁하여 공장에서 일하게 한다 해도 숙련

244) 殖産銀行 調査部,「朝鮮に於ける機械工業の實情と其の對策(七)」,『殖銀調査
月報』72, 1944. 5, 4쪽.
245) 일제는 조선공업화의 과정에 상당수의 일본인 노동력을 이입하여 충당하였고,
조선인에 대한 일반 교육과 직업 훈련은 등한시하였다. 여기에는 조선의 노동
과정을 일본인 노동자로 하여금 장악하게 한다는 중요한 목적이 있었다. 그러
나 중일전쟁과 태평양전쟁을 계기로 일본인 노동자에 대한 징병이 강화되고
일본에서의 노동력 공급이 감소되어 일본인 노동자, 그 중에서도 기능직과 숙
련노동자가 절대적으로 부족해졌다. 이에 지극히 제한된 범위에서나마 조선인
에 대한 직업훈련을 실시하지 않을 수 없었다(安秉直,「植民地朝鮮의 雇傭構
造에 관한 硏究」,『近代朝鮮의 經濟構造』, 比峰出版社, 1989, 404~416쪽).
246) 殖産銀行 調査部,「戰時下朝鮮의 勞動問題(下)-その適應性を中心として」,
『殖銀調査月報』38, 1941. 7, 11쪽.

노동자로서 성장해 갈 보장이 없었다. 게다가 노동력의 부족이 강조되던 시기에 각 공장에서도 숙련노동자를 양성할 여유가 없었다.[247) 이 때문에 공장사업장기능자양성령에서 규정한 양성 의무 비율도 1939년 법 제정 당시에는 4~6%였으나, 이후 점차 감소하여 1941년에는 3.5~1.5%로 줄어들었다.[248) 결국 기술자 양성을 통해 '양성'된 기술자는 극히 소수에 불과하여, 이 같은 시책만으로는 일반 노동자의 기능 향상이 곤란하였다.

國民職業能力申告令에 의한 등록자의 구성을 보면, 1941년 6월 말 현재 전체 등록자 중 조선인은 직공에서는 87%였던 데 비해 기술자에서는 30%에 불과하였다. 더욱이 기술자의 기능 정도에서 일본인은 1, 2, 3급이 26, 30, 44%로 고루 분포하고 있었지만, 조선인은 고급 기술자인 1급 기술자는 11%에 불과했고, 2급이 24%, 3급이 65%를 차지하고 있었다.[249) 일제는 조선에서 30년이 넘는 지배 기간동안 지식인의 육성을 의도적으로 외면하였으며, 고급 기술자도 거의 양성하지 않았다. 이러한 양상은 전시에 기술자, 기능자의 수요가 시급한 시점에서도 크게 달라지지 않았다. 일부의 하급 기술자가 양성되기는 하였으나, 대개 기능 훈련은 외면한 상태에서 정신 훈련을 통해 무조건 적응을 강조하면

---

247) 小林英夫, 앞의 글, 1974, 67~69쪽.
248) 大同書院編輯部 編, 앞의 책, 1942, 377~384쪽.
249)

<표> 1941년 6월 말 기술자의 민족별 구성비율(단위 : %)

종별 \ 민족	일본인	조선인	계
기 술 자	70	30	100
직 공	13	87	100

<표> 1941년 6월 말 기술자의 민족별 기능정도(단위 : %)

민족 \ 기능정도	1급	2급	3급	계
일 본 인	26	30	44	100
조 선 인	11	24	65	100

자료) 田原實, 「朝鮮の勞務資源に就て」, 『朝鮮勞務』 2-3, 1942.6, 13쪽.

서 노동생산성 향상을 촉구하고 있었던 것이다.

이러한 상태에서 조선총독부는 1941년 5월 「朝鮮勞動技術統計調査施行規則」을 공포하고,[250] 8월에 조선의 노동자와 기술자에 대한 통계조사를 실시하였다.[251] 이후에도 1942년 6월과 1943년 6월 총 세 차례에 걸쳐 진행된 이 조사의 목적은 노동력 동원 계획을 세우거나 임금의 표준을 정할 때, 혹은 노동자와 기술자를 배치할 때 참고하기 위한 것이었다.[252] 총독부는 이 조사 결과를 소수의 축쇄판으로만 제작하고 더욱이 "本書는 防諜上 당분간 일반에게 公表를 보류하므로 취급에 특히 주의할 것"[253]이라고 附記하여, 여타의 노동력 조사 자료와 마찬가지로 극비로 취급하였다. 특히 조사표를 상부 기관에 제출할 때에도 道 이하의 관청에서 이 자료를 중간 집계하는 것을 일절 금지하고 있었다.[254]

조사의 범위는 5명 이상의 노동자를 사용하는 공장, 광산, 운수 사업

250) 朝鮮總督府, 『昭和十八年 朝鮮勞動技術統計調査結果報告 縮刷版』, 1944, 關係法令 3~4쪽(樋口雄一 編·解說, 『戰時下朝鮮人勞務動員基礎資料集 IV』, 綠蔭書房, 2000, 507~508쪽).

251) 이미 1922년 일본에서는 「統計資料實地調査에 관한 法律」을 제정한 후 조사 실시기관으로 일본 통계국 내에 노동과를 신설한 바 있었다. 1924년 제1회 조사를 시행한 후 3년마다 조사를 실시하면서 점차 노동 사정 전반에 걸친 통계 조사로 대상의 범위를 넓혀갔다. 초기의 조사 목적은 제1차 대전 후의 불경기에 따른 실업 대책이나, 노동조건의 개선 등 노동문제의 해결을 위한 자료를 얻는 데 있었다. 그러나 중일전쟁 이후 자급자족 경제의 확립이 시급해지면서 일제는 노동력의 소재를 파악하고 동원 대상 자료를 얻을 목적으로 조선을 비롯한 식민지 지역으로 조사의 범위를 확대하였다(渡邊肆郎, 「勞動技術統計調査に就て」, 『朝鮮勞務』 2-3, 1942. 6, 44~48쪽).

252) 朝鮮總督府, 『昭和十七年 朝鮮勞動技術統計調査結果報告』, 1943, 凡例.

253) 朝鮮總督府, 『昭和十八年 朝鮮勞動技術統計調査結果報告 縮刷版』, 1944, 표지(樋口雄一 編·解說, 앞의 책, 2000, 4쪽).

254) 조사의 경로를 보면, 일반조사의 경우는 '조선총독-도지사-부윤 또는 군수, 도사-읍면장-조사원-부조사원'의 경로를 거치고, 관영조사의 경우는 '조선총독-해당 소속관서장-조사원-부조사원'의 경로를 통해 조사하였다(朝鮮總督府, 『昭和十八年 朝鮮勞動技術統計調査結果報告解說』, 1943, 15~17쪽 (樋口雄一 編·解說, 앞의 책, 2000, 517~519쪽)).

장의 각 사업체와 사무소, 상점 등 긴급 조사가 필요하다고 인정되는 근대산업 부문의 사업체수, 노동자수, 기술자수, 사업주 등이었다.[255] 조사표는 事業票와 勞務票, 技術票 세 가지로 구분되었다. 사업표에서는 사업체의 소재지, 이름, 사업 종류, 노동자 현재수, 1개년 해고 노동자수, 1개월 노동자 임금 지불 총액을 조사하였다. 사업체의 소재지는 지방별 노동 사정의 차이를 밝힐 때, 사업 종류는 산업별 노동 사정의 차이를 밝힐 때, 노동자 현재수는 사업 규모에 따른 노동 사정의 차이를 밝힐 때 이용하기 위한 것이었다. 또한 1개년 해고 노동자수와 1개월 노동자 임금지불총액은 각 산업별로 노동자에 대한 노동조건의 차이와 임금과 노동자의 이동상태를 관찰하는 자료가 될 수 있었다.

노무표에서는 ① 성명, ② 성별, ③ 출생연월일, ④ 졸업 또는 수업 국민학교 소재지, ⑤ 배우자 유무, ⑥ 교육 정도, ⑦ 職名, ⑧ 職歷, ⑨

---

255) 공업 사업체의 경우 ① 상시 5명 이상의 노동자를 사용하거나 5명 이상의 노동자를 사용할 설비가 있는 일반 공장과 가스 전기수도 사업체, 선박해체 사업체의 사업주와 기술자, ② 연인원 300명 이상의 노동자를 사용하는 토목건축 사업체의 사업주와 기술자, ③ 조사기일에 30명 이상의 노동자를 사용하는 일반 공장과 가스전기수도 사업체, 선박해체 사업체, 토목건축 사업체의 노무자가 조사 대상이었다. 또한 광업 사업체의 경우 ① 상시 5명 이상의 노동자를 사용하거나 5명 이상의 노동자를 사용할 설비가 있는 일반 광산, 토석채취 사업체의 사업주와 기술자, ② 조사기일에 30명 이상의 노동자를 사용하는 일반 광산, 토석채취 사업체의 노무자가 대상이었다. 운수 사업체의 경우 ① 조사기일에 5명 이상의 노동자를 사용하는 사설 철도, 궤도, 架空索道, 승합자동차운수 사업체, 여객자동차운송 사업체, 화물자동차운송 사업체, 소운송 사업체, 기타 육상운수 사업체, 항공수송 사업체, 回漕 사업체의 사업주와 기술자, ② 조사기일에 30명 이상의 노동자를 사용하는 사설철도, 궤도, 架空索道, 승합자동차운수 사업체, 여객자동차운송 사업체, 화물자동차운송 사업체, 소운송 사업체, 기타 육상운수 사업체, 항공수송 사업체, 回漕 사업체의 노무자를 조사하였다. 사무소 상점의 경우는 조사기일에 10명 이상의 노동자 이외의 노동자를 사용하는 사무소 상점의 사업주와 노무자, 기술자를 조사하였다(朝鮮總督府,『昭和十六年度 八月 十日 現在 工場, 鑛山, 運輸事業場, 事務所, 商店數及其ノ所屬勞務者, 技術者數 - 第一回 朝鮮勞動技術統計調査結果報告』, 1941, 凡例).

임금, ⑩ 취업시간, ⑪ 民籍을 조사하였다. ②~⑥은 각 노동자의 屬性에 관한 것으로서, 이 조사 사항을 사업표나 노무표의 노동조건에 관한 사항과 연관시켜 노동자의 속성에 따른 노동조건의 차이를 살필 수 있었다. ②를 통해 성별로 노동조건이 어떻게 다른지를 파악하고, ③을 통해 연령별 노동조건의 차이를, ④를 통해서는 노동자의 사회적 이동을 볼 수 있고, ⑤를 통해 고정 노동자의 상황과 생산 통계를 연결하여 인구정책 수립의 기초 자료를 얻을 수 있었으며, ⑥을 통해 교육 정도에 따른 임금이나 소질의 차이를 파악할 수 있었다. ⑦~⑩은 이 조사의 핵심을 이루는 내용으로서, 임금 소득인 ⑨와 ⑩을 연관시키면 1일당 혹은 1시간당의 임금을 산출할 수 있다. 이외에 사업표와 각 조사 사항을 연관시키면 산업 및 노동 사정의 현상을 반영하고, 사회 제반의 정책, 노동 시설, 산업 경영상에서 필요한 기본 자료를 얻을 수 있었다.

한편 기술표에서는 성명, 성별, 출생연월일, 현기술자·원기술자·기

<표 19> 1941년 8월 말 공장·광산·운수업계 업체수와 노동자수(단위 : 명)

산업	경영 형태	업체 수	노동자수							
			총수	남자				여자		
				조선인	일본인	기 타	계	조선인	일본인	계
공장	관영	111	29,457	22,656	1,221	724	24,601	4,688	168	4,856
	민영	12,487	455,190	341,950	23,042	11,972	376,964	76,176	2,050	78,226
	계	12,598	484,647	364,606	24,263	12,696	401,565	80,864	2,218	83,082
광산	계	1,965	211,930	192,858	1,919	2,749	197,526	14,186	218	14,404
운수 업계	관영	127	13,745	8,889	2,157		11,046	1,524	1,175	2,699
	민영	1,201	60,811	55,075	2,512	510	58,097	2,513	201	2,714
	계	1,328	74,556	63,964	4,669	510	69,143	4,037	1,376	5,413
총 계		15,891	771,133	621,428	30,851	15,955	668,234	99,087	3,812	102,899

자료) 朝鮮總督府, 『昭和十六年朝鮮勞動技術統計調査結果報告』, 1941 ; 金重烈, 『抗日勞動鬪爭史』, 集賢社, 1984, 103~104쪽

비고) 공장은 5명 이상을 사용하는 일반공장, 가스, 전기, 수도, 선박해체 업체와 연 300명 이상을 사용하는 토건업 포함. 광산은 5명 이상을 사용하는 일반 광산과 토석채취업체 포함. 운수업체는 5명 이상을 사용하는 陸海空의 모든 업체

술능력자, 職名, 교육 사항에 대해 조사하였다. 이 중 현기술자·원기술자·기술능력자와 직명을 연관시키면 기술자의 산업별 분포 상태를 알수 있다. 또한 교육 사항은 각 산업별 기술자의 교육정도별 보급 상태를 파악하기 위한 항목이었다.[256] 1941년 8월에 행해진 그 조사의 결과가 <표 19>로서, 공장노동자는 36만 4천여 명, 광산노동자는 약 21만 2천 명, 운수업계 노동자는 7만 4천여 명으로, 총 77만여 명에 달하였다.

다양한 노동력 조사 과정을 통해 일제는 농촌과 도시의 전 산업부문에 걸쳐 모든 노동력의 분포를 파악하였다. 그 범위는 개개인의 능력정도를 행정기관에 등록하고, 그 동태를 파악하는 데까지 이르렀다. 총독부가 각 지방 행정기관을 통해 조선인 노동력 개개인을 직접 장악하게 되었던 것이다. 관헌을 총동원하여 진행된 이 노동력의 조사와 등록은 이후 유사시에 실시하게 될 징용을 준비하는 과정이기도 하였다.

이처럼 전시하의 노동력 수요가 급증하자 일제는 조선에서 동원 가능한 노동력을 대대적으로 조사하는 한편 개개인의 능력을 등록하였다. 이후 일제의 노동정책은 동원의 가능성보다는 현실적인 필요에 기반하여 실행된 이 조사를 기초로 실행되어 갔다. 따라서 노동력 동원 과정과 노동 과정에서의 무리, 그리고 이에 대한 노동자의 저항은 사전에 예고되고 있었다.

(2) 轉業·失業 문제와 노동자 생활

통제경제체제를 추진하던 일본인들은, 전쟁의 진행에 따라 노동력 수요가 더욱 많아지므로 국가가 권력으로 국민에게 노무를 부과할 필요가 있다고 주장하고 있었다. 이들은 전시 노동조건 통제의 방향에 대해, 필요한 생산력을 얻기 위해 노동의 강도를 강화할 것과 더불어 노동자에게 충분한 임금을 지급하고 복리를 증진시킬 것을 건의하였

---

256) 朝鮮總督府, 『昭和十八年 朝鮮勞動技術統計調査結果報告解說』, 1943, 9~15쪽(樋口雄一 編·解說, 앞의 책, 2000, 518~524쪽).

다.257) 개인의 노동력을 최대한 동원하기 위해 노동을 강화하되, 장기적인 안목에서 노동력을 유지·배양하기 위한 노동조건을 갖출 것을 요구한 것이다.

그러나 일제 말기에 조선에서 시행된 노동정책은 생산력 증진 혹은 노동강화와 관련된 정책뿐이었다. 임금의 상승이나 복리 증진 등은 조선인 노동자들의 처지와는 무관하였다. 예컨대 1941년 1월 常設戰時經濟懇談會에서 기업주들이 노동자 1인당 배급되는 米 2合 5勺은 지나치게 소량이므로 이를 늘려달라고 건의하자, 糧政課長이 장차 6合 정도를 배급할 예정이라고 밝힌 데서도 노동자의 형편이 어떠했는지 짐작할 수 있다.258)

애초 일본의 파시즘에서는 독일의 나치즘과는 달리 노동자가 시종일관 소공업자나 농민들에 비해 경시되고 있었다. 따라서 전시하 노동자의 후생시설은 나치스에 비해서 비교가 안될 정도로 빈약하였다. 더욱이 일본의 정책 입안자들에게는 공업노동자들의 정신적·육체적 가능성에 대한 뿌리깊은 비관주의가 깃들어 있었다. 일본의 제81회 제국의회에서 농촌뿐만 아니라 공장 노동자 중에서도 강한 병사를 배출해야 한다는 필요성이 제기되었을 때에도, 수상 東條英機는 공장 노동자는 체격이나 정신 상태에서 농촌 노동자에 미치지 못한다고 하면서 노동자에 대해 비판적인 견해를 드러내었다. 공업노동자에 대한 이러한 인식은 일본인 징용노동자에 대한 처우에서 기숙사와 급여가 열악하거나 그들 자체에 대한 무관심으로 이어졌다. 그 결과 노동자의 질이 점차 저하되었지만, 이에 대한 대책 역시 허황한 격려연설과 엄벌주의에 불과하였다.259)

257) 森武夫, 앞의 책, 1939, 185~187쪽.
258) 常設戰時經濟懇話會 編, 앞의 책, 1941, 168쪽.
259) 마루야마 마사오 저·김석근 옮김, 『현대정치의 사상과 행동』, 한길사, 1997, 80~95쪽. 이러한 인식에는 일본 파시즘에 뿌리깊게 배인 農本主義의 영향이 컸다. 일본 파시즘은 이데올로기 면에서 독일이나 이탈리아의 파시즘과는 달

232

만주사변 이래부터 조선에서는 농촌진흥운동이 전개되고, '心田開發'
의 이름 아래 '황국신민' 육성정책이 추진되었다.260) 또한 1937년 5월
총독 南次郎은 조선통치를 위한 5대 정강에서 鮮滿一如의 실현을 목
표로, 國體明徵 敎學振作을 내세웠다. 일제는 조선에 대륙 침략을 위
한 병참기지로서의 역할을 요구하였지만, 그 실현 과정은 결코 수월하
지 않았다. 조선인으로서 자신을 지배하고 있는 이민족의 전쟁을 자신
의 전쟁으로 받아들이고, 그것을 위해 경제적인 희생은 물론 신체적인
희생까지도 감수하겠다는 각오가 있어야 했기 때문이다. 하지만 조선인
내부에는 전쟁이 진행될수록 오히려 전쟁을 혐오하는 분위기가 확대되
어 갔고, 그 이면에는 반일의식, 독립에 대한 의지가 내포되어 있었
다.261)

총독부는 노동자가 전쟁을 지지하고 전쟁에 협조하고 있는 것처럼
광고하기 위해 각종 행사나 궐기대회에 노동자를 동원하였다. 예컨대
1938년 10월 28일 일제가 중국 漢口 지역을 정복한 것을 기념하는 축
제에 영등포 지역의 종연방직주식회사와 경성방직주식회사 등의 여공

리 가족주의와 농본주의가 대단히 강한 특징을 지녔다. 농본주의 사상이 우위
를 차지하면서, 본래 파시즘에 내재되어 있는 국가권력의 강화와 중앙집권적
인 국가권력에 의해 산업 문화 사상 등 모든 면에서 강력한 통제를 가하고자
하는 경향이, 오히려 지방 농촌의 자치에 주안점을 두고 도시의 공업 생산력
의 신장을 억누르려는 움직임에 의해 저지당하는 모습을 보였다. 따라서 한편
에는 천황을 중심으로 한 절대주의적 국가권력을 강화하려는 움직임이 있고,
다른 한편으로는 일본이라는 관념의 중심을 향토적인 것에 두려는 경향이 강
하였다. 이로 인해 우익 세력은 고도의 공업 발전을 긍정하고 거기에 공적 통
제를 가하려고 하는 세력과 그것을 부정하고 농촌에 중심을 두려고 하는 순농
본주의적 세력의 두 부류로 나뉘었으며, 많은 경우 이 양자의 모습이 혼재되
어 있었다. 이러한 일본 파시즘의 특징은 농본주의 이외에도 당시 독일과는
자본 축적의 정도와 민중의 힘의 차이, 즉 민주주의 발달의 정도가 다르다는
근본적인 차이가 있었던 데에서도 비롯되었다.

260) 韓㦙熙, 「1935~37年 日帝의 '心田開發'정책과 그 성격」, 『韓國史論』 35, 서울
대 국사학과, 1996.
261) 宮田節子 著·李熒娘 譯, 앞의 책, 1997, 8~26쪽 참조.

이 휴업을 한 채 대거 동원되었고, 일제의 전쟁을 지지하는 것으로 선전되고 있었다.[262] 이러한 경우 노동자들은 반 강제적으로 각 행사에 참여하지 않을 수 없었다.

조선인의 전쟁 협조를 위해 황국신민화 정책을 추진했던 일제는 治安維持法, 나아가 國家總動員法을 통해 노동운동을 금지하고 있었다. 총독부 경무국에서는 노자가 원활하게 협조하는 것은 단지 전시하 산업부문의 消長만이 아니라 치안상에 미치는 영향이 크다고 강조하고 있었다.[263] 이러한 분위기 속에서 노동자의 저항은 다소 감소되는 경향을 보이기는 하였지만 끊임없이 지속되고 있었다.

조선인 노동자들의 저항에는 전쟁의 진행으로 물가와 생필품 가격이 폭등하여 생활난이 가중된 측면이 가장 큰 원인으로 작용하였다. 전쟁이 진행될수록 군수의 확장과 군사예산의 확대가 요구되어, 일제는 임시군사비특별회계를 통해 막대한 예산을 전쟁에 쏟아부을 수밖에 없었다. 일제는 공채에 의존하여 군사비를 조성하는 한편으로, 물가의 등귀와 악성 인플레를 방지한다는 명목으로 민중에게 저축과 소비절약을 요구하는 등 희생을 강요하였다.[264] 전시하의 노동자들에게, 특히 식민지의 노동자들에게 노동현장은 견디기 어려운 곳이었다. 노동력 부족문제가 성토되면서도 끝내 노동력 보존을 위한 工場法 시행은커녕 물가가 등귀하는 속에서 임금인상을 법적으로 금지하고 있었던 것이 그러한 상황을 대변한다. 조선에서의 노동조건은 조선은행 조사부 직원조차 조선인의 인격적 측면에서 그 생활상태, 특히 공장노동자의 생활상태 조사가 발표된 것을 아직 본 적이 없다고 토로할 정도로 정책입안자들

262) 『每日新報』 1938. 10. 29, '永登浦工場街 休業 女工萬餘名 動員, 提燈과 假裝 大行列'; 『滿鮮日報』 1939. 12. 29, '斡旋勞動者 五十圓 國防獻金, 보라 銃後의 愛國熱을'; 『每日新報』 1940. 9. 4, '京城商工從業員 五萬人 報國運動, 時局에 順應團體 結成' 등 참조.
263) 朝鮮總督府 警務局 編, 『最近に於ける朝鮮治安狀況』, 1938, 85쪽.
264) 須崎愼一, 앞의 글, 1985, 247~248쪽.

의 관심 범주에서 벗어나 있었고, 그만큼 열악한 상태였다.[265]

일제는 전쟁에 맞추어 생활을 최대한 간소화하도록 촉구하였다.[266] 식량과 물자가 부족해지자 총독부는 절미운동과 혼식장려운동을 벌이는 한편, 1940년에는 급기야 생활필수물자를 배급하는 체제를 도입하였다.[267] 이에 대한 불평과 저항이 계속되자 일제는 "광영 있는 부자유"를 인정하고 시책에 협력할 것을 전시하 '국민의 의무'로서 강변하였다. "생활의 간이화로 국력을 증강시키자"는 구호를 통해 물자 부족의 문제를 정신상태의 문제로 호도하고자 한 것이다. 여기에서 생활 간소화의 실상은 생존할 수 있는 최저한도까지 참아내는 것을 의미하였다. 식기의 경우 가족 한 사람당 한 벌씩만 있으면 충분하다고 하였고, 의복은 아동과 청소년에 이르기까지 '국민복'을 제정 보급하였다. 낡은 피복을 끝까지 입고, 손상된 속옷과 신발도 수리할 수 있는 만큼 수리해 쓰고, 식품은 一汁一菜로 바꾸고, 연료와 燈의 사용을 자제하고, 방의 사용 숫자도 축소하게 하는 등 "시국에 맞는 가정생활"을 실천하도록 강조하였다.[268]

---

265) 黑松清,「朝鮮に於ける勞務問題の特異性」,『朝鮮勞務』3-6, 1943. 12, 10~16쪽.

266) 1940년 9월 27일에 제출된 총독부 문서에 의하면, 생산력확충 부문의 '노무자 주택' 건설마저도 슬레이트, 못, 시멘트, 목재 등의 자재 구입난으로 지연되거나 무산되고 있어, 당시 노동자 생활의 실상을 짐작할 수 있다(朝鮮總督府,「樣式 第3號 生産力擴充計劃設備狀況調」,『昭和十五年度 生産力擴充計劃實施狀況調書綴』, 정부문서기록보존소 MF 88-678).

267) 생활필수품의 배급은 1940년 종이와 면직물, 잡곡, 수건·군장갑·양말·셔츠·바지류, 피복 기성품류, 맥주, 밀가루, 고무신 등으로 시작하여, 1941년 生活必需物資統制令과 生必品配給機構整備要綱이 공포되면서 쌀, 생선, 고기, 보리, 감자, 채소, 의약품 등 일반 필수품이 전면적으로 통제되었다(金仁鎬,「日帝의 朝鮮工業政策과 朝鮮人資本의 動向(1936~1945)」, 고려대 사학과 박사학위논문, 1996, 85쪽).

268) 國民總力朝鮮聯盟 編, 앞의 책, 1941, 57~60·113~116쪽. 생활필수품과 식료품이 부족하게 되자 곳곳에서 암거래가 성행하였다. 암거래는 전시하 통제경제의 범주를 벗어나는 것으로서, 경제정책의 추진 방향을 뒤흔드는 문제가

한편 중일전쟁 이후 전쟁이 점차 확대되면서 물자 통제가 강화되는 속에서 군수공업은 팽창되는 반면 일반공업은 위축되어 노동자의 실업문제가 심각해졌다. 1938년 6월 23일 物資動員計劃을 발표한 이후 일제는 물자의 사용 제한, 배급 제한, 가격통제 등에 관한 법령을 지속적으로 공포하였다. 물자의 면에서 전시체제를 확립하고자 했던 이 계획을 실행하기 위해 총독부는 民需의 사용제한을 강화할 자원 32품목을 지정하였다.[269]

군수물자를 확보하기 위해 추진한 물자동원계획은 한편으로는 민간산업 부문의 노동력, 특히 기술자를 군수산업 부문으로 끌어들이는 정책 효과를 노리고 진행되었다. 물자의 동원은 평화산업이라고 불리던 민간산업에 종사하고 있던 중소 상공업자와 노동자에게 광범한 희생을 강제하였다. 1938년 한 해 동안 물자 통제로 영향을 입은 공장노동자는 약 27만 6천 명으로, 그중 3만 명이 실직하게 되었다. 특히 고무공업의 경우 타격이 심하여 한달 중 반은 휴업을 하거나 작업 시간을 크게 단축하는 완전 휴업에 가까운 상태로 되었다.[270]

민간산업 부문에서는 실업문제가 심각한 반면 군수산업 부문에서는 노동력 부족문제가 지속되자, 총독부에서는 내무국장과 식산국장 이름으로 통첩을 내고 실업자 수를 조사하였다.[271] 상공과와 사회과가 함께

아닐 수 없었다. 일제는 물자를 매점매석하고 암시장에서 고가에 방매하여 이익을 얻는 자들에 대해 전시하 국가의 생산확충을 저해하고 널리 일반민중의 생활을 위협하여 전체 전력을 약하게 하는 '만 번 죽을만한 자'라고 비난하였다. 또한 암거래 상인만이 아니라 그 죄의 반은 매수자에게 있다고 하면서, 암거래에 대한 각성 없이는 경제의 파탄으로 국가의 전도가 위태롭다고 하여 반성을 촉구하였다(위의 책, 105~113쪽).

269) 사용 제한 품목은 鋼材, 銑鐵, 금, 백금, 동, 황동, 아연, 연, 錫, 니켈, 안티몬, 수은, 알미늄, 석면, 면화, 양모, 펄프, 紙, 麻類, 피혁, 목재, 중유, 휘발유, 생고무, 단닌材, 工業鹽, 벤졸, 톨오루, 石炭酸, 醋酸曹達, 加里, 燐鑛石 등이다.

270) 李健赫, 「戰時下의 轉業失業問題」, 『朝光』 4-11, 1938. 11, 24~30쪽.

271) 그 결과 1939년의 실업자 수는 1937·38년 5만 7천 명에 비해 감소한 4만 8천 명으로 조사되었다(『每日新報』 1939. 3. 16, '失業者救助의 福音, 犧牲된 中小

구체안을 세워 실업자들을 군수품 제조공업으로 轉職 또는 轉業시키는
방책을 마련하였다. 즉 군복, 양말, 구두, 장갑, 군모, 포탄 등 각종 군수
품을 제조하거나 하청하는 부문으로 전업한 상공업자에게는 자금융통
혹은 국고보조를 하고, 직공에게는 전직에 대한 제반 비용을 지급하게
하였다.272) 군수산업 방면으로 실직자와 이직자를 재편성함으로써 실
업자 문제를 해결하는 동시에 군수산업의 노동력 부족문제를 해결하고
한편으로는 기술자를 확보하기 위한 방안이었다.273)

이와 함께 총독부는 실업자가 많은 곳에 전임 사무 담당자를 두기로
하여, 총독부와 경기도, 평안남도, 경상남도, 경성에 각각 한 명씩 총 5
명의 屬을 배치하고 이들로 하여금 실업자를 조사하고 실업 대책을 마
련하게 하였다.274) 또한 1941년에는 8만 명 가량의 중소 상공업자에게
전업에 필요한 기술을 습득시키기 위해 國民職業訓練所의 신설을 계
획하는 한편, 만주 등지로의 이주를 권하거나 직업소개소를 확대하여
轉·失業者의 轉職을 적극 알선하도록 하였다.275)

전시하의 전업문제와 실업문제는 노동자들에게 또 다른 부담으로 다
가왔다. 轉·失業者를 전혀 낯선 분야의 공장노동자로 전업시킨 상태
에서 노동생산성을 유지하기 위해서는 무리가 따르지 않을 수 없었다.
더욱이 조선에서는 기본적으로 일제와 일본인 자본가의 이익에 입각하
여 노동자를 고용하고 있었다. 일제는 조선인의 노동생산성이 낮다고
되풀이하면서, 그 원인은 조선인 노동자의 강한 이동성과 노동을 꺼리
는 조선인의 전통 때문이라고 운운하였다. 그러나 일제하에 실제 노동

商工業者를 調査, 全南서 個別로 補助').
272) 李健赫, 앞의 글, 1938. 11, 24~30쪽.
273) 『每日新報』 1938. 10. 22, '失業防止와 勞務調整 産業界에 一大變動, 時局의 長期化에 따를 重要 社會政策에 內務·殖産 兩局에서 進出, 國防的인 方面으로 失·離職者 再編成, 解雇·就職 斡旋의 注意 指示'.
274) 『每日新報』 1939. 8. 23, '失業防止策으로 本府=轉業을 積極 斡旋'.
275) 『每日新報』 1941. 1. 14, '國民職業訓練所 新設, 失業한 中, 少商工業者들 救濟, 一千萬圓 豫算을 計上'.

생산성 저하를 초래하였던 주원인은 노동강화에 의한 노동력의 소모에 있었다.

노동강화와 관련하여 우선 문제되는 것은 노동시간의 문제였다. 중일전쟁 이래 생산력 확충이 강조되면서 早出, 잔업, 휴일출근 등 노동시간 확대는 작업이 고된 하위부문 각 공장에서 거의 예외 없이 행해졌다. 이를 통해 일시적으로는 생산력을 증가시킬 수 있었지만, 노동력의 마모가 지속되어 재생산이 보장되지 않음으로써 오히려 장기적으로 노동생산성을 감소시키는 결과를 초래하였다.[276]

이에 총독부는 노동생산성을 유지해야 한다는 필요에서 1939년 8월부터 工場就業時間制限令을 실시하여, 노동시간을 법정 범위인 12시간 이내로 제한하였다.[277] 그런데 일본의 경우를 살펴보아도 이 법령의 실시 이후 오히려 10~11시간 노동은 훨씬 증가하였고, 반대로 9시간 이하의 노동은 감소하는 변화를 보였으며, 더욱이 약 6%는 전시 특례로서 인정되어 법정 제한을 넘어 의연 12시간 이상의 노동을 계속하고 있었다.[278] 노동강화, 취업시간 연장의 요구는 전쟁이 진행될수록 더욱

---

276) 厚生硏究會, 앞의 책, 1941, 131~134쪽.

277) 工場就業時間制限令은 애초에 16세 이상 남자직공의 취업시간을 제한한 것이었다. 그런데 이 법이 조선에서 시행될 때는 '16세 이상의 남자직공'이 '남자직공'으로 바뀌었다. 일본에서는 공장법 시행으로 유년노동자에 대한 보호 장치가 일정 부분 마련된 데 비해 조선에서는 그러한 장치가 없었으므로, 결국 성년노동자와 유년노동자가 동일하게 취급되고 있었다.

278) 공장취업시간제한령은 다음과 같은 예외규정을 두고 있었다(大同書院編輯部編, 앞의 책, 1942, 477~478쪽).
제5조 16세 이상의 남자직공을 2조 이상으로 나누어 교대로 취업하게 하거나 업무의 성질상 특히 필요한 경우 미리 도지사에게 계출하여 취업시간을 연장할 수 있다.
제6조 부득이한 사유로 임시 필요한 경우 공업주는 도지사의 허가를 받아 기간을 한정하여 취업시간을 연장하거나 휴일을 폐할 수 있다. 단 명령으로 정하는 경우에는 도지사의 허가를 요하지 않는다. 임시 필요한 경우 공업주는 그 때마다 미리 도지사에게 계출하여 1월에 7일을 넘지 않는 기간 동안 취업시간을 2시간 이내에서 연장할 수 있다.

238

심각해졌다. 특히 노동강화는 법률이 제한하는 시간의 한도 내에서 가능한 한 능률을 올리게 하기 위해 많은 공장에서 휴식시간을 단축하고, 작업 기계의 속도를 강화하는 등의 조치를 수반하였다.279) 노동강도의 강화는 결국 장기적 안목에서 보면 노동력을 감소시키고 노동생산성을 저하시키는 원인이 되었으며, 따라서 장기전 대비를 어렵게 하고 있었다.

노동자 동원의 강제성은 노동자의 처지를 단적으로 보여주는 지표인 임금에도 반영되었다. 미숙련노동자의 평균 실질임금은 1930년 82전에서 1934년 78전, 1938년 74전으로 감소하였고, 숙련노동자의 경우도 같은 시기에 1원 98전에서 1원 81전, 1원 75전으로 점차 감소해 갔다.280) 더욱이 물가는 크게 인상되던 데 비해 賃金統制令의 실시로 임금은 동결되어, 1936년을 100으로 볼 때 1940년 도매물가는 163.9로, 소매물가는 168.6으로 상승하였고, 실질임금은 도매물가를 기준으로 하면 88.9로, 소매물가를 기준으로 하면 86.4로 하락하였다.281)

이러한 상황에서 전시하의 파시즘적 억압체제가 강화되던 속에서도 조선인 노동자의 저항은 끊임없이 계속될 수밖에 없었다.282) 이 시기의 노동운동은 소극적으로 진행되어 1930년대 전반에 비해서는 크게 줄어들었지만, 전시하의 엄격한 규제에도 불구하고 지속되었다. 중일전쟁 발발 직전인 1936년에는 138건의 노동쟁의가 발생하였고 거기에 8,246명의 노동자가 관계되었다. 이에 비해 1937년에는 99건에 9,148명이 참가하여 건수에서는 감소하였지만 인원은 오히려 증가하였고, 1938년에

---

279)『每日新報』1938. 5. 1, '社說 - 勤勞時間 延長의 恒久化';『每日新報』1938. 8. 21, '勤勞時間 延長하야 生産能率 積極 增進, 生活 刷新, 物價 抑壓, 貯蓄 勵行, 資源 守護, 廢物 蒐集, 二十二日부터 京畿道의 强調 週間 實施'.
280) 許粹烈,「日帝下 實質賃金(變動)推計」,『經濟史學』5, 經濟史學會, 1981, 245쪽.
281) 尾高煌之助,「日本統治下における朝鮮の勞動經濟」,『經濟硏究』26-2, 1975. 4.
282)『1948年版 朝鮮年鑑』, 朝鮮通信社, 1947, 15쪽.

도 90건의 노동쟁의에 6,929명이 참여하였으며,[283] 1939년에도 1만 명
이 참가하는 등 여전히 적지 않은 규모의 노동쟁의가 이루어지고 있었
다.[284]

1937년 평남 진남포 三菱제련소 등에서 노동쟁의가 발생한 데 이어,
1938년에도 황해도 수안금광, 해주 세멘트공장, 함북 청진항만,[285] 그리
고 朝運 대동강영업소, 朝窒 홍남공장, 운송업 함홍부 出商會, 원산 경
원고무공업 합자회사, 조선정미 진남포공장, 후창광업 銅店鑛山, 보광
금속 笏銅鑛山 등 곳곳의 공장 광산 토목공사 현장에서 수십건의 노동
쟁의가 계속되었다.[286] 1937년부터 1940년까지 총 430건의 노동운동이
일어나 약 2만 5천 명의 조선인 노동자가 참가하였다.[287]

뿐만 아니라 노동자들은 직접적인 파업의 위험성을 피하여 태업을
빈번히 일으켰다.[288] 태업은 일정한 조건을 관철하기 위해 진행되는 경
우도 있었지만, 일상적으로 노동 과정에서 열의를 보이지 않음으로써
작업 능률을 떨어뜨리는 형태로도 나타났다. 태업이 보편화하자 그것이

---

283) 朝鮮總督府 警務局 編, 『最近に於ける朝鮮治安狀況』, 1938, 84~85쪽.
284) 朝鮮總督府 警務局, 『第79回帝國議會說明資料』, 1941.
285) 金潤煥, 『韓國勞動運動史 I』, 청사, 1981, 325쪽.
286) 『大版朝日新聞』 1938. 5. 13, '物價騰貴에 따른 勞動爭議가 頻發, 痛切한 賃
銀値上의 절규, 적어도 數十件에 달해'.
287)　　　　<표> 1928~40년 노동쟁의 건수와 원인, 결과(단위 : 건, 명)

기간	건수	참 가 인 원				원 인			결 과		
		조선인	일본인	외국인	계	임금인상	대우개선	기타	성공	실패	타협
1928~36	1,421	109,642	1,600	3,186	114,428	880	169	372	337	579	505
1937~40	430	24,967	1,032	145	26,144	298	26	106	117	148	165
계	1,851	134,609	2,632	3,331	140,572	1,178	195	478	454	727	670

자료) 朝鮮經濟社 編, 앞의 책, 1949, 148쪽.
288) 1937년의 경성 조선인쇄주식회사 노동자와 근택인쇄공장 노동자의 태업, 1938
년 부산 성냥공장 노동자와 평양 목공조합원의 태업, 1940년 경성 합동택시
운전수들의 태업 등이 그 예이다(金潤煥, 앞의 책, 1981, 327쪽).

한 원인이 되어 노동생산성은 점차 하락하는 경향을 보였다. 공업부문의 경우 노동자 1인당 생산액을 물가지수로 환산한 생산지수를 1936년을 100으로 보면 1938년에는 96으로, 1940년에는 82로 감소되어, 해마다 노동생산성이 낮아졌음을 확인할 수 있다.[289]

이와 함께 노동조건에 불만을 가진 노동자들의 현장 이탈 사태가 계속되었다. 1938년 한 해 동안에도 4월 해주 화약공장 노동자, 5월 삭주지방 수력전기와 철도공사 노동자, 6월 인천 부두노동자와 平原郡 용강염전 인부 등 많은 노동자가 현장에서 이탈하였다. 현장 이탈은 대개 개인적으로 진행되었지만 집단으로 도주하여 간접적으로 노동조건과 노동정책에 저항하는 경우도 잦았다. 총독부에서 발표한 노동자 이탈에 관한 통계에 의하면, 1934년부터 6만 명의 노동자를 알선하였는데, 1938년에는 알선노동자의 60%인 3만 6천여 명이 탈출하고, 40% 가량만 남아 있을 정도였다.[290]

또한 전시하에도 서울지역 등에서는 여전히 혁명적 노동조합 운동의 영향으로 李載裕, 權榮台 그룹 등의 후계 활동이 모색되고 있었다. 1940년대로 들어서면서부터는 이들의 활동을 흡수하면서 일제말기 가장 유력한 공산주의운동 집단이었던 '경성콤그룹'이 본격적으로 활동하였다. 이들은 勞組部를 별도의 부서로 배치하여 각 산업부문별로 노동운동을 지도하고 있었다.[291] 원산그룹의 경우에도 중일전쟁 발발 이후 그 정세를 반영하여 일본의 제국주의 침략 전쟁을 조선해방을 위한 내란으로 전환시키고, 중국 인민의 항전을 지지하여 일제를 패전으로 이끌어야 한다는 데 활동을 집중하고 있었다. 즉 "중국의 민족해방 전쟁

---

289) 朝鮮經濟社 編, 앞의 책, 1949, 69~70쪽 참고.

290) 金潤煥, 앞의 책, 1981, 329~330쪽.

291) 이애숙, 「반파시즘 인민전선론-일제 말기 경성콤그룹을 중심으로-」, 『일제하 지식인의 파시즘체제 인식과 대응』(방기중 편), 혜안, 2005 ; 卞恩眞, 「日帝末 조선인 노동자층의 전쟁 및 '軍需생산력'에 대한 인식과 저항-서울지역 노동자를 중심으로-」, 『鄕土서울』 57, 1997, 205쪽 참고.

을 전적으로 지지하자! 일본제국주의의 강도적 약탈 전쟁을 내란으로, 식민지해방 민족해방 전쟁으로 전화시키자! 약탈 전쟁을 내란으로!" 등과 같은 반전 투쟁의 구호를 전면에 제기하였다. 반전 투쟁의 일환으로서 특히 조선인 지원병제 반대 투쟁의 중요성을 강조하였다. 이처럼 반전 운동을 중시하면서 일상 투쟁의 의의도 그와 연관시켜 새롭게 재조명하였다. 예컨대 철도 부문의 경우 "군대 및 군수품의 수송을 사보타지하여 제국주의 전쟁을 반대하는 방향으로 나아가게 하기 위하여"고용 증가, 8시간 노동제 확립, 임금인상 요구 등과 같은 일상 투쟁을 진행해야 하는 것으로 해석하고 있었다.292)

조직 활동 이외에도 노동자들은 언로가 철저히 통제된 상태에서 일제가 선전하는 각종 정보를 역으로 해석하거나, 은연 중에 사회 각계에 유포되어 있던 풍문을 통해 전쟁 상황이나 군사 수송 등에 대한 여러 가지 예측을 하고, 나아가서는 일본이 전쟁에서 패하기를 바라는 희망을 은근히 표출하고 있었다.293) 예컨대 1938년 영등포 삿뽀로(札幌) 맥주회사 직공 화장실 벽에는 "우리 같은 조선인이 일본인의 장소에서 일하고 있으므로 가능한 한 손해를 입히자"는 낙서가 적혀 있었다.294)

요컨대 중일전쟁 이후 일제는 통제경제체제를 구축하고 사회의 모든 방면을 총동원체제로 전환하였다. 노동력 필요의 긴박성에 따라 일제는 법, 기구, 사상 등 각 방면에서 조선에서의 노동정책의 틀을 정비하여 노동력 동원체제를 구축하였다. 조선에 대륙침략을 위한 병참기지로서의 역할을 부여하면서 국가총동원법을 적용하고 경제 구조를 군수산업 중심으로 변화시켜 갔다. 이 과정에서 특히 1940년대에 들어 노동정책 不在에 대한 비판이 제기되었고, 정책 차원의 노동관련 대책이 총독부에 의해 본격적으로 입안되고 실시되기 시작하였다. 전쟁 수행을 위해

292) 임경석, 「원산지역의 혁명적노동조합운동 연구」, 『일제하 사회주의운동사』, 한길사, 1991, 355~356쪽.
293) 卞恩眞, 앞의 글, 1997, 211~214쪽.
294) 高等法院 檢事局思想部, 『思想彙報』15, 1938.7, 66쪽.

노동시장이 강제로 창출되어 갔던 것이다. 그 속에서 노동자들은 일제의 전쟁 수행을 위한 인적자원으로서, 물적 자원과 더불어 공출의 대상으로 규정되었다. 이러한 구조에서 일제는 조선인 노동자들이 전쟁을 지지하고 있는 것처럼 선전하고 있었으나, 실제 노동자들은 끊임없이 저항하고 있었다. 소극적으로 노동현장을 이탈하거나 적극적으로 노동운동을 하였으며, 나아가 조직적으로 반전 운동을 전개하기도 하였다. 따라서 일제는 전쟁이 확대되는 와중에 지속적으로 노동정책을 수정할 수밖에 없었고 나아가 강제적인 노동력 동원의 범주를 확대해 가기에 이르렀다.

제4장 태평양전쟁기의 '戰時勞務管理'와 노동력 강제동원

1. 동원의 확대와 전시노무관리의 체계화

1) 노동력 동원의 확대와 수급의 불균형

⑴ 전쟁의 확산과 노동생산성의 강화

조선인에 대한 일제의 황민화정책은 정책의 입안이나 수행의 주체 면에서 볼 때 중일전쟁기와 태평양전쟁기의 두 단계로 구분할 수 있다. 전기의 황민화정책이 상대적으로 총독과 총독부의 독자성이 인정되었던 데 비해, 후기의 황민화정책은 일본 본국 그 중에서도 군부의 주도성이 강화되었다.[1] 전선과 점령지가 확대되는 속에서 일제는 각 지역의 차별성을 고려하지 않은 채 '內外地'의 통합을 요구하였다.[2] 일제는

---

1) 예컨대 징병제 시행의 경우 총독부와 무관하게 일본 육군성 군무국을 중심으로 입안되었고, 그것이 일본 각료회의를 거쳐 1942년 5월 하등의 예고 없이 '1944년도부터 조선에서 실시할 것'을 발표하여 충격을 주었던 것에서 이러한 면이 확인된다(宮田節子 著·李熒娘 譯, 『朝鮮民衆과「皇民化」政策』, 一潮閣, 1997, 127~128쪽).

2) 일제는 1942년 '내외지 행정 일원화'를 추구하는 방향으로 중앙 통치기구를 변화시켰다. 태평양전쟁 발발 후 새로 大東亞省을 설치하고 拓務省을 폐지하면서, 조선 대만 사할린에 관한 사무는 내무성 소관으로 바뀌었다. 아울러 칙령「朝鮮總督과 臺灣總督의 監視 등에 관한 건」에서는 내각 총리대신과 各省 대신이 조선총독과 대만총독에 대한 감독 지시의 권한을 갖도록 새로이 명기

244

태평양전쟁 이후 황민화정책을 한층 철저하게 추진하였을 뿐만 아니라, 조선인이 스스로 大陸兵站基地 구축의 범위를 넘어서서 동아시아 지역으로 확대된 황민화정책의 담당자로서 역할하도록 요구하였다. 병역의 의무를 부과한 것이 그 대표적인 예이다.

일제가 조선인을 동원하기 위해서는 지속적으로 황민화정책을 추진하여야 했고, 그를 위해서는 '대동아공영권' 건설이라는 명분을 유지하여야 했다. 1941년 10월 미국과의 교섭 이후 近衛文麿 수상은 중국 주둔병 문제에서 일정한 양보를 주장하였는데, 이에 대해 東條英機 陸相이 "철병하면 만주도 위험하고 조선 통치도 위험하다"고 하면서 강경히 반대한 것은 그러한 구조를 잘 보여준다. 조선인의 자발적 전쟁 참여가 불가능한 상황에서 조선인의 저항으로부터 식민통치를 안정시키기 위해서는 '전승'이라는 명분 제공이 불가피하였다.3)

近衛文麿 내각에 이어 東條英機 내각이 등장한 후4) 1941년 12월 일제는 태평양전쟁을 도발하였다. 이 시기 미국과 일본의 관계는, 일본의 중국 공격 이후 미국이 원자재의 수출을 금지하고, 인도차이나 공격 이후에는 석유수출을 금지하는 식으로 미국이 점차 경제 제재를 강화하는 방향으로 나아가고 있었다. 그런데 일본의 공격은 미국의 소극적이었던 대처양상을 적극적인 형태로 바꾸었고, 일거에 미국내 여론을 집결시키는 계기가 되었다. 반면 이후 일본의 정책은 후일을 기약하지 못할 정도로 갈피를 잡지 못하고, 관성에 의해 전쟁을 확대해 가는 양상

하였다. 이에 의해 조선총독의 권력이 제한되고 일본 중앙정부의 감독 지시를 받는 형태로 소위 準內地化가 진행되었다(山本有造, 『日本植民地經濟史硏究』, 名古屋大學出版會, 1992, 56~58쪽).

3) 須崎愼一, 「アジアの中のファシズム國家」, 『講座日本歷史 10』(歷史學硏究會・日本史硏究會 編), 東京大學出版會, 1985, 265쪽.

4) 1941년 10월 開戰派인 東條英機가 내각을 조직하면서, 일본의 내각은 전원이 군인과 관료 출신으로 이루어진 滿洲閥 내각으로 구성되었다(長幸男, 「戰爭と國家獨占資本主義」, 『講座日本史 7』(歷史學硏究會・日本史硏究會 編), 東京大學出版會, 1971, 295쪽).

을 보였다. 최대한의 자원 동원과 그에 따른 자원의 소진이 그 구체적
인 양상이었다.[5]

중국 점령지역을 확대하고 대소·대미영 전쟁을 준비하기 위해 일제
는 전시통제경제를 추진하였고, 태평양전쟁 이후 그것을 한층 강화하였
다. 전시통제경제는 전쟁이라는 비생산적인 소모를 위해 생산력을 최고
도로 높이는 동시에 재생산의 필수조건인 인적 물적 자원의 보전을 외
면한 채 송두리째 동원하여 생산을 강행하는 것이었다.

전쟁이 확대되면서 일제의 경제통제는 고도국방국가 건설을 위한 군
수생산력 확충 단계에서 '국력 총동원' 단계로 변화되었다. 일제의 생산
력확충계획은 애초에 중일전쟁의 장기화를 예상하지 못한 채 주로 만
주와 중국 화북지역의 자원과 구미 여러 국가에서의 수입에 의존하는
물자동원계획을 바탕으로 하여 입안되었다. 그런데 전쟁은 장기간 계속
되었고, 1940년 가을 독일·일본·이탈리아의 삼국동맹이 체결되자 미
국은 대일무역 금지를 한층 강화하였다. 따라서 일제의 물자동원계획이
차질을 빚게 되고 생산력확충계획은 난항에 처하게 되었다.[6] 더욱이
생산력의 한계와 수송력 부족에 직면한 일제는 식민지·점령지의 자원
을 전쟁수행에 필요한 수준으로까지 개발, 이용할 수가 없었다. 결국
일제는 軍의 현지조달 방식과 전시통제에 의한 지배를 강화하고, 현실
적인 가능성을 넘어서는 물자동원계획에 입각하여 무리하게 생산력 증
강을 추진하게 되었다.[7]

---

5) 기습적으로 태평양전쟁을 도발한 일제는 이 전쟁을 '대동아전쟁', '自存自衛를
   위한 전쟁'이라고 선전하고 확전을 거듭하였다. 그러나 1942년 6월 미드웨이
   해전에서 참패한 데 이어, 8월 미군이 솔로몬 군도의 과달카날 섬에 상륙하면
   서 대패하여 1943년 2월 퇴각하였다. 이를 계기로 태평양의 주도권은 미군의
   손으로 넘어가게 되었다(姜東鎭,『日本近代史』, 한길사, 1985, 422~423쪽).
6) 小林英夫,「총력전체제와 식민지」,『日帝末期 파시즘과 韓國社會』(최원규 엮
   음), 청아출판사, 1989, 42~43쪽 ; 徐廷翼,「戰時 日本의 生産力擴充計劃 硏
   究」,『湖西大學校論文集 社會科學篇』20, 2001, 241~242쪽 참조.
7) 長幸男, 앞의 글, 東京大學出版會, 1971, 295~296쪽.

이 시기는 전쟁 수행에 따르는 막대한 물자의 생산을 위한 기계설비의 확충이나 자본의 유기적 구성의 고도화가 불가능한 상태로서, 노동력을 효율적으로 활용하여 생산성을 높이는 방식만이 가능하던 시점이었다. 이러한 상황에서 조선에서도 노동생산성 증대의 문제가 전면에 등장하였다. 남방 지역과 대륙 간의 수송이 어려워지면서 조선에는 막대한 양의 중요물자 생산이 할당되었는데, 이를 수행하기 위해서는 조선에서 노동생산성을 높이는 방법밖에 도리가 없었다.[8] 일본에서의 군수공업 건설에 필요한 기계와 숙련노동자의 공급이 축소되어 가면서 조선은 미숙련노동자를 통해 일제의 생산력 확충 요구를 해결하여야 했다.[9]

일제의 중요물자 중에는 조선에서의 생산이 그 생산량의 전부 또는 대부분을 점하는 것이 상당히 많았는데, 이 비중은 해마다 증대하는 추세를 보였다.[10] 패전의 징후가 보이는 가운데 물자 조달이 여의치 않은 상태에서, 일본에 비해 상대적으로 동원 가능성을 갖춘 조선의 노동력은 일제의 생산력 증강 과정에서 최대의 관건이 되었다. 조선에서의 물자 생산의 消長, 노동력 활용의 適否가 일제의 전력에 중대한 영향을 미치게 되었던 것이다. 당시 조선의 중앙과 지방에 걸친 기구개혁도 결국 군수물자의 증산을 지향한 것이자 그에 요구되는 수송력의 증강과 행정의 강화를 위한 것이었다.[11]

---

8) 「勞務課長說明要旨」, 『朝鮮勞務』 4-1, 1944. 2, 19~21쪽.
9) 小林英夫, 앞의 글, 1989, 42~43쪽.
10) 朝鮮銀行 調査部, 『大戰下の半島經濟』, 1944, 19~23쪽.
　　<표> 1943, 44년 일제의 중요광물자원 조선의존 비율(단위 : %)

품명 연도	黑煙	雲母	코발트鑛	螢石	텅스텐鑛	몰리브덴鑛	石綿	鉛	鉛鑛石
1943	100	100	100	91	84	67	62	52	51
1944	94	65	39	96	104	110	91	85	84

11) 「總督訓示-物力增强で敵擊退」, 『朝鮮勞務』 4-1, 1944. 2, 21쪽.

총독부는 노동력 동원을 수월하게 하기 위해 행정기구를 개편하였
다. 먼저 노동력 동원 업무를 담당하고 있던 厚生局 勞務課를 1942년
11월부터 司政局으로 옮겼다. 행정사무를 합리적으로 간소화하고 잉여
인원을 전쟁 수행을 위해 다른 부문으로 돌리는 한편, 관리의 대우를
개선한다는 명목으로 厚生局과 企劃部를 폐지하고 總務局을 신설하였
기 때문이다.[12] 후생국 사무는 다른 국으로 옮겨가도 비교적 잘 수행될
것이라는 것이 폐지의 이유로 제시되었다.[13] 사정국은 1941년 10월 후
생국과 함께 신설된 부서로서, 기왕의 內務局과 外事部에서 담당하였
던 지방청과 지방단체의 감독 사무와 재외조선인 관련 사무를 담당하
였고, 특히 국민총력운동과 지방행정 조직을 표리일체의 관계로 강화하
기 위해 지방행정사무를 관장하는 부서로서 설치되었다.[14] 地方課, 外
事課, 社會課, 土木課와 함께 노무과를 사정국으로 옮겨간 것은, 노동
력 동원을 한층 강화할 필요에 의해 지방행정 사무와 노동력 동원업무
를 일체화하기 위한 조처였다.

이후 1943년 12월 1일 조선총독부는 鑛工局을 신설하고 지방에는 鑛
工部를 신설하였다. 이 해 11월 일본 중앙정부에 軍需省이 만들어지자
그에 맞추어 행정체계를 통일한 것이다. 광공국은 군수물자를 비롯해
이와 관련된 중요물자의 생산을 증강시키기 위해 물자동원계획과 기타
기획 사무, 생산관계 사무를 통합하고, 여기에 노무, 토목 등의 사무를
더하여 인적·물적 자원을 신속히 총동원할 수 있도록 하였다.[15] 곧 총

---

12) 京城日報社, 『朝鮮年鑑』, 1944, 71쪽.

13) 「總督府機構改革案發表さる」, 『朝鮮』 331, 1942. 12, 90~92쪽. 이러한 결정은
   조선인의 후생문제에 대한 정책입안자들의 인식을 보여주는 사례이기도 하다.

14) 「總督府機構改革案發表」, 『朝鮮』 318, 1941. 11, 59~60쪽.

15) 「總督府機構改革案發表さる」, 『朝鮮』 344, 1944. 1, 83~87쪽. 광공국에는 총
   무국 업무에서 중요물자동원계획을 옮겨 새로이 기획과를 신설하였다. 광산·
   광업정비 두 과를 합병한 광산과, 전기 제1·제2과를 통합한 전기과, 종래 농
   림국에 속하였던 임업·임정 두 과를 합한 임산과, 사정국에 속하였던 토목과
   사무 중 교통국으로 이관한 항만 토목을 제외하고 토목 사무를 담당하는 토목

독부와 지방에서 생산행정과 노동행정을 동일한 부서 아래 통합하고자 하였다. 더불어 工務官 제도를 창설하여 이들을 각 도의 광공부에 배속시키고 노동에 관한 사무를 담당하게 하였다.16) 광공국의 신설로 노무과는 광공국으로 옮겨가게 되었고, 道 광공부에 노무과가 설치되었다. 조선에서의 노동력 문제가 전력 증강을 위한 중심 문제로 인식되고 있었기 때문이다.17)

1944년 10월 총독부는 강력한 '근로행정'을 수행한다는 명분 하에 총독부 내에 勤勞動員本部를 설치하였다.18) 여기에는 정무총감을 본부장으로 임명하였고, 勅任官을 배치하여 노동 관련 사무를 담당하게 하였다. 더불어 노무과를 폐지하고 그 대신 광공국 내에 勤勞調整課, 勤勞動員課, 勤勞指導課의 3과를 설치하였다. 그 중 勤勞調整課는 국민동원계획과 기능자동원계획의 책정 업무, 그리고 국민 등록·기능자 등록과 과학기술자 부조 및 원호에 관한 사무를 관장하고 있었다. 노무관리에 관한 사무는 광공부 광공과에서 관장하게 하였다.19)

과, 식산국 상공과의 군수관계 사무를 일괄한 경금속화학과, 그리고 사정국에서 노무과를 옮겨 구성하였다.

16) 『每日新報』1943. 11. 30, '工務官制를 創設, 軍需鑛物增産에 拍車, 來一日 實施'.

17) 「卷頭言-物力を起すは人力にあり」, 『朝鮮勞務』3-6, 1943. 12, 1쪽.

18) 근로동원본부에는 총무부와 지도부를 두었다. 총무부에는 조정반, 동원반, 관리원호반이 있었는데, 조정반은 국민동원에 대한 종합 계획과 근로자의 배치 규정에 관한 사항을, 동원반은 국민동원의 실시와 노동자의 기동배치·配置轉管에 관한 사항을, 관리원호반은 노무관리와 노동자의 표창과 징계, 노동자의 부조원호, 노동자용 물자 배급에 관한 사항을 담당하였다. 한편 지도부는 지도반, 동원추진반, 선전반으로 구성되어, 지도반에서는 노동자의 사상 지도와 외국인 노동자 지도에 관한 사항을, 동원추진반에서는 근로통제의 위반 방지와 노동력 동원의 추진 협력에 관한 사항을, 선전반은 노동정책의 보급 선전, 노동에 관한 국민운동의 지도, 노동자의 위안 오락에 관한 사항을 관장하였다(「勤勞動員本部設置さる」, 『朝鮮』354, 1944. 11·12, 70~71쪽).

19) 이후 1945년 1월 총독부는 광공국에 근로부를 설치하고, 그 산하에 調整課, 動員課, 指導課를 두는 것으로 개편하였다(『每日新報』, 1945. 1. 28, '鑛工局

이와 함께 各道의 노동행정 기구도 개정하였다. 광공부 근로과를 폐지하고, 內務部에 勤勞動員課를 설치하여 노동력 동원 사무와 동원 예정자의 훈련을 담당하게 하였다. 내무부 사회과를 援護課로 바꾸어 종래의 사무와 아울러 노동자 등록 업무를 관장시켰고, 勤勞指導課에서는 노무관리와 노동자의 급여·후생시설, 노동자의 부조와 원호에 관한 사항을 담당하였다.[20]

노동력 동원문제의 긴급성에 따라 노동행정 기구가 계속해서 개편되는 가운데, 총독부 노무과의 관료였던 한 노동정책 입안자는 조선인 노동력 동원 논리를 다음과 같이 제기하였다.

조선의 노무자원은 수년 전까지는 조선만의 노무자원이었지만, 현재는 조선만의 노무자원이 아니라 우리 대일본제국 전체의 노무자원으로 되었으므로 조선만의 독점은 절대로 허락되지 않는다.……조선의 노무자원은 오로지 국가적 견지에서의 重點主義에 의해 국가가 필요로 하는 방면에 배치 운용되어야 하고, 조선은 다만 국가가 조선에 할당한 범위 내의 노동력으로 조선 내의 수요를 가장 유효 적절하게 충족하지 않으면 안된다.[21]

조선인은 일제의 노무자원으로서 그 필요에 따라 배치 운용되어야 한다는 논리였다. 더욱이 조선에서는 가능한 한 사용하는 노동자수를 감소시키고 여유 노동력은 일본과 남방 기타 일제가 필요로 하는 곳으로 공출해야 함을 강조하였다.

이러한 인식 위에서 대규모의 노동력 공급을 요구한 일제의 노동정

에 勤勞部 設置'; 許粹烈, 「朝鮮人 勞動力의 强制動員의 實態-朝鮮內에서의 强制動員政策의 展開를 中心으로-」, 『일제의 한국 식민통치』(車基璧 엮음), 정음사, 1985, 326쪽).

20) 「勤勞動員本部設置さる」, 『朝鮮』354, 1944. 11·12, 70~71쪽.

21) 竹田兼男, 「朝鮮に於ける勞務管理の基本課題」, 『朝鮮勞務』 2-3, 1942. 6, 27~31쪽.

책은 군수산업 부문에 충분한 노동력을 공급하고 노동자에게 전쟁 참
여의식을 불러일으키는 데 목표를 두고 있었다. 이를 실현하기 위해서
는 노동자의 대우를 합리적으로 하여 생산능률을 유지 향상시키고, 전
구성원이 협력할 수 있도록 정신적 물질적 환경을 개선하는 정책이 필
요하였다. 그러나 이러한 내용은 당시 일제가 처한 생산력의 한계 속에
서는 실현될 수 없는 것이었다.

더욱이 지속적인 노동력 동원으로 조선에서는 노동력 수급의 불균형
을 심화되고 있었다. 노동력 공급원이던 중남부지방의 軍 관계 토목공
사가 급증하게 되어22) 그 지역 자체의 노동력 수요가 두드러지게 증대
하면서, 서북부지방으로의 노동력 송출이 곤란해지게 되었다. 북부지방
의 웅기·나진 지역 등에서는 상당수의 노동력을 滿洲國에 의존하는
현상을 보이기도 하였다. 또한 일본으로의 노동력 송출에 따른 청장년
층의 대량 전출은 해당 지역의 노동력 문제에 커다란 영향을 미쳐, 조
선의 농촌은 이제 전시 식량증산에 필요한 노동력마저 부족하다고 평
가될 정도였다.23) 일제는 이제 노동 효율을 강조하면서 농촌 노동력과
여성 노동력, 중소기업 노동력을 최대한 동원해 내는 방식을 통해 노동
력을 확보해 갔다.

노동력 동원이 체계화될수록 농촌에서는 많은 노동력이 유출되어 갔
으므로 농업생산에 미치는 피해를 간과하기 어렵게 되었다.24) 또한 식
량 증산의 기반이었던 판매 비료가 감소하여 퇴비 증산이 농촌의 커다

---

22) 전시하에 토건노동자수는 도로 확충이나 방공호 건설, 비행장 건설 등의 부문
   에서 크게 증가하여 "과반 이상의 노동력을 토목건축 사업에 소비하고 있다"
   고 지적될 정도였다(渡邊勇, 「朝鮮の勞務者政策と土建界」『朝鮮勞務』, 2-4,
   1942. 8, 58~65쪽).
23) 朝鮮總督府 司政局 勞務課, 「朝鮮の勞務に就て」『朝鮮勞務』3-2·3, 1943.
   8, 11~15쪽.
24) 전시하의 농업노동력 동원과 유출 실태에 대해서는 李松順, 「日帝末期 戰時
   農業統制政策과 朝鮮 農村經濟 變化」, 고려대 사학과 박사학위논문, 2003,
   148~183쪽 참조.

란 부담으로 지워졌다. 이에 총독부는 농민들에게 전쟁 수행을 위한 식
량 증산을 요구하면서, 1943년에 농촌실태조사를 실시하여 농촌생산체
제를 정비하기 위한 자료를 마련하였다.25) 또한 농산물의 생산과 지도
를 담당할 農業要員의 확보를 계획하고, 각종 단체원과 학생·아동 노
동력의 동원, 작물의 품종을 바꾸어 소요 노동력을 감소시키는 방법,
파종 시기를 바꾸는 방법, 최대한의 기계화와 공동 작업반의 편성, 가
사 공동 시설의 확충 등 농업 증산과 노동력 부족에 대한 보완 조치를
취하고자 하였다.26) 나아가 1944년부터 農業生産責任制를 적용하였
다.27) 농촌의 노동력 문제는 여타 산업, 특히 광업에 직접적인 영향을
미쳤기 때문이다.28)

이와 함께 총독부는 남성노동력이 필수적인 분야가 아닌 경우 여성
노동력으로 대체하게 하였다.29) 농촌 여성의 노동력을 적극 활용하여

---

25)『每日新報』1943. 2. 18, '農村實態調査 指導, 本部 各道 關係官 招致'.

26) 石井辰美, 「昭和十七年春期農繁期勞務調整に關して」,『朝鮮勞務』 2-2,
    1942. 4, 41~42쪽. 이 시기 농촌사회의 문제에 대해서는 이경란, 「총동원체제
    하 농촌통제와 농민생활-마을 사회관계망을 중심으로-」,『일제 파시즘 지배
    정책과 민중생활』(방기중 편), 혜안, 2004 참조.

27) 농업생산책임제는 농촌에서 극소수의 노동력으로 최고도의 효율을 발휘하게
    한 제도로서, 이를 위해 농촌에서 경지를 중심으로 한 애국반의 조직 등이 제
    기되었다(『每日新報』1944. 2. 8, '農業生産責任制實施要綱'·'農業生産의 責
    任制 確立, 總蹶起 增産完遂, 耕地高度 利用, 道義精神을 昂揚').

28) 농촌의 여유 노동력이 유입되지 않을 경우 광산, 그 중에서도 노동력 의존도
    가 높은 중소규모의 광산은 큰 타격을 받을 수밖에 없었다. 중소광산들은 자
    본의 유기적 구성이 낮고 노동자가 대부분 半農半鑛이라는 공통점을 지니고
    있었다. 매장량이 많지 않은 중소광산에서는 영구 주택을 갖추거나 기계 설비
    를 확충하기 어려웠기 때문이다(高見玄一郎, 「勞務管理의 現狀(二)」,『朝鮮勞
    務』 4-4, 1944. 5, 46~49쪽).

29) 朝鮮總督府 司政局 勞務課, 앞의 글, 1943. 8, 11~15쪽. 일제는 조선인 부녀
    자가 전통적으로 노동에 종사하는 풍습이 없었다고 평가하였다. 곧 조선의 농
    촌 부인은 농업 경영에 들이는 시간이 전 농업 노동의 1할에도 달하지 않고,
    그 대부분을 가사노동으로 향하고 있다고 보았다. 이러한 평가는 조선인 여성
    의 가내노동은 물론 농업 분야의 노동과 직조 분야의 노동을 노동으로서 인정

민간산업 부문의 작업을 가능한 한 여성으로 충당하고, 그에 따라 생기
는 남성 잉여노동력을 '시국산업' 부문으로 배치하고자 한 것이다. 이에
여성노동력의 家外 노동 종사를 요구하는 한편, 노동력을 끌어내기 위
한 장치로서 탁아소 설치와 부인 공동작업을 권장하였으며, 國民總力
運動을 통해서도 여성노동력을 동원해갔다.30)

노동력 확보의 한 방편으로 일제는 국가총동원법 제16조에 근거하여
1942년 5월 "국민경제의 총력 발휘에 이바지하기 위해 기업을 정비하
거나 그 사업에 속하는 설비 혹은 권리의 이용"을 목적으로 企業整備
令을 제정하고, 그 해 6월부터 조선에서도 이를 적용하였다.31) 기업정
비는 일제가 전쟁에서 점차 수세에 몰리는 상황에서 노동력과 물자를
군수물자의 생산에 집중하기 위해 행한 조치였다. 1943년 일본에서 본
격적으로 기업정비가 추진되자 총독부는 조선에서도 군수생산력 증강
을 위해 모든 인적·물적 자원을 집중시키기 위한 방안을 마련하였다.
그 해 10월 총독부는 企業整備基本要綱을 공포하고 두 차례에 걸쳐 기
업정비를 추진하였다.

企業整備基本方策에서는 기업정비로 발생한 전폐업자와 종업원에
대해 "그 기능과 경험을 활용할 수 있도록 軍需 기타 重點産業으로 배
치 전환시키거나 귀농을 강구할 것"32)이라 하여, 기업정비와 노동력 동
원 문제를 결부시켰다. 실제 제1차 기업정비와 함께 1944년 2월 現員徵
用이 단행되어, 1944년 11월까지 72개 공장과 71개 광산에서 시행되었

하지 않는 태도에서 비롯된 것이었다.

30) 1941년 현재 농번기의 탁아소 개설상황을 보면, 경기도의 4,741개와 충남의
3,139개를 비롯하여 전국에 총 1만 7,366개가 설치되어 31만 2,207명의 아동을
맡고 있었다(農林局 農政課, 「昭和十六年春季農村勞務調整狀況」, 『朝鮮勞
務』 2-2, 1942. 3, 43~63쪽 ; 三瓶孝子, 「婦人勞務者の現狀と厚生」, 『朝鮮勞
務』 2-3, 1942. 6, 62~63쪽).
31) 『朝鮮總督府官報』 4612, 1942. 6. 15.
32) 「企業整備要綱(10.26 결정)」, 『朝鮮工業組合』 3-1, 朝鮮工業組合中央會,
1944. 1, 46쪽.

다. 공장의 경우 제1차 기업정비 기간인 1944년 2월부터 8월 사이에 1944년 10월 현재 중요공장 노동자수 25만 4,074명의 약 50%에 달하는 12만 4,647명이 징용되었고, 광산은 이 기간에 2만 2,792명과 이후 11월까지 6,100명이 징용되어, 총 15만 3,580명이 징용되었다.[33] 즉 현원징용은 제1차 기업정비 기간에 집중되었으며, 그 내용도 설비보다는 기술인력의 동원에 더 큰 비중이 있었고, 징용업체 외에도 중소공업, 가내공업 등에서 기능인력의 동원이 진행되고 있었다.[34]

조선에서의 기업정비는 특히 중소공업을 중심으로 행해졌다. 전시하 일본공업의 추세와 불안한 수송 현황에 대처하기 위해서는 조선에서 자급자족 체제를 확립하여야 했고, 따라서 군수물자를 생산하고 있는 대규모의 기업을 육성해야 했기 때문이다. 군수산업 중심의 勞務調整令 시행으로 중소기업은 이미 노동자, 특히 기술자가 극히 부족해진 데 이어[35] 기업정비령이 시행되자 많은 경우가 공장을 폐쇄하지 않을 수 없었다.

그러나 기업 재편성에도 불구하고 전시체제의 가속화에 따른 노동력 부족문제는 해결되지 않았다. 오히려 전쟁 수행에 긴요한 산업부문 또한 轉廢業된 분야의 기술적으로 경험이 없는 노동자가 배치되거나, 징용이나 이동에 의해 숙련노동자를 상실하거나, 병역 연한이 넘거나 그에 달하지 않은 청장년 남자 또는 여자 노동력으로 대체되면서 노동력의 질적 수준이 전반적으로 저하되고 있었다.[36]

---

33) 「朝鮮ニ於ケル國民徵用實施ノ狀況及將來ノ對策如何」,『日帝下 戰時體制期政策史料叢書 23』(民族問題研究所 編), 韓國學術情報株式會社, 2000, 295~300쪽.

34) 金仁鎬,「日帝의 朝鮮工業政策과 朝鮮人資本의 動向 (1936~1945)」, 고려대 사학과 박사학위논문, 1996, 215~216쪽.

35) 朝鮮總督府 厚生局,『勞務調整令解說』, 1942, 27~52쪽 참조.

36) 村田幸達,「勞務管理の基本課題」,『朝鮮勞務』3-4, 1943.9, 5~22쪽. 일본 본토 내에서도 전체의 60% 이상의 경험 노동자에 40% 이하의 미경험 노동자가 포함되면서 그 구성이 질적으로 저하되는 결과를 낳았다.

1943년 들어 일본의 패전 기미가 드러나면서 노동력 문제는 더욱 관심의 초점이 되었다. 일본의 선박은 태평양전쟁 발발 전인 1941년 8월에 비해 패전 무렵인 1945년 8월에는 그 24%에 불과할 정도로 감소되었다.37) 이는 海路 수송력의 한계를 반영하는 것으로서 이내 생산력의 한계로 이어졌다. 이러한 상황에서 총독부는 당시로서는 유일한 방책이었던 노동의 강화에서 그 대책을 찾았다. 일제에게 노동력 동원은 국방상 가장 중요한 산업에서 활동할 '戰士'를 한 명이라도 더 확보하는 것이었으므로, 노동자에게 요구되는 임무와 책임은 전선의 장병과 다를 바 없었다. 이에 '一億 總進軍' 혹은 '일억이 모두 전사' 등의 구호가 동원되었다. 모든 노동자들이 전쟁터에서와 마찬가지로 각 직장에서 싸우지 않으면 안된다는 것이었다. 특히 전쟁에 이기기 위해서는 군수산업 부문의 노동자가 전선의 장병에게 뒤지지 않는 모습으로 직장에서 "눈에 보이지 않는 敵國 산업인을 대상으로 밤낮으로 피의 전쟁을 해야만 한다"고 강조하였다.38)

이후 일제 노동정책의 방향은 軍需會社法에서도 확인되듯이 생산행정의 일환으로 고착되었다.39) 일제는 1943년 일본에서 軍需省을 설치하고 군수회사법을 제정한 데 이어 다음 해 10월부터 조선에서도 군수회사법을 시행하였다. 군수회사법은 군수산업 부문에 자재와 노동력을 우선 배당하고 그 대신 생산량을 법적으로 책임지우기 위한 것이었다.

---

37) 1941년 말 선박의 총 선적량은 6,384천 톤이었으나, 태평양전쟁 중 선박의 상실이 계속되어 1945년 종전시에는 1,526.9천 톤에 불과하였다(安藤良雄 編, 『近代日本經濟史要覽』, 東京大學出版會, 1979, 139쪽).

38) 井上收, 「勞務者と厚生の一考察」, 『朝鮮勞務』 2-5, 1942. 10, 64~72쪽.

39) 군수회사법은 軍需生産責任制를 모체로 하여 마련된 것이었다. 군수생산책임제는 1944년 3월 제1차 지정 사업자를 결정하면서 구체화되었다. 지정업자는 萩原 朝鮮鑛業振興會社 사장을 비롯하여, 제1차 업자는 경금속관계 10명, 철강과 제철 13명, 특수광물과 비철금속 82명, 석탄 16명, 액체연료 3명, 화학공업 12명, 전력관계 2명, 합계 138명이었다(「軍需生産責任制 第一回令書交付式擧行」, 『朝鮮』 347, 1944. 5, 63~64쪽).

일제는 전력 증강을 위해 군수회사에 증산의 책무를 부여하는 동시에, 회사의 지도자를 생산 책임자로 정하고 공장 사업장의 책임자를 생산 담당자로 정하여 그 책임관계를 법적으로 확립하였다. 생산 책임자와 생산 담당자는 公法上의 지위를 가지게 되고, '국가'를 위해 사회기관을 운용하고, 사장에서 노동자에 이르기까지 공적인 관계 속에서 '국가'의 통제 하에 놓이게 되었다. 따라서 만일 생산책임자나 생산담당자가 직무를 게을리하고 생산책임을 지지 않는 경우나 노동자가 생산책임자나 생산담당자의 지휘에 따르지 않는 경우에는 공적으로 책임을 묻게 하였다.[40]

군수회사법에서는 군수산업 부문 생산책임자가 원하는 대로 활동할 수 있는 경제 환경을 조성하도록 규정하였다. 군수회사에 자재를 우선으로 배당하고, 노동자를 징용하고, 손실을 보상하였으며, 금융경리의 원활, 관계사업의 협력 등을 꾀하여 생산책임자가 전력을 기울여 일할 수 있는 환경을 만들어내고자 한 것이다. 더불어 회사운영에 관한 商法의 규정과 통제, 단속 등의 법령이 활동을 제약하지 않도록 특별히 법령상의 조치를 강구하여, 규정의 적용을 배제하고 特例를 두는 길도 열어 두었다. 이와 함께 생산 명령, 사업 운영상의 명령, 사업형태에 관한 명령, 기타 모든 지도감독상 필요한 명령 또는 처분을 위반할 경우 엄벌로 대처하였다.[41] 이러한 軍需會社法에서의 責任生産制는 곧 '국가'의 절대 지상명령이었다.

이상에서 보았듯이 태평양전쟁 발발 이후 일제의 전쟁 추진은 생산력의 한계 속에서 노동력에 의존해서 진행될 수밖에 없었다. 그러나 일본으로의 노동력 송출과 광공업 부문의 확충으로 조선의 농촌은 이제 더 이상 과잉노동력이 존재하는 곳이 아니었다. 이에 일제는 농촌의 청장년 이외에도 여성노동력의 동원을 꾀하는 한편 기업정비를 통해 전

---

40) 『朝鮮總督府官報』 5321, 1944. 10. 28, '軍需會社法'.
41) 「朝鮮軍需會社法施行規則公布さる」, 『朝鮮』 354, 1944. 11·12, 70~71쪽.

256

업자를 강제로 증가시키는 등 사회 내부의 모든 노동력을 총동원하고
자 하였다. 나아가 군수회사법의 시행단계에 이르러서는 노동정책에서
사회정책적 성격은 이제 공식적으로 완전히 부정되었고, 철저히 生産
政策의 관점에서만 정책이 입안되고 운영되어 갔다.

(2) 노동력 동원의 확대와 숙련노동자의 부족

총독부에서는 노동력 동원 방책으로서 1943년 8월 工場事業場勤勞
管理要綱을 결정하고, 정무총감 田中武雄⁴²⁾의 통첩으로 勤勞管理刷新
強化方針에 이어 그 해 10월 生産增強勞務強化對策을 발표하였다. 생
산증강노무강화대책은 군 작업청, 군 관리공장, 기타 군의 필요에 따라
조선총독부에서 지정한 곳과 생산력확충계획 산업에 해당하는 공장 사
업장으로서 조선총독부가 지정한 곳, 그리고 총독부에서 지정한 공장의
노동력을 확보하기 위해 취한 조치이다. 그 내용은 크게 遊休・不急 노
동력의 전면적 동원, 그리고 중점산업 노동자의 처우개선과 노무관리
쇄신의 두 가지로 구성되었다.

총독부는 우선 노동력의 전면 동원을 위한 노동력 배치 대책으로서
다음의 여러 규정을 마련하였다.

① 국민징용의 범위를 철강, 경금속 등의 중점산업으로 확장할 것.
② 근로보국대의 활동을 강화하고 國民勤勞報國協力令을 적극적으로
　활용하여, 공장 사업장에서의 간이한 작업은 주로 근로보국대로 충
　족시키고, 學徒戰時動員體制確立要綱에 의해 적극적으로 학도를
　동원할 것.

---

42) 田中武雄은 조선총독부 경무국장을 거쳐, 1939년 4월부터 1942년 5월까지 拓
　務省 차관(조선부장)을 지낸 후, 小磯國昭의 총독 부임과 함께 1942년 5월부
　터 1944년 7월까지 총독부 정무총감을 지낸 인물이다(水野直樹, 「戰時期の植
　民地支配と「內外地行政一元化」」, 『人文學報』 79, 京都大學 人文科學硏究
　所, 1997. 3, 84쪽).

③ 징병 검사를 받고 징집 또는 소집되지 않은 자를 동원하여 일정기
간 국가의 긴요한 업무에 종사시킬 것.

④ 學校卒業者使用制限令의 적용을 받는 학교 졸업자 이외의 신규
학교 졸업자의 사용을 통제하여 중점 배치를 꾀할 것.

⑤ 여자 노동력으로 지장이 없는 직종에는 勞務調整令에 의해 남자
노동력의 고용, 사용, 취직, 종업을 금지 또는 제한할 것.

⑥ 토목건축업, 교통운수업, 공업 등에서의 일용노동자, 관계 사업주,
노무 공급업자로 노무통제 단체를 조직하고, 일용노동자는 이를 통
해 적정 배치할 것.

⑦ 囚人, 사법보호 대상자, 포로 노동력을 유효하게 이용할 것.

⑧ 여자 유휴노동력의 적극적인 활용을 위해, 여자의 특성에 맞는 직
종을 선정하여 신규 학교 졸업자와 14세 이상 미혼자의 전면적 동
원체제를 확립하고, 노무조정령을 개정하여 접객업, 오락업 등에서
의 여자청소년 사용을 제한할 것.[43]

노동력을 최대한 동원하기 위해 徵用令을 적극적으로 발동하는 동시에
근로보국대의 역할을 강화하고, 군 업무에 복무하지 않는 청년을 勤務
動員令을 통해 동원하고, 통제 밖에 놓여 있던 여성노동력을 남성을 대
체할 노동력으로서 적극적으로 규제하였다. 일할 능력이 있는 모든 사
람을 전쟁에 동원하고자 계획한 것이다.

이를 위해 노동력이동 방지 대책으로서, 노무조정령에 의해 무인가
고용 취직을 없애고 위반하는 자는 엄벌할 것, 광산에서도 노무조정령
에 의한 종업자의 해고, 퇴직 제한을 실시하고 단속을 강화할 것, 노동
자의 주택을 확보하고, 광산에서는 조선식 주택을 장려할 것, 배급기구
를 개선하여 노동자에게 주요 식량의 定量配給 외에 가동일수에 따라
特配하고, 작업용 필수품을 우선 증배하되 생산증강에 효과가 있도록
적절히 급여할 것, 후생시설을 개선 확충할 것, 개척민 이외의 노동자

---

43) 「政務總監談-勞務强化對策要綱決定す」, 『朝鮮』 342, 1943. 11, 95~97쪽.

의 渡支·渡滿을 억제하고 국경 부근 노동자의 조선 외 취로를 규제할 것을 규정하였다. 또한 임금 대책으로서 공장 사업장 노동자 임금의 탄력성을 인정하고, 광산노동자의 갱내 청부임금을 증액하도록 하는 한편 일용노동자의 최고 임금을 公定하고 억제할 것을 제기하였다.

이와 함께 노동자 鍊成을 위한 대책으로서, 공장 사업장에서 仕奉隊를 철저히 조직할 것,[44] 사업주·경영간부·노무감독자 등에게 산업지휘자 연성을 실시할 것, 朝鮮勞務協會가 설치한 道中堅勞務者指導訓鍊所를 적극적으로 활용하여 중견노무자를 양성할 것, 工場事業場機能者養成令에 의한 노동자 양성시설을 확충 강화시킬 것 등을 규정하였다. 이러한 대책은 중점산업을 위주로 행해졌다.[45] 곧 중점산업 노동자의 처우개선과 노무관리의 쇄신을 위해 식량을 비롯한 필수물자를 특별히 배급하고, 중점산업 경영자에게는 노무관리 시책을 강구하게 하여, 노동효율을 최고도로 발휘하기 위해 취한 조치였다.[46]

유휴 불급 노동력을 전면 동원하고 중점산업에 이들을 집중 배치하도록 규정한 生産增强勞務强化對策은 징용과 근로보국대의 동원 이른바 '국민동원'을 위해 준비된 조치로서, 이후의 노동정책은 여기에 준거하여 전개되었다. '국민동원'은 그간의 "사람이 부족하므로 사람을 모집한다고 하는 사고에서, 모든 사람이 속히 전투배치 태세를 정비하여 戰局의 요구에 따라 병사로서 전선에서 총을 잡거나 노동자로서 전력 증

44) 國民總力朝鮮聯盟에서는 職域奉公을 강조하는 한편 각 職域聯盟의 愛國班을 군대 조직의 형식으로 재편성하고 이를 '仕奉隊'라 이름하였다. 사봉대에 대해서는 곽건홍, 앞의 책, 2001, 195~202쪽 ; 이상의, 「일제하 조선인 '중견노무자'와 노동규율」, 『韓國史學報』 18, 高麗史學會, 2004 참조.
45) 중점산업은 주로 군수산업과 생산력확충계획산업에 포함된 사업으로서 총동원 물자를 생산하는 사업을 일컬었다. 조선에서는 일찍이 時局對策調査會에서 일본 국내에 희소한 군수자원, 전력과 결합한 철강, 경금속, 인조석유 등을 시국산업이라고 하여 보호·육성할 것을 결정하였다(朝鮮總督府, 『朝鮮總督府時局對策調査會會議錄』, 1938).
46) 「政務總監談 - 勞務强化對策要綱決定す」, 『朝鮮』 342, 1943. 11, 95~97쪽.

강에 挺身해야 하는 國民總動員의 신이념으로" 내용이 변화된 것이었다.47) 여기에 맞추어 총독부는 유휴·불급노동력을 전용한다는 명분 하에 징용령을 적극적으로 발동하였으며, 중요산업에 대한 노동력 공급을 위해 농촌에서의 노동력 공출, 취업금지에 의한 남자노동력의 轉用, 여자노동력의 적극적 사용, 학교졸업생의 중점사업 배치, 일용노동자의 적정배치, 기업정비에 의한 노동자 전용, 도시무업자·유한층의 동원, 근로보국대의 적극적 활용 등 다양한 방책을 모색하였다.48)

　노동력을 조직화하는 한편으로 일제는 만주와 중국인 노동자를 조선으로 이입하고, 형무소 수감자와 전쟁 포로를 활용하는 방안까지도 적극 고려하였다.49) 그 중 '사법보호 대상자'의 근로동원은 신체가 건전하여 노동을 감내할 수 있는 사법보호 대상자 중에서 猶豫者를 중요한 사업장의 노동에 종사시키는 것이었다. 형무소의 외부 하역작업은 저임금과 저축성이 높이 평가되면서 전면적으로 추진되었다.50) 형무소 수감자들을 港灣挺身隊로 조직하고, 朝鮮海陸運輸株式會社를 지정하여 부산, 마산, 여수, 목포, 인천, 진남포의 6개 중요 항만에서 하역에 종사시켰다.51) 이들의 근로동원 참가 기간은 기소 유예자와 형집행 유예자는 1년, 가석방자와 만기 석방자는 6개월로 하였으며, 총 6,300명을 동원할 계획을 세우고 1945년 4월 우선 3,100명을 동원하였다.52) 노동력

---

47) 『每日新報』1943. 10. 22, '國內態勢 强化方案, 啓蒙宣傳에 萬全圖謀'.
48) 沖津主稅,「朝鮮の勞動力再編成」,『朝鮮勞務』4-1, 1944. 2, 2~4쪽.
49) 「俘虜使用ニ關スル件」,『戰時下朝鮮人勞務動員基礎資料集　Ⅴ』(樋口雄一編), 綠蔭書房, 2000, 753~756쪽.
50) 이를 위해 총독부는 1943년에 실시한 朝鮮少年令 중 형사처분에 관한 규정을 정하고, 소년 수형자에 대한 부정기형 채용과 가석방 조건 완화 등의 특례를 마련하였다(「囹圄に在る者も皇民なり」,『日帝下　戰時體制期　政策史料叢書 28』(民族問題研究所 編), 韓國學術情報株式會社, 2000, 78~84쪽).
51) 예컨대 경성사법보호위원회에서 부산항만에 파견한 경우에는 경성항만정신대라고 불렀다.
52) 朝鮮總督府 法務局 總務課,『司法保護對象者勤勞動員實施要綱』, 1944, 1~13쪽.

을 끌어내기 위해 죄수들까지 동원하여, 주로 일용노동자를 고용하던
하역작업에 종사시켰던 것이다.53)

　이와 함께 총독부는 중요산업 부문의 노동자를 확보하고자 중요산업
노동자의 처우 개선을 추진하였다. 물가는 급격하게 상승하는 데 비해
임금이 고정되어 생활이 점차 어려워지자 노동자들의 반발이 거세어졌
고, 이는 결국 자본가의 노동자 확보에 걸림돌로 작용하고 있었다. 총
독부는 '賃金狂騰'이라 표현하면서도 1943년 1월부터 중요한 공장 사업
장에 대해서 최고 3할 정도의 임금인상을 인정하는 조치를 취할 수밖
에 없었다. 또한 같은 해 8월 賃金統制令을 개정하여 중점산업에 대해
서는 개개 공장 사업장의 실정에 따른 임금지불을 인정하였다. 이어 정
세가 긴박해지면서 공습 등의 경우에 임금인상 허가제의 폐지와 물자
사정에 따른 실물급여, 물품의 廉賣에 대한 통제 완화의 방향으로 賃金
統制令施行規則을 개정하였다.54)

　다양한 방식의 노동력 동원방책을 마련한 일제는 지속적으로 노동력
동원을 추진하였다. 「1941년도 勞務動員實施計劃要綱」에서는 중요산
업에 대한 노동력의 중점 배치라는 종래 목표의 강화는 물론이고, 국민
개로를 위해 남녀 일반인과 학생, 생도를 긴박한 단기노동에 총동원한
다고 하였다. 나아가 1942년부터는 명칭을 國民動員計劃으로 변경하고

---

53) 朝鮮總督府 法務局 總務課, 위의 책, 14~21쪽. 수형자들은 일반노동자와 격
　리하였으며 깃발을 꽂아놓고 근무하도록 하였다. 이들은 3~10월간은 하루 12
　시간, 동절기인 11~2월까지는 하루 9.5시간 동안 작업하였고, 청부제 혹은 정
　액제로 하루 1원 70전을 지급받았다. 이들의 주거공간은 1인당 0.5평이었고,
　식비는 하루 60전을 넘을 경우 사업주가 초과액을 부담하도록 하였다. 이는
　곧 한끼분의 식비가 20전 이하였음을 상징하는 대목으로서, 당시 암거래에 의
　한 식사 한끼가 3원 가량이었음을 고려하면 이들의 실생활이 어떠했는지를
　짐작할 수 있다. 형무소 수감자 노동력의 운영 실태에 대해서는 이종민, 「일제
　의 수인 노동력 운영 실태와 통제 전략-전시체제를 중심으로-」, 『韓國學報』
　98, 일지사, 2000 참조.
54) 慶尙南道 鑛工部 勞務課, 「賃金統制令並ニ同施行規則中改正ニ關スル件」,
　『勞務關係法令集』, 1944, 98~100쪽.

규모를 더욱 확대하였다.55)

이 계획에서 1942년도 조선에서는 일반노동자 44만 8,185명, 하급 사무직원 1만 116명, 공무요원 1만 2,543명의 총 47만 844명을 신규 수요수로 결정하였다. 그 중 일본으로 공출될 노동자는 12만 명이었고, 일본에서 공출할 노동자는 7,600명이었다.56) 또한 1943년도에는 44만 2,743명을 신규 수요수로 결정하였는데, 그 중 일반노동자는 26만 6,598명, 하급 사무직원은 1만 1,095명, 공무요원은 1만 50명이고, 일본 등지로 공출할 노동자가 12만 5천 명, 만주 개척민이 3만 명이었다. 이들의 공급원은 신규 초등학교 수료자 6만 1천여 명, 농촌에서 공출 가능한 자 27만 6,250명, 농촌 이외 지역 8만 6,800명과 일본에서 공출한 노동자 1만 8,570명으로 구성되었다.57) 나아가 1944년에는 조선인 노동자의 동원 규모를 대폭 확대하여 29만 명의 동원을 1차로 요구한 데 이어 10만 명을 추가로 요구하였다.58)

이러한 가운데 <표 20>에서 볼 수 있듯이 조선인 노동력의 국외 동원은 주로 일본 지역을 상대로 하여 1939년부터 본격적으로 행해졌다. 이 숫자는 해마다 증가하여, 1939년에 5만 3천여 명이 동원되었으나 1944년에는 22만 8천여 명에 달하였으며 이후 추가로 10만 명을 더 요구하였다. 1939년부터 1944년까지 6년간 일제는 95만여 명의 조선인 노

---

55) 河棕文, 『戰時勞動力政策の展開-動員のロジック, 動員機構, 勞動力需給狀況を中心に-』, 東京大學日本史學硏究室, 1996, Ⅲ장 참조.

56) 企劃院, 「昭和十七年度國民動員實施計劃策定ニ關スル件」, 『日帝下 戰時體制期 政策史料叢書 86』(民族問題硏究所 編), 韓國學術情報株式會社, 2000, 255~273쪽.

57) 企劃院, 「昭和十八年度國民動員實施計劃策定ニ關スル件」, 『日帝下 戰時體制期 政策史料叢書 87』(民族問題硏究所 編), 韓國學術情報株式會社, 2000, 321~326쪽.

58) 「昭和十九年度國民動員實施計劃策定ニ關スル件」, 『日帝下 戰時體制期 政策史料叢書 88』(民族問題硏究所 編), 韓國學術情報株式會社, 2000, 312~316쪽.

<표 20> 조선인노동자의 일본, 사할린, 南洋 지역 도항상황(단위 : 명)

연도	지역	동원 계획수	도항수					도항 비율
			석탄	금속	토건	공장기타	계	
1939	일 본	85,000	32,081	5,597	12,141		49,819	58.6
	사할린		2,578	190	533		3,301	
	남 양					560	560	
	계	85,000	34,659	5,787	12,674	560	53,680	63.2
1940	일 본	88,800	36,865	9,081	7,955	2,078	55,979	63.0
	사할린	8,500	1,311		1,294		2,605	30.6
	남 양					1,023	1,023	
	계	97,300	38,176	9,081	9,249	3,101	59,607	61.3
1941	일 본	81,000	39,019	9,416	10,314	5,117	63,866	78.8
	사할린	1,200	800		651		1,451	120.9
	남 양	17,800				7,908	7,908	44.4
	계	100,000	39,819	9,416	10,965	13,025	73,225	73.2
1942	일 본	120,000	74,098	7,632	16,969	13,124	111,823	93.2
	사할린	6,500	3,985		1,960		5,945	91.5
	남 양	3,500				2,083	2,083	59.5
	계	130,000	78,083	7,632	18,929	15,207	119,851	92.2
1943	일 본	150,000	66,535	13,763	30,639	13,353	124,290	82.9
	사할린	3,300	1,835		976		2,811	85.2
	남 양	1,700				1,253	1,253	73.7
	계	155,000	68,370	13,763	31,611	14,606	128,354	82.8
1944	일 본	390,000	71,550	15,920	51,650	89,200	228,320	78.7
	사할린							
	남 양							
	계	390,000	71,550	15,920	51,650	89,200	228,320	78.7
총 계	일 본	814,800	320,148	61,409	129,668	122,872	634,097	77.8
	사할린	19,500	10,509	190	5,414		16,113	82.6
	남 양	23,000				12,827	12,827	55.8
	계	957,300	330,657	61,599	135,082	135,699	663,037	69.2

자료) 近藤釰一 編, 『太平洋戰下終末期朝鮮の治政』, 朝鮮史料編纂會, 1961, 153
~154쪽 ; 近藤釰一 編, 「最近に於ける朝鮮の勞務事情」, 『太平洋戰下の
朝鮮(5)』, 友邦協會, 1964, 167~169쪽 ; 「內地要望朝鮮人勞務者ノ供出ニ
關スル情況」, 『日帝下 戰時體制期 政策史料叢書 15』(民族問題研究所
編), 韓國學術情報株式會社, 2000, 264~265쪽.

비고) 1. 이 통계치는 자료에 따라 근소한 차이가 있다. 南洋지역에 관한 1939~41
년 통계치는 『日帝下 戰時體制期 政策史料叢書 15』(民族問題研究所
編)에 근거하였다.

2. 南洋지역의 1941년 통계치는 11월 말 현재 수치이다.
3. 1944년에는 계획수 29만 명 외에 다시 10만 명이 추가로 요구되었다.

동력 동원을 계획하였다. 실제 이 기간에 총 66만여 명이 도항하였고, 그 중 대부분인 63만여 명이 일본으로 동원되었다. 일본으로 동원된 노동자 중 반수 이상은 석탄광산으로 배치되었고, 20%는 토건부문, 20%는 공장·기타부문에 있었으며, 나머지 10% 가량은 금속부문에서 일하였다.[59]

여기에서는 계획수에 비해 항상 도항수가 미치지 못하였음이 주목된다. 노무동원계획 시행 초반부터 전쟁 말기까지 지속적으로 동원 성적이 저조하여, 총 계획수에 비해 실제 동원된 수는 약 69%에 불과하였다. 이는 그만큼 노동력 동원을 기피하는 경우가 많았음을 보여준다.[60]

조선 내에서의 신규 노동자 수요도 매년 증가추세를 보였다. 따라서 그 수요를 충족시키기 위해 自然轉入과 緣故雇入, 직업소개소에 의한 소개, 조선직업소개령에 의한 모집, 총독부의 노동자알선요강에 의한 관알선 등 다양한 방식이 행사되었다. 1942년도에는 총독부 알선노동자 4만 7천 명, 직업소개소 소개수 3만 4천 명, 모집허가수 7만 7천 명, 계 17만 8천 명이었고, 나머지는 소위 門前募集에 의해 충당하고 있었다.[61] 그 외에 道에서의 근로보국대 동원 인원도 1942년 33만 3,976명, 1943년 68만 5,733명, 1944년 4~6월간 37만 9,790명이었고, 1945년에는 1년간 140만 3천 명의 동원이 계획되었다.[62]

---

59) 近藤釰一 編,『太平洋戰下終末期朝鮮の治政』, 朝鮮史料編纂會, 1961, 153~154쪽 ; 近藤釰一 編, 앞의 글, 1964, 167~169쪽 ;「內地要望朝鮮人勞務者ノ供出ニ關スル情況」,『日帝下 戰時體制期 政策史料叢書 15』(民族問題研究所 編), 韓國學術情報株式會社, 2000, 264~265쪽.

60) 조선인의 동원 기피 현상에 대해서는 이 책 제4장 2절 2)항에서 상술한다.

61) 朝鮮總督府 司政局 勞務課, 앞의 글, 1943. 8, 11~15쪽.

62) 勤勞動員課,「勤勞報國隊ノ出動狀況及今後ノ强化對策如何」,『日帝下 戰時體制期 政策史料叢書 23』(民族問題研究所 編), 韓國學術情報株式會社,

전시의 통제경제와 그에 따른 노동정책이 시행되는 과정에서 조선의 노동력 구성은 점차 변화되었다. 우선 공장노동자가 크게 증가하였다. 일제는 중일전쟁 이후 조선을 대륙침략의 병참기지로 만들기 위한 정책을 추진하였으므로, 조선에서는 파시즘 체제 하에서 군사적 공업화가 진전되고 이는 노동자계급의 급격한 성장을 초래하였다. 1936년 공장노동자는 약 19만 명으로, 같은 해 총인구 2,200여 만명의 0.9%,[63] 1935년 노동가능 연령인 15~59세 인구 1,223만 명[64]의 1.5%의 낮은 비중을 차지하고 있었다. 그러나 1940년대 군수공업의 발흥으로 공업노동자는 크게 증가하여, <표 21>에서 보듯이 1945년 1월 현재 59만여 명으로 전체 노동자 212만여 명의 27.9%를 차지하게 되었다.[65]

<표 21> 일제말기 산업별 노동자수와 구성비(단위 : 명, %)

산업별	노동자수	비 율	비 고
공 업	591,494	27.9	1945년 1월 총독부 지도과 조사
토목건설업	437,752	20.6	1944년 10월 현재 총독부 조사
육상운수	179,544	8.5	
임 업	205,911	9.7	
수산업	211,520	10.0	
광 산	273,863	12.9	1944년 9월 현재 조선광산연맹 조사
탄 광	72,561	3.4	1944년 9월 현재 조선총독부 연료과 조사
농 업	130,377	6.1	1943년 말 현재 지주와 농업피용자 조사
해상운수	19,352	0.9	1943년 말 현재 총독부 조사
합 계	2,122,374	100.0	

자료) 朝鮮經濟社 編, 『朝鮮經濟統計要覽』, 1949, 134쪽

또한 공업생산액은 1936년 약 9.1억원으로 총생산액의 30.7%를 차지하여 총생산액의 49.8%를 차지한 농업생산액 11.5억원보다 크게 적었

　　 2000, 288~289쪽.

63) 朝鮮總督府, 『朝鮮總督府統計年報』, 1936년판.

64) 朝鮮總督府, 『昭和十年朝鮮國勢調查報告書』, 78~79쪽.

65) 朝鮮經濟社 編, 『朝鮮經濟統計要覽』, 1949, 134쪽.

다. 그러나 1943년에는 20.5억원으로 총생산액의 37.1%를 차지하여, 약
21억원으로 37.9%를 차지한 농업생산액과 거의 비중이 같아졌다.[66] 이
외에도 이 기간에 토건, 운수, 농림, 수산 등 기타 산업 분야의 노동자
수가 크게 증대하고 있었다.

그런데 이렇게 노동자수가 증가하는 가운데 숙련노동자의 수요가 격
증해 가는 데도 불구하고 조선인 기술자의 양성과정은 제대로 진척되
지 않았다. 이 시기 일본인에게는 교육이 납세, 징병과 더불어 3대 의무
중 하나였으나, 조선에서는 납세의 의무가 있을 뿐 교육이 의무로서 인
식되지 못하였다.[67] 기술자 부족현상이 심각하였지만 1943년 현재 조
선내의 공광업 관계 학교는 겨우 6곳에 불과하여, 졸업자수가 매년 수
요 총수의 1/10에도 미치지 못하는 상황이었다.[68]

더욱이 기능공의 필요성이 커지는 시기에 오히려 일본인 기술자가
유출됨으로써 생산력 증대에 지장을 낳았다. 이에 총독부는 조선에 일
본인을 유치하고자 노력하고, 1940년도부터는 노무동원계획에 의해 계
획적으로 일본인의 조선 이입을 추진하고 있었다. 그 대상은 주로 공무
원이나 기술자, '중견노무자'였다. 對內地求人取扱要領을 두어 신규 국
민학교나 중등학교 졸업자 혹은 일반 청장년의 이입을 꾀하였는데, 이
는 조선의 산업계나 관청에서 간부가 될만한 일본인을 보호한다는 명

---

66) 朝鮮經濟社 編, 위의 책, 1949, 69쪽.

67) 「朝鮮統治の最高方針」, 앞의 책, 1947, 58~61쪽. 일제는 조선인 노동자의 교
육에 대한 배려는 하지 않으면서, 조선인의 교육수준이 낮다는 것이 임금을
낮추는 빌미로 삼거나 노동자 이동의 원인으로 파악하고 있었다. 平壤燐寸株
式會社의 경우 노동자 중 65% 가량이 여자이고 나머지 35%가 남자였는데,
여자 중 50%, 남자 중 20%가 14세 전후의 유소년노동자였다. 회사측에서는
이들 남녀 유소년공 중에는 무교육자가 많아 작업능률이 낮고 이들이 간이공
업 직무 사이에서 끊임없이 浮動하고 있다고 보고 있었다(「勞務者移動の主
なる原因とその防止策について産業人の意見を聽く」, 『朝鮮勞務』 3-2·3,
1943. 8, 16~22쪽).

68) 朝鮮總督府 司政局 勞務課, 앞의 글, 1943. 8, 11~15쪽.

266

분이었다.69) 또한 學校卒業者使用制限令의 적용을 받는 학교 졸업자
에 대해서도 매년 일본에서 일정 수를 할당받아 증가를 꾀하였다. 이렇
듯 1944년 말에 이르기까지 기술자 부족문제를 해결하기 위해 일제가
제기한 방안은 "극도의 중점주의에 따라 할당하고 내지에서의 공급을
확보하는 것"에 중심으로 두고 있었다.70)

일제는 기업측에게 자발적으로 직장과 일반 노동자의 질적 향상을
위한 적절한 교육방법과 시설을 연구, 실시할 것을 요구하였다. 각 공
장 사업장에서 필요로 하는 기술자를 경영자가 스스로 양성하여 자급
하는 방안이었다. 전쟁의 장기화와 일제의 새로운 점령지 건설을 위한
기술자 수요의 증가에 따라 새로운 기술자의 고용이 더욱 곤란해지면
서 각 공장 사업장에 요구된 방책이었다.71) 장기전을 버텨내야 하는 상
황에서 근본적인 대책을 강구하지 않을 경우 조만간 기술자의 부족으
로 파국에 달할 우려가 있었으므로, 이를 예방하기 위해 내놓은 고육지
책이었다.

총독부의 기술자 양성책은 자본가에게 상당한 희생을 요구하였다.
적어도 중등학교 졸업자 이상을 대상으로 3년 이상 양성하는 기간이
필요하였으며, 생산과정과 독립된 전문적인 양성시설이 요구되었다. 또
한 양성훈련에서는 훈련시간이 정규 有給 취업시간에 포함되어 있을
것과 훈련의 참여 여부를 노동자의 의사에 맡기지 않고 계획적으로 행
할 것이 요구되었다. 노동력의 양적 부족으로 새로운 노동자를 얻기 어
려운 상태에서, 3년 이상 생산에서 괴리시킨 채 기술자를 양성하는 것

---

69) 村田幸達, 「對內地求人取扱要領解說」, 『朝鮮勞務』 3-2·3, 1943. 8, 33~39
쪽.
70) 企劃課, 「生産力擴充計劃ノ進陟狀況及之ガ沮害ノ原因ト之ガ對策」, 『日帝下
戰時體制期 政策史料叢書 23』(民族問題研究所 編), 韓國學術情報株式會社,
2000, 44~52쪽.
71) 北里忠雄, 「鑛山に於ける勞務管理(承前)」, 『朝鮮勞務』 2-4, 1942. 8, 14~21
쪽.

은 자본가에게는 대단히 무리한 주문이었다. 따라서 현장에서는 노동력
의 질적 부족을 통감하고 양성의 필요를 느끼면서도 양성훈련은 형식
적으로 행하는 경우가 대부분이었다.[72]

이러한 과정을 거쳐 기능자·기술자로 등록한 조선인은 1939년부터
1944년까지 5년간 18만 7,559명에서 40만 5,067명으로 2.2배의 증가를
보였다. 그들은 대개 현직자 혹은 전력자였고, 이외에 검정시험 면허자
와 학교졸업자, 기능자 양성시설 수료자 등이 소수를 이루고 있었다.[73]
이들은 기술자, 기능공·숙련노동자, 공장·광산의 정규노동자로 정착
해갈 수 있는 자들로서, 주로 광산업과 중화학공업에 종사하고 있었다.
대륙병참기지정책과 관련하여 이 분야가 급성장하였음을 알 수 있다.

전체 등록자수에서 조선인이 차지한 비율은 같은 시기에 81.9%에서
83.5%로 증가하였다. 그런데 등록자수의 대부분을 차지하고 있던 기능
자는 총독이 지정한 업종에서 3개월 이상 근무한 자 혹은 1년 이상 근
무하고 그 일을 그만둔 지 5년이 지나지 않은 자였다.[74] 따라서 2급이

---

72) 村田幸達, 앞의 글, 1943. 9, 5~22쪽.

73) 일제는 중요산업 부문의 노동력을 확보하기 위해 1944년 2월 國民登錄制를
일원적으로 확충 정비하면서 전면적으로 관계 법령을 개정하였다. 법령의 적
용 범위를 크게 확장하여 국민 등록, 과학기술자 등록, 기능자 등록의 세 가지
로 구분하였고, 요신고자의 연령 범위도 만 12세 이상 50세 미만의 남자, 그리
고 만 50세 이상 60세 미만의 남자와 만 12세 이상 40세 미만의 여자로서 조
선총독이 지정한 기능자로 확대하였다. 신고 방법도 종래 남자청장년의 등록
은 연1회 행하였지만, 1944년부터는 5월과 11월 연 2회 신고하도록 하였다. 기
술자·기능자와 남자청장년 등록자수를 각 도별로 살펴본 통계에 의하면, 전
국에서 1943년 9월 현재 남자청장년으로 등록된 수는 경기도 43만여 명을 비
롯하여 약 320만 명이었고, 1944년 5월 현재 기술자·기능자는 48만 5천여 명
이 등록되었다. 이 등록된 기술자·기능자수는 조선인이 40만 5천여 명, 일본
인이 8만여 명이었다(勤勞調整課,「朝鮮ニ於ケル國民登錄實施成績ノ概要承
リタシ」,『日帝下 戰時體制期 政策史料叢書 23』(民族問題硏究所 編), 韓國
學術情報株式會社, 2000, 278~279쪽).

74) 大同書院編輯部 編, 앞의 책, 1942, 230~231쪽 國民職業能力申告令 제2조
참조.

나 3급의 하위 기능자들 중에는 특정한 기능직에 종사하는 단순노무자
가 많았음을 알 수 있다.[75]

조선인 숙련노동자 양성정책은 일제의 입장에서 절실하게 필요한 제
도였으며, 조선인 노동자에게도 자신의 지위를 상승시켜 가는 기회로
활용되어 일정한 성과를 보이기도 하였다. 그러나 양성정책은 일정수준
의 자금과 시간이 투여되어야 효과를 볼 수 있는 것으로서, 이 시기 일
제의 생산능력 내에서는 목표한 대로 실현하기 어려웠다. 조선인 숙련
노동자가 고급 기술이나 기능의 면에서 일본인 노동자를 대체하거나
물자의 생산을 확대해 갈 수준에는 이를 수 없었던 것이다.

특히 기술자의 부족문제는 대단히 심각하였다. <표 22>에서 볼 수
있듯이 전시하에 크게 확대된 금속공업 부문에서도 1943년 6월 현재
기술자는 조선인 150명, 일본인 1,282명으로, 조선인은 일본인의 10.5%
에 불과하였으며, 더욱이 일본인 종업자 중 기술자수의 비율이 20.1%
였던 데 비해 조선인 종업자 중 기술자수의 비율은 0.41%에 불과하였
다. 이러한 현상은 각 공업부문에 걸쳐 고르게 나타나, 조선에 있는 전
체 기술자 중 조선인이 차지하는 비율은 19.1%였고, 조선인 노동자 중
기술자의 비율은 0.37%에 지나지 않았다.[76]

---

75) 安秉直, 「「國民職業能力申告令」 資料의 分析」, 『近代朝鮮工業化의 研究
    -1930~45年-』(安秉直·中村哲 共編著), 一潮閣, 1993, 225~230쪽.
76) 기술자들을 지역별로 살펴보면 군수산업 시설이 많이 들어선 북부지방에 다
    수가 존재하였다. 1943년 6월 현재 남부지방에는 조선인 800명, 일본인 2,065
    명, 북부지방에는 조선인 827명, 일본인 4,856명이 존재하고 있었다. 특히 금속
    공업의 경우 남부지방에는 조선인 56명, 일본인 188명이 존재한 데 비해 북부
    지방에는 조선인 94명, 일본인 1,094명이 있었고, 화학공업의 경우 남부지방에
    는 조선인 113명, 일본인 262명, 북부지방에는 조선인 92명, 일본인 1,753명이
    존재하였다(朝鮮總督府, 『昭和十八年 朝鮮勞動技術統計調査結果報告』, 1944, 4
    ~9쪽).

<표 22> 1943년 6월 현재 공업부문별, 민족별 노동자수와 기술자수(단위 : 명, %)

민족별 부문별	노동자수				기술자수			기술자 비율	
	조선인	일본인	외국인	총수	조선인	일본인	총수	조선인	일본인
금속	36,161	5,082	261	41,504	150	1,282	1,432	0.41	20.1
기계기구	43,657	3,985	179	47,821	362	1,225	1,587	0.82	23.5
화학	54,690	8,653	375	63,718	248	2,146	2,394	0.45	19.9
가스전기수도	5,871	1,049	1	6,921	253	807	1,060	4.13	43.5
요업,토석	35,961	739	220	36,920	49	219	268	0.14	22.9
방적	78,190	1,374	199	79,763	155	475	630	0.20	25.7
제재목제품	26,841	543	1,033	28,417	30	83	113	0.11	13.3
식료품	30,535	962	201	31,698	121	304	425	0.39	24.0
인쇄제본	9,832	265	16	10,113	2	6	8	0.02	2.2
토목건축	175,638	4,087	7,073	186,798	547	1,508	2,055	0.31	27.0
기타	15,471	287	320	16,078	11	109	120	0.07	27.5
합계	512,847	27,026	9,878	549,751	1,928	8,164	10,092	0.37	23.2

자료) 「部門別工場數及勞動者數統計表」, 『産業勞動時報』 1-1, 朝鮮産業勞動調査所, 1946. 1, 106~107쪽.

요컨대 전시하에 지속된 일제의 노동력 동원정책으로 인해 조선인 노동력은 급격한 비율과 규모로 이동하고 있었다. 그것은 군수산업의 진행과 함께 주로 국내의 북부지방 혹은 대도시로 집중되는 양상을 보이기도 하였지만, 일본을 비롯한 국외로의 이동 비율도 높았다. 이 같은 노동력의 동원으로 산업구성에서 농업인구가 크게 감소하였고, 군수산업에 관련된 토목노동자와 광산노동자, 공업노동자가 증가하였다. 그러나 고용구조에서 볼 때 여전히 일용노동자 혹은 하층노동자가 많은 비중을 차지하고 있었다. 기능자·기술자의 필요가 강조되는 전시하에도 여전히 조선인 노동자 중 숙련노동자가 차지하는 비율은 낮은 편이었고, 특히 기술자의 부족현상이 계속해서 되풀이되고 있었다. 노동력의 양적인 부족과 질적인 부족문제를 해결하기 위한 새로운 방책이 제기되지 않으면 안 되었다.

2) 전시노무관리와 노동자 '鍊成'

(1) 전시노무관리의 도입과 체계화

중일전쟁 이전까지 조선에서 진행된 일제의 노동력 동원은 대개 양적으로 부족하면 다시 양적으로 보충하는 방식으로 진행되었다. 그러나 중일전쟁 이후 특히 태평양전쟁기에 들어서 조선의 노동력 공급지로서의 역할이 더욱 강화되면서, 일제는 다양한 방식에 의해 단기간에 상당수의 조선인 청장년을 공출하였다. 이는 조선 내의 노동사정에 큰 영향을 미쳐 기왕의 노동력 조달 방식만으로는 전쟁을 치르기 위한 생산력 확대가 곤란하게 되었다.

전쟁의 확대에 맞추어 조선총독부는 새로운 노동정책을 추구하였다. 노동정책의 중심 과제를 노동력을 양적으로 확보하고 유지하는 데 두면서도, 한편으로는 노동자 개개인의 노동 능률을 높여 생산성을 향상시키는 질적인 동원을 추구한 것이다. 노동력 문제로 전자가 일정한 한계에 달한 상황에서, 더욱이 노동자의 이직과 현장 이탈이 극심한 상황에서,[77] 전쟁이 진행될수록 점차 후자의 필요성이 강조되어 갔다. 양적으로 노동력을 최대한 동원하되, 부족한 부분은 노동강화를 통해 충당하는 방식을 채택할 수밖에 없었던 것이다. 즉 노동력의 양적 동원에서 질적 동원으로의 방향 전환이 추진되었다.[78]

대대적인 노동력 동원으로 새로이 등장한 노동자들은 '시국산업' 곧 전쟁과정에 필요한 '중점산업' 부문으로 전업해 갔다. 중점산업은 대개 근대적 산업기술을 사용하는 대규모 공장으로서, 일부의 숙련과 기술을 요하는 작업 외에는 상당한 정도의 탈숙련화된 작업으로 구성되어 있

---

77) 당시 노동자의 이직·현장 이탈률은 대단히 높아 노동력 동원의 필요성을 배가시키는 큰 문제로 지적되고 있었다. 노동자의 현장 이탈 현상에 대해서는 다음 절에서 상세히 언급한다.

78) 竹田兼男,「朝鮮に於ける勞務管理の基本課題」,『朝鮮勞務』2-3, 1942. 6, 27 ~31쪽.

었으며, 테일러리즘을 광범위하게 도입하고 있었다.[79] 그러나 주로 농업 종사자였던 신규 노동자들은 새로운 노동에 무지하였고, 무엇보다 생활습관이 공장노동자와는 전혀 달랐다. 이에 자본가들은 "공장에 전기도 가스도 증기기관도 전혀 모르는 노동자"가 적지 않다고 하거나, "유리를 본적도 없는 노동자가 유리를 잘 자르기 어렵다"고 지적하고 있었다.[80]

생산력 증강을 위해서는 이들이 오랫동안 익숙했던 자신의 생활 습관을 철저히 변화시키고 광공업 노동에 맞는 새로운 노동 습관을 익혀야 했다. 이들에게는 '근로자'로서 공장 세계에 적응하기 위한 새로운 환경의 규율에 순응할 것이 요구되었다.[81] 이 과정은 전시하에 들어 대규모 공장이 증가하고 노동자가 급증하면서 급격히 추진되었다. 각종 규율이 노동자 스스로 습득할 여유도 없이 일방적으로 주입되고 있었으며, 더욱이 '황국신민'의 의식을 가지고 노동을 자신의 의무로 받아들이는 정신 자세가 요구되었다. 그러한 작업은 '노무관리'라는 이름으로 행해지고 있었다.[82]

조선에서 '勞務管理'라는 용어가 본격적으로 사용되기 시작한 것은 전시통제경제기에 들어서이다. 중일전쟁이 발발하기까지 조선에서는 소극적인 사회정책 차원의 노동자 보호정책조차 시행되지 않았음은 물론, 개별 기업에서도 노동쟁의를 예방하기 위한 노동자 관리의 범주를 넘어서는 노무관리는 행해지지 않았다. 이에 전시하에 조선에서 근무하던 노무 담당자들은 "조선의 노무는 일본에 비해 30년 뒤졌다"는 평가

---

79) 강이수, 앞의 글, 1997, 126쪽.
80) 東洋經濟新報社 編, 「新使命を擔ふ農業の再編成」, 『朝鮮産業年報-朝鮮産業の決戰再編成-』, 1943년판, 60쪽.
81) 근로자와 노동자의 차이에 대해서는 이상의, 「일제지배 말기의 파시즘적 勞動觀과 '勞資一體論'」 『東方學志』 118, 연세대 國學硏究院, 2002 참조.
82) 전시하의 노무관리에 대해서는 이상의, 「일제지배 말기의 '노무관리'와 노동통제」, 『역사와 현실』 50, 한국역사연구회, 2003 ; 이상의, 앞의 글, 高麗史學會, 2004 참조.

와 함께 조선인을 대상으로 한 독자적인 노무관리의 확립을 요구하기
도 하였다.83)

조선에서 노무관리가 저조했던 원인에 대해 총독부 측에서는 ① 봉
건적 원시산업과 외국에서 유입된 자본주의적 근대 산업의 병존에 의
한 경제의 파행성, ② 풍부한 노무자원, ③ 노동정책이 저조한 위에 국
가총동원법에 의한 고도의 노동통제법령이 일본과 동시에 시행되어 노
동정책이 파행되고 경영의 노무관리 지표가 불명확한 점, ④ 비과학적
인 노무관리와 노동정책 등을 지적하였다. 그 중에서도 특히 저렴한 노
동력이 풍부하다는 특수사정으로 인해 노동과학이 발달하지 않고 경영
내부에서 노무관리의 비중이 높아지지 않아 결국 노무관리를 비과학적
이게 하였다고 보았다.84) 즉 노동력 동원 중심의 일제의 노동정책에서
야기된 한계를 "경제 구조가 파행적이고 노동력이 풍부한 조선의 사정"
에서 기인한 것이라고 풀이하고 있었다. 이 논리는 다시 노동력이 부족
해진 당시의 현실에서 노무관리의 중요성을 강조하는 것으로 연결되었
다.

일반적으로 노무관리의 목표는 일정한 노동력에서 보다 많은 잉여가
치를 만들어내기 위해 노무를 보다 능률적으로 처리하는 것이다.85) 그
런데 조선에서는 1920년대부터 불황과 더불어 계속 확대되었던 노동쟁
의를 진정시키는 것이 기업 내 노무관리의 중요한 업무로 인식되면서,
그 업무가 한산한 것이 사업장의 평화나 번영의 동의어로 해석되고 있
었다.86) 여기에서 총독부의 역할은 노동쟁의나 노자간의 알력에 기인

---

83) 北里忠雄,「鑛山に於ける勞務管理(承前)」,『朝鮮勞務』2-4, 1942. 8, 14~21
쪽.

84) 村田幸達,「勞務管理の基本課題」,『朝鮮勞務』3-4, 1943. 9, 5~22쪽.

85) 당시 일본에서는 노무관리를 각 공장, 사업장에서 생산에 종사하는 노동력을
적당한 방법으로 일에 결합시키고, 개개의 노동력을 능률상 가장 효과적인 형
태로 결합시켜 질서를 부여하고 지도하는 것이라고 인식하였다(桐原葆見,
『戰時勞務管理』, 東洋書館, 1942).

86) 北里忠雄, 앞의 글, 1942. 8, 14~21쪽.

한 각종 사회문제에 대한 대책을 강구하는 것에 중심을 두고 있었다.[87]

일제는 조선에서 그동안 각 시기 정세의 변화에 미봉의 노동대책으로 대처해 왔고, 노동력 문제에 관해 체계적인 검토를 하지 않았다. 이 시기까지 조선에는 노동문제에 대한 연구기관이 하나도 존재하지 않았던 실상이 그러한 면을 대변한다. 또한 노동력을 구하기 쉽다는 이유로 경영 내부에서 노무관리의 필요성을 인식하지 않았고, 따라서 담당자의 의견이 사업주에게 반영되기도 어려웠으며, 노무관리 전임자가 없는 사업장이 대부분이었다.[88] 조선에서의 노무관리에 대한 관심은 오히려 일제 파시즘 세력이 전쟁을 확대하고 일본으로의 노동력 동원이 필요해진 데서 비롯되었다. 전쟁 수행에 요구되는 노동력을 확보하기 위해서는, 우선 '국가'가 노동력 일체를 활용하는 광범한 노무동원체제를 확립하여 노동력의 수급을 조정하는, 즉 노동력의 동원이 요구되었다.[89] 더불어 확보된 노동력을 효과적으로 사용하여 노동생산성을 향상시키는, 즉 노동력을 관리하는 문제가 중요하게 부각되었다.

중일전쟁 이래 일제의 생산력은 양적인 면에서 크게 증대하였다. 그러나 전쟁의 수요에 따르기에는 생산력이 늘 부족하였다. 일제는 노동자수가 급격히 증가한 부문에서 오히려 생산성이 완만하게 증가한 데 주목하여, 생산성 하강의 일차적인 원인을 노동 능률의 저하에서 찾았다. 전쟁이 시작된 이래 노동자가 공광업 부문, 특히 소위 시국산업 부문으로 운집하였음에도 불구하고 1인당 생산량은 전쟁 발발 이전보다 저하된 현상에 주목한 것이다.[90] 물론 노동생산성 저하의 근본적인 원

---

87) 厚生硏究會,『國民皆勞-戰時下の勞務動員』, 新紀元社, 1941, 117~119쪽.

88) 村田幸達, 앞의 글, 1943. 9, 5~22쪽.

89) 전시하 일제의 노동정책은 다분히 독일의 노동정책을 모방하여 추진되고 있었다. 나치스 독일의 노동정책은 개인에 대한 국가의 통제를 강조하였으며, 그 연장선상에서 노동문제도 민족공동체의 '公的' 의지가 철저하게 관철되었던 특징을 지닌다. 나치스 노동대책의 성격에 대해서는 티모시 메이슨 지음·김학이 옮김,『나치스 민족공동체와 노동계급-히틀러, 이데올로기, 전시경제, 노동계급』, 한울아카데미, 2000, 109~125쪽 참조.

274

인은 전쟁을 치르기 위해 객관적인 생산력 수준을 넘어서는 정도의 생산력 확충을 요구한 데 있었다. 이를 위해 중소 공장의 폐품에 가까운 기계까지도 무리하게 운전하고, 저품질의 광산을 채굴하거나, 수입 두절로 원료가 부족한 것 등이 생산성 저하의 일차적인 원인이었다. 또한 노동문제에서는 노동력의 부족, 기능자의 부족, 여자·유년노동자의 증가, 공장 사고의 다발, 노동자 이동의 증가, 결근율의 증대 등이 그 원인을 이루고 있었다.91)

생산력의 상대적인 저하에 대한 대책으로 일제는 각 생산조직에게 최대한의 기능을 발휘할 수 있게 사업을 경영하도록 요구하였다. 모든 생산조직은 직접 간접으로 전쟁에 필요한 물자만을 생산하고, 노무관리 역시 자본가의 이윤추구가 아닌 일본제국주의 국가 본위로 행하도록 요구하였다.92) 그간 자본가가 담당하였던 산업경영은 일제 파시즘 체제 안에서 '국가'의 통제에 의해 제약되어 갔다. 일제는 노무의 조직·관리에서도 '국가성'이 관철되어야 한다고 주장하면서,93) 노동정책과 노무관리의 일체화를 주장하였다.94) 노무관리를 자본가에게 일임할 경우 전쟁 수행에 필요한 생산력 확충이라는 목적을 달성하기 어려웠기 때문이다.

일제는 전시하의 생산력 증강을 위해 노무관리는 자본주의 경영의 합리적 처리를 위한 개인적 사항이 아니라 '國民協同體'의 생존을 확보하기 위한 공적 사항이 되어야 한다고 하여, 총독부 권력의 직접 관여, 통제 속에서 노무관리의 체계를 확립하고자 하였다.95) 이러한 형식의

---

90) 이 시기의 공업생산액과 직공수에 대해서는 朝鮮經濟社 編, 『朝鮮經濟統計要覽』, 1949, 69~70쪽 참조.

91) 厚生硏究會, 앞의 책, 1941, 123~128쪽.

92) 高見玄一郎, 「勞務管理の現狀(二)」, 『朝鮮勞務』 4-4, 1944. 4, 4~8쪽.

93) 黑松淸, 「朝鮮に於ける勞務問題の特異性」, 『朝鮮勞務』 3-6, 1943. 12, 10~16쪽.

94) 廣崎眞八郎, 「産業報國運動と其の實踐」, 『朝鮮勞務』 3권 特輯號, 1943. 6, 26~47쪽.

노무관리를 두고 총독부는 기왕의 '경영의 노무관리'라는 말에 대비하
여 '國家의 勞務管理'라고 칭하였다. 그리고 이를 "국가가 노동입법으
로 일국의 노동력을 정치적으로 지배하여 관리하는 경우, 즉 국가 스스
로 노동력의 유지 보전을 권력적으로 행하는 경우"라고 풀이하였다.[96]
종래 자본가가 담당했던 자본주의적 노무관리를 '국가성을 부여한 노무
관리'로 전환시켜 공적인 차원에서 추진하는,[97] 이른바 '戰時勞務管理'
를 실시한 것이다.[98]

　전시노무관리의 목표는 노동생산성의 향상에 두어졌다.[99] 조선에서
의 노무관리는 조선인을 대상으로 황국신민의 신념에 철저하게 '연성'
하고, 노동 능률을 최고도로 발휘하도록 하여 전력을 증강시키는 방향
으로 행해졌다.[100] 노동자를 "국가의 役에 따르게 교육"하여 노동생산
성을 최고도로 발휘하게 하는 것이 노무관리의 궁극적인 목표로 설정

95) 國民總力朝鮮聯盟 編, 『國民總力讀本の趣意』, 國民總力朝鮮聯盟, 1941, 119
　　~121쪽.
96) 村田幸達, 앞의 글, 1943. 9, 5~22쪽.
97) 森戶辰男, 「戰勝のための勞務管理」, 『朝鮮勞務』 3-1, 1943. 2, 6~10쪽.
98) 이 새로운 형태의 노무관리는 관점에 따라 다양하게 불리고 있었다. 시국성에
　　주목한 경우는 '戰時勞務管理'라고 하였으며, 과제성에 주목한 경우는 '있어야
　　할 노무관리'라고 하였고, 사적·내적 노무관리와 공적·외적 노무관리의 대
　　극을 기점으로 하고 있다는 점에서 '제3형의 노무관리'라고도 불렸으며 혁신
　　성에 유의하여 '革新勞務管理'라고도 칭하였다. 이 모든 용어에서 공통적으로
　　강조된 것은 노무관리의 국가주의적 성격이었다(森戶辰男, 위의 글, 1943. 2,
　　6~10쪽).
99) 『每日新報』 1944. 1. 24, '勞務管理를 徹底化, 增産隘路根本打開, 小磯總督의
　　視察歸任談';『每日新報』 1944. 1. 27, '增産은 勞務管理에서, 重役의 陣頭指
　　揮 徹底하라, 部長會議에서 總督發言'.
100) 森戶辰男, 앞의 글, 1943. 2, 6~10쪽. 森戶辰男은 전시하 新勞務管理의 직접
　　적인 임무는 생산력 앙양과 능률의 증진이지만, 그 중에서도 事業一家的인
　　經營協同體의 건설과 勤勞國民의 鍊成이라는 두 가지 사명을 통해 지속적으
　　로 전체 능률을 앙양시키는 데 중점을 두어야 한다고 하였다. 나아가 개개의
　　경영협동체를 국민협동체의 세포로서 건설하는 것이 새로운 노무관리의 임무
　　라고 보았다.

276

된 것이다.101) 따라서 조선에 도입·시행된 노무관리는 애초부터 전시
하의 생산정책적인 의미만을 가질 뿐이었다.102)

여기에서 노무관리의 범주는 노동력의 충족·유지라고 하는 범위를
넘어서 생산력 증강에 필요한 물적·인적 일체의 시책으로 확대되었다.
노동자의 고용 선택 배치 등의 문제에서 출근, 결근, 취업시간, 작업양
식, 노동능률, 임금, 수당 등 일체의 노동조건, 기계기구의 배치, 일의
순서, 작업방식의 개선, 나아가 노동자 양성, 훈련, 교양, 보건, 위생, 기
타 복리후생시설에 이르기까지 생산과 관련된 모든 사항에 걸쳐 있었
다.103)

새로운 내용의 전시노무관리를 행하기 위해서는 자본가에게도 이전
과는 다른 역할이 요구되고 있었다. 총독부는 私潤을 좇는 기업가나 임
금에 따라 전전하는 노동자는 시국산업에 균열을 낳게 하고 그만큼 생
산력을 감소시킨다고 강조하였다. 특히 노동자에 대한 보호 지도가 官
만의 수단으로는 만전을 기하기 어려우므로 자본가가 솔선하여 적극적
인 방책을 세우고, 관청의 보도 시책에 순응하여 그 효과를 높일 것을
요구하였다. 이에 자본가는 자재 부족이라는 애로를 극복하기 위해 노
력하는 동시에, 노동자의 생활환경 개선과 기업 내부의 기율 훈련에 목
표를 두고 기업을 가족적으로 편성하여 노무관리를 철저히 하도록 요

101) 宮孝一,「朝鮮の勞務管理」,『朝鮮勞務』2-3, 1942. 6, 18~26쪽.
102) 일부 사업장에서 노동자 복리후생시설을 강조하는 경우가 있었으나 이는 경
    영 규모가 커지거나 벽지에 급히 대공장을 건설하게 되면서 노동력을 확보하
    기 위한 방편으로 행해진 것이었고, 도시의 중소공장 등에서는 노무관리에 거
    의 관심을 기울이지 않았다(宮孝一, 위의 글, 1942. 6, 18~26쪽).
103) 더불어 노동 경험이 부족한 여성노동자와 유년노동자 고용이 증가하면서 재
    해율이 급격히 상승하자 안전교육을 행할 것이 요구되었다. 노동자의 건강관
    리도 필요한 노동자를 확보하고, 숙련노동자를 장기간 종사시키며, 작업능률
    을 증진시키고, 생산 원가를 절약할 수 있다는 차원에서 강조되고 있었다(須
    川豊,「朝鮮に於ける勞務健康管理-早急に實施すべき事項」,『朝鮮勞務』4-3,
    1944. 4, 9~10쪽).

구받았다.[104]

자본가에게는 각 단위 생산조직의 지도자, 생산력확충 전선의 지휘자라는 역할이 부여되었다. 곧 전시체제하의 노무관리는 "산업의 평화와 이윤추구를 위한 관리가 아니라 국가를 위한 생산에 공헌해야 할 근로관리"였으며, 여기에는 오직 事業—家로서 사업주와 노동자가 있고, 사업주를 사령관으로 하는 총진군태세의 증산부대가 있을 뿐이었다. 이렇게 군대식으로 조직된 사업장 내에서 노동강도의 강화로 산업재해가 날로 늘어가고 희생자가 증가하자, 노동자가 부족한 시기에 상이자를 내는 것은 일선의 병사를 잃게 하는 원인이 된다고 질책하였다.[105] 이에 노동자를 훈련시켜 재해를 방지하는 것이 사업주의 책무로 되었다. 또한 각 작업에 합리적으로 노동력을 배치하고, 노동자의 채용 규정을 완화하여 가능한 한 노동력을 절감하고, 남자 노동력 특히 청소년 노동력이 필요하지 않은 방면에는 여자 노동력과 중년 노동력을 이용하는 등의 방법을 강구하는 것도 자본가의 책임으로 부여되었다.[106]

일제는 자본가에게 '皇國産業道'에 입각한 산업인으로서 행동할 것을 강조하였다. 국민개로운동에 의해 많은 사업장이 근로보국대의 노동력을 이용하게 되고, 나아가 국민징용령에 의해 동원된 노동자도 사용하게 되는데, 그 경우 사업주는 피징용자의 생활에 관해 전면적으로 책임질 것을 요구받았다.[107] 노동자는 '국가'의 명에 의해 불리운 자로서 그를 私益을 위해 사용하는 것은 허락되지 않으며, 사업주는 '국가의 산업인'으로서 노동자의 지도자가 될만한 식견과 자격을 가져야 한다는 것이었다.

즉 자본가에게는 생산력 확충을 위한 노무관리를 시행할 것이 강조되었다. '국가'가 필요로 하는 바를 살펴 노동자를 인격적으로 대우하고

104) 小磯國昭, 「告辭」, 『朝鮮勞務』 4-3, 1944. 4, 표지.
105) 井上收, 「勞務者と厚生の一考察」, 『朝鮮勞務』 2-5, 1942. 10, 64~72쪽.
106) 厚生硏究會, 앞의 책, 1941, 336~338쪽.
107) 大串欣一, 「膺懲士を待つ心構」, 『朝鮮勞務』 4-2, 1944. 3, 18~19쪽.

278

노동자를 자각시켜 고능률을 발휘하게 해야 한다는 것이었다.108) 이에
당시 총독 小磯國昭는 직접 군수산업 공장을 시찰하여 '産業戰士'로서
노동자의 중대성을 강조하는 한편,109) 자본가의 노동자 지도에 대한 관
심을 촉구하였다. 예컨대 상이자, 질병자 등이 있을 경우 자본가들은
친히 가족을 방문하는 등 인간미를 토로하여 온정을 기울여야 하고, 직
장 순시에서도 감시의 눈길을 위로의 눈길로 바꾸어야 하며, 공장주와
광산주도 노동자와 함께 국민개로의 일선에 나선다는 자세로 격려해야
한다는 등의 대책을 제시하였다.

이러한 전시노무관리의 목표는 결국 노동력의 양적인 한계 속에서
중점산업 부문의 노동력을 확보하고 노동의 효율성을 최대한으로 높이
는 노동력의 질적인 동원에 있었다. 그리고 그것을 실현하는 방식은 군
수산업 위주로 재배치한 노동자가 주어진 노동을 감당하도록 정신 훈
련과 규율을 강화하여 노동자를 통제하는 것이었다.

(2) 중점산업의 노동력 집중과 노동자 훈련

태평양전쟁기 조선에서의 노무관리는 중점산업 부문에 노동력을 배
치하고 이들을 "산업전사로서 연성"하는 것이 중요한 축이 되었다. 곧
노무관리는 기업 자체의 이윤을 창출하고, 일제의 요구에 기초하여 전
쟁 물자를 증산해야 했으며, 또한 노동자를 산업전사로서 연성하여야
했다. 이 세 가지 면을 조정하면서 방책을 마련해야 했던 점에 조선 노
무관리의 특수성이 있었다.110)

---

108) 江上征史, 「勤勞の新觀念」, 『朝鮮勞務』 2-1, 1942. 2, 20~23쪽.
109) 노동자들을 '産業戰士'라고 칭한 것은 생산조직에 군대조직의 편제와 정신을
적용하려는 의도에서 비롯되었다. 공장과 광산이 戰場에 비유되고 직공과 광
부가 兵隊와 등치되면서, 사업장에서도 군대와 똑같은 조직과 정신을 요구하
였다(上田龍男, 「朝鮮勞務者鍊成の方向(1)」, 『朝鮮勞務』 3-6, 1943. 12, 33~
41쪽).
110) 高見玄一郎, 앞의 글, 1944. 4, 4~8쪽.

일제는 우선 노동력의 배치를 통제해 갔다. 국민개로를 국민개병의
병역의무에 대응하는 노동의무로 상정하여 挺身할 것을 요구하면
서,111) 모든 노동력을 통제하여 전시하의 필요를 기준으로 각각의 작업
장에 배치하였다. 이 시기 노동력 동원은 중점산업 부문에 필요한 노동
자수를 각 부읍면 행정단위로 배분하여 동원하고, 동원한 노동력을 조
선총독부가 다시 행정단위를 통해 군수산업 위주의 각 작업장에 임의
로 배치하는 방식으로 행해졌다.

전쟁이 지속되면서 각 사업장에서는 할당된 노동자 중에 작업에 필
요한 능력을 갖추지 못한 자가 있어도 그를 채용하지 않을 수 없었고,
일단 채용한 노동자의 작업성적이 올라가지 않는다고 해도 그를 해고
하기 어렵게 되었다. 당장 노동력이 부족하여 작업에 지장을 가져올 수
있었기 때문이다.112) 더불어 노동 현장 이탈을 비롯한 노동자의 저항이
지속되어 노동력 조절이 더욱 어려워졌으므로113) 일제는 구성원을 필
요에 따라 직접 배치하는 방식을 택하였다.

노동력의 양적 부족에 대한 대책의 하나로서 추진한 노동력 배치의
통제를 일제는 '적성배치'라고 표현하였다. 여기에서 적성배치는 공장
사업장에서 각각의 작업에 맞는 능력을 가진 적재를 채용한다는 의미
가 아니었다. 각 사업장에서 포괄적으로 노동력을 수용하고, 대체적인
수준에 따라 그들을 일단 작업장에 배치하고, 그들이 작업에 적응하지
못할 경우에도 그 직장의 적재가 되도록 훈련시키는 것을 의미하였
다.114) 이는 곧 각 공장 사업장에서 비적성자를 적성자로 연성하여 전
산업 노동자의 생산력을 근본적으로 배양 증강시킨다고 하는 파시즘적
성격을 지닌 노동력 배치 정책이었다.

---

111) 黑松淸, 앞의 글, 1943. 12, 10~16쪽.
112) 村田幸達, 앞의 글, 1943. 9, 5~22쪽.
113) 노동자의 저항 양상에 대해서는 다음 절 2)항에서 자세히 언급한다.
114) 天野利武, 「適性配置と作業素質檢查實施要領」, 『朝鮮勞務』 4-7, 1944. 8, 2
~8쪽.

280

또한 일제는 평화산업 부문에 종사하던 노동자를 군수산업 부문으로
전환하도록 추진하고, 남자의 취업을 금지하는 직종을 지정하였다.115)
나아가 기업정비를 통해 노동력을 재배치하는 조치를 강구하였다. 그러
나 기업 재편성 이후에도 전시체제의 가속화에 따른 노동력 부족문제
는 해결되지 않았다. 轉廢業된 분야의 기술적으로 경험이 없는 노동자
가 전쟁과 관련된 산업부문에 배치되거나, 징용이나 이동에 의해 숙련
노동자를 상실하거나, 병역 연령에 해당하지 않는 남자 또는 여자 노동
력으로 대체하게. 되면서 노동력의 질적 수준이 전반적으로 저하되고
있었다.116) 노동자의 질적 저하 문제는 다시 양적 부족 현상을 초래하
였으며, 또 많은 경우는 양적 부족에 기인하여 질적 수준 저하 현상이
나타났다. 따라서 질적 부족의 근본적 대책을 강구하는 것은 동시에 양
적 부족의 완화에도 기여하는 것이 되었으므로, 노동자의 질적 수준 향
상이 전시노무관리의 중요한 목표로서 설정되었다. 여기에서 노동자
‘연성’이 중요한 노동정책으로 부각되었다.

새로 동원되거나 다른 부문에서 전업한 노동자들이 처음 배치된 부
서에서 작업에 적응하게 하기 위해서는 고도의 훈련이 필요하였다. 익
숙하지 않은 노동을 수행하기 위해서는 무엇보다 육체적, 기능적인 훈
련과 정신적인 세뇌 과정이 요구되었다. 더욱이 이 시기 조선인 청년층
은 일제의 정책에 대해서 냉소적인 모습을 보이거나 민족의식을 강하
게 가지고 부정적으로 받아들이는 경우가 많았다.117) 이러한 의미에서
도 일제는 노동자 훈련을 노무관리의 중요한 일부분으로 파악하여, 전

115) 「勞務調整令施行規則第七條ノ二第一項ノ禁止職種ノ指定」, 『戰時下朝鮮人
勞務動員基礎資料集 Ⅴ』(樋口雄一 編), 綠蔭書房, 2000, 196~197쪽.
116) 1930년대에 꾸준히 증가한 유년노동자의 비율은 전시하에 더욱 증가하여,
1943년 6월 현재 30명 이상의 종업원을 사용하는 공장 중 15세 이하의 남자
유년노동자는 전체 남자노동자의 12.1%, 여자 유년노동자는 여자노동자 중
무려 50.8%에 달하였다. 紡績工業의 경우 그 비율이 더욱 높아 각각 22.9%,
56.3%에 달하였다(朝鮮經濟社 編, 앞의 책, 1949, 140쪽).
117) 곽건홍, 앞의 책, 2001, 192쪽.

시노무관리에서 '양성 훈련'이 첫 번째 임무임을 강조하였다. 노동력 확보책의 일환으로서 노동자의 질적 수준을 어떻게 향상시킬 것인가 하는 문제가 절실하게 고려되었던 것이다.

노동자의 양성 훈련은 노동자 개개인의 노동능력 향상과 종합적 노동능률 향상의 두가지 문제로 구분되었다. 전자는 노동자의 개별 수련에 의해 얻어지는 것이고, 후자는 단체훈련에 의해 얻어지는 것으로서, 노동자의 훈련과 수련은 당시 '鍊成'이라는 말로 규정되었다.[118] '연성'이란 결전에 대비하여 개인의 모든 능력을 황국의 도를 실천하게 하기 위해 연마 육성한다는 의미였다. 이는 황국신민이라는 규정된 틀에 조선인을 집어넣어 두드리고 열을 가하여 "鐵 같은 의지와 성격을 가지고 죽음을 불사하는 실천력을 갖게 한다"는 내용의 '鍛鍊'과 같은 것으로서,[119] 정신 훈련의 강화를 의미하는 표현이었다. 노동자를 활용하기 위해 실제 필요했던 것은 기능의 훈련이었으나, 일제는 조선인 노동자에게 기능 훈련을 실시할 만한 경제적 시간적 여유가 없었다. 이러한 상황에서, 더욱이 숙련노동자가 부족한 상태에서, 미경험 노동자를 군수산업 부문에 투입하고 바로 현장에 적응시키기 위해서는 정신 훈련을 강조할 수밖에 없었다. 즉 연성은 노동자의 기능양성을 도모할 여력이 없는 상태에서, 기능이 미숙하고 과로가 되풀이되는 속에서, 적은 비용으로 손쉽고 빠른 효과를 내어 생산력을 유지하기 위한 조처로서 택해졌다.

노동자의 양성 훈련은 이른바 "황국신민으로서 皇民道를 파악하게 하고 나아가 皇國勤勞觀에 철저하게" 한다는 목적에서 진행되었다.[120]

---

118) 淸水雲治, 「勞務鍊成の示標-自己修練と綜合訓練に就て」, 『朝鮮勞務』 3-1, 1943. 2, 46~47쪽.

119) 具姬眞, 「日帝强占 후반기(1930~1945) '皇民化'敎育論」, 『韓國 近現代의 民族問題와 新國家建設』(金容燮敎授停年紀念 韓國史學論叢 3), 지식산업사, 1997, 430~441쪽.

120) 皇國勤勞觀에 대해서는 이상의, 앞의 글, 연세대 國學硏究院, 2002 참조.

특히 작업을 통해 청소년의 인격과 정신, 신체를 단련시킴으로써 생산을 담당하도록 준비시키는 것이 중요한 과제로 지적되었다. 곧 이 시기의 노무관리는 형식상으로는 사기업의 생산조직에서 자본가가 선임한 노무관리자가 행하는 것이었지만, 본질적으로는 일제가 조선인 노동자를 '황국신민'으로서 연성해가는 임무를 각 기업에 담당시키고 감독하는 것이었다.121)

총독부는 1942년 10월 朝鮮青年特別鍊成令을 공포하고, 이에 맞추어 전국에 청년특별연성소를 설치하여 노동자 연성을 진행하였다. 이와 더불어 조선노무협회에서는 청년노동자 중 일부를 道中堅勞務者指導訓練所에 일정기간 입소시켜 연성하였다.122) 또한 다수의 노동자를 고용하고 있는 공장·광산에는 사립연성소의 설치를 권장하였다.123)

1943년 8월 정무총감 田中武雄은 각 도지사에게 노무관리의 쇄신 강화를 강조하면서 공장사업장근로관리요강과 공장사업장근로자연성요강준칙을 통보하였다. 여기에서는 연성을 일반연성과 특별연성으로 구분하여 각 경우의 준칙을 규정하였다. 그 중 일반연성은 始禮와 종례, 각 기념일에 행하는 행사를 통한 것과 강연회, 도서실, 게시판, 방송 등의 각종 시설에 의한 연성, 조기·조침 강조, 소비생활 규제 등 일상생활을 통한 연성, 직장규율 확립과 정리정돈 등 직장을 통한 연성으로 세분하여, 출근해서부터 퇴근하기까지, 나아가 퇴근 이후의 일상생활에 이르기까지 노동자 생활의 모든 면을 규제하고 있었다. 더불어 특별연

---

121) 竹田兼男,「朝鮮に於ける勞務管理の基本課題(承前)」,『朝鮮勞務』2-4, 1942. 8, 6~13쪽.

122) 大野綠一郎,「本協會의 任務의 重要性」,『朝鮮勞務』1-1, 1941. 10, 2~4쪽.

123)「朝鮮青年特別鍊成令」은 1944년부터 시행될 徵兵制의 징집 대상자를 대상으로 1년간 600시간에 걸쳐 青年特別鍊成所에서 鍊成받을 '의무'를 부과하는 것이었다. 일제는 이를 통해 軍要員의 자질과 勞動者의 자질 두 가지를 동시에 연성할 것을 목표로 하였다(林勝壽,「朝鮮青年特別鍊成制度に就て」,『朝鮮勞務』3-1, 1943. 2, 43~45쪽 ;『每日新報』1942. 10. 26, '朝鮮青年特別鍊成令施行規則全文, 全朝鮮 各 府邑面에 青年特別鍊成所 設置').

성으로서 신규 취로자에게 근로보국 정신의 환기, 사업의 사명, 작업
기본 조작과 작업상 필요한 용어, 작업 위생, 재해 방지, 직장 의례, 관
계 법령 등에 대해 훈련하도록 하였다.[124] 이와 더불어 청년 노동자를
'중견노무자'로 연성할 것과 함께, 사립연성소에서 연성을 통해 노동자
에게 규율과 책임관념을 함양시키도록 요구하였다.[125]

이후 중요산업 경영자가 노동력의 질적 저하나 종업원 모집비의 과
용을 한탄하는 것은 질책의 대상이 되었다. 오히려 질이 열등한 노동자
를 받아들여 그를 '산업전사'로 육성하는 것이 노동력 문제의 대책이자
자본가의 임무로서 강조되고 있었다. 또한 숙련된 노동자가 감소하고,
그를 보충하기 위해 보다 열등한 노동자를 사용할 경우에는 작업장 자
체가 '교학기관'의 역할을 해야 한다고 하여, 임의로 배치된 노동자에
대한 양성 훈련을 강조하였다.[126] 그러나 대개의 기업에서 노동자 연성
시설을 갖춘다는 것은 현실적으로 불가능하였다. 전시하에 책임 생산량
이 요구되는 가운데 노동자를 연성하고 장기 계획을 수행하는 것보다
는 할당량을 채우는 것이 급선무였기 때문이다.[127] 따라서 대개의 기업
에서는 연성을 명분으로 노동자의 정신 훈련이 강조되고 있었다.

노동자의 연성이 강조되고 광범위하게 추진되고 있었음에도 불구하

---

124) 「決戰下生産戰力增强勤勞管理の刷新決る」, 『朝鮮勞務』 3-4, 1943. 9, 66~68
쪽.
125) 이러한 방침이 모범적으로 현장에서 적용된 사례가 朝鮮製鐵 산하 공장의 경
우였다. 이 공장은 교육과를 설치하여 노동자 합숙 연성과 현장 연성을 병행
하고 있었다(朝鮮製鐵○○工場 敎育課長 東田英夫, 「我社の敎育, 厚生, 勤勞
に就て」, 『朝鮮勞務』 4-7, 1944. 8, 9~13쪽).
126) 沖津主税, 「朝鮮の勞動力再編成」, 『朝鮮勞務』 4-1, 1944. 2, 2~4쪽.
127) 「勞務者移動の主なる原因とその防止策について産業人の意見を聽く」, 『朝鮮
勞務』 3-2・3, 1943. 8, 17~21쪽;「勞務者移動の主なる原因とその防止策に
ついて産業人の意見を聽く(承前)」, 『朝鮮勞務』 3-4, 1943. 9, 58~61쪽;「勞
務者移動の主なる原因とその防止策について産業人の意見を聽く(完)」, 『朝
鮮勞務』 3-6, 1943. 12, 42~49쪽에서는 각 기업이 이러한 면을 호소하고 있는
내용이 잘 드러난다.

284

고 전시의 긴박한 상황에 비해 조선인 노동자를 통제하고 노동능률을 향상시키는 것은 여의치 않았다. 이에 총독부에서는 사업장의 노무관리 문제를 탓하였고, 자본가들은 노동자의 질적 연성과 함께 총독부의 대책 마련을 요구하였다. 일부 사업장에서는 필요한 노동력을 확보하기 위해 이른바 暗貰金을 지불하는 등의 방법을 취하면서, "노무자의 모집이 제대로 행해지지 않고 모집해 와도 도망한다. 남은 자도 일하는 비율이 낮다. 당국의 말은 후련하지도 않고 별 묘안이 없다"고 탄식하고 있었다.128)

이는 전시노무관리에서 중요한 과제로 등장한 노동자의 연성이 생산력의 한계로 인해 정신적인 훈련의 면에 치우치고 있었기 때문이었다. 이 시기 일제가 강조했던 노동자 연성은 기술 양성보다는 정신 훈련으로서의 성격이 강하였다. 일제는 生産戰에서 최고 능률을 발휘하기 위해서는 우선 정신, 사상이 확립되어야 한다고 하면서, "일본 말의 소위 섬기는 정신, 이를 思想化한 황국근로관을 전 근로층에게 철저하게 하는 것"이 그 출발점이라고 강조하였다. 나아가 지도자, 곧 사업주는 노동자의 뼈가 부스러질 때까지 그 능력을 뽑아내지 않으면 안된다고 하였다.129)

노동자의 정신 훈련을 위해서는 다양한 방식이 동원되었다. 일제는 훌륭한 오락은 군수품과 마찬가지로 전쟁 수행에 이용되어야 한다고 하면서, 일과 후의 연극, 연예, 영화, 음악 등을 통해 노동자들을 즐겁게 하고 부지불식간에 계몽 교화하여, 마음으로부터 국책에 대한 협력을

128) 노동자 연성은 기업 차원에서 요구되기도 하였다. 특히 일본어를 이해하지 못할 경우 의사 소통이 어려워 작업에 지장이 있고 정신 훈련의 효과를 기대하기 어려웠으므로, 자본가들은 일본어 보급을 선결 과제로 제기하면서 朝鮮靑年特別鍊成令보다 더 구체적인 대책의 수립을 촉구하였다(「勞務者移動の主なる原因とその防止策について産業人の意見を聽く(完)」, 『朝鮮勞務』 3-6, 1943. 12, 42~49쪽).
129) 「卷頭言-仕へまつる心と親心」, 『朝鮮勞務』 3-4, 1943. 9, 1쪽.

촉구하고 사기를 앙양시킬 것을 강조하였다. 정신 훈련을 통해 산업보
국의 열의와 전시하 조선인의 역할을 자각하도록 촉구하고 생산력 증
강에 매진하는 기운을 양성하고자 한 것이다.[130]

일제는 조선인 노동자는 강건한 체력을 가지고 있으므로 여기에 강
건한 정신을 더한다면 훌륭한 노동자가 될 것이라고 하면서,[131] 교육
지도를 통해 황국근로관을 확립시키는 것이 능률 향상에서 중요한 의
미를 가진다고 강조하였다. 개개인의 노동능력은 노동정신과 국가정신
의 유무에 의해 결정되므로, 이러한 관점에서 조선의 노무관리 문제를
해결해야 한다는 것이 당시 조선에서 노동자 훈련을 담당하고 있던 사
람들의 공통된 인식이었다.[132] 예컨대 조선노무협회 촉탁이었던 上田
龍男은 조선인 노동자에게 기술자로의 성장이나 노동능률 증진을 요구
하기 전에 먼저 일본정신을 주입하여 일본인이라는 의식을 갖게 할 것
을 강조하였다.

너는 일본인이다. 너는 大日本帝國의 臣民이다. 세계에 둘도 없는
고마운 국가의 국민이다. 너는 조선에서 태어났음이 분명하다. 조선은
풍속 습관 언어 나아가 魂이 다분히 內地와 다르지만, 내지와 조선은
별개가 아니다. 이 大戰은 너 자신의 전쟁이다. 너는 지금 강적을 앞
에 두고 일찍이 경험하지 못한 커다란 전쟁을 하고 있다. 內地人이 직
접 싸우고 조선인이 간접으로 협력하는 것이 아니다. 一億一心 죽음
으로 다같이 싸우고 있는 것이다. 미국과 영국은 너의 적이다. 宿敵이
다. 격퇴하지 않으면 안된다. 죽이지 않으면 안된다. 만일 전쟁이 불리
해지면 너의 목숨은 없고, 너는 영구히 구할 수 없는 米英人의 노예가
된다. 너만이 아니다. 너의 자손 대대로 모두 마찬가지이다. 그러므로
패할 것인가 아닌가를 생각하는 자체가 나쁜 것이다. 이기지 않으면

130) 星出壽雄, 「勞務と娛樂」, 『朝鮮勞務』 2-2, 1942. 4, 82~85쪽.
131) 岡久雄, 「朝鮮靑年體力檢査を終へて」, 『朝鮮』 324, 1942. 5, 45쪽.
132) 淸水雲治, 「勞務鍊成の示標 - 自己修練と綜合訓練に就て」, 『朝鮮勞務』 3-1, 1943. 2, 46~47쪽.

안된다. 절대로 이기지 않으면 안된다.[133]

이른바 황국신민으로서 일본의 전쟁을 지지하고 나아가 직접 참전하여 승리를 기원하도록 끊임없이 조선인 노동자에게 강조해야 한다는 내용이다.

이러한 모습은 노동현장 내에서 지속적으로 강요되었다. 日本精工業株式會社의 경우 조례시에 宮城遙拜와 황국민의 신념 제창,[134] '메이지천황' 영정에 경례를 하고, 훈화를 마친 후 작업장에 들어가서는 기계나 책상에 예배를 하고 '安全頌'을 불렀다. 또한 점심식사 전 전원이 체조를 한 후 정오 묵념을 하고, 식전·식후에 감사의 말을 제창하였으며, 종례시에는 '황국신민서사'를 제창하였다. 공장 출입시에는 항상 신사에 인사하고, 작업시에는 모두 '天業翼贊'이라고 쓰인 일장기 모양의 머리띠를 매었으며, 단체로 움직일 경우에는 반장의 인솔에 따라 발을 맞추어 다녀야 했다.[135] 주식회사 조선제강소에서도 체력단련과 정조 도야를 명분으로 매일 아침 출근 전 20분과 점심시간, 그리고 오후 3시 라디오 체조 후의 휴식 시간에 공장의 모든 장소에 확성기로 군가를 방송하였다. 끊임없이 연성을 행하고 직장이 밝고 즐거운 곳이라는 사고를 갖게 하여야 집단적인 순치 효과가 있다는 판단에서였다.[136]

특히 철강통제회 조선훈련소는 정신 훈련 중심으로 연성을 실시한 대표적인 예이다.[137] 이 훈련소에서는 일본 철강통제회 산하의 각 공장

---

133) 上田龍男, 「朝鮮勞務者鍊成の方向(1)」, 『朝鮮勞務』 3-6, 1943. 12, 33~41쪽.
134) 매일 아침 조례에서는 "대일본은 신의 국가이다. 천황폐하는 현인신이다. 우리는 일본신민이다. 우리는 天業翼贊을 위해 일한다. 우리는 천업익찬을 위해 죽는다"고 하는 황국민의 신념을 제창하였다(品川一郎, 「我社の報恩奉行」, 『朝鮮勞務』 3-4, 1943. 9, 43~51쪽).
135) 品川一郎, 위의 글, 1943. 9, 43~51쪽.
136) 「勞務者移動の主なる原因とその防止策について産業人の意見を聽く(承前)」, 『朝鮮勞務』 3-4, 52~61쪽.
137) 山本友太郎, 「半島勞務者の訓練-鐵鋼統制會朝鮮訓練所-」, 『朝鮮勞務』 4-1,

이 官斡旋에 의해 조선의 전국에서 모은 훈련공을 대상으로 하여, 이들을 일본으로 동원하기 위해 훈련시키는 일을 담당하고 있었다. <표 23>에서 볼 수 있듯이 훈련소의 교육 내용은 주로 단체 생활의 규칙과 군대식 생활양식을 익히는 것으로서, 4주에 걸쳐 정신, 정조, 학과, 술과, 작업 교육을 행하였다. 그 중에서도 연성을 통해 정신 훈련을 강화하고자 하여, 조선인 노동자의 황국신민화를 추구하는 내용과 전쟁 추진의 정당성을 교육하는 내용의 두 가지로 과목을 구성하였다. 교육칙어와 한국병합조서, 일본사 교육 등을 통해 전자를 행하였고, 징병조서, 미·영국에 대한 선전조서, 군사훈련 등을 통해 후자를 행하고 있었다.

교육의 방식은 군대교육의 형식을 채용하고 있었다. "규율을 중시하고 苦勞를 싫증내지 않고 상사에게 복종할 노동자를 단기간에 가장 효과적으로 양성하고자" 하였기 때문이다.[138] 즉 노동자에게 군가, 분대·소대·중대 편성, 속보행진, 수류탄 투척 등의 군대식 교육을 시킴으로써 긴장감을 유지시키는 동시에 사업장 내에서 上命下服의 질서를 확립시키기 위해 철저히 위계적인 사고를 주입하는 한편, 유사시에는 징병할 수 있는 대상으로도 육성하고 있었다.

노동자 통제의 방식이 정신적인 면에 치중되자, 정책 입안자들 내부에서도 조선의 노무관리가 '상당히 비과학적'이라는 반성이 제기되기도 하였다. 그들은 그 원인에 대해, 노무관리를 대개의 경우 정신적인 것으로만 해석하고 있으며 일본에서의 산업보국운동도 정신운동으로 해석하고 있기 때문이라고 비판하기도 하였다.[139]

이처럼 태평양전쟁기 총독부는 전시의 필요에 따라 중점산업 부문에 무작위로 미경험 노동자를 배치하고 이들을 대상으로 '연성'을 실시하는 형태의 노무관리를 강조하고 있었다. 그러나 이는 개인의 자의식 성

1944. 2, 7~10쪽.

138) 山本友太郎, 앞의 글, 1944. 2, 7~10쪽.

139) 村田幸達, 앞의 글, 1943. 9, 5~22쪽. 당시 일본의 산업보국운동에 대해서는 厚生硏究會, 앞의 책, 1941, 215~239쪽 참조.

<표 23> 日本鐵鋼統制會 조선훈련소의 연성 내용

기별 과목		전기		후기	
		제 1 주	제 2 주	제 3 주	제 4 주
정신 교육		敎育 勅語 徵兵 詔書	韓國倂合의 詔書 戊申詔書	청소년 학도에 대한 勅語 國民精神作興에 관한 詔書 미·영국에 대한 宣戰 詔書	육해군인에게 주는 勅諭 戰陣訓
정조 교육		화분재배 軍歌 拜神行事 靖座法	화분재배 군가 배신행사 정좌법	화분재배 군가 배신행사 정좌법	화분재배 군가 배신행사 정좌법
학과		일본어 일본사 (총독부 편찬)	일본어 일본사	일본어 수학 일본사	일본어 일본사
衛 科	맨손 각개 교련	부동 자세와 휴식 실내외의 경례 右左向後向　半右 左向	속보에서 구보로 구보에서 속보로 속보행진	물품 수수 傳令 折敷伏	送傳 요령 연락병의 동작
	부대 교련	分隊 정돈 요령 伍의 중복, 분해	종대행진, 횡대행진 小隊 횡대 정돈 閱兵分列 행진 요령	방향, 隊形 변환	中隊 편성 疏開敎練의 초보 中隊 방향, 隊形 변환
	맨손 체조	기본체조 職技체조	수류탄 투척		
작업		器具 사용법	농경작업 토목작업	농경작업 토목작업 제철작업의 개념과 기초작업	농경작업 토목작업 제철소 작업 견학, 실습
비고		입소식, 건강진단, 내무검사 제1주 교육과목은 제2주부터 반복훈련	구급법(삼각건, 붕대사용법, 지혈법)	구급법(삼각건, 붕대사용법, 지혈법) 防空法	구급법(인공호흡법, 溺水者 조치방법)

자료) 山本友太郎, 「半島勞務者の訓練-鐵鋼統制會朝鮮訓練所-」, 『朝鮮勞務』 4-1, 1944. 2, 7~10쪽.

장이나 기술향상 교육을 통해 기술자나 간부노동자로의 성장을 지향하
게 하는 노동자 양성책이 아니었다. 그 내용은 노동생산성을 높이기 위
해 단기간에 생산에 필요한 기초지식을 습득하게 하고 정신 훈련을 행
하는 것이었다. 즉 직장을 군대조직처럼 재편하고 노동자에게 상명하복
의 위계의식을 주입하여 전체주의에 적응시키기 위한 훈련이었다.

2. 노동력 강제동원과 조선인 노동자의 대응

1) 동원체제의 강화와 노동력 강제동원

(1) 勤勞報國隊 동원의 일상화

전쟁의 확대에 따라 일제는 노동력의 중점배치 방침을 강화하였다.
1943년 2월 勞務調整令에 기초해 중요공장을 지정하고 그 종업원의 해
고와 퇴직을 제한하였다. 이와 함께 군수산업과 생산확충산업 공장 사
업장에서 취로하는 노동자에게 식량과 필수물자를 우선적으로 배급하
고 임금을 인상하는 조치를 취했으며, 중점산업 경영자에게는 노무관리
에 최선을 강구하도록 지시하였다. 또한 學校卒業者使用制限令의 적
용을 받는 학교 졸업자 외에도 신규 졸업생을 중점산업 부문으로 배치
하였다.[140] 노동력 공급을 위해 총독부는 크게 두 가지 방식의 노동력
동원을 추진하였다. 하나는 조선인을 단기노동에 동원하기 위한 勤勞
報國隊의 운영을 확대하는 것이었다. 다른 하나는 중요산업 부문에 장
기간 동원하기 위한 것으로서, 이는 募集, 官斡旋 등의 방식에서 마침
내 법적인 강제력을 동반한 徵用으로 귀결되었다.[141]

---

140) 「政務總監談-勞務強化對策要綱決定す」, 『朝鮮』 342, 1943. 11, 95~97쪽.
141) 모집은 1939년 7월 일본 내무성과 후생성 양 차관의 통첩에 의해 그 해 9월부
　　터 시작되었고, 관계 법령은 「朝鮮人勞務者 移住에 關한 件」 「朝鮮人勞務者
　　募集要綱」 「朝鮮人勞務者 移住에 關한 事務取扱手續」 「朝鮮職業紹介令」
　　등이다. 관알선은 1942년 2월 각료회의 결정에 의해 시작되었고, 관계 법령은

총독부는 이미 중일전쟁 이후부터 勤勞報國運動이라는 이름으로 전
조선인을 대상으로 한 동원을 진행하고 있었다. 勤勞報國隊는 중일전
쟁 발발 1주년을 기점으로 한 國民精神總動員 실천운동의 한 방책으
로서 제기된 후 1939년 후반부터 토목건축 분야의 노동력을 보충하기
위해 점차 '무작위 동원'이라는 노동력 동원의 새로운 방식을 취하기 시
작하였다. 총독부 관료들은 근로보국대에 대해 "유래 조선은 부역제도
가 행해져 왔고 그 일하는 모습은 극히 비능률적이었는데, 이 부역을
근로보국대로 모습을 바꾼 이래 작업 모습이 일변하였다"고 평가하였
다.142) 즉 전근대의 부역제도와 흡사한 제도를 이름만 바꾸어 시행하고
있음을 스스로 인정하고 있었다.

총독부는 사상견실, 품행방자, 신체강건한 만 18세 이상 25세 이하의
中堅靑年 130명을 선출하여 지도자 15명과 함께 '興亞靑年勤勞報國隊'
를 조직하고, 예비훈련을 실시한 후 만주로 파견하여 개척지와 국경지
구의 건설공사에 투입한 바 있었다.143) 이와 함께 지역에서 근로보국대
가 처음 조직되고 동원된 곳은 경기도였다. 전쟁 이후 국방시설과 관련
된 공사가 급증하여 朝鮮土建協會의 노동력 조달 능력만으로는 이를
감당하기 어렵게 되자, 1939년 "최후의 수단으로서 官民一致의 구체적
방침에 의할 수밖에 없어" 총독부 소재지인 경기도에서 근로보국대를
조직하여 시험적으로 철도공사에 출동시켰다.144) 여기에서 예상 외의
성적을 거두자 1940년에는 이를 모델로 하여 근로보국대를 전국으로

「朝鮮人 勞務者 活用에 關한 方策」「朝鮮人 內地移住 斡旋要綱」 등이다. 또
한 징용은 1944년 8월의 각료회의 결정에 의해 그 해 9월부터 시작되었고, 관
계 법령은 「半島人勞務者 移入에 關한 件」「國民徵用令」 등이다(김민영,
『일제의 조선인노동력수탈 연구』, 한울아카데미, 1995, 79쪽).

142) 「國民精神總動員勤勞報國運動實施」, 『朝鮮』 282, 1938. 7, 155~157쪽.
143) 「興亞靑年勤勞報國隊組織」, 『朝鮮』 290, 1939. 7, 105쪽 ; 「興亞靑年勤勞報國
隊滿洲派遣」, 『日帝下戰時體制期政策史料叢書 25』(民族問題硏究所 編), 韓
國學術情報株式會社, 2000, 472~473쪽.
144) 渡邊勇, 「朝鮮の勞務者政策と土建界」, 『朝鮮勞務』 2-4, 1942. 8, 58~65쪽.

확대하고 한 해 동안 65만여 명을 동원하였다.145) 이후 府邑面 학교,
청년단, 町洞里部落聯盟 등 단체마다 근로보국대가 '출동'할 필요가 있
는 경우에는 만 14세부터 40세 미만의 남자와 만 14세부터 25세 미만의
미혼여자로 근로보국대를 조직하여,146) 공공단체의 사업 또는 민간의
중요사업에 참가하여 근로봉사를 하도록 요구하였다.147)

근로보국대의 '근로봉사'의 목적은 일차적으로 노동력을 보충하는 데
있었다. 예컨대 1941년 현재 서북지방 토목공사에 종사하던 연인원 약
590만 명의 구성을 살펴보면, 총독부 알선이 36%, 도 알선 0.8%였고,
여기에 道 근로보국대가 14.3%를 차지하고 있었다.148) 그런데 동시에
근로보국대는 청년, 학생, 부인 등 제 계층에 대한 사상 교육을 꾀하는
면을 가지고 있었다. 근로봉사의 모든 현장에서는 宮城遙拜, 대장에 대
한 복종, 작업 중 無言 등의 군대식 규율이 행해졌다.149) 노동력을 활용
하는 목적과 함께 동원을 통해 군대식 규율을 익히게 하여 파시즘 체제
에 적응하게 하려는 두 가지 목적을 가지고 있었던 것이다.

---

145) 1940년의 각 도별 근로보국대 동원 내역은 경기도 3만 2,446명, 충청북도
3,561명, 전라남도 6만 4,078명, 경상북도 1만 6,583명, 황해도 6만 7,797명, 평
안남도 1만 7,380명, 평안북도 25만 6,480명, 강원도 11만 6,362명, 함경남도
1,054명, 함경북도 7만 6,740명, 합계 65만 2,481명에 달하였다. 이외에도 다수
가 근로보국대로 동원되어, 예컨대 경상남도 경우 이 해 9월 삼랑진의 복선공
사에 400명, 부산 조차장 공사에 1,500명이 동원되었다(宮孝一, 앞의 글, 1942.
2, 13~17쪽).
146) 이 연령 범위 외에도 지원에 의해 근로보국대에 참가할 수 있었으며, 이상의
조건에는 해당하여도 군 관련 업무에 종사하고 있거나 구금 중인 자는 참가할
수 없었다(「國民勤勞報國協力令施行」, 『朝鮮』319, 1941. 12, 60~62쪽).
147) 「國民皆勞運動實施」, 『朝鮮』316, 1941. 9, 60~61쪽.
148) 여기에 組에 소속된 상용인부인 手持人夫가 3.4%, 공사장을 찾아 떠돌아 다
니던 閑散人夫가 19.4%, 소재지 농촌의 出家人夫 등 기타가 26.2%였다(朝鮮
總督府 勞務課 調査係, 앞의 글, 1942. 10, 52쪽).
149) 須崎愼一, 앞의 글, 1985, 253쪽. 이러한 근로봉사의 형식은 국방국가 체제 하
에서 남녀 청년의 국방화를 주안으로 했던 독일 나치스의 노동봉사제도와 유
사하였다(티모시 메이슨 지음·김학이 옮김, 앞의 책, 2000, 231쪽).

노동력 부족문제가 강조되는 상황에서 근로보국대는 단기적이기는 하지만 노동할 수 있는 모든 노동력을 동원하기 위해 조직한 '근로봉사대'였다. 노약자, 불구자, 발병자 등을 제외하고 근로능력을 가진 자는 모두 국가총동원상 필요한 업무에 협력하여 國民皆勞의 상태로 만든다는 것이었다.[150] 이는 일본에서 大政翼贊會가 "국민개로야말로 비상시 일본국민의 의무"라고 하면서 국민개로운동을 채택한 것에서 비롯되었다.[151] 일제는 "국민 전부가 근로를 통해 임전국가 태세에 협력하고, 국가봉사의 誠을 이루어야 한다"는 주장 하에 근로보국대의 동원을 시작하고, 근로보국은 국민개로와 마찬가지로 "挺身하여 君國에 바친다고 하는 일본정신의 앙양"이라고 강조하고 있었다.[152] 총독부는 이 국민개로정신에 기초하여 국민총력연맹 지도 아래 근로보국대를 결성하여 조선인을 일정 기간동안 총동원 업무에 종사하도록 하였다.

國民總力朝鮮聯盟 사무국 총장이었던 川岸文三郎은 조선에서 국민개로운동을 전개하면서 조선에 不勞者, 有閑者가 없게 하고, 특히 일본인 장병이 목숨을 버리고 제일선에서 분투함과 마찬가지로 조선인이 전시노무체제 정비를 위해 기꺼이 참가할 수 있도록 하는 것이 운동의 근본 취지라고 밝혔다.[153] 이 취지를 조선에 철저히 보급하기 위해 1941년 9월 21일부터 11월 20일까지 두 달간을 국민개로 강조운동 기

---

150)「國民皆勞運動實施」,『朝鮮』316, 1941. 9, 60~61쪽.

151) 1941년 8월 大政翼贊會는 제국농회, 산조중앙회, 농업보국연맹, 대일본산업보국회, 상업보국회중앙회, 전국어업조합연합회, 일본해운보국회, 제국재향군인회, 대일본청소년단 농건동맹, 전국시장회, 애부, 국부, 연부, 대일본경방협회, 대일본종교보국회, 대일본불교회, 신도교파연합회, 일본기독교연맹 등 24개 단체의 대표와 관청 관계자를 모아 '시국간담회'를 개최하였다. 위의 각 단체가 중심이 되어 지역별·직역별로 근로보국대를 조직하고, 이를 시국생산에 동원하여 생산확충에 挺身시킴과 함께, 유사시에 활용할 수 있도록 평소부터 훈련하고 협의하여, 전국적으로 '일하는 운동'을 펼친 것이다(厚生硏究會, 앞의 책, 1941, 30~33쪽).

152) 田村浩, 앞의 글, 1941. 10, 31~33쪽.

153) 川岸文三郎,「國民皆勞の總進軍」,『朝鮮勞務』1-1, 1941. 10, 10쪽.

간으로 정하여, 직업과 계급의 여하를 불문하고 "유사시에 국가의 요청
에 따른다고 하는 철 같은 근로정신"을 주입하고자 하였다. 이를 위해
총독부는 국민총력조선연맹을 통해 각 학교와 단체, 기관에서 강연회와
좌담회를 열고 라디오 방송과 포스터를 배부하여 국민개로의 필요성을
강조하였다.[154]

국민총력조선연맹의 애국반 단위의 勤勞奉仕 형식을 통해 동원되던
근로보국대는 國民勤勞報國協力令의 적용에 따라 國民勤勞報國隊로
재편성되었다. 국민근로보국협력령은 국가총동원법 제5조의 규정에 기
초해 '국민'으로 하여금 국민근로보국대 동원에 의해 총동원 업무에 협
력하도록 한 칙령으로, 1941년 11월 21일 공포되고, 12월 1일부터 일본
본국과 그 식민지 지역에서 동시에 시행되었다.[155] 이 법령의 시행을
계기로 국민개로에 대한 법적 근거가 마련되었고, 따라서 봉사의 차원
에서 추진되던 근로보국대에 의한 노동이 의무로서 법에 의해 강제되
게 되었다.

이 법령은 만 14세부터 40세 미만의 남자와 만 14세부터 25세 미만
의 미혼여자를 대상으로, 특정 기간동안 국가공공단체의 사업이나 민간
의 중요사업에 참가하여 근로봉사를 할 것을 규정하였다. 이를 위해 부
읍면 학교, 청년단, 町洞里 부락연맹 등의 단체마다 노동력을 동원할
필요가 있는 경우에 근로보국대를 편성하도록 규정하고 있었다.[156] 軍
토건공사가 확충되면 총동원 업무에서 근로보국대의 역할이 중요해지
자 이 법령을 발동하여 조직적으로 노동력을 동원하고자 한 것이었다.
국민근로보국대에 의해 노동력을 동원한 분야는 총동원 물자의 생산
수리 배급에 관한 업무, 총동원상 필요한 운수·통신·위생·구호에 관
한 업무, 군사상 특히 필요한 토목건축 업무 등으로, 이 중 비교적 숙련

---

154) 「國民皆勞運動實施す」, 『朝鮮』 316, 1941. 9, 60~61쪽.
155) 慶尙南道 鑛工部 勞務課, 앞의 책, 1944, 237~239쪽.
156) 「國民皆勞運動實施す」, 『朝鮮』 316, 1941. 9, 61쪽.

을 요하지 않는 분야와 단기 작업을 주 대상으로 하였다.

국민근로보국협력령에서는 1941년의 勞務緊急對策에 기초하여[157] 근로능력이 있는 자는 모두 일정기간 특정한 중요업무에 隊組織에 의해 협력할 의무를 지닌다는 내용을 규정하고 있었다. 정무총감 大野綠一郎은 이 제도는 법령의 형식에 의한 것이지만, 그 전제는 "국민의 殉國的 至誠이고 봉사적 정신"이라고 강변하였다. 그에 의하면 국민근로보국협력령의 목적은, 첫째로 전국민에게 시국의 중대성을 인식시키고 국가의식에 기초한 근로보국정신을 확립하여 국민개로의 실효를 거두어 총동원체제를 확립 강화하는 것, 둘째로 전시하 중요산업 부문의 노동력 부족 사태를 완화하기 위해 유휴노동력과 비교적 중요도가 낮은 직역의 노동력을 활용함으로써 노동력 동원을 원활히 하는 것, 셋째로 국민총력연맹, 학교, 청년단, 기타 단체에 의한 각종의 근로봉사를 일원적으로 종합하여 노동력을 적절히 활용하는 데 있었다.[158]

국민근로보국협력령은 그 내용상 勤勞動員令이라고 할 수 있는 것으로서, 일제는 이의 제정을 통해 국민개로에 확고한 법적 근거를 부여하였다.[159] 근로보국대의 동원이 의무로서 규정되면서 그에 대한 저항

---

157) 일제는 1941년 8월 각료회의에서 勞務緊急對策要綱을 결정, 발표하였다. 여기에서는 '근로보국 정신을 앙양하고 근로총동원 태세를 정비 강화'하는 데 요점을 두고, ① 근로보국정신의 앙양, ② 노무배치의 조정, ③ 직업 전환 촉진, ④ 국민등록제도 확충, ⑤ 노무관리의 쇄신강화, ⑥ 근로봉사의 조직화, ⑦ 노동자 주택의 충족, ⑧ 민간단체의 협력에 대한 조치를 취할 것을 요구하였다. 이러한 내용은 이후 국가총동원법에 기초한 칙령에 상당 부분 반영되었다(厚生硏究會, 앞의 책, 1941, 38~43쪽).

158) 「國民勤勞報國協力令施行さる」, 『朝鮮』 319, 1941. 12, 60~61쪽.

159) 근로보국대의 동원 방식은, 우선 협력을 받고자 하는 자가 대학, 전문학교, 사범학교의 재학생이나 작업지 외의 도에 있는 자들로 편성된 근로보국대의 협력을 받고자 하는 경우는 조선총독에게, 기타의 경우는 부윤, 군수 또는 島司를 경유하여 작업지의 도지사에게 신청하도록 하였다. 조선총독이나 도지사는 이 신청을 받아 협력이 필요하다고 인정되면 부윤, 읍면장, 기타 단체장 또는 학교장에게 국민근로보국대의 편성을 명하고, 이 명령을 받은 단체장이나 학

도 적지 않았다. 근로보국대 동원의 경우 농업생산 문제를 고려하여 실
시할 것을 원칙으로 하였지만, 군수산업이나 생산력확충 사업이 전쟁의
진행에 따라 긴급하게 요구되면서 그 원칙이 이내 무시되었기 때문이
다.

따라서 근로보국대원으로 동원된 경우 노동을 기피하여 사적으로 대
리자를 출동시키거나 무단 귀향하는 등의 현상이 증가하였다. 예컨대
함북 경성군의 會文炭鑛株式會社 會文鑛業所의 경우 보국대원의 교
체 시마다 항상 재적 광원의 약 3~5%가 매수된 대리자였고, 이들의
비율은 점차 증가하여 갔다.160) 이에 총독부 경제경찰과장 山本彌之助
는 근로보국대의 대리자는 대개 부랑자들이라 하면서, 더욱 큰 문제는
그들을 감언으로 끌어내는 지주와 유력자들의 功利的인 생활관이라고
지적하였다.161) 근로보국대라는 형식의 무작위 동원에 대한 일반인의
저항이 심하였을 뿐만 아니라,162) 지주나 유력자들도 사적인 경로를 통
하여 동원을 기피하고 있었던 것이다.

사회 전반의 이러한 저항 혹은 기피 현상으로 결국 총독부는 근로
보국대의 동원기간을 연장하는 조처를 취할 수밖에 없었다. 1943년 5
월 29일 사정국장은 각 도지사에게 「勤勞報國隊의 出動에 關한 件」이
라는 통첩을 보내, 노동의 기피가 공공연하게 행해지는 사태를 엄히
단속할 것을 강조하는 한편, 근로보국대의 동원기간을 변경할 것을 발
표하였다. 변경된 동원기간은 道外動員의 경우 斡旋과 마찬가지로 토

교장은 명령의 내용에 따라 단체의 소속원이나 학생, 생도 중에서 국민근로보
국대원을 선정하여 國民勤勞報國協力令書를 교부하였다. 이 협력령서를 받
은 사람은 특별한 사유가 있는 경우를 제외하고는 국민근로보국대에 참가하
는 의무를 져야 했다(「國民勤勞報國協力令施行さる」, 『朝鮮』 319, 1941. 12,
60~62쪽).

160) 「勞務者移動の主なる原因とその防止策について産業人の意見を聽く(完)」, 『朝鮮
勞務』 3-6, 1943. 12, 49쪽.

161) 山本彌之助, 「人の闇を排す」, 『朝鮮勞務』 4-3, 1944. 4, 1쪽.

162) 노동력 동원에 대한 조선인의 저항 양상에 대해서는 다음 항에서 상술한다.

296

목건축사업에서는 고용일부터 그 해의 12월 말까지, 기타 사업에서는 1년 이상 2년 이내로 하였으며, 고용기간 만료 후 갱신할 수 있게 하였다. 이와 함께 道內動員은 2개월 이상, 郡內動員은 1개월 이상으로 하였다. 이제 도외 동원의 경우에는 애초의 단기노동의 형식을 벗어나게 되었다.[163]

이러한 조치는 근로보국대를 단기간씩 노동현장에 투입할 경우 계속해서 인원이 교체되면서 매번 노동에 익숙해지기까지의 시간이 필요하였고, 또한 수송이 점차 어려워지자 그에 필요한 경비를 줄이기 위해 마련된 것이기도 하였다. 총독부와 자본가의 입장에서 볼 때 근로보국대가 가져다 주는 경제적인 효과는 상당히 컸다. 예컨대 학생 동원시에 규정상으로는 일반 노동자에 준하여 임금을 지급하게 되어 있었지만, 실제로는 그것을 학교로 지급하여 학교에서 '교육적으로 처리하도록' 강권하여 전용하고 있었다.[164] 따라서 각 현장에서는 道勤勞報國隊의 고용기간을 4개월 내지 6개월까지 연장할 것을 총독부에 건의하였다.[165] 결국 1943년 10월 총독부는 근로보국대의 출동원수를 1년간 道內 전 호수의 20% 이상으로 늘리도록 결정하였다.[166]

이와 함께 학생의 동원은 전쟁의 막바지 위기가 고조되면서 더욱 강화되었다. 1943년부터 일제는 점차 패전의 기색이 드러나는 반면 전쟁 상대인 미국과 영국은 풍부한 물량을 바탕으로 끊임없이 응수하고 있었다. 따라서 일제는 생산력 증강을 더욱 강조하였으나, 물자가 부족한 상태에서는 노동력에 의지할 수밖에 없었으므로 노동력 수요는 급격히 팽창해갔다. 일제는 1943년부터 직업 전환을 촉진하고, 남자취업 금지

163)「勞務關係法令通牒-勤勞報國隊의 出動에 관한 건」,『朝鮮勞務』 3-4, 1943. 9, 72~73쪽.
164) 近藤英男,「學徒勤勞動員の强化」,『朝鮮勞務』 4-5, 1944. 6, 2~5쪽.
165)「勞務者移動の主なる原因とその防止策について産業人の意見を聽く(完)」,『朝鮮勞務』 3-6, 1943. 12, 48~49쪽.
166)「政務總監談-勞務强化對策要綱決定す」,『朝鮮』 342, 1943. 11, 95~97쪽.

직종을 지정하였으며, 企業整備를 통해 확보한 노동력을 재배치하는 등의 제반 조치를 강구하였다. 그러나 이러한 조치를 통한 노동력의 확보도 양적인 면에서는 한계에 달하였다. 따라서 일제는 새로운 형태의 대규모 노동력 공급처를 모색하였고, 학생의 동원은 이러한 정세에서 취해진 조치였다.167)

학생의 동원은 1938년 근로보국대 활동의 일환인 '학도근로동원'으로 처음 실시되었다. '학도근로동원'이란 중등학생을 비롯하여 초등학생에서 대학생에 이르기까지의 학생들을 전시 노동력으로 동원하는 것이었다. 일제는 1941년 11월 國民勤勞報國協力令에 의해 학생도 연간 30일 이내로 근로동원할 것을 규정하였다. 노동력이 부족한 상태에서 학생의 동원은 그 의미가 강조되면서 더욱 확대되었다.

1943년 6월 일제는 學徒戰時動員體制確立要綱에 의해 임시적인 근로봉사를 상시적이고 집중적인 동원으로 전환하고, 동원기간도 60일 이내로 연장하였다. 나아가 1944년 1월에는 그 기간을 10개월 이내로 연장하고, 이 해 3월부터는 決戰非常措置要綱에 기초해 중학생 이상의 생도를 1년간 계속 동원하기로 결정함으로써 학교에서의 교과교육을 정지하였다.168) 이윽고 1944년 4월 28일 총독부는 학생동원을 강화하는 근본정신에 대한 訓諭를 발하였다. 또한 이 훈령으로 '學徒動員本部規定'을 공포하면서 각 道마다 학도동원 본부를 설치하는 동시에 정무총감 통첩으로 학교별 학생동원 기준을 정하고 동원체제를 강화하였다.

총독부 敎學官이었던 近藤英男은 "국가의 총력을 들어 완승으로 매진하고 있는 때 학도이므로 총력발휘 밖에서 편안히 있다는 것은 교육적으로도 마땅하지 않다"고 하였다. 곧 학생들이 고난을 함께 하고 생산증강에 挺身하게 하여 일상생활을 전력증강으로 직접 연결짓게 하는 것이 국민으로서의 자각을 심화하여 전의를 앙양시키고 교육의 효과를

167) 近藤英男, 앞의 글, 1944. 6, 2~5쪽.
168) 歷史學硏究會 編, 『日本史史料-現代』, 岩波書店, 1997, 133~134쪽.

298

높일 수 있다고 하였다. 생산증강의 여하가 승패의 관건이 되는 戰時에 교육의 내용을 근본적으로 재검토하여, 수업시간을 크게 감축시켜 그 시간을 적극적으로 생산증강에 투입하고, 하루라도 빨리 학생을 생산전 선으로 보내야 한다는 것이었다. 전선이 더욱 불안해지면서 생산력의 증강에 모든 노동력을 공출해야 하고, 다른 노동력 공급원으로는 더 이상 수요를 채우기 어려운 정황에 이르러, "학업에 다소 영향을 주더라도" 학생의 노동력으로 '국가 至繁'의 요구에 따르게 할 조치를 강구한 것이다.169)

동원된 학생들에게는 노동 요원으로서의 활동이 요구되었고, 그 활동에 의해 생산 실적을 올릴 임무가 부과되었다. 위의 訓令에서 "시국은 학도에게 타일의 뒤늦은 奉公보다도 금일 즉각의 과감한 挺身을 요청한다"고 한 것 역시 이러한 의미를 지녔다. 교육의 現地實習的, 見習的 성격을 강조하면서 진행된 학생동원 강화의 초점은 생산력 증강에 있었던 것이다.

학생동원이 지속되면서 학교 측에서는 학력의 저하를 염려하는 경향이 있었다. 이에 일제는 기왕의 교육을 偏知主義의 교육, 敎壇 중심의 교육이라고 평가하고, 학생동원은 行學一體 교육의 본지를 구현할 교육방식이라는 명분을 제기하였다. 총독부에서는 "금일의 교육은 학생 전원이 동원되고 있는 형태"에서 고려되어야 한다고 하고, 이러한 형태에서의 교육은 교육자가 '교육 즉 동원'임을 명료하게 인식해야 하고, 동원에 관계하는 사람들 특히 학생을 받아들이는 직장 측에서 '동원 즉 교육'임을 정확히 판단하여야 성과를 거둘 수 있다고 하였다.

학교별 동원기준을 보면, 鑛工系 대학과 전문학교의 제3학년은 通年制로 분산 배치하여 주로 작업 지도자의 지도와 학생의 연성을 담당하게 하였다. 그 외의 학교에서는 지역별로 집단 배치하고, 작업효율이 저하될 염려가 없을 경우에는 일정 기간마다 교체를 인정하였다. 동원

169) 近藤英男, 앞의 글, 1944. 6, 2~5쪽.

기간은 상급 학년은 원칙상 통년제로 하고, 하급 학년은 임시 긴급한 경우에 동원하도록 하였다. 또한 동원의 기동성을 발휘한다는 명분하에 조선총독부와 각 도에 설치된 학도동원 본부가 도 차원에서 동원 장소와 계획을 정하고, 학교에 '下命'하였다. 학교나 개인의 선택이 용납되지 않았던 것이다.

결국 1945년 3월 일제는 決戰敎育措置要綱을 공포하여, 1945년 4월 1일부터 국민학교 초등과를 제외한 국민학교 고등과부터 대학까지 전 학교의 수업을 정지하고 國民勤勞動員令의 적용에 맞추어 모든 학생을 총동원하였다.[170] <표 24>의 1944년에 실시된 학도근로동원 상황과 1945년의 계획치에 의하면, 1944년 약 15만 8천 명, 1945년 약 16만 4천 명의 학생이 반년간 혹은 1년 내내 동원되어 있었다. 그중 대학과 전문

<표 24> 1944·45년 學徒勤勞動員 상황

연도·동원수 학교별		1944		1945	
		동원학생수	동원일수	동원수	동원일수
대 학		7,262	통년 또는 임시	1,400	180
전문학교				7,700	360
사범학교		1,278	2~6개월	13,700	180
		10,820	임시		
중등학교	고학년	138,592	통년 또는 임시	74,100	360
	저학년			67,200	180
국민학교 고학년				32,500	180
계		157,952		164,100	

자료) 「學徒動員ノ狀況及將來ノ方針如何」, 『日帝下 戰時體制期 政策史料叢書 22』(民族問題硏究所 編), 韓國學術情報株式會社, 2000, 162~165쪽 ; 近藤釰一 編, 『太平洋戰下の朝鮮(4)』, 友邦協會, 1963, 138~139쪽 ; 近藤釰一 編, 『太平洋戰下終末期朝鮮の治政』, 朝鮮史料編纂會, 1961, 160쪽 ; 許粹烈, 앞의 글, 1985, 340쪽.

비고) 1. 1944년도는 8월 1일 현재의 실시 수치
　　　2. 1945년도는 6월 30일에 작성된 계획 수치

---

170) 歷史學硏究會 編, 앞의 책, 1997, 133~134쪽.

학교 학생들 중 광공관계 학생은 航空廠과 交通局 공장, 광산 등에 배치되었고, 농수산관계 학생은 농축산 지도, 漁撈 수산 가공장 등에, 의약관계 학생은 道立病院과 交通局 병원 등에, 문과계 학생들은 造兵廠, 航空廠, 비행장 등에 배치되었다. 사범학교 학생들은 전국의 국민학교로 '교육 동원'되거나 식량증산, 국방시설, 토목공사, 운모 가공작업 혹은 軍被服 수선 부문으로 동원되었다. 또한 중등학교 학생들 중 공업학교 학생은 공장 사업장으로, 농수산학교 학생은 식량증산과 토건공사 부문으로, 중학교와 상업학교 학생은 식량증산과 국방시설, 토건공사 부문으로, 여자 중등학교 학생은 식량증산과 군 피복 수선 부문으로 보내졌다.[171]

이상과 같이 전쟁의 확대와 함께 증가되어 간 근로보국대는 노동력 동원의 유용한 방법으로 널리 활용되었다. 일제는 청장년 노동력 부족 문제가 심각한 상황에서 이제까지 동원 대상에서 제외해 왔던 남성과 여성, 학생, 나아가 아동에 이르기까지 그 범위를 대폭 확대하여 勤勞報國이라는 이름으로 무작위로 동원해 갔다. 이를 통해 노동력을 총동원하는 이른바 국민개로 체제를 만들어 갔던 것이다.

(2) 官斡旋 정책의 확대

관알선은 總督府 혹은 道에서, 즉 官이 직접 노동력의 모집·전형·송출을 담당했던 노동력 동원방식이다. 이는 1930년대 전반기부터 북부지방 개발과정에서 남부지방 노동력을 북부지방으로 이송하기 위해 시작되었고, 전시하에도 토목건축 분야를 비롯한 군수산업 분야의 노동자 모집 방식의 하나로서 적극 활용되었다.[172]

---

171) 「學徒動員ノ狀況及將來ノ方針如何」, 『日帝下 戰時體制期 政策史料叢書 22』(民族問題研究所 編), 韓國學術情報株式會社, 2000, 162~165쪽.
172) 「戰爭と朝鮮統治」, 앞의 책, 1947, 65~67쪽. 官斡旋 정책의 시행과 확대과정에 대해서는 廣瀨貞三이 「'官斡旋'と土建勞動者-'道外斡旋'を中心に」(『朝鮮史研究會論文集』 29, 朝鮮史研究會, 1991. 10)에서 자세히 언급한 바 있다.

1940년 2월 일제는 朝鮮職業紹介令을 공포하여 조선 내의 노동력 동원에서 모집 허가제를 실시하였는데, 1939년 모집이 개시된 지 2년이 지나면서 1941년 가을에는 계약 기간이 만료된 경우가 속출하였다. 이에 만기자의 재계약이나 기간 연장을 권장하였으나 그 효과는 미미하였다. 또한 전쟁의 장기화로 노동력의 수요는 더욱 증가하는 데 비해, 일본과 사할린, 남방 등지로의 노동력 공출은 1940년 9만 7천 명을 목표로 했으나 6만 명에 그치고, 1941년 10만 명을 목표로 했으나 9월 말까지 9천 명의 도항에 그치는 등 원활하게 진행되지 않았다. 따라서 일제는 조선인 노동력의 공출 방법을 전면적으로 변화시키고자 하였다.173)

관알선은 총독부가 지정한 토목건축 현장과 광산 공장의 노동력 모집에서 자유모집의 내용이 가미된 특수한 형식으로 시행되고 있었다.174) 그런데 태평양전쟁 이후 관알선 모집은 점차 조선인 노동자의 공출과 수송 사무를 일원화하는 방식으로 정착되었고, 기왕의 모집방식은 관알선 일변도로 변화되어 갔다. 조선 내의 생산력의 증강을 위한 노동력 대책이 필요했음은 물론이고, 조선 외에서의 수요, 즉 '國民動員計劃'에 기초한 일본과 기타 지역으로의 産業要員과 軍要員의 송출 요구가 격증함으로써, 일본에 비해 상대적으로 탄력성을 가진 조선의 노동력 확보 문제가 일제의 전력에서 최대의 관건이 되고 있었다.175)

일제는 1942년 2월 閣僚會議에서 「半島人勞務者 活用에 關한 方策」을 결정한 이후 기왕의 조선인 노동자 모집 방식을 바꾸었다. 조선인 노동력을 일본으로 공급할 때 사업주의 募集에 의한 노동력 조달의 한계를 벗어나고자, '국민동원계획'의 일환으로서 官斡旋에 의한 집단송

---

173) 刑事課, 「最近ニ於ケル犯罪一般槪況ニ付テ承リ度シ」, 『日帝下 戰時體制期政策史料叢書 22』(民族問題硏究所 編), 韓國學術情報株式會社, 2000, 304~307쪽.

174) 朝鮮總督府 司政局 勞務課, 앞의 글, 1943. 8, 11~15쪽.

175) 「勞務動員に關する政務總監訓示」, 『朝鮮勞務』 4-4, 1944. 5, 표지.

출을 실시한 것이다. 즉 관알선은 일본으로 노동력을 알선하기 위한 중요한 방식의 하나로도 활용되었다.[176] 1942년부터 변화된 관알선 정책의 실시요강은 다음과 같다.

① 모집 운행의 주체를 조선노무협회로 할 것
② 유료 모집으로서 일인당 정액을 노무협회 앞으로 납부할 것
③ 모집 허가 신청서의 제출과 절충 대상을 各道로 하여 수속을 간이화할 것
④ 새로이 府邑面 직업소개소의 이용을 인식할 것
⑤ 노무자의 편성을 隊組織으로 하고, 간부와 대원의 전형 등은 모두 일본에서의 勤勞報國隊 공출에 준거할 것
⑥ 일본 도항 후의 훈련 기간을 6개월로 연장할 것
⑦ 노동자 공출에 협력시키기 위해 사업주 중에서 보도원을 선출할 것
⑧ 전형을 마친 노동자는 출신지에서 일정기간 훈련을 실시할 것[177]

요강에 의하면 관알선에서는 모집의 주체를 개별 사업주에서 朝鮮勞務協會로 이관하였다. 종래 각 사업장에서 개별적으로 이루어지던 모집 방식에서 총독부가 행정 조직과 외곽단체를 내세워 전면적으로 개입하는 양상을 띠게 된 것이다.[178] 1941년 6월에 설립된 조선노무협회는 조선총독부 내에 본부를 두고 각 도청 내에 지부를 두었다. 직업소개소가 설치된 부에서는 직업소개소 내에, 그 외에서는 부군도청 내에 분회를 두고, 노무자원의 개척과 노동자 알선·모집 협력을 주사업으로 하였다. 모집 허가수에 맞추어 노무협회 본부는 총독부가 지시한 모집 지역의 도지부에 모집을 지시하고, 도지부는 도당국이 지시한 郡 분회

176) 前田一, 『特殊勞務者の勞務管理』, 山海堂, 1943, 45~46쪽.
177) 前田一, 위의 책, 1943, 46~47쪽.
178) 김민영, 앞의 책, 1995, 88쪽.

에 모집을 지시하며, 군분회는 지시받은 모집 조건에 따라 정해진 날에
응모자를 집합시키거나 전형에 입회하도록 하였다. 전형을 마친 자는
출신지에서 일정 기간 훈련을 한 후 隊組織으로 편성하여 府郡島의 출
발지에서 고용주에게 인계하는 것으로 절차를 마무리하였다.[179]

　　1942년 일본으로의 노동자 관알선 동원의 기본요강으로 발표된 「鮮
人內地移入斡旋要綱」에 따르면, 관알선 정책은 기왕의 복잡한 모집수
속을 간소화하고 조선의 職業紹介所를 전면적으로 활용하도록 하였
다.[180] 이 관알선 정책은 일본으로 도항하는 조선인 노동자에게 사실상
징용의 형식을 적용한 것으로서, 이동·직업선택의 자유를 일절 허락하
지 않은 채 직업소개소와 府郡島邑面의 알선에 따라 일본에서 취업하
도록 하였다.[181] 이는 형식적으로는 일본에서의 취로를 통해 일본국민
으로서의 자질을 연마하는 동시에 우수한 기술을 체득시켜 장래 조선
의 기술수준 향상을 위한 초석으로 활동하게 할 목적이라고 선전되었
다. 그러나 실제로 조선인 노동자는 일본에서 부족한 노동력을 보충하
기 위하여 토목건축 현장이나 광산의 하급노동자로 보내졌다. 더욱이
노동자의 송출 과정에서 종종 노동자가 '물자'처럼 취급되어 노동자들
의 불만을 사기도 하였다.

　　이에 총독부에서는 관알선에 의한 동원에 대해 징용과 유사한 방식
으로 진행되는 것임을 강조하고 새로운 조치를 취하였다. 즉 일본 당국

---

179) 前田一, 앞의 책, 1943, 47~48쪽. 이에 따라 조선노무협회와 일본의 금속, 토
　　목, 철강 등 각 統制會, 東亞旅行社 3자가 중심이 되어 1942년 3월 중순부터
　　조선인 노동자의 隊組織에 의한 일본 도항을 시작하였다. 대조직의 편성은 1
　　조 5~10명으로 하여, 2~4조를 1반으로 하고, 5반 내외로 1대를 조직하되, 대
　　는 가능한 한 府郡島마다 편성하고, 반은 읍 또는 면마다 편성하도록 하였다.
　　각 대의 명칭에는 府郡島 명을 앞에 붙여 ○○근로출동대로 명명하였다(같은
　　책, 48~56쪽).
180) 「勞務動員實施計劃二依ル朝鮮人勞務者ノ內地移入斡旋要綱」, 『戰時下朝鮮
　　人勞務動員基礎資料集 Ⅴ』(樋口雄一 編), 綠蔭書房, 2000, 731~736쪽.
181) 小林英夫, 『大東亞共榮圈の形成と崩壞』, 御茶の水書房, 1975, 281쪽.

에 대해 총독부는 官斡旋이 비록 반강제적으로 행해지지만 실제 그에 응한 사람은 징용된 경우와 다를 바 없으므로 본인과 가족에 대해 피징용자와 마찬가지로 대우할 것, 단독 도항을 폐지하고 가족 동반을 인정할 것, 행선지와 기간을 명료하게 하고 특히 기간은 절대로 연장하지 않을 것 등을 요구하기도 하였다.[182]

한편 1943년 5월 20일 총독부 사정국장과 경무국장이 각 도지사에게 보낸 통첩 「重要工場鑛山勞務者의 充足方法에 關한 件」을 통해 중요 공장·광산을 지정하여 우선적으로 노동자를 관에서 알선하고, 그 노동자에 대해 임금과 식량대책을 별도로 마련한다는 방침을 통보하였다. 그리고 이 관알선을 종래의 官斡旋과 구별하여 '勞務者特別斡旋'이라 칭하였다. 노무자특별알선은 총독부에서 규정한 중요공장과 광산에 한하여 시행하였다. 이는 중요 공장·광산에서 노동자를 모집하고자 할 경우에 조선직업소개령시행규칙에 따른 모집 수속을 간소화하여 신속하게 노동자를 확보할 수 있도록 한다는 취지에서 마련된 것이다. 이후 중요 공장·광산의 사업주가 모집에 의해 노동자를 채용하고자 할 때는 원칙적으로 이 방법에 근거하도록 하였다.[183]

일제지배 말기에 勞動力 送出 문제는 米穀의 供出과 함께 조선 내 2대 문제로서 논의되고 있었는데, 그 중에서도 노동력 문제는 이후 동원을 더 이상 계획할 수 없을 정도로 최대한 노동력을 색출하는 형태로 추진되었다. 관알선에 의해 동원된 노동자는 일본으로의 동원과 남부지방[184]에서 북부지방으로의 송출 외에도, 1934년부터 1944년까지 각 도

182) 「戰爭と朝鮮統治」, 앞의 책, 1947, 65~75쪽.
183) 朝鮮總督府, 「重要工場鑛山勞務者ノ充足方法ニ關スル件」, 『戰時下朝鮮人勞務動員基礎資料集 V』(樋口雄一 編), 綠蔭書房, 2000, 751~753쪽 ; 「勞務關係法令通牒」, 『朝鮮勞務』 3-4, 1943. 9, 72~73쪽.
184) 기왕에는 충청남북도와 전라남도, 경상남북도의 남부지역 6개 도를 중심으로 하였으나, 1942년부터는 강원도와 황해도 등을 새로 추가하였다(前田一, 앞의 책, 1943, 48쪽). 그 중에도 몰락농민이 집중해 있는 전라남북도 지방은 관알선의 주요 대상지가 되었다(廣瀨貞三, 앞의 글, 1991. 10, 126~129쪽 참

의 斡旋에 의해 도 내부로 동원된 숫자가 무려 414만여 명에 달하였
다.[185] 이 시기 道內에서의 관알선에 의한 노동력 동원이 대규모로 진
행되면서 노동력 동원에서 차지하는 비중이 상당히 커졌다. 관알선으로
동원된 자들은 수력발전소나 철도 건설, 군수공장 건설 등의 토목공사
부문에 집중적으로 배치되었다.[186]

동원의 규모가 확대될수록 이에 대한 반발이 극심해졌다. 특히 관알
선에 의한 노동력 공출은 노동에 종사할 자의 지원 여부를 무시한 채
하부 행정기관에 공출수를 할당하였고, 하부 행정기관 역시 강제공출을
감행하여 저항을 유발하였다. 총독부나 각 도에서 斡旋한 노동자들은
노동현장에서 도주, 탈출하는 경우가 허다하였다. 이러한 탈출은 대개
노동시간이나 임금, 식사, 대우 등 노동조건이 육체적으로나 정신적으
로 견디기 어려울 때 이루어졌고, 잡혔을 경우의 처벌에 대한 각오를
하고 실행되었다.[187] 따라서 노동력 강제공출은 오히려 노동능률을 저
하시키고 있었으므로 총독부에서도 이를 "단연 시정되어야 할 결함"으
로 지적하고 있었다.[188] 더욱이 1944년 미국의 일본 공습이 시작되면서
세간에서는 일본으로의 알선을 혐오하는 경향이 심해졌다. 이 시점에는
이른바 중요 사업장에서도 알선노동자의 도주로 계획한 숫자대로 노동
자를 모집하기 어려웠거니와, 모집한 노동자들도 능률이 저하되어 공정
을 제대로 진척시키지 못하는 형편이었다.[189] 일제는 공권력을 동반하
여 보다 강력한 새로운 노동력 동원방식을 구상·실현할 수밖에 없었
다.

조).

185) 「戰爭と朝鮮統治」, 앞의 책, 1947, 71쪽.
186) 朝鮮總督府 勞務課 調査係, 「朝鮮の勞務者移動狀況」, 『朝鮮勞務』 2-5, 1942. 10, 51쪽.
187) 노동자의 도주에 대해서는 다음 절 '파시즘 노동정책의 파탄과 조선인 노동자의 대응'에서 상술한다.
188) 「勞務動員に關する政務總監訓示」, 『朝鮮勞務』 4-4, 1944. 5, 표지.
189) 「重要生産部門に於ける隘路打診」, 『朝鮮檢察要報』 2, 1944. 4, 6~7쪽.

(3) 徵用 실시로의 귀결

기왕의 방식에 의한 노동력 동원이 잦은 동원 기피와 현장 이탈과 같은 저항에 부딪치자, 일제는 조선인 노동력 동원의 새로운 방식을 모색하였다. 여기에서 '이동방지의 良策'으로 제기된 것이 징용이었다.[190] 이제까지의 노동력 동원은 각 도별로 사업주에게 의뢰를 받은 관청이 노동자 모집이나 고용계약에 개입하는 형식으로 진행되었다. 그러나 징용은 일제가 먼저 노동자를 행정 처분으로 직접 동원하여 사업장에 배치하는 완전히 다른 형식의 노동력 동원 방식으로서,[191] 곧 일반인을 대상으로 全般的 勞動義務制를 실현한 것이었다.[192]

조선에서는 이미 1939년 10월 1일 일본에 이어 國民徵用令이 공포되었다. 그러나 조선총독부는 1941년 軍關係 노동력에 대해서만 徵用을 실시하였고, 다른 방면은 시기상조라 하여 실시하지 않았다.[193] 이후 국민징용령이 조선에서 시행된 것은 1944년 9월에 이르러서였다. 노동력 동원의 필요성에도 불구하고 징용령의 공포에서 실제 적용까지는 시간상의 간극이 컸다. 총독부는 징용령 실시 연기의 이유를 공장 사업장의 노무관리가 극히 불충분하기 때문이라고도 하였다. 그러나 무엇보다 직접적인 원인은 징용령의 발동이 조선인의 정서에서 저항을 부를 염려가 컸기 때문이었다. 따라서 1939년 조선에서 시행규칙이 제정된 후 징용령은 한동안 시행되지 못하고 이후로 미루어졌다가, 1944년 일

---

190) 일제는 징용의 실시에 대해 "사업주와 노무자의 자유로운 의지에 의한 고용계약의 시대에서 관의 지도 알선의 시대를 거쳐 국가 의지의 발동에 의해 자유로운 의지를 버리고 국법이 명하는 바에 따르는 生産戰에 종사할 때가 조선에도 도래하였다"고 선전하고 있었다(「國民徵用令關係法令集」, 『朝鮮勞務』 4-1, 1944. 2, 28쪽).

191) 문영주・송규진, 「식민지 자본주의의 위기와 파국」, 『한국자본주의의 역사』 (강만길 엮음), 역사비평사, 2000, 180~183쪽.

192) 加藤佑治, 『日本帝國主義下의 勞動政策-全般的 勞動義務制의 史的究明-』, 御茶の水書房, 1970.

193) 「戰爭과 朝鮮統治」, 앞의 책, 1947, 65~67쪽.

제가 전쟁 막바지에 패배의 위기에 몰려 여타의 여건을 더 이상 고려할
수 없게 된 시점에서 전면적으로 추진되기에 이르렀다.[194]

官斡旋 방식으로 행하던 조선 밖으로의 노동력 동원은 조선 내에서
의 노동력 문제가 난항에 처하게 되면서 점차 그 목표를 달성하기 어려
워졌다. 전략물자 생산이 비약적으로 증가하고 군부 공사가 격증하여
수년간에 걸쳐 대량의 조선인 청장년층이 집단으로 송출됨에 따라 조
선 내 노동력 사정이 옹색해져 갔다.[195] 또한 일본으로 간 조선인 노동
자의 동원기간이 연장되자 관알선을 기피하는 경우가 많아져, 노동력의
일본 송출이 곤란해지게 되었다.[196] 반면 일본에서의 노동력 수요는 해
마다 급증하여, 1944년도에는 당초 조선에서 29만 명을 송출할 계획이
었으나 그 후 다시 약 10만 명을 추가로 요구하고 있었다.[197] 이에 조
선총독부는 1944년부터 더욱 강력한 노동력 동원대책을 수립하지 않을
수 없었다. 곧 징용을 실시하게 된 직접적인 계기는 노무동원계획에 의
한 일본으로의 노동력 동원의 필요성에 대응하는 데 있었다. 이와 더불
어 조선 내에서도 광산을 급속히 개발하고 공장을 확대하여 전쟁에 필
요한 물건을 계속 생산할 필요가 있었고, 그러기 위해서는 노동자가 많
아야 했으며, 그 중에서도 우수한 노동력을 갖춘 사람이 필요하였다.

당시 총독부는 중요공장 사업장 노동자의 임금 인상, 식량 특배, 작
업복, 기타 필요 물자의 우선 배급 등의 조치와 함께 勞務管理要綱을
정비하고 仕奉隊를 조직하는 등의 각종 조치를 취하고 있었지만, 전쟁
의 수행을 노동력에 절대적으로 의지하고 있는 현실에서 노동력 동원

194) 징용의 시행과정과 의미에 대해서는 許粹烈, 「朝鮮人 勞動力의 强制動員의
實態-朝鮮內에서의 强制動員政策의 展開를 中心으로-」, 『일제의 한국 식민
통치』(車基璧 엮음), 정음사, 1985 ; 김민영, 앞의 책, 1995 ; 강정숙·서현주,
「일제 말기 노동력 수탈 정책」, 『한일간의 미청산 과제』, 아세아문화사, 1997
등 참조.
195) 「卷頭言-銃後應召의 精神」, 『朝鮮勞務』 4-7, 1944. 8, 1쪽.
196) 近藤釰一 編, 앞의 글, 1964, 167~169쪽.
197) 이 책 <표 27> '1942~44년 노동력 동원수' 참조.

의 문제는 쉽게 해결되지 않았다. 1944년 4월 20일 정례 道知事會議에서 政務總監 田中武雄은 訓示를 통해, 官斡旋의 한계와 함께 중점산업 부문에서의 노동자 부족, 이동률의 과다, 노동자의 근로정신의 저조, 기타 기업가의 노무에 대한 자각 결여 등이 증산상의 애로가 되고 있다고 지적하고, 새로운 노동력 동원 체계의 필요성을 강조하였다.198) 노동자의 저항으로 인한 동원의 어려움과 더불어 노동자의 현장 이탈이 격증하면서 징용을 시행하지 않을 수 없게 되었던 것이다.

징용령은 조선에서 전면 시행되기까지 몇 단계에 걸쳐 조금씩 시행 범위를 넓혀갔다. 1941년 陸海軍要員에 대해서 처음 실시한 후, 1943년 徵兵制의 시행과 맞물려 병역에 복무하지 않는 학생을 조선내의 중요 사업장으로 동원하는 學徒徵用을 실시하였다. 일제는 학도징용에 대해 "근로를 통해 일본국민으로서의 자질 함양을 꾀하고, 장래의 반도 중견 분자로 만들고자, 銃後 應召의 정신으로 조선내의 중요사업장에 대해 실시"한다고 하여, 그 중요성을 강조하였다. 그러나 학도징용은 학병문 제와 관련하여 발동한 것으로서 항간에서는 징벌의 의미로 해석되고 있었으며, 따라서 징용된 학생에 대한 사업장 측의 처우 부족 등으로 여러 문제가 발생하기도 하였다.199) 학도징용이 실시되자 사업주와 일부 관청에서는 일반 노동력에 대한 징용 실시를 요구하였으나, 조선총 독부는 "아직 사업장 측의 징용에 대한 용의가 불충분하고 그 시기가 아니기 때문"이라는 이유로 일반노동력에 대한 징용은 보류하고 있었다.

그러나 조선 내에서도 징용령 발표 이후 자본가들과 총독부 관리 사이에서는 徵用 실시의 필요성이 계속해서 제기되었다. 특히 자본가들은 이동방지책 내지 강권적인 노동력 충족 대책으로서 徵用을 요구하였다. 농촌노동력을 활용하여 노동자를 증가시키고, 태업을 방지하기

---

198)「勞務動員に關する政務總監訓示」,『朝鮮勞務』4-4, 1944. 5, 표지.
199)「戰爭と朝鮮統治」, 앞의 책, 1947, 67~75쪽.

위해 징용을 시행하는 방안을 촉구한 것이다. 더욱 큰 이유는 노동자의
사업장 이탈이 심각한 상황에서 노동자의 모집비로 상당액을 치러야만
하는 데 있었다. 도시 주변의 공장은 門前募集으로 노동력을 충당할 수
있었지만, 궁벽한 지역의 광산 등에서는 노동자 1인당 50원 내지 100원
의 모집비가 요구되었다.[200] 더욱이 관알선에 의한 대규모의 모집이 아
닌 한 직업소개소나 연고모집에 의해 소수를 보충하는 데 불과하였으
로, 자본가들은 官의 강제력 행사를 통한 노동력 모집을 강력히 희망하
고 있었다.[201]

이러한 정세 속에서 일제는 1944년 마침내 조선에서 중점산업 부문
종업자에 대한 現員徵用을 실시한 데 이어 一般徵用을 강행하기 시작
하였다. 그간 다른 이름으로 징용의 효과를 거두어 오던 것에서, 징용
의 형식과 내용을 전면적으로 실시하게 된 것이다. 징용의 취지는 우량
한 일반 노동자를 신속하게 중점 공장 사업장으로 동원하고자 하는 것
이었다. 당시 일제는 "제1선에서 철포를 지지 않는 자는 후방에서 철포
를 만들어야 하는 것이 전시 국민생활의 당연한 모습"이라고 주장하였
다. 징용은 "후방에서 국가가 명하는 총동원 업무에 종사하는 것"으로
서 징병에 다음가는 '국민의 의무'의 하나로 강조되었다.[202] 여기에서
총동원 업무란 전쟁에 필요한 물건을 만드는 일, 전쟁에 필요한 일을
하는 모든 업무를 일컬었다.[203] 이러한 징용을 일제는 '國民徵用'이라
고 표현하였다.

징용은 크게 현원징용과 일반징용 두 가지로 실시되었다. 현원징용
이란 징용을 실시할 필요가 있는 공장에서 현재 종사하고 있는 사장 이
하 모든 종업원을 그대로 징용하는 것이었다. 일제는 이 제도를 1944년

200) 朝鮮總督府 勞務課 調査係, 앞의 글, 1942. 10, 53쪽.
201) 本江四郞, 「半島に於ける輕金屬部門の勞務に就て」, 『朝鮮勞務』 4-2, 1944.
3, 14~15쪽.
202) 「卷頭言-銃後應召の精神」, 『朝鮮勞務』 4-7, 1944. 8, 1쪽.
203) 宮孝一 著·上田龍男 譯, 『朝鮮徵用問答』, 每日新報社, 1944, 1~5쪽.

2월 8일부터 조선 내의 일부 중요공장과 광산의 공장장, 광산장 이하 전 종업원에 대해 실시하였다.204) 중요공장·광산에 대한 현원징용은 일반징용을 준비하기 위한 과정이었으며,205) 동시에 만연한 노동자의 사업장 이탈현상을 방지하기 위한 조치였다. 이를 통해 장차 외부에서 새로이 징용되어 들어올 사람과 이전부터 있었던 사람을 모두 징용자로 통일하고자 한 것이다.

그해 8월 일제는 일반징용의 실시를 발표하고 9월부터 이를 시행하기 시작하였다. 일반징용은 노동력 동원의 형태 중 강제의 정도가 가장 심한 것으로서, 軍需會社法의 노무규정에서는 징용을 '戰時 勤勞의 최후의 형태'라고 규정하였다. 전시하에만 취할 수 있는 방법이고, 그 중에서도 최고도의 강제력을 동반한 노동력 동원 방식이라는 것이었다. 징용제도는 제정 당초에는 일본에서 모집을 보완하기 위한 제도로서 규정되었다. 그러나 징용이 실시되는 과정에서 법령을 개정하여 "징용은 국가의 요청에 기초해 근로동원하는 것임을 밝혀 징용의 國家性을 명확히 할 것"이라고 하여 총동원 업무에 종사시키는 동원 제도임을 명기하였다.206) 이에 따라 군수회사에 대해 國民徵用令을 적용하여 노동력 동원문제를 규정하였다.

조선에서 징용령은 일정 연령층의 청장년 전원에게 발동되었다. 일할 수 있는 능력을 가진 모든 사람을 대상으로 하되, 그 범위를 만 16세 이상 40세까지의 남자로서 현재 총동원업무에 종사하지 않는 사람으로 규정하였다. 직접 징용의 대상이 된 사람은 이미 國民職業能力申告令에 의해 청장년 등록이 된 일반인이었다. 일반노동자는 농업이나 상업

---

204) 「重要工場鑛山に對する現員徵用實施に關する政務總監談」, 『朝鮮勞務』 4-3, 1944. 4, 표지(뒷장) ; 『每日新報』 1944. 2. 9, '現員徵用을 開始, 西北鮮 一帶에 드디어 發動'.

205) 小磯國昭, 「告辭」, 『朝鮮勞務』 4-3, 1944. 4, 표지.

206) 慶尙南道 鑛工部 勞務課, 「國民徵用令等改正竝ニ徵用扶助規則ノ發布ニ關スル件」, 『勞務關係法令集』, 1944, 400~402쪽.

에 종사하는 사람, 곧 동원하는 입장에서 볼 때 일할 능력은 있으나 기술과 기능이 없는 사람이었다. 이외에 기능 등록이나 청장년 등록을 하지 않은 사람도 필요에 따라서 특별히 조사해서 등록하였다. 직업이 없거나 전시하 긴급한 사무에 종사하지 않는 사람을 우선적으로 징용하였던 것이다. 따라서 긴급하지 않은 일에 종사하는 사람이나 직업이 없는 사람, 여자 노동력으로 대체할 수 있는 일에 종사하고 있는 남자들은 속히 긴급한 부문으로 轉業할 것을 강요받았다. 요컨대 징용은 노동 여부와 직업의 선택을 개인의 의사와는 무관하게 '국가'의 힘으로 강제하는 것이었다.[207]

현원징용을 시행하면서 조선총독부는 일반인을 대상으로 한 징용 해설서를 만들었다. 막상 징용을 실시하기로 하였지만, 징용의 대상자가 징용의 내용을 잘 모르거나 무시하는 경우가 많았기 때문이다. 이에 총독부 技師가 쉬운 말을 사용해서 정확히 표현하고 민심을 밝힌다는 목적으로 問答式의 쉬운 해설서를 만들었다. 이 책은 지면을 두단으로 나누어 상단에는 일어로, 하단에는 한글로 기술하였다. 징용의 목적과 내용을 보다 많은 조선인에게 알리기 위한 것이었다.[208]

징용이 해제되는 경우는 본인이 와병 중이나 기타 일할 수 없을 때 혹은 그 사람을 총동원업무에 종사시킬 필요가 없을 때로 국한되었다. 또한 일제는 징용 기한은 형식상 보통 2개년으로 하여 전체에게 공평하게 징용을 시행한다고 하였다. 그러나 이 기간이 절대 기준으로 지켜진 것은 아니었다. 징용당한 사람이 스스로 그만둔다고 하는 것은 용납되지 않았고, 해제를 명령받을 때까지 일해야만 하였다. 應徵士服務規律을 어기거나 도망하는 경우는 국가총동원법에 의해 징역 1년의 엄한 처벌을 받게 되었다.[209] 또한 대개의 경우 한번 일정한 장소에 징용된

---

207) 宮孝一 著·上田龍男 譯, 앞의 책, 1944, 5~19쪽.
208) 한편으로는 그간 지속적으로 일본어 사용을 강제하였지만 청장년 남자들의 경우도 일본어를 읽고 쓸 줄 아는 사람이 반 정도에 불과하였기 때문이다. 노동자의 교육과 동원을 병행할 겨를이 없는 전쟁의 상황에서 나온 조치였다.

312

사람은 지속적으로 그 장소에서 머물 것이 강요되었다.210) 행정상의 절차를 줄일 수 있고 그만큼 비용을 절감할 수 있기 때문이었지만, 한편으로는 장기적으로 징용노동자를 꾸준히 교대할 노동력의 여유가 없기 때문이기도 하였다.

징용이 결정된 사람은 대개 일주일 이내에 출발하였는데, 공장에 들어가기 전에 약 2주간 각 도에 있는 中堅勞務者鍊成道場에서 鍊成을 받았다. 연성에서는 먼저 군대식 整列·行進·敬禮 등의 규율훈련을 실시하였다. 또한 단체생활에 대한 훈련으로 식사 예절, 용변 보는 법, 취침기상 규율 등을 가르쳤다.211)

이렇게 징용된 노동자들은 軍의 作業廳, 일제의 管理工場 또는 指定工場에 배치되었다.212) 징용 장소는 행정당국에서 일률적으로 정하되, 조선뿐만 아니라 일제의 영향권에 있었던 모든 지역을 대상으로 삼았다. 특히 1944년 일제가 일본제국주의의 전체 鐵鑛 생산액의 반을 조선에서 생산할 계획을 세우면서 광산으로의 징용이 대거 추진되었다. 그러나 당시 징용 대상자들은 육체적으로 가장 고된 노동을 해야 하는 광산으로 가는 것, 특히 석탄산에 가는 것을 꺼렸으므로213) 징용의 추진은 배치 과정에서부터 무리가 따를 수밖에 없었다.

일제는 조선에서도 生産增强勞務强化對策에 따라 국민징용의 범위

---

209)「國民徵用令違反入所者の犯由と現在の心境」,『朝鮮檢察要報』14, 1945. 4, 41~42쪽.

210) 宮孝一 著·上田龍男 譯, 앞의 책, 1944, 41쪽.

211) 宮孝一 著·上田龍男 譯, 앞의 책, 1944, 19~26·47~49쪽. 鍊成에 대해서는 이 책 제4장 1절 2)항의 서술 참조.

212) 군 작업청은 육군이나 해군에서 직접 경영하는 공장으로, 육군조병창, 해군공창, 해군연료창 같은 곳이고, 관리공장은 민간의 공장이지만 군에서 관리하고 있는 공장이며, 지정공장 역시 민간공장으로 총독부에서 특별히 지정한 곳이다. 관리공장과 지정공장은 알미늄이나 마그네슘, 인조석유 등을 비롯하여 전쟁에 필요한 중요 물품을 생산하였다.

213) 宮孝一 著·上田龍男 譯, 앞의 책, 1944, 28~40쪽.

를 철・동・경금속 등의 관리공장인 중점산업으로 확대하고, 이후 중요
한 광산에 대해서도 실시하게 되었다. 그 결과 1944년 11월 말 현재 현
원징용이 이루어진 곳은 공장 72개소, 광산 71개소, 계 144개소로서, 사
장 이하 종업원의 징용수는 15만 3,580명에 달하였다. 또한 그간 일반
징용은 대개 軍要員에 대해 발동해 왔는데, 10월 말 현재 3만 1,783명
에 달하였다. 민간요원에 대해서는 1944년 8월 광산 2개소 1,200명을
징용한 것을 처음으로, 10월 말 현재 10개 공장에 2,520명과 15개의 광
산에 7,600명이 동원되었다. 총독부는 일반징용을 차례로 조선 내 다른
공장・광산으로 확대할 방침을 밝혔다. 더불어 일본으로 송출하는 노동
자도 가능하면 징용으로 실시할 것을 일본 중앙정부와 협의하였다. 이
에 그해 9월 해군함정본부 소관 해군관리 조선공장 21개소의 소요인원
3만 9,500명을 징용한 것을 시작으로, 이후 각종 공장, 석탄산, 금속산
등의 요원은 원칙적으로 징용에 의해 동원하였다.[214]

<표 25>에서 볼 수 있듯이 조선 내부의 경우에는 대부분 현원징용
의 형식으로 징용이 추진되고 일부만 일반징용이 행해졌으며, 일반징용
으로 동원된 경우는 대부분 일본으로 동원되었다.[215] 그러나 일제의 조
선인 노동력 강제동원의 양상은 단순히 이 표에 게재된 숫자로만 파악
할 수 있는 것이 아니다. 예컨대 軍要員의 경우 각지에 주둔하고 있는
부대들은 오랜 시간을 요하는 중앙정부를 통하지 않고 직접 조선총독
부를 통해 동원하였는데, 그 숫자는 파악되지 않는다. 또한 남방 지역
에는 1940년 이전에 징용이 아닌 募集에 의해 일본 점령지의 건설요원
으로 간 사람들도 많았는데, 이들이 전쟁 말기에는 그대로 징용이 된

---

214) 勤勞動員課,「朝鮮ニ於ケル國民徵用實施ノ狀況及將來ノ對策如何」,『日帝
下 戰時體制期 政策史料叢書 23』(民族問題研究所 編), 韓國學術情報株式會
社, 2000, 295~300쪽.
215) 일본으로 강제동원된 사람 중에는 일본정부의 공식 통계 수치를 통해서도 6
만 4천 명 이상이 사망하거나 행방불명된 것으로 파악된다(姜東鎭, 앞의 책,
1985, 443쪽).

경우도 있었다. 뿐만 아니라 일본의 기업인들이 정부에서 배치하는 노동력만으로 생산을 수행하기 어려울 경우 직접 조선으로 와서 군대의 힘을 빌어 동원해가는 경우도 있었다.216) 조선인 청장년 전체가 무작위로 동원의 대상이 되었던 것이다.

<표 25> 一般・現員 徵用 상황(단위 : 명)

연도・종류별		조 선	일 본	남 방	계
1941			4,895		4,895
1942		90	3,871	135	4,096
1943		648	2,341		2,989
1944	일 반	19,655	201,189		220,844
	현 원	153,850			153,850
1945	일 반	23,286	9,786		33,072
	현 원	106,295			106,295
계	일 반	43,679	222,082	135	265,896
	현 원	260,145			260,145
총 계		303,824	222,082	135	526,041

자료) 「戰爭と朝鮮統治」, 『日本人の海外活動に關する歷史的調査 10』(大藏省 管理局 編), 1947, 69쪽.

현원징용 실시 후 강력한 규제로 인해 노동자의 이동이 격감하고 가동률도 징용 실시 이전에 비해 전반적으로 상승하여 많게는 24%까지 증가하였으므로, 징용은 자본가들에게 크게 호평을 받고 있었다.217)

216) 이에 대해서는 요시다 세이지 지음・현대사연구실 옮김, 『나는 조선사람을 이렇게 잡아갔다 - 나의 전쟁범죄 고백 - 』, 청계연구소, 1989 등의 회고록 등이 참고된다. 이와 함께 일제는 1943년 이래 약 20만 명의 여성을 여자정신대로 모집하였고, 그 중 5~7만 명을 '종군위안부'로 데려가 일본군의 성노예로 생활하도록 강요하였다. 이에 관해서는 정진성, 「군위안부 강제연행에 관한 연구」, 『정신문화연구』, 1998 ; 尹明淑, 「日本の軍隊慰安所制度及び朝鮮人軍隊慰安婦の形成に關する硏究」, 一橋大學 박사학위논문, 2000 ; 일본군 성노예 전범 여성국제법정 한국위원회・한국정신대연구소 공편, 『강제로 끌려간 조선인 군위안부들 4・5』, 풀빛, 2001 참조.
217) 近藤釰一 編, 앞의 글, 1964, 173~174쪽.

1944년 30개 공장·광산을 대상으로 조사한 결과 노동자의 고용수는 최고 6배까지 증가하는 등 평균 44%가 증가하였으며, 해고수는 징용 시행 이전에 비해 34%가 감소하였다. 따라서 가동률도 최고 24%까지 증가하는 등 징용 시행 이전의 평균 81.4%에서 89.1%로 증가하였다.[218] 더욱이 공권력에 의한 노동력의 강제동원으로 각 기업은 노동력 조달에 필요한 비용의 대부분을 총독부에 부담시키고, 이를 통해 위장된 형태의 보조금을 수취할 수 있었다.[219] 따라서 징용령이 시행된 이후 사업장 측에서는 徵用, 官斡旋, 募集의 노동력 동원 방법 중에서 공권력의 강제에 크게 의지하는 징용에 의한 공급을 주로 희망하였다.[220]

총독부의 입장에서도 법적인 강제를 통해 노동자를 장기간에 걸쳐 동원하게 되면서, 행정 절차의 면에서 또 비용의 면에서 훨씬 효율적으로 노동력을 공급할 수 있었다. 징용은 전쟁수행상 절대로 필요한 생산력을 확보하고 확충하고자 하는 경제적 내용을 가진 정치적 강행 수단이었다.[221] 이러한 이점으로 인해 일제지배 말기인 1944·45년의 노동력 동원은 일부의 경우를 제외하고는 징용 일변도로 통제되기에 이르렀다.[222]

총독부는 "근로의 국가성, 인격성에 비추어 應徵士를 수입하는 데 상응하는" 사업장 위주로 징용을 행한다는 원칙을 내세웠다. 따라서 조선 내에서는 小磯國昭 총독을 비롯한 관리들이 사업장을 순시하여 노무관리의 쇄신 개선을 강조하였고, 일본 내 기업에 대해서는 관계 직원을 파견하여 노무관리의 상황 여하를 조건으로 노동력을 할당하는 방법을 채택하였다. 그리하여 일본 내에서는 토건 부문을 제외한 각종 사업장에 대해, 조선 내에서는 노무관리가 잘되고 있는 사업장을 택하여

218) 近藤釰一 編, 앞의 책, 1961, 149~150쪽.
219) 許粹烈, 앞의 글, 1985, 300~301쪽 참조.
220) 近藤釰一 編, 앞의 글, 1964, 172쪽.
221) 大串欣一, 앞의 글, 1944. 3, 18~19쪽.
222) 「戰爭と朝鮮統治」, 앞의 책, 1947, 6~69쪽.

316

현원징용을 실시한 후 그들 사업장에 일반징용을 행하였다.223)

징용의 확대방침과 함께 노동력 부족으로 양과 질이 저하되는 것을 방지하기 위해 조선총독부는 ① 國民登錄制度를 강화하여 근로 자원의 전모를 명확히 파악할 것, ② 근로동원의 대상이 될만한 청장년층을 망라하여 단기적인 鍊成을 실시하고 근로 의욕을 앙양시킬 것, ③ 査察制度를 강화하고 능률의 증진, 근로의 적정 배치, 수입 체제의 급속한 정비 등 근로관리를 쇄신하여 징용의 國家性을 명확히 할 것, ④ 피징용자와 그 가족, 유가족 등의 부조 원호를 강화하여 응징사에게 우려가 없도록 할 것 등의 방침을 세웠다.224)

징용이 실시되면서 세간에서는 징용을 징벌당하는 것으로 생각하거나 강제노동을 하는 것으로 인식하여 기피하는 풍조가 팽배하였다.225) 따라서 일제는 개개인의 의사와는 무관하게 육체적인 노동을 법적으로 강요하는 상황을 합리화하기 위해 노동자의 정신 무장을 강조하기도 하였다. 이를 구체적으로 언급하고 있는 것이 國民徵用令 제16조 3항이다. 여기에서는 "징용당한 사람은 충성을 다하여 총동원업무에 부지런히 종사해야 한다"고 규정하였다. 그리고 충성을 다한다는 것은 "천황을 위해 일하는 것"이고, 부지런히 일한다는 것은 "첫째, 쉬지 말 것, 즉 결근하지 말 것, 둘째, 일하는 동안 한눈을 팔거나 잔소리를 말 것"이라고 풀이하였다. 일제는 전장에서만 싸우는 것이 아니라 공장에서도 싸우고 있다고 하였는데, 이는 곧 "적이 하루에 비행기 천대를 만들면 우리도 하루에 천대를 만들어야 하는 것, 적이 오만톤의 석탄을 파내면 우리도 오만톤을 파내는 것"을 의미하였다. 공장이나 광산에서는 물건을 만드는 것으로서 이른바 적과의 싸움을 해야 한다는 주장이었다.226)

---

223)「國民徵用令關係法令集」,『朝鮮勞務』4-1, 1944. 2, 28~36쪽.
224) 近藤釰一 編, 앞의 글, 1964, 173~174쪽.
225)「重要工場鑛山に對する現員徵用實施に關する政務總監談」,『朝鮮勞務』4-3, 1944. 4, 표지(뒷장).
226) 宮孝一 著·上田龍男 譯, 앞의 책, 1944, 51~57쪽.

일제는 피징용자는 단지 사업주에게 사용되는 것이 아니라 "국가에 대해 종업의 의무를 지고 직접 聖業을 익찬하고 받드는 것"이라고 하면서,[227] 징용을 의무로서 강조하였다. 또한 피징용자를 '應徵士'라 하여, 병사와 같은 정신과 절도를 가지고, 군복을 입지 않고 총검을 들지 않았어도 그 職域을 戰場으로 하여 一億君國에 대한 충성심에 철저하여 중책을 완수할 것을 요구하였다.[228] 산업군단에 병사로 불리웠다는 자각 아래 노동조건에 개의치 않고 '근로'를 통해 '국가'의 요구에 응하여 극도로 증산능률을 발휘해야 한다고 강조한 것이다.[229]

나아가 일제는 "반도의 청년에 대해서도 내지 청년과 마찬가지로 무차별하게 징용의 길이 열리게 된 것은 응징자 본인은 물론 一族 鄕黨으로서도 커다란 영예"라는 등의 수사를 동원하였다.[230] 또한 직장을 사직하고 응징한 경우나 결혼을 앞당기고 응징한 경우, 가족에게 알리지 않고 응징한 경우, 국방헌금을 낸 경우, 절식의 예 등을 紙上에 소개하는 등,[231] 징용에 대한 조선인의 동의를 구하기 위해 끊임없이 선전을 계속하였다. 황민화정책의 애초 의도는 조선인으로 하여금 일제의 전쟁에 자발적으로 참여하게 하는 것이었으나, 그것이 의도대로 실행되지 않고 오히려 전쟁이 진행될수록 저항이 확대되어 가자 더욱 더 선전에 주의를 기울일 수밖에 없었던 것이다.

---

227) 「重要工場鑛山に對する現員徵用實施に關する政務總監談」, 『朝鮮勞務』 4-3, 1944. 4, 표지(뒷장).

228) 응징사란 민간공장 중 관리공장 혹은 지정공장으로 징용된 사람을 지칭하였다. 군에 징용당한 사람을 군속이라고 하듯이, 징용은 '국가'가 행하는 일임을 분명히 하고 '징용당한 사람들의 국가에 대한 신분 관계'를 정한 것이다. 또한 응징사의 신분을 표시하고 영예와 책임을 강조하기 위해 휘장을 만들어 왼편 가슴에 부착하도록 하였다(宮孝一 著·上田龍男 譯, 앞의 책, 1944, 57~59쪽).

229) 小磯國昭, 「告辭」, 『朝鮮勞務』 4-3, 1944. 4, 표지.

230) 石田千太郎, 「國民徵用令の發動に就て」, 『朝鮮勞務』 2-1, 1942. 2, 64쪽.

231) 慶尙南道 社會課, 「勞務美談」, 『朝鮮勞務』 2-2, 1942. 4, 95~96쪽.

한편 일본 군대에는 정규군 외에도 陸海軍要員으로서 송출된 조선인이 태평양전쟁 발발 이래 상당수에 달하였다. 군요원에는 육해군 문관, 雇員, 傭人이 있었는데, 이들은 중일전쟁기에 군 관할하의 공장이나 토목・건설사업 등에 募集의 형식을 통해 대부분 軍勞務者로 채용되었다. 그러나 전쟁이 장기화하면서 총독부는 特殊徵用 혹은 官斡旋의 형태로 대대적으로 軍要員을 동원하였다. 또한 1943년 7월 20일 국민징용령 개정 이후에는 조선에서 군요원으로 차출되어 군수공장이나 전선에 배치된 경우도 많았다.

<표 26>에 의하면 해방이 될 때까지 군요원으로 동원된 조선인은 약 28만 명에 달하였다. 이들은 鎭海를 비롯하여 橫須賀, 吳, 佐世保,

<표 26> 軍要員 송출 상황(단위 : 명)

연 도 \ 지 역	조 선 내	일 본	만 주	중 국	남 방	계
1939			145			145
1940		65	656	15		736
1941	1,085	5,396	284	13	9,249	16,027
		4,895				4,895
1942	1,813	4,171	293	50	16,159	22,486
		3,871			135	4,006
1943	1,976	4,691	390	16	5,242	12,315
	648	2,341				2,989
1944	13,575	24,071	1,617	294	5,885	45,442
	9,555	21,071				30,626
1945	15,532	31,603	467	347		97,151
	11,220	30,606				42,516
계	33,981	69,997	3,852	735	36,535	194,302
	21,423	62,784			135	85,032
총 계	55,404	132,781	3,852	735	36,670	279,334

자료) 「戰爭と朝鮮統治」, 『日本人の海外活動に關する歷史的調査 10』(大藏省 管理局 編), 1947, 71쪽 ; 近藤釰一 編, 「最近に於ける朝鮮の勞務事情」, 『太平洋戰下の朝鮮(5)』, 友邦協會, 1964, 170쪽.
비고) 하단은 징용에 의한 수

舞鶴, 大湊 등 일본 각 항구의 해군시설 혹은 남방 지역에 배속되었
다.[232] 그 중 남방 지역의 조선인 군요원만도 4만 7천여 명에 달하여,
비행장이나 철도 건설현장·군 관할의 군수공장 노동자, 운수요원 그리
고 포로수용소의 감시 요원으로 사역되었다.[233] 1941년 9월 이래 해군
의 요구로 남방 지역의 긴급 토목작업에 종사시키기 위해 해군작업 애
국단으로서 3만 2,248명을 알선 송출하였고, 육군 요원으로는 북부군
경리부 요원 7,061명, 미·영국인 포로 감시 요원 3,223명, 운수부 요원
1,320명을 송출시켰음이 확인된다.[234]

　軍屬은 대개 2년 계약으로 출발하였으나, 기간이 만료된 후에도 계
속해서 강제로 사역당하였으며, 초기에는 30원에서 50원의 급여를 지급
받았으나 이내 이것조차 지급받지 못하였다. 또한 상당수가 조선인이었
던 군속들은 상관인 일본인 군인들의 비인간적 대우와 민족차별로 갈
등이 첨예하였다.[235] 더욱이 이들 중 1944년 9월 현재 직접 전투로 사
망한 자는 약 7,300명으로 추정되고, 행방불명된 자가 735명이었다.[236]
태평양전쟁에서의 일본 군인과 군속의 사망률은 평균 21.6%에 달하였
다.[237] 이들의 죽음은 "최후까지 분전 역투, 깨끗하게 마쳐 전장의 화려
함으로 흩어진" 것으로 묘사되어 다시 한번 일제의 선전 작업에 동원되
었다.[238] 1945년 8월 현재 전쟁터로 끌려가 있던 조선인 군인·군속은
무려 36만 5천여 명에 달하였으나, 그 중 일본에 의해 귀환이 확인된
수는 16만 1천여 명에 지나지 않았고, 20만 4천여 명은 사망 혹은 생사

232) 近藤釰一 編, 앞의 글, 1964, 169~171쪽.
233) 강창일, 「중일전쟁 이후, 일제의 조선인 군사동원-조선 지배정책과 관련하
　　여-」, 『한일간의 미청산 과제』, 아세아문화사, 1997, 300쪽.
234) 近藤釰一 編, 앞의 글, 1964, 169~171쪽.
235) 강창일, 앞의 글, 1997, 301쪽.
236) 近藤釰一 編, 앞의 글, 1964, 169~171쪽.
237) 歷史學硏究會 編, 앞의 책, 1997, 138쪽.
238) 小磯國昭, 「目覺しき産業戰士」, 『朝鮮勞務』 4-5, 1944. 6, 표지.

320

가 불명하거나 귀환하지 못하였다.239)

<표 27> 1942~44년 노동력 동원수(단위 : 명)

지역·종류별	연도	1942	1943	1944	계
조 선	관알선	49,030	58,924	76,617	184,571
	징용	90	648	19,655	20,393
	도내동원	333,976	685,733	2,454,724	3,474,433
	계	383,096	745,305	2,550,996	3,679,397
일 본	관알선	115,815	125,955	85,243	327,013
	징용	3,871	2,341	201,189	207,401
	군요원	300	2,350	3,000	5,650
	계	119,986	130,646	289,432	540,064
기 타	군요원	16,502	5,648	7,796	29,946
계		519,584	881,599	2,848,224	4,249,407

자료)「戰爭と朝鮮統治」, 앞의 책, 1947, 72쪽.
비고) 1942년 계는 자료에 52만 594명으로 기록되어 있음.

　다양한 방식으로 추진된 노동력 동원으로 1942~44년 사이에 조선에
서 동원된 숫자는 <표 27>에서 볼 수 있듯이 1942년 약 52만 명, 1943
년 약 88만 명, 특히 1944년 동원수는 전년도보다 약 3.5배 증가한 284
만여 명에 달하여, 3년간 약 425만 명이 동원되었다.240) 이 중 가장 두

239) 朴慶植,「太平洋戰爭における朝鮮人强制連行」,『歷史學硏究』297, 1965, 36
~38쪽. 뿐만 아니라 수많은 징병·징용자가 부상당하여 귀환하였고 그 이전
에 사망한 경우도 많았으나, 현재까지도 그 숫자가 확인되지 않고 있다(강창
일, 앞의 글, 1997, 303쪽).
240) 실제 동원된 숫자는 자료상의 숫자보다 훨씬 많았을 것이다. 징용 이외에도
모집에 의해, 즉 기업이 군을 동반하여 직접 노동력을 동원한 경우도 흔하였
다. 1938년 3월 南洋興業株式會社를 고용주로 한 농업이민 70명이 경남 宜寧
에서 남양으로 갔으며, 1939년 남양흥업주식회사를 고용주로 5월에 5백명, 9
월에 2백명이 남양으로 진출하였다. 1946년 '미전략 폭격조사단'의 발표에 따
르면 사이판에도 한국인 노동자 2만 5천명이 있었다(『東亞日報』1938. 3. 30
;『朝鮮日報』1939. 9. 16 ; 中野五郎 著·학원사 역,『태평양전쟁』上(金重
烈,『抗日勞動鬪爭史』, 集賢社, 1984, 179~181쪽에서 재인용)).

드러지게 증가한 부문은 道內動員數로서, 道內 官斡旋 49만 2,131명, 勤勞報國隊 실인원 192만 5,272명, 모집 3만 7,321명이었다.[241] 이러한 수치는 사전에 총독부에서 실시한 勞務資源調査 결과의 희망자수는 물론 가능자수도 훨씬 웃도는 수치였다.[242] 행정당국에서 직접 동원 가능한 숫자로 조사한 결과를 훨씬 넘어서는 규모로 노동력을 동원하였던 것이다. 더욱이 이 숫자는 당시 농촌의 가동연령층인 18세에서 55세까지의 노동인구 240만 명을 훨씬 넘어서는 규모여서, 이들 노동력의 동원과정에서 무리하게 공권력이 동원되었을 것은 쉽게 추측할 수 있다.

결국 일제말기 다양한 형태의 강제동원을 통해 당시 조선인 총인구의 1/3인 700여만 명이 동원되었다.[243] 당시에는 인구의 1/6에 달하는 400여만 명이 국외로 이동하였는데, 그 중 58%의 이동이 전시통제경제기에 이루어졌다. 그 중 일부가 일본, 만주, 남방 지역 등에 지속적으로 동원된 결과 1945년 현재 일본에 거주하던 조선인은 210만 명에 달하였고, 1942년에 만주에 거주하던 조선인은 151만 명을 넘어섰다.[244] 특

---

241) 이 통계에는 1945년도 분이 제외되어 있는데, 이에 대해 許粹烈은 당시 근로보국대의 동원 상황을 감안하면 여기에 적어도 160만 명이 추가되어야 한다고 보았다(許粹烈, 앞의 글, 1985, 339쪽).

242) 노무자원조사에 대해서는 이 책 제3장 2절 2)항의 서술 참조.

243) 1939년부터 1945년까지 6년여에 걸쳐 일제에 의해 동원된 노동자의 수는 적게는 700만 명에서 많게는 780만 명으로 추산되고 있다. 당시 강제동원 동원부장이었던 吉田淸治는 조선내의 노동력 동원 약 480만 명, 일본과 남방 지역에 약 153만 명, 일본군 종군위안부 약 10만 명으로 추정하였다. 한편 朴慶植은 『在日朝鮮人關係資料集成』(三一書房, 1975)에서 태평양전쟁기의 노동자 동원수를 150만, 조선내 450만, 군인·군속 37만, 종군위안부 10만 명으로 추정하였고, 康成銀은 「戰時下日本帝國主義の朝鮮農村勞動力收奪政策」(『歷史評論』355, 1979)에서 조선내 480만 명, 일본본토 152만 명, 군요원 20~30만 명으로 계 약 700여만 명으로 보았다. 그 규모가 명확하게 밝혀지지 않는 것은 일제의 관련 자료 인멸로 인한 것이기도 하지만, 한편으로는 그만큼 노동력 동원과정이 강제적이었고 무차별적으로 진행되었다는 것을 반증하는 단면이기도 하다(김민영, 앞의 책, 1995, 76~79쪽).

히 조선의 청장년들은 어떠한 형태로든 강제동원되어 일제의 전쟁을 치르기 위해 끊임없이 소진되고 있었다.

요컨대 일제는 勞務動員計劃의 일환으로 조선의 노동력을 총동원하고자 철저한 행정 통제와 더불어 법률과 경찰력을 적극 이용하였다. 이를 기반으로 한 조선인의 강제동원은 1939년 9월부터 모집의 명목으로 시작되어, 勤勞報國隊와 官斡旋의 형식으로 보다 조직적으로 행해지고, 1944년 9월부터는 그 위험성으로 인해 실시를 연기하고 있었던 國民徵用令에 의해 시행되었다. 이러한 각각의 노동력 동원은 규모와 강제의 정도만 차이가 있을 뿐, 官에 의해 강제적으로 노동력 동원을 추진하였다는 점에서 그 본질은 같은 것이었다. 그 중에서도 징용은 일반인을 대상으로 법령에 의해 노동을 의무화한 것으로서, 자본주의적 노동시장정책을 전면으로 부정하고 일제 권력이 직접 개입하여 노동력을 강제로 동원·배치한 제도였다.

2) 파시즘 노동정책의 파탄과 조선인 노동자의 대응

(1) 노동현장 離脫의 만연

① 노동자의 현장 이탈과 생산성 저하

일제의 제반 노동력 동원정책은, 일본자본주의가 미국을 상대로 한 전쟁에서 물적 자원과 인적 자원의 한계를 드러내 가던 상황에서 조선인 노동력에 대한 지배를 강화하여 이를 극복하고자 했던 방안이었지

---

244) 朴在一, 『在日朝鮮人に關する綜合調査研究』, 新紀元社, 1957, 27~32쪽 ; 金哲, 『韓國の人口と經濟』, 岩波書店, 1965, 25~28쪽. 따라서 해방후 국외의 각 지역으로 동원된 이들이 귀향하고 국외 이주민들이 귀국하면서 심각한 실업 문제가 대두할 수밖에 없었다. 조선인을 생업과 무관하게 무작위로 대거 동원하였던 일제 정책의 폭력성이 결국 조선에서의 노동력 수급정책의 파탄을 가져왔고, 그 문제의 해결은 고스란히 해방 후 한국 사회의 책임으로 떠넘겨졌던 것이다.

만, 그 실효는 별개의 문제였다. 이에 대한 조선인 노동자의 저항이 다양한 형태로 전개되고 있었기 때문이다.

지속적으로 되풀이 된 황민화정책과 노동통제에도 불구하고, 또한 전쟁의 다급성에 비추어서도, 일제의 조선인 노동력 동원 과정은 결코 수월하지 않았다. 조선인은 노동력 동원을 거부하거나 임의로 배치되어 발이 묶인 노동현장에서 끊임없이 도주, 이탈, 이직하고 있었다. 이러한 현상은 일제 관헌에 의해 '移動' 현상으로 표현되고 있었지만, 그 실상은 노동자들이 지나친 노동강도나 저임금을 견디지 못해 직장을 옮겨가거나 도주하는 노동현장 이탈 현상이었다.[245]

일제지배 말기 조선인 노동자의 현장 이탈은 이직을 알선하고 인부 모집 알선료를 챙기는 전문 알선업자가 등장하여 이들 '브로커의 폐해'가 진지하게 논의될 정도로 잦았고, 그에 따라 야기되는 문제도 적지 않았다.[246] 1942년 1월 한달 간 노동자의 평균 이탈 비율은 공장에서 7.5%, 광산에서 10.2%에 달하였고, 출근율은 공장의 경우 매일 평균 80%, 광산에서는 75%에 불과하였다.[247] 월평균 이동률을 1년 단위로 단순 환산할 경우 1년간 노동자 대부분이 이탈한다는 계산이 나올 정도로 공장·광산노동자의 현장 이탈은 상당히 높은 비율을 보였을 뿐만 아니라, 그 추세가 점차 더 심해져갔다.

노동력 부족문제가 심각한 상황에서 정책 입안가와 자본가들에게 노

---

245) 일반적으로 노동자 이동은 노동자의 지역별 혹은 산업별 이동을 의미한다. 이 책에서는 정책 입안자나 자본가의 의도에 따른 노동자의 이동현상이 아닌, 노동자가 개별적으로 노동현장을 벗어난 현상에 주목하고 이를 노동자의 현장 이탈 현상으로 구별하여 파악하고자 한다.
246) 「勞務者移動の主なる原因とその防止策について産業人の意見を聽く(承前)」, 『朝鮮勞務』3-4, 1943. 9, 52~61쪽.
247) 朝鮮總督府 司政局 勞務課, 「朝鮮の勞務に就て」, 『朝鮮勞務』3-2·3, 1943. 8, 11~15쪽. 노동자뿐만 아니라 사무직과 기술직도 1940년 상반기 24%와 9%의 높은 이동률을 보이고 있었다(京城職業紹介所, 『京城職業紹介所所報』特輯號, 1940, 63쪽).

324

동자의 이탈현상은 커다란 고민거리였다. 그리하여 '이동'이 노동능률에 미치는 악영향이 왕년의 노동쟁의의 害보다도 심한 것으로 인식되고 있었다.[248] 전시 노동력의 양적 부족과 질적 부족에 대한 대책이 아무리 완벽해도 노동자의 이동을 방지하지 못하면 결국 노력과 비용을 헛되이 소모하게 되기 때문이었다. 당시 노동자의 평균 근속기간을 6개월만 연장한다면 각 공장에서 노동자 모집을 위한 경비와 노력을 반 이하로 줄일 수 있을 것이라는 견해도 제시되고 있었다.[249]

　노동자 이탈의 실상을 파악하기 위해 朝鮮總督府 勞務課 調查係에서는 주요 공장과 광산, 토건 노동자를 대상으로 1941년 8월부터 1942년 4월까지 9개월 간의 노동자의 이동상황과 이동률을 조사하였다. 그 결과에 의하면 이동률은 각 업종별로 차이를 보이면서도 전반적으로 높게 나타났다. 공장노동자 중에는 식료품공업의 여자노동자가 최고의 이동률을 보여 1941년 12월에는 무려 20.2%를 기록하였고, 그 다음은 방적공업의 남자노동자와 식료품공업의 남자노동자로서 대개 월 10% 이상의 이동률을 보였다. 이외에도 금속공업 남자노동자는 3.1~9%, 화학공업 남자노동자의 이동률은 6.2~10.2%로 대개 8% 전후였으며, 방적공업 여자노동자의 이동률은 4.9~8.1%에 달하였다. 광산노동자의 경우 최고의 이동률을 보인 부문은 석탄광업으로서 그 중에도 남자가 11.2~19.1%를 보였고, 採鐵 採金 기타금속 부문의 남자 이동률도 6~10% 선에 달하였다.[250]

　이러한 노동자의 현장 이탈 양상에 대해 총독부 노무과에서는, 이동률 자체는 상당히 높은 편이지만 계층별로 구분해 보면 기타노동자의 이동률이 높고 직급이 올라갈수록 낮아진다고 하였다. 노무과의 조사결과에 의하면 노동자의 이탈 비율은 성별과 직위에 따라서, 즉 직공,

248) 厚生研究會,『國民皆勞 - 戰時下の勞務動員』, 新紀元社, 1941, 129~131쪽.
249) 村田幸達,「勞務管理の基本課題」,『朝鮮勞務』3-4, 1943. 9, 5~22쪽.
250) 朝鮮總督府 勞務課 調查係,「朝鮮の勞務者移動狀況」,『朝鮮勞務』2-5, 1942. 10, 38~40쪽.

광부, 기타 노동자별로 달랐다. <표 28>에서 보면 직공남자의 이동률
은 매달 4.9~7.5%로 월평균 6.3%에 달하였고, 직공여자는 이동률 6.
1~8.6%, 월평균 6.8%로 남자에 비해 약간 높았다. 광부 남자의 이동률
은 7.9~13%, 여자는 7.3~13.7%로 각각 월평균 10.7%의 이동률을 보
였다. 이에 비해 기타 노동자는 남자 7.8~13.6%, 여자 6.6~17.1%를 기
록하여, 남녀 모두 직공이나 광부보다 높은 11.1%, 11.6%의 이동률을
보였다.

<표 28> 1941~42년 직공·광부·기타노동자의 성별, 월별 이동률(단위 : %)

직종·성별	연월	1941.8	9	10	11	12	1942.1	2	3	4	평균
직공	남	6.1	6.8	5.9	6.5	6.3	5.2	4.9	7.4	7.5	6.3
	여	6.2	7.8	6.7	7.2	8.3	6.8	6.1	8.6	8.1	6.8
광부	남	11.1	11.0	11.2	11.3	13.0	10.3	7.9	9.8	10.5	10.7
	여	8.2	7.3	13.7	12.2	10.7	10.3	11.7	10.9	9.7	10.7
기타 노동자	남	7.8	9.9	10.6	13.6	13.5	12.9	10.7	10.0	11.2	11.1
	여	6.6	9.2	11.9	14.5	17.1	12.4	8.5	11.3	16.8	11.6
계	남	9.0	9.4	9.1	9.9	10.1	8.7	7.5	8.9	9.5	9.1
	여	6.5	7.9	8.2	8.5	9.4	7.8	7.0	9.1	9.1	8.7

자료) 朝鮮總督府 勞務課 調査係, 「朝鮮の勞務者移動狀況」, 『朝鮮勞務』 2-5,
1942. 10, 41쪽.

<표 29> 1941년 공장·광산의 근속년수별 남자해고자 비율(단위 : %)

부문	기간	6개월 미만	1년	2년	3년	4년	5년	7년	10년	10년 이상	계
공장		37.2	30.9	15.2	10.0	3.5	1.5	0.6	0.3	0.4	100
광산		27.1	49.1	13.5	4.5	3.0	2.0	0.2	0.3	0.1	100

자료) 朝鮮總督府 勞務課 調査係, 위의 글, 1942. 10, 47쪽.
비고) 공장은 36개소의 총 해고인원 1만 3,233명을, 광산은 26개소의 총 해고인원
4만 4,505명을 대상으로 하였다.

광산의 경우에도 사무직 노동자와 갱외노동자는 이동이 적지만 갱내
노동자는 이동이 빈번하다고 보았다.[251] 예컨대 昭和電工株式會社 全

北 長水鑛業所의 경우 갱외노동자의 이동률이 3%인 데 비해 갱내노동자는 10%에 달하였다. 그런데 노무과의 분석과는 달리 이동하는 갱내노동자의 80%는 鑿岩夫, 手堀夫, 支柱夫, 機械夫 등의 특종 기능자였다. 기능자들 역시 높은 이동률을 기록하고 있었던 것이다. 이들은 대개 거리가 먼 지역에서 온 사람들로, 광업소 측에서는 이들의 정착률을 높이기 위해 사택 증설 등의 방안을 강구하기도 하였다.[252]

노동자의 현장 이탈은 대개 고용된 후 단기간 안에 진행되었으며, 젊은 노동자가 그 중심층을 이루고 있다는 면에서 더욱 커다란 문제가 되었다. 노동자의 이동률은 대체로 근속기간과 반비례하는 경향을 보여, 근속기간이 짧을수록 이탈률이 높게 나타났다. 日本鑛業株式會社 慈母城 鑛山事務所의 해고자를 대상으로 고용 후 1년 내 이탈 비율을 월별로 조사한 자료에 의하면, 고용 후 4개월만에 전체 이동자의 61%, 8개월만에 90% 이상이 이동하였다. 이들을 연령별로 보면 20세 미만이 23.4%, 25세 미만이 35%, 30세 미만이 19.5%, 30세 이상이 22.1%로, 30세 미만이 전체의 약 80%에 달하였다.[253]

<표 29>에서도 1941년 공장·광산에서 해고된 남자 노동자의 근속년수별 비율을 보면, 공장에서는 6개월 미만이 37.2%, 6개월 이상 1년 미만이 30.9%로 1년 미만의 해고자가 총수의 68.1%를 점하였다. 광산에서는 6개월 미만이 27.1%, 6개월 이상 1년 미만이 49.1%로 합계 1년 미만의 해고자가 총수의 76.2%에 이를 정도로 큰 비중을 차지하였다.

---

251) 北里唯雄, 「勞務者移動防止に對する鑛山勞務擔當者の意見と提言」, 『朝鮮勞務』 3-2·3, 1943. 8, 8~10쪽.
252) 「勞務者移動の主なる原因とその防止策について産業人の意見を聽く」, 『朝鮮勞務』 3-2·3, 1943. 8, 18~19쪽. 오히려 이에 비해 選鑛夫, 工作夫, 대장장이, 잡부 등의 갱외 노동자와 갱내 잡부는 상대적으로 이동률이 낮았다. 갱내 잡부는 과반수가 인근 지역 주민으로 자택에서 출근하였고 또한 半農者가 많아 임금에 상대적으로 덜 좌우되었기 때문이다.
253) 「勞務者移動の主なる原因とその防止策について産業人の意見を聽く(承前)」, 『朝鮮勞務』 3-4, 1943. 9, 53~54쪽.

이에 비해 총 해고인원 중 5년 이상의 근속자는 공장에서 2.8%, 광산에서 2.6%로 비율이 낮은 편이었다. 따라서 공장노동자의 평균 근속년수는 1년 8개월, 광산은 1년 6개월에 불과한 양상을 보였다.[254]

한편 조선총독부가 남부지방에서 북부지방과 서부지방으로 알선한 토목건축 노동자의 이동 양상을 보면,[255] 노동자의 '離散率' 곧 이탈률이 평균 36.1%, 중도 귀향률이 6.7%로, 現地 保留率은 57.1%에 지나지 않았다. 특히 경기도에서 일하던 노동자의 경우에는 이산율이 61.2%, 중도귀향률이 10.4%로, 보류율은 28.3%에 불과하였다. 더욱이 이들 노동자의 반 정도가 현장 도착 후 1개월 이내에 이산하였다. 이산은 곧 도망이었고, 도망한 자의 대부분은 다른 공사현장 혹은 광산 도시로 흘러가거나 귀향하였다.[256] 알선 노동자의 경우에도 현장에 정착하지 못하고 짧은 기간 내에 끊임없이 이동해 갔던 것이다.[257] 구리, 납, 아연

---

254) 朝鮮總督府 勞務課 調査係, 앞의 글, 1942. 10, 47~48쪽. 노무과 조사계에서는 이와 함께 운수교통업 노동자의 이동양상을 파악하기 위해 당시 운수망을 넓히고 있던 朝鮮運送株式會社와 경성부 내의 교통을 담당하고 있던 京城電氣株式會社의 전차와 버스 종업원에 대해 조사하였다. 그 결과 두 회사 모두 다른 직종에 비해 이동률이 낮고 근속년수가 길게 나오자, 그 이동률에 대해 스스로도 "예상치 못한 저율"이라고 표현하였다(위의 글, 48~51쪽).

255) 조선의 대표적 토목건축회사인 8개 회사의 청부공사 중 17개 공사를 택해 집계한 것에 의하면, 1941년 현재 서북지방 토목공사에 종사하는 노동자 중에서 총독부 알선의 토건노동자가 차지하는 비중은 총 연인원의 36%에 달하였다(朝鮮總督府 勞務課 調査係, 앞의 글, 1942. 10, 52쪽).

256) 함북 경원군의 朝鮮有煙炭株式會社 古乾鑛業所와 같이 노동자의 이탈이 심한 경우는 도주 35%, 무단 퇴거 25%, 만기 귀향 25%, 기타 15%에 달하기도 하였다(「勞務者移動の主なる原因とその防止策について産業人の意見を聽く(完)」, 『朝鮮勞務』 3-6, 1943. 12, 48~49쪽).

257) 공장·광산 노동자의 이동에 비해 토목건축 노동자의 경우는 사업장이 일정하지 않고, 사업기간이 부정기적이며, 상용노동자가 거의 없고, 농업과 기타노동자 등과의 전환이 빈번하여 전국에 걸친 정확한 자료를 얻기 곤란하다는 특징을 지니고 있다. 그러나 이러한 자료를 통해 대개의 경향성은 파악할 수 있을 것이다.

328

등의 군수자원을 생산하고 있던 日本工業株式會社 成興鑛山의 경우 총독부의 기업정비 조치로 주변의 광산이 '整備'된 이후 2천명이 轉入하였으나, 이내 그들이 이탈하면서 1,500명이 부족하게 되어 증산 설비를 갖추어 놓고도 증산에 착수하지 못하는 실정이었다.[258]

  노동자의 도주는 일본으로 동원된 노동자의 경우에도 큰 비율을 차지하였다.[259] 日本石炭統制會를 통해 1939년 10월부터 일본으로 동원된 노동자들은 1942년 10월 현재 평균 35.6%가 도주하고 절반도 남아 있지 않았다. 특히 福岡 지역의 경우는 노동자의 44%가 도주하였다.[260] 따라서 일본 석탄통제회는 조선인 노동자의 도주를 막기 위해 「朝鮮人勞務者逃走防止對策要綱」을 발표하여, 생활양식의 변화에 따른 지도, 정신 훈련의 강화, 위안 오락 등의 복리시설 구비와 함께 매달 일정액을 회사에 예금하게 할 것을 대책으로 제시하였다. 또한 각 탄광에서는 특별훈련소를 설치하여 도주 노동자를 2개월간 격리 수용하고 작업 외의 외출을 일절 금지하는 극단적인 조치를 취하였다.[261] 日鐵八幡製鐵所에서는 도항한 노동자 중 60% 가량이 이탈하자, 노동자의 모

---

258) 「重要生産部門に於ける隘路打診」, 『朝鮮檢察要報』 2, 1944. 4, 3쪽.
259) 일본으로 동원된 노동자의 저항 양상에 대해서는 강만길의 「侵略戰爭期 일본에 강제동원된 조선노동자의 저항」, 『韓國史學報』 2, 고려사학회, 1997과 변은진, 「일제 침략전쟁기 조선인 '강제동원' 노동자의 저항과 성격 : 일본 내 '도주'·'비밀결사운동'을 중심으로」, 『亞細亞硏究』 108, 아세아문제연구소, 2002에서 상세히 서술하고 있다.
260) 1939년 10월~1942년 10월 간 일본 석탄광업 조선인 노동자 감소율(단위 : %)

원인 지방	감소 비율					1942년 10월 현재 보류율
	도주	병 송환	만기 귀국	사망	기타	
福 岡	44.0	3.5	3.4	0.5	6.9	41.7
常 磐	34.2	9.6	11.6	0.8	2.8	41.0
札 幌	15.6	4.5	15.8	2.1	2.5	59.5
합 계	35.6	4.3	7.3	0.9	5.5	46.4

  자료) 前田一, 『特殊勞務者の勞務管理』, 山海堂, 1943, 133쪽.
261) 前田一, 위의 책, 1943, 119~121·133~141쪽.

집지역을 기왕의 경상북도에서 전라북도로 바꾸어 기존 노동자와의 연결을 끊고, 조선 내에 鐵鋼統制會訓練所를 두어 1개월간 훈련을 받게 한 후 취업시키는 형태로 고용방식을 전환하기도 하였다.262)

<표 30> 1936~43년 노동생산능률 추이(단위 : 천원, 명)

구분 / 연도	공업 생산액		물가지수환산공산액		직공수		1인당 생산액	
	절대수	지수	절대수	지수	절대수	지수	절대수	지수
1936	909,866	100	909,866	100	188,250	100	4,833	100
1941	1,722,225	189	1,182,825	130	301,752	160	3,920	81
1942	1,863,912	205	1,219,220	134	331,181	176	3,681	76
1943	2,050,000	225	1,219,220	134	362,953	193	3,359	70

자료) 朝鮮經濟社 編, 『朝鮮經濟統計要覽』, 1949, 69~70쪽 참고

노동자의 현장 이탈 양상은 일제의 전쟁 수행에 커다란 타격이 되었다. 위의 <표 30>에서 보면, 1936년을 100으로 볼 때 1인당 생산액은 해마다 감소하여 1942년 76, 1943년에는 70으로 낮아졌음을 확인할 수 있다. 또한 같은 기간에 직공수가 2배 가까이 증가하였음에도 불구하고, 공업생산액의 증가는 2.2배로서 이를 물가지수로 환산할 경우 1.3배 증가한 데 불과하였다.263) 이처럼 노동자의 현장 이탈 현상이 생산력 증강에 심각한 저해를 가져오자 사업주뿐만 아니라 총독부의 정책 차원에서도 노동자 이동 문제가 주요 사안으로 등장하게 되었다.

② 노동자 현장 이탈의 원인

노동자 현장 이탈의 원인은 매우 다양하였는데, 조사하는 주체에 따라서 그 근본 원인이 다르게 파악되고 있었다. 총독부의 입장에서 파악한 이유와 자본가들이 파악하고 있던 이유, 노동자들이 제기한 이유를

---

262) 「勞務管理の適切化による內地移入半島人勞務者の就勞狀況」, 『朝鮮檢察要報』 3, 高等法院檢事局, 1944. 5, 6~7쪽.

263) 朝鮮經濟社 編, 『朝鮮經濟統計要覽』, 1949, 69~70쪽.

각각 구분하여 살펴본다.

총독부에서는 노동자의 현장 이탈로 당장 생산력 확충에 지장이 커지자 그 원인 파악에 분주하였다. 노동자의 이동이 빈번해지는 이유에 대해 勞務課에서는 노동인구의 상대적 부족과 노동자의 노동조건에 대한 불만을 근본적인 두 가지 이유로 파악하고 있었다.

총독부는 우선 노동인구의 상대적 부족이 노동력 이동의 직접 원인이 된다고 보았다. 전시에 노동력 부족이 두드러져, 노동자가 직장을 떠나도 언제든 자신이 바라는 조건을 갖춘 다른 직장으로 옮길 수 있는 상황이 되었기 때문에 이동이 빈번해졌다는 것이다. 그러면서도 총독부는 여전히 조선에는 노동력의 최대 공급원인 농업 인구가 과잉 존재하고 있다고 보아 노동인구가 절대적인 숫자에서는 부족하지 않다고 판단하였다. 다만 조선 내에서 잠재 노동인구가 존재하는 지역과 그곳에서의 노동력 유출 속도가 기업이 발전하는 속도·지역과 합치되지 않아 국소적으로 노동인구의 부족을 가져오고 있으며, 조선 밖으로의 노동력 공출도 내부의 노동력 공급에 상당한 영향을 미치고 있다고 하였다.264)

이와 함께 총독부는 노동자의 노동조건에 대한 불만을 현장 이탈의 근본 원인으로 파악하였다. 즉 전시 생산과정에서 增産이 우선적으로 요구되면서 노무관리를 무리하게 행하는 경우가 잦기 때문에 평시에 비해 노동자의 이동이 심해지는 것으로 보았다. 실제로 軍의 작전에 따른 돌발적인 대량수요에 맞추기 위해 노동자들은 건강상태와 무관하게 수십 시간에 걸쳐 연속적으로 격한 노동에 시달려야 했고, 급격한 생산설비 증강의 필요에 따라 기왕의 복리시설을 생산장으로 변경한 사업장도 많았다. 또한 노동력 동원의 급격한 팽창에 비해 관리조직이 그에 맞게 확대되지 않아서 관리조직과 노동자간의 간극이 깊어졌다고 하였다.265)

264) 朝鮮總督府 勞務課 調査係, 앞의 글, 1942. 10, 45~46쪽.

　총독부는 또한 국책기업의 신설확장이 강행되고 그 부문 임금이 상
승하면서 업종별 지역별로 임금상승률이 달라져 노동자의 이동을 유발
하고 있다고 보았다. 노동자의 대부분이 임금이 높은 곳으로 이동하는
현상에 대해 노무과에서는 '승급 기회가 거의 없는 노동자에게 이동이
임금상승의 유일한 기회이기 때문'이라고 해석하였다.266) 이와 더불어
직장 내 상사에 대한 반감과 불평 역시 노동자 이동의 유력한 이유로
보았으며,267) 식량배급량이 부족하고 암거래가 봉쇄된 것도 이동을 촉
진하는 원인의 하나라고 지적하였다. 농사를 지으면 쌀밥을 먹을 수 있
는 것에 비해 광산에서 일하면 대용식마저도 배불리 먹지 못하므로 도
망하는 경우가 있다는 것이다. 특히 이 시기에는 임금이 높은 곳보다는
배를 채울 수 있는 곳으로 노동자가 이동하는 경향이 있다고 지적될 정
도로 식량 배급량의 부족문제가 심각하였다.268)

　이러한 제반 문제에 닥쳐 총독부는 각 경영자에게 철저한 노무관리
를 통해 노동자의 현장 이탈을 방지하도록 촉구하는 한편, 직접 노무관
리 현장을 시찰하였다. 노무과에서는 1942년에 조선 굴지의 한 탄광에
서 노무관리 실정을 시찰하고 보고서를 낸 바 있다. 그 탄광은 노동자
총수가 6천명에 가까운 대탄광으로 상당히 알려진 곳이었지만, 노동자
의 이동이 심하고 생산 성적도 불량한 편이었다. 심한 경우는 알선받아
채용한 노동자 약 50명 중에서 입산 당일 7명이 도망한 데 이어 1주일

---

265) 村田幸達, 앞의 글, 1943. 9, 5~22쪽.

266) 「勞務者移動の主なる原因とその防止策について産業人の意見を聽く(承前)」,
　　　『朝鮮勞務』 3-4, 1943. 9, 58~59쪽.

267) 이러한 차원에서 이전에는 飯場制가 노동자를 모으기에 편리한 방법이었지
　　　만, 이제는 飯場主를 사업주와 노동자간에 개재시켜 둘 경우 노무관리의 쇄신
　　　이 불가능함을 지적하였다.

268) 朝鮮總督府 勞務課 調査係, 앞의 글, 1942. 10, 53~55쪽. 이에 비해 자본가들
　　　이 문제로 지적하고 있던 악질 브로커의 책동에 의한 경우나 상습적인 이동성
　　　을 가진 노동자에 대해서는 예외적이고 숫자도 적어 이동의 본질적인 원인이
　　　아니라고 하였다(朝鮮總督府 勞務課 調査係, 앞의 글, 1942. 10, 45~46쪽).

을 채우지 못하고 40명이 도망한 적도 있었다. 이러한 사실에 대해 탄광측에서는 노동자의 시국인식이 부족하기 때문이라고 하면서 노동자와 더불어 이들을 알선한 郡, 面을 비난하였다. 그러나 노무과 직원 竹田兼男은 보고서를 통해 이 탄광은 노동자이건 노동에 종사하지 않는 가족이건 15세 이상에게 일률적으로 1일 4홉의 식량만을 배급하고 있어 식량부족이 노동자 이동의 최대원인이 되고 있다고 지적하였다. 또한 독신노동자를 수용한 기숙사를 시찰한 후 대탄광의 기숙사로는 관리가 매우 부족하다고 하면서 다음과 같이 묘사하였다.

　숙소는 목조건물 한 동으로, 앞의 반은 취사장과 식당을 두고, 뒤의 반은 중앙에 통로를 만들어 통로의 양측에 온돌 10칸씩 20칸을 두었다. 온돌 각 실에는 모두 거친 자리를 깔고 있는데 예외없이 까만색이다. 종이로 바른 천장은 무수히 찢어져 더 이상 구멍을 낼 곳이 없다.……각 실은 모두 창이 작아서 채광 환기가 부족하고, 중앙통로는 전등 하나 켜지지 않아 바깥은 대낮이어도 입구에서 한 칸만 들어가면 암흑세계이다. 숙소의 수용인원은 온돌 1칸에 4, 5명으로, 작업이 2교대인 관계상 8명에서 10명까지 수용해야 할 정도이다. 이러한 광경에 놀라지 않을 수 없다.[269]

　대규모의 탄광임에도 불구하고 노동자들은 기본적인 시설조차 갖추지 못한 상태에서 생활하고 있다는 지적이다. 그리고 이러한 생활환경에서 노동자의 이산이 극심한 것은 그들에게 시국인식이 전혀 없기 때문도, 노동자를 알선하는 행정기관이 잘못해서도 아니라고 하였다. 하루 10시간 이상의 격렬한 노동을 하면서 겨우 4홉의 식량을 먹고 소도 싫어할 것 같은 곳에서 잠을 자는 한, 또한 일하고 일해도 몰아대기만 하는 곳에서는 누구든 도망하고 싶은 것이 당연하고, 따라서 시국인식

---

269) 竹田兼男, 「朝鮮に於ける勞務管理の基本課題(承前)」, 『朝鮮勞務』 2-4, 1942. 8, 6~13쪽.

도 근로보국의 열성도 일시에 위축 냉각되리라는 것이 그의 결론이었
다.

한편, 자본가들도 노동자의 이탈을 막기 위해 그 원인을 파악하고 대
책 마련에 부심하였다. 그런데 자본가들은 총독부와는 달리 브로커에
의한 이동의 유혹, 알선 과정의 강제성, 조선인 노동자의 성질과 관련
법규의 미비 등을 노동자 이동의 근본 원인으로 파악하고 있었다.

자본가가 본 공장·광산노동자의 현장 이탈 사유를 정리한 <표 31>
에서 보면, 대개의 공장·광산 경영자들은 조선인 노동자가 본래 浮動
性이 강하다고 하여 현장 이탈의 원인을 조선인 노동자의 성질로 돌렸
다. '노동자의 성질'이란 조선인 노동자는 인내력이 없다든가 부동성이
있다든가 브로커의 감언에 약하다는 것 등으로, 일본인 자본가들이 늘
주장해오던 바였다.[270] 구체적으로 보면, 공장의 경우는 노동자의 가사,
결혼, 질병, 결근, 탈주, 노동자의 성질, 개인 형편, 귀농 등 노동자의 개
인적인 요인을 주원인으로 보았고, 이외에도 임금이나 滿期 등이 노동
자 이탈의 원인이 되고 있다고 하였다. 광산의 경우는 결근·탈주와 귀
농 그리고 가사와 임금을 주원인으로 파악하고 있었다.[271]

자본가들은 특히 총독부에 비해 임금에 의한 이동의 비중을 작게 파
악하고 있다는 점이 주목된다. 이들은 다만 대개의 노동자들이 막연히
높은 소득과 풍부한 식량을 동경하여 전전한다고 하고,[272] 공장노동자
보다는 광산노동자가 임금에 따라 더 많이 이동하는 것으로 보았다.[273]

---

270) 宣在源, 앞의 글, 1996, 121~127쪽. 일본인의 조선인 勞動者觀에 대해서는 같
　　은 논문, 222~242쪽에서 상술하고 있다.
271) 朝鮮總督府 勞務課 調査係, 앞의 글, 1942. 10, 46쪽.
272) 北里唯雄, 앞의 글, 1943. 8, 8~10쪽.
273) <표 31>에서 공장에서의 결혼과 滿期는 대개 여공의 경우이고, 또 공장에서
　　는 질병에 의한 이동이 상당히 많은 것으로 파악한 것이 주목된다. 결근·도
　　주에 의한 이탈은 공장에서도 많지만 광산에서는 더욱 잦은 것으로 파악하였
　　다. 그 외 광산에서 특히 많은 경우가 歸農인데, 이는 광산노동자 중 半農半
　　鑛의 계절 노동자가 많기 때문이라고 보았다(朝鮮總督府 勞務課 調査係, 앞

그러나 자본가들이 거론한 다른 여러 항목도 실제로는 임금을 비롯한 노동조건에 대한 불만으로 인한 현장 이탈 현상을 피상적으로 구별해 놓은 것에 불과하였다.

<표 31> 자본가가 본 공장·광산 노동자의 현장 이탈 사유(단위 : %)

부문 \ 사유	노동자 성질	결혼	질병	전직	가사	임금	결근 도주	형편상	만기	귀농	기타
공장	10.1	13.9	13.9	12.6	18.9	3.7	12.6	7.5	1.2	3.7	1.2
광산	4.0	-	2.0	8.1	14.2	12.2	24.4	6.1	-	24.4	4.0

자료) 朝鮮總督府 勞務課 調査係, 앞의 글, 1942. 10, 46쪽.
비고) 1941년 조사. 공장은 36개소, 광산은 26개소를 대상으로 하였다.

<표 32> 자본가가 본 토목건축 노동자의 현장 이탈 사유(단위 : %)

이탈 사유 \ 도 별		함경북도	함경남도	평안북도	평안남도	총 계
노무 관리 문제	합숙소에 대한 불만	4.9	2.0	6.8	0.2	3.0
	임금에 대한 불만	5.0	2.2	12.6	2.8	4.1
	班長에 대한 불만	3.8	1.0	0.5	3.4	2.3
	계	13.7	5.2	19.9	6.4	9.4
개인 성격 문제	노동을 견디지 못하는 자	16.7	12.6	14.4	11.2	13.7
	유혹에 의한 자	43.3	53.4	37.5	43.2	47.2
	강제모집 추정자	6.0	5.4	15.1	30.5	10.9
	중도 귀향	7.7	6.8	5.4	3.4	6.3
	기타	12.4	16.6	7.7	5.2	12.5
	계	86.1	94.8	80.1	93.5	90.6
총 계		100.0	100.0	100.0	100.0	100.0

자료) 朝鮮總督府 勞務課 調査係, 앞의 글, 1942. 10, 53쪽 참조.
비고) 1940년 총독부 알선 노동자를 대상으로, 조선토건협회 함흥 나남 평양파출소 에서 조사

<표 32>는 총독부가 북부지방으로 알선한 토목건축 노동자의 현장 이탈 사유를 경영자에게 설문한 것이다. 여기에서도 가장 많은 응답은

의 글, 1942. 10, 46쪽).

유혹에 의한 것으로 전체의 47.2%를 차지하였다. 자료의 작성 주체는
이러한 현상을 악질 브로커의 존재를 증명하는 것으로 보아, 다른 작업
장에서 브로커를 통해 노동자를 스카웃하고 있는 것으로 추측된다고
하였다. 이 표에서는 노동을 견디지 못하는 자가 13.7%를 차지하고, 이
어 강제모집으로 추정되는 자가 10.9%에 달하는 점이 주목된다. 노동
자 알선이 본인의 의사는 물론 능력과도 무관하게 공권력에 의해 강제
적으로 행사되어, 노동자 이탈의 큰 원인이 되고 있음을 드러내는 대목
이다. 또한 식당과 숙소를 겸하고 있는 합숙소(飯場)의 시설·임금·班
長의 언행 불만에 의한 이탈자를 합치면 9.4%로, 여기에서도 노동조건
으로 인한 이탈의 비율은 적은 편으로 파악하고 있었다.[274]

노동자의 현장 이탈 문제가 갈수록 확산되자 1942년 말 朝鮮勞務協
會에서는 노동자의 이탈원인과 그 대응책을 파악하기 위해 조선 내의
공장·광산 경영자에게 ① 조선인 노동자 이탈의 주원인, ② 이탈에 대
해 집행한 방책, ③ 官에 대한 희망사항의 세 가지 조항을 설문 조사하
였다.[275] 이 조사에서도 대개의 경영자들은 조선인 노동자 이탈의 주원
인을 임금 부족과 식생활·주생활의 불편, 생필품 부족, 그리고 조선인
노동자의 성질에서 찾고 있었다. 임금은 저렴하고 취업시간은 길어 생
계유지와 건강유지에 많은 지장이 있으므로 군수공장이나 비교적 취업
시간이 짧고 대우가 좋은 직장으로 전직하는 경향이 두드러지며, 식량
배급 부족 때문에 격무인 육체노동을 감당할 수 없어 귀향하는 자가 많
다는 것이다.[276] 또한 株式會社 朝鮮製鋼所에서는 노동자 이동이 갈수

---

274) 朝鮮總督府 勞務課 調査係, 앞의 글, 1942. 10, 53쪽.
275) 설문 조사의 결과는 『朝鮮勞務』 3-2·3호와 4, 5, 6호에 총 4회에 걸쳐 수록
되었으나, 5호는 입수하지 못하였다. 그 내용은 여타의 자료에 비해 많은 회사
가 구체적으로 설문에 응한 것으로, 내용이 풍부하여 당시 자본가의 사고를
엿보는 데 유용하다.
276) 「勞務者移動の主なる原因とその防止策について産業人の意見を聽く」, 『朝
鮮勞務』 3-2·3, 1943. 8, 17~18쪽.

록 증가하는 추세라고 하면서, 특히 1년 미만의 이탈자가 많은 것은
"계절 노동자, 즉 춘추의 호계절에 이동 배회하는 방랑벽이 있는 자와
농한기를 이용하여 일시 취직하는 雜役工들 때문으로, 그들은 국가의
관념과 시국산업의 이념을 이해하지 않고 물질적인 만족만을 추구하는
자들"이라고 하였다. 이동을 조선인의 습성이라고 보아 비판한 것이
다.277)

　이러한 총독부와 사업주들의 인식은 노동자들이 토로하는 현장 이탈
의 원인과는 거리가 있었다. 이탈 당사자인 노동자들은 어떠한 이유를
제시했는지에 대해 살펴본다. 이 시기 노동자에게 이직 혹은 현장 이탈
은 단순히 직장을 옮기기 위한 행위가 아니라, 회사의 대우나 작업환경
에 대한 불만, 나아가 총독부와 일제의 노동력 동원에 대한 저항의 한
방식으로 행해지고 있었다. 식량이나 생활필수품조차 제대로 구비할 수
없는 조건에서 노동자들은 임금을 상승시키거나 자신의 기능을 향상시
키기 위해 移職이라는 방식을 선택하였다. 노동력 동원이 증가할수록
원하지 않는 장소에 가서 원하지 않는 업종에 종사해야 하는 경우가 많
아졌고, 더욱이 열악한 노동조건과 환경을 감내해야 할 경우 노동현장
을 이탈하고자 하는 시도는 노동자에게 당연한 선택이었다.

　따라서 노동자의 현장 이탈은 소극적인 저항으로서 행해지기도 했지
만, 경우에 따라서는 전시하에 자본가와 일제에 대해 적극적인 저항의
지를 표현하는 최후의 수단이 되기도 하였다. 많은 움직임이 조직화하
지 못하고 개별적으로 진행되었다는 한계가 있었지만, 같은 직장 노동
자들이 집단으로 이탈한 사례가 적지 않았던 사정을 고려하면, 노동자
의 현장 이탈 현상은 단순히 소극적인 저항의 형태로만 머무른 것이 아
니었음을 알 수 있다. 예컨대 청진의 한 제련소와 경성의 한 공작회사
의 해고 이유를 살펴보면, 무단으로 사직한 경우가 전자는 50.7%, 후자

---

277) 「勞務者移動の主なる原因とその防止策について産業人の意見を聽く(承前)」,
　　　『朝鮮勞務』 3-4, 1943. 9, 59~61쪽.

는 무려 80%에 달하였다. 여기에 가사와 일신상의 사정, 轉職 등 회사 측의 의지에 의하지 않고 사직한 것을 더하면 전자는 96.5%, 후자는 92%에 달하였다.[278] 이러한 상태라면 생산력의 확대는 물론 현상유지도 어려운 형편이었다.

노동자들이 회사에 제출한 퇴직 이유를 앞에서 본 총독부 노무과의 조사자료를 통해 살펴보면, 가사 형편에 의한 것, 대우 불만에 의한 것, 직장환경에 대한 불만에 의한 것의 세 가지가 가장 큰 비중을 차지하였다. 그 중에서도 직장의 종류 여하를 불문하고 가사 형편에 의한 자가 퇴직자에서 점하는 비율이 상당히 높았는데, 이 중에는 퇴직을 목적으로 하는 자와 이동을 목적으로 하는 자가 같이 포함되어 있었다고 보아야 할 것이다. 본인의 결혼, 가족의 사망이나 징병·징용으로 인한 일손 부족 등으로 퇴직하는 자도 있었지만, 직장에 불만이 있는 자가 이동하고자 할 경우에도 경영진과 마찰을 빚지 않기 위해 가사형편을 명분으로 퇴직하는 경우가 많았기 때문이다. 한편 임금이나 작업환경에 대한 불만으로 퇴직하고자 하는 자는 대부분 이동을 위해 퇴직하는 경우였다. 더불어 강제 동원되어 정신적으로 적응을 하지 못하는 경우도 많았다. 이에 대해서는 노무과에서도 戰時에 노동에 적합하지 않은 자가 강제로 동원되어 무작위로 배치된 경우가 많았기 때문이라고 분석하였다.[279] 결국 전시하의 노동력 동원과 배치 행정, 노동 조건, 생활 환경 모두가 유기적으로 노동자의 移職, 離脫의 조건을 조성하고 있었던 것이다.

이러한 상태와 관련하여 1942년 일본의 한 탄광에서는 조선인 노동자를 대상으로 그들이 느끼는 '생활상의 고통과 기쁨'에 대해 조사하였다. 노동자의 답변 중 생활상의 고통에 대한 답으로 가장 많았던 내용은 생활필수품 배급이 원활하지 않아 만족감을 얻지 못하는 것이었고,

278) 朝鮮總督府 勞務課 調査係, 앞의 글, 1942. 10, 46~47쪽.
279) 村田幸達, 앞의 글, 1943. 9, 5~22쪽.

338

이어 저임금으로 생활이 어려운 것, 입갱시간이 빨라 피로가 심한 것,
갱내의 온도·통기 조건이 나쁜 것, 말을 이해하지 못하고 직원의 말이
거친 것, 건강 상태가 좋지 않은 것, 주택과 오락설비가 부족한 것, 자
유 행동이 허락되지 않는 것 등이었다. 반면 생활상의 기쁨으로는 공휴
일과 종업 후의 휴식, 임금을 받는 것, 가정이 원만하고 식사·음주하
는 것, 저금이 늘어나는 것, 일본인과 대화가 통하는 것, 영화·낚시·
친구와의 담소 등을 들었다.[280] 곧 노동자의 이탈은 기본적인 생활을
유지하기 어려울 정도로 노동조건이 열악하기 때문에 고통이 심한 데
근본 원인이 있었다. 앞서 자본가가 알선업자의 유혹에 의한 것으로 파
악한 이동의 경우도[281] 노동자의 입장에서 볼 때는 식량 부족이나 생
활필수품 부족, 저임금 등의 노동조건에 대한 불만의 경우가 다수 포함
되어 있었다.

　그 중에서도 임금에 대한 불만은 노동자의 정착을 막고 지속적인 이
동을 유발하는 가장 큰 원인이 되고 있었다. 당시에는 賃金統制令에
의해 공장·광산에 고용된 조선인 만20세 미만의 남자 미경험노동자의
공정임금과 토목건축업에 고용된 조선인·외국인 남자·인부의 협정임
금, 동일 업종 특수인부의 최고 임금이 통제되고 있었다. 공장·광산에
서 경험이 많은 노동자의 임금도 賃金臨時措置令에 의해 엄격히 통제
되고 있었다.[282] 따라서 노동자가 동일한 공장·광산에서 취로하는 한
임금의 증액은 법령에 의거한 승급 규정에 의해서만 가능하였으므로
기대하기 어려웠다. 그러나 노동자가 임금변경 허가 신청을 거쳐 취로
장소를 옮겨갈 경우는 이동할 때마다 임금인상을 꾀할 수 있었다. 그러
므로 노동자들은 이러한 방법을 이용하여 임금을 인상시키고 있었
다.[283] 임금이 생존을 위한 최저의 요건을 만족시키지 못하는 상태에

280) 前田一, 앞의 책, 1943, 135~136쪽.
281) 앞의 <표 32> '자본가가 본 토목건축 노동자의 현장 이탈 사유' 참조.
282) 慶尙南道 鑛工部 勞務課,「賃金統制令關係法令及通牒」,『勞務關係法令集』,
　　　1944, 1~108쪽.

서, '이동'이라는 방식을 통해 조금이라도 임금을 인상시킬 방도를 찾았던 것이다.

그런데 일제 말기로 갈수록 노동자 현장 이탈의 원인은 임금보다 식량과 일용품 부족으로 옮겨갔다. 이전에는 주로 임금의 고저에 따라 노동자들이 이동해갔지만, 점차 식량 배급률의 차이가 이동의 가장 큰 원인으로 지적되고 있었다.[284] 당장 식량이 부족한 상태에서 식량 혹은 거주지, 필수품 배급량의 다과에 따라 노동자들이 대거 이동하고 있었다.[285] 이 시점에는 대부분의 노동자들이 보다 나은 조건의 작업장을 찾아 나섰다기보다는 최소한의 생존 여건을 찾아 떠밀려 다니고 있었다.

이와 함께 노동자의 지위 상승 욕구도 현장 이탈, 이직 원인의 하나로 작용하였다. 노동자에 대한 대우가 절대적으로 열악한 상태에서 조금이라도 자신의 위치를 상승시켜 새로운 전망을 찾고자 하였던 것이다. 예컨대 職長級 노동자가 이동할 때는 자기 휘하의 노동자를 함께 데리고 가는 경우가 많았다. 따라서 노동자들이 職業能力申告令에 따라 신고한 후에[286] 한 직종에서 3개월 이상의 경험을 쌓고는 바로 새로운 직장으로 이동하는 특이한 경우가 종종 나타났다. 노동자의 입장에서는 기능을 쌓고, 자신의 등급을 높이기 위해 여러 직장에서 일한 경력을 갖고자 했기 때문이다. 그리고 방적공업 남자노동자의 경우와 같

---

283) 「勞務者移動の主なる原因とその防止策について産業人の意見を聽く(承前)」, 『朝鮮勞務』 3-4, 1943. 9, 58~59쪽. 따라서 利原鑛山株式會社 등에서는 時間給 賃金制度의 조속한 실시를 건의하기도 하였다.

284) 「勞務者移動の主なる原因とその防止策について産業人の意見を聽く」, 『朝鮮勞務』 3-2・3, 1943. 8, 16~22쪽, 朝鮮棉花株式會社 ; 「勞務者移動の主なる原因とその防止策について産業人の意見を聽く(承前)」, 『朝鮮勞務』 3-4, 1943. 9, 58쪽, 함경남도 利原鑛山株式會社.

285) 「重要生産部門に於ける隘路打診」, 『朝鮮檢察要報』 2, 1944. 4, 14~15쪽.

286) 國民職業能力申告令에 대해서는 大同書院編輯部 編, 『勞務統制法規總攬』, 大同書院, 1942, 230~291쪽 참조.

340

이 승급의 가능성이 적은 직종일수록 노동자의 이동률이 높게 나타나
기도 하였다.287) 곧 생산 능력이 부족한 상태에서 당시의 노동정책과
노동조건은 조선인 노동자의 정착을 방해하는 방향으로 추진되었고, 노
동자들은 그러한 틈새에서 이직을 통해 자신의 가치를 상승시켜 가고
있었다.

노동자 이탈의 원인에 대해서는 파악하는 주체에 따라 강조점이 달
랐지만, 그 규모와 영향의 심각성은 모두가 인정하는 바였다. 노무관리
담당자들은 노동력 이동을 방지하고, 노동자가 노동의 의의를 자각하여
작업에 종사하면 노동능률이 3~4할은 높아질 것이라고 하였다. 또한
노동조건에 대한 불만이 노동자 이탈의 최대 원인으로 작용하고 있다
는 점에는 대체로 동의하고 있었다.288) 즉 노동조건을 개선하지 않고는
노동자의 이탈을 막을 수 없고, 그렇게 되면 전쟁 수행에 긴요한 생산
력 증강을 달성할 수 없음을 잘 알고 있었으므로 다양한 방법을 통해
노동자의 이탈현상을 억제하고자 하였다.

③ 총독부와 자본가의 노동자 이탈 방지대책
노동자의 높은 이탈률과 낮은 출근율은 곧바로 생산력 증강에 영향
을 미치고 있었다. 총독부는 관련 법규를 강화하고 노동자의 배급물량
을 늘리는 한편 각 기업에 노무관리 책임을 강조하는 등 노동력 이동
방지책을 마련하는 데 고심하였다. 각 기업들 역시 필요한 노동력을 확
보하고 이들의 이탈을 방지하기 위한 묘책 마련에 골몰할 수밖에 없었
다.

총독부에서 노동자 현장 이탈에 대한 방지책으로서 제기한 것은, 하
나는 법규를 강화하여 권력을 통해 이동을 억제시키는 방법이었고, 다
른 하나는 노동자의 정신 훈련을 강화하면서 한편으로는 직장내의 각

287) 朝鮮總督府 勞務課 調査係, 앞의 글, 1942. 10, 37~55쪽.
288) 江上征史, 「勤勞の新觀念」, 『朝鮮勞務』 2-1, 1942. 2, 20~23쪽.

종 비합리성을 시정하는 노무관리를 행하는 방안이었다.

노동자의 현장 이탈이 중요한 사회문제로 대두하자, 총독부는 이를 억제하기 위해 잇따른 법적 조치를 취하였다. 노동자의 이동을 방지하기 위한 제한법규의 강화는 당시 대부분의 경영자가 정책당국에 진정하는 바였다. 총독부는 從業者雇入制限令을 강화한 靑少年雇入制限令의 적용에 이어 노동자를 대상으로 한 從業者移動防止令, 나아가 이동방지를 위한 기왕의 법령을 통폐합하고 비군수산업 부문의 노동자 고용과 군수산업 부문 노동자의 이동을 일절 금지한 勞務調整令을 적용하였다. 이동방지 법령의 시행과 더불어 총독부는 賃金統制令, 賃金臨時措置令, 改正賃金統制令 등의 임금인상을 억제하는 법령을 시행하여 법제적인 차원에서 노동자 이동 방지 대책을 마련하였다.289)

이러한 조치를 실행하기 위해 총독부는 행정망과 경찰력을 활용하는 방법을 병행하였다. 1943년 9월 사정국장과 경무국장은 각 도지사에게 「勞務調整令 指定工場의 無斷缺勤者와 無斷退職者 取扱에 關한 件」이라는 통첩을 보냈다. 노무조정령에서 전시 중요 산업에 관한 공장을 지정하였지만, 지정공장 노동자의 무단결근이나 무단퇴직이 끊이지 않아 목표량을 생산하기 어려운 데 따른 방책을 제시한 것이다. 이 통첩을 통해 무단결근이나 무단퇴직한 자에 대해 사업주가 본적, 무단퇴직 당시의 주소, 성명과 생년월일 등을 적어 공장이나 취업장의 소재지를 관할하는 府, 郡, 島에 통보하고, 부군도에서는 경찰의 협력을 얻어 본인을 공장 사업장으로 복귀시키고, 소재가 파악되지 않을 경우는 무인가 퇴직자로 신고하도록 하였다.290)

---

289) 朝鮮總督府 厚生局, 『勞務調整令解說』, 1942 ; 慶尙南道 鑛工部 勞務課, 앞의 책, 1944. 노동자 이동을 억제하기 위한 법률에 대해서는 이 책 제3장 1절 2)항 참조.
290) 그 절차를 살펴보면, 무단결근자 통보를 받은 府郡島는 노동자의 본적지나 전거주지, 가족의 거주지 등 이동지로 판단되는 곳을 관할하는 부군도에 수사를 의뢰하였다. 의뢰를 받은 부군도는 경찰관서의 협력으로 수사를 하여, 본인이

법제적인 이탈방지 대책과 더불어 노무관리 차원에서 총독부가 제시한 방안은 노동자의 정신 훈련을 강화하고 직장 내 비합리성을 시정하는 것이었다. 노동자의 정신 훈련을 통해 '직장은 戰場'이라는 정신을 체득시켜 생산성을 높일 것과 함께, 완전한 '上意下達 下情上通'의 上命下服 체제를 갖추어 생산의 효율을 기하도록 지도할 것이 강조되었다. 이와 함께 노동시간, 작업방법, 작업설비, 복리시설, 작업환경 등에서 비합리적인 면을 시정하여 전시에 맞는 새로운 방식의 노무관리를 실행하도록 제기하였다.[291]

이를 위해 총독부는 유화조치로서 중요공장 사업장 노동자의 식량 배급량을 늘리고 약간의 임금인상을 고려하는 한편, 각 사업장에 대해서도 복리후생시설을 개선하고, 출근율 향상을 위해 우량 근무자와 그 가족에 대한 표창제도를 실시하고, 통근반을 결성하여 개근경쟁을 실시하며, 그 외에 적정 취업시간의 유지, 피로 방지 등의 방법을 강구하는 등 노무관리의 각 분야에 걸친 쇄신과 강화를 지시하였다.[292] 한편으로는 정부 차원에서 노동자이동제한 법규를 강화하고, 그러한 바탕 위에서 경영자가 정신 훈련과 노동조건 개선을 통해 노동자 이탈의 요인을 시정하도록 조치한 것이다.

작업에 요구되는 필수물자와 식량의 부족이 노동력 이동과 노동자 가동률 저하의 가장 큰 원인으로 끊임없이 지적되자, 총독부는 우선 그 대책을 마련하였다. 生産增强勞務强化對策 방침에 기초해 1943년 11월 「重要工場事業場勞務者作業用必需物資配給要綱」을 결정하여 4/4

있을 경우는 권고서를 제시하거나 본인을 출두시켜 해당 공장 사업장으로 복귀시켰다. 노동자가 복귀하였을 때 사업주는 부군도에 그 내용을 보고하고, 보고를 받은 부군도는 수사를 의뢰한 부군도에 내용을 통보하였다. 이러한 조치에도 복귀하지 않는 자나 소재가 판명되지 않는 자에 대해서는 부군도에서 무인가 퇴직자로 신고하였다(「勞務調整令ノ指定工場ニ於ケル無斷缺勤者並ニ無斷退職者ノ取扱ニ關スル件」, 『朝鮮勞務』 3-6, 1943. 12, 65~66쪽).
291) 전시하의 노무관리 문제에 대해서는 이 책 제4장 1절 2)항의 서술 참조.
292) 朝鮮總督府 司政局 勞務課, 앞의 글, 1943. 8, 11~15쪽.

분기부터 적용하였다. 일반 공장사업장보다 중요공장 사업장의 노동자에게 작업용 필수물자를 우선적으로 배급하는 방안이었다. 그리하여 총독부가 지정한 중요공장, 광산, 토목건축업, 항만운송업의 취로 노동자에게 공장 사업장을 통해 작업복과 양말, 장갑, 수건, 각반, 비누 등의 필수품을 우선 배급하여 갔다. 배급 물자는 총독부에서 각 도별로 할당한 후에 각 도에서 다시 공장 사업장별로 할당하였고, 공장 사업장에서는 朝鮮勞務協會 道支部가, 광산에서는 道鑛山聯盟이 배급을 담당하였다.[293]

이러한 방침과 더불어 중요공장 사업장의 노동자에게 식량을 特配하던 방식을 새롭게 바꾸었다. 식량의 배급을 각 도에서 담당하고 있어 도별로 식량사정에 따라 배급량이 달랐기 때문에, 1943년 11월 「重要工場事業場勞務者食糧特配要綱」을 정하여 1944년부터는 총독부 直配로 특배량을 결정하기로 하였다. 그 내용을 보면, 총독부에서 지정한 중요한 공장, 광산, 토목건축업, 항만운송업 등에 취로하는 노동자에게 애국반 배급에 따른 기준량 외에 일정량을 특배하되, 특배량은 각 공장 사업장에서 노동의 경중, 가족이 있는 자와 없는 자, 갱내부 갱외부의 구별 등에 따라 차등을 두어 결정하도록 하였다.[294] 총독부는 이러한 대책을 제시하면서 노동자의 가동 능률 저하와 이동의 중대한 원인이 이제 완전히 해결되었다고 발표하였다.[295]

이상과 같은 방침을 마련한 후 小磯國昭 총독은 1944년 1월 시무식에서, 이후 노동력 부족이나 높은 이동률을 식량 부족문제로 전가하는

---

293) 이때 공장 사업장에서의 배급물자의 취득 혹은 배급에 관해 부정을 하거나 노무관리가 적절하지 않을 경우에는 배급량을 줄이거나 배급을 정지하였다.

294) 작업용 필수물자의 배급에서와 마찬가지로, 식량의 취득이나 배급에 관해 부정을 하거나 노무관리가 두드러지게 부족한 경우에 특배량을 줄이거나 특배를 정지하도록 규정하였다.

295) 「勞務者への物の給與考慮さる-總督府勞務課で要綱決定」, 『朝鮮勞務』 3-6, 1943. 12, 52쪽.

것은 허락하지 않는다고 훈시하였다. 그는 조선의 여유 노동력이 일본 제국주의 판도에서 가장 많으므로 노동력을 보충하지 못한다면 이는 업무 담당자와 관헌의 노력 부족에서 연유한 것이며, 하물며 이동률이 높은 것은 경영자의 노무관리가 불철저함을 드러내는 것이라고 단정하였다. 특히 군수관계 공장 사업장에서 노무관리 시책의 부족으로 피징용 노동자들을 이동하게 할 경우 그 죄가 무겁다고 강조하였다. 그리고 노동력을 확보하기 위한 지주, 사업주와 중역진의 반성을 촉구하는 동시에 총독부와 각 도의 광공업 업무 담당 관료의 분발을 촉구하였다.[296]

자본가들 역시 노동자의 현장 이탈 현상을 막기 위해 각 공장 사업장에서 임금인상이나 복리시설 구비, 강제저축 시행, 공제회 결성, 정신훈련 강화 등 다양한 방책을 모색하였다. 자본가들이 제시한 다양한 노동자 이동 방지책은 1942년 말 조선노무협회에서 일반 사업장에 대해 조사한 내용과 1943년 후반기에 검찰이 중요 사업장에 대해 행한 조사 결과를 통해 살펴볼 수 있다. 이 두 조사의 내용은 전자에서는 정신 훈련과 법적통제를 강조하는 것이 많았던 데 비해 후자에서는 필수품의 배급 확대를 요구하는 경향이 두드러진 차이를 보인다.[297]

유형별로 우선 복리시설을 확대하는 등의 유화책을 실시한 경우를 살펴본다. 경성에 있는 中央商工株式會社의 경우는 초급 임금, 휴일 출근수당, 식사 수당, 직책 수당 등의 명분으로 임금통제령 범위 내에서 최고 임금을 지급하였으며, 충남 대전의 郡是製絲株式會社에서는 임금과 연말 수당, 결산 상여 등을 근속년수에 따라 지급하고 있었다.

---

296) 「總督訓示」, 『朝鮮勞務』 4-1, 1944. 2, 표지.
297) 「重要生産部門に於ける隘路打診」, 『朝鮮檢察要報』 제2호, 1944. 4 ; 「勞務者 移動の主なる原因とその防止策について産業人の意見を聽く」, 『朝鮮勞務』 3-2・3, 1943. 8 ; 「勞務者移動の主なる原因とその防止策について産業人の 意見を聽く(承前)」, 『朝鮮勞務』 3-4, 1943. 9 ; 「勞務者移動の主なる原因とそ の防止策について産業人の意見を聽く(完)」, 『朝鮮勞務』 3-6, 1943. 12 참조.

자본가들은 기능자의 이동을 막기 위해 우량한 기술자와 정근자에게 상여금이나 수당을 수시로 지급하고 표창하거나, 2개월 이상 근속자에게 할증금을 지급하기도 하였다.[298] 이외에도 자본가들은 임금통제령의 범위를 벗어나는 각종 형태의 임금 지불을 통해 노동자의 이탈 방지를 강구하였다.[299] 이른바 暗賃金으로 불리운 이 임금은 사례금이나 수당, 술값, 식사, 혹은 서비스료 명목으로 지급되기도 하고, 현금 혹은 잡곡으로 지급하거나 여러가지 명목으로 선불하는 경우도 있었다.[300] 이와 함께 경남 동래의 住友鑛業株式會社 日光鑛山에서는 노동자에게 무상으로 주택을 대여하거나 독신자에게 합숙소를 제공하였으며, 일용품 배급소를 설치하여 노동자에게 배급하고 봄·가을로 두 차례씩 위안회를 개최하였다.[301]

　共濟會 결성도 노동자 이동 대책으로 적극 활용되었다. 住友鑛業株式會社 日光鑛山에서는 매월 임금에서 5% 정도를 공제하여 저금하게 하고, 1개월 이상 귀향하거나 결혼·장의, 기타 사유가 있는 경우에 이를 돌려주었다. 함북 富寧의 三菱鑛業株式會社 靑岩鑛山에서도 수입의 5% 이상을 공제하여 3년 거치의 우편저금을 실시하였다. 1년간 이

---

298)「勞務者移動の主なる原因とその防止策について産業人の意見を聽く」,『朝鮮勞務』3-2·3, 1943. 8, 17~21쪽 ;「勞務者移動の主なる原因とその防止策について産業人の意見を聽く(承前)」,『朝鮮勞務』3-4, 1943. 9, 55~56쪽.

299) 전남 목포에 있는 朝鮮綿花株式會社에서는 노무조정령과 임금통제령의 공포로 노동자의 자유로운 이동과 심각한 임금 불균형을 조절할 수 있게 되었으나 인적 자원의 부족과 식료의 불충분 때문에 일부 고용주는 제한 밖의 임금을 지급하거나 식료를 지급하는 등 암행위와 법에 어긋나는 청부제도로 노동자를 대우하고 있다고 하고, 이는 곧 노동자의 이동을 增張하는 것과 같다고 지적하였다(「勞務者移動の主なる原因とその防止策について産業人の意見を聽く」,『朝鮮勞務』3-2·3, 1943. 8, 17~18쪽).

300) 暗賃金 지급 실상에 대해서는 이상의,「1930~40년대 日帝의 朝鮮人勞動力 動員體制 硏究」, 연세대 박사학위논문, 2002, 263~266쪽 참조.

301)「勞務者移動の主なる原因とその防止策について産業人の意見を聽く(完)」,『朝鮮勞務』3-6, 1943. 12, 42~49쪽.

346

동한 노동자수가 총 노동자수를 넘어섰을 정도로 노동자의 이탈이 심했던 利原鑛山株式會社에서도 공제회 제도를 실시하였다. 모든 노동자를 회원으로 하여 매달 183전의 회비를 납부하게 하고 그 총액과 같은 금액을 회사에서 투자하여, 업무상의 부상·질병이나 재해에 대한 구제금을 지급하고 결혼시에는 축의금을 주는 방식을 통해 노동자를 억류시키고자 했다.[302]

자본가들은 출근율을 높이기 위해 노동자를 상호 감시하게 하거나 경쟁시키는 방법을 도입하기도 하였다. 함북 온성군 豊仁炭鑛鑛業所의 경우 만주지역으로의 노동자 이동이 잦은 것에 대비하여, 온성대교에 감시소를 설치하도록 온성경찰서에 의뢰하고 도망하는 자를 엄중 단속하였다. 원산노무공급회사는 거주지별로 10명 단위의 지역반을 편성하고 반원을 통솔할 만한 자 2명을 같은 지역에서 정·부반장으로 임명하여, 노동자가 결근할 경우 직접 방문하게 하였다. 더불어 성적이 좋은 반에는 특배물자를 증배하는 조치를 취하였다. 특히 일본광업주식회사 성흥광산 노무과장이었던 北里唯雄은 노동현장을 이탈한 노동자에게 식량배급을 정지하는 조치를 강화하도록 요구하기도 하였다.[303]

이와 함께 여러 사업장에서는 수시로 시국관련 강연회를 열고 훈화를 하는 등의 행사를 통해 노동자의 정신 훈련을 꾀하였다. 함남 이원에 위치한 利原鐵山鑛業所에서는 평균 출근율이 86%로 당시로서는 상대적으로 높은 기록을 보였는데, 이 회사의 경우 1943년 仕奉隊를 편성하였고, 1개월간 개근자에게는 정액 일급의 2일분, 1일 결근자에게는

302) 金希俊,「勞務供給事業の體驗」,『朝鮮勞務』4-5, 1944. 6, 17~18쪽 ;「勞務者移動の主なる原因とその防止策について産業人の意見を聽く(承前)」,『朝鮮勞務』3-4, 1943. 9, 55~59쪽 ;「勞務者移動の主なる原因とその防止策について産業人の意見を聽く(完)」,『朝鮮勞務』3-6, 1943. 12, 43~48쪽.

303)「勞務者移動の主なる原因とその防止策について産業人の意見を聽く(完)」,『朝鮮勞務』3-6, 1943. 12, 42~49쪽 ; 金希俊, 위의 글, 1944. 6, 17~18쪽 ; 北里唯雄, 앞의 글, 1943. 8, 8~10쪽.

1일분의 개근 수당을 지급하고 있었다. 이 회사는 개근을 독려하기 위해 간부 직원으로 특별 독려반을 편성하는 방식, 노동현장이나 보기 쉽고 중요한 곳에 표어를 게시하는 방식, 각 기간의 성적을 게시하고 깃발을 게양하여 일반대원과 가족의 경쟁심을 높이는 방식, 수시로 간담회를 열어 노동력 가동을 유발하는 방식 등을 활용하고 있었다.304) 원산노무공급회사에서도 회사연맹, 방공단, 저축조합, 회사사봉대 등을 결성하고, 강습회·좌담회 개최를 비롯하여 노동자 가족을 대상으로 영화를 상영하거나 음악대회를 개최하였다.305) 그러나 경남 통영읍 朝鮮製鋼株式會社의 지적에 의하면, 이러한 노력에도 불구하고 조선인 노동자는 배불리 먹는 것 외에 아무런 욕망도 없어 정신 훈련이 충분한 효과를 거두지 못하고 있다고 평가되었다. 노동의 결과가 배불리 먹을 수조차 없는 것이었기 때문에 노동자들이 직장을 옮겨다닌다는 것을 자본가들도 인정하고 있었던 것이다.

자본가들은 개별적으로 뿐만 아니라 공동으로 노동자 이탈에 대응하기도 하였다. 예컨대 일부의 중공업 회사들은 가맹회사에서 퇴직하는 노동자를 3개월간 채용하지 않기로 협정을 맺어 이탈 방지에 상당한 효과를 얻고 있었다. 노동자 채용 시에도 前歷을 철저하게 조사하고 경험공은 이전 공장에 먼저 문의한 후 고용하는 방식을 택하였다.306) 그러나 대개의 직장이 노동자 부족으로 허덕이는 상황에서 이러한 조치는 장기적인 방책이 될 수 없었다.

따라서 자본가들은 총독부에 다양한 정책의 시행을 요구하였다. 그것은 노동조건 개선과 임금인상 허가를 요구하는 유화책과 더불어 경찰의 강력한 개입과 徵用令 실시를 요구하는 강경책으로 구분되었다. 먼저 중요사업장의 노동력 확보를 위해 이 부문 노동자에게 주식과 생

---

304)「第一皆勤運動實施計劃報告書」,『朝鮮勞務』4-2, 1944. 3, 19쪽.

305) 金希俊, 앞의 글, 1944. 6, 17~18쪽.

306)「勞務者移動の主なる原因とその防止策について産業人の意見を聽く(承前)」,
　　『朝鮮勞務』3-4, 1943. 9, 59~61쪽.

348

필품을 우선적으로 특별배급할 것, 식량 배급량을 생산량에 따라 결정할 것, 거주지를 만들 것, 복리시설을 개선할 것을 제기하였다.307) 또한 임금통제령을 개정하여 노동자의 생계유지에 지장이 없도록 할 것, 임금과 물가를 동시에 통제하여 노동자의 수입과 균형을 맞출 것, 時間給 임금제도를 시행할 것 등을 주장하였다.308)

자본가들은 또한 노무조정령의 개정을 강력히 요구하였다. 당시 노무조정령이 시행되면서 기능자의 이탈은 어느 정도 억제되고 있었지만, 일반 노동자의 이탈률은 여전히 높았으며 특히 광산에서는 태반이 '無斷退山'하고 있었다.309) 따라서 자본가들은 법령을 개정하여 군수산업 등 지정사업만이 아닌 일반 민간산업에서도 노동자의 해고와 퇴직을 제한하는 강제법령을 발동할 것, 중요산업을 모두 지정하는 指定工場制를 시행할 것,310) 종업자이동방지령과 같이 해고와 퇴직을 제한할 것, 기능자로 등록된 자들의 해고와 고용은 지정공장 이외에서도 허가제로 할 것 등을 요구하였다.

나아가 日窒鑛業株式會社 光陽鑛業所와 경성의 중앙상공주식회사

---

307) 「重要生産部門に於ける隘路打診」, 『朝鮮檢察要報』 제2호, 1944. 4, 3~15쪽.
308) 「勞務者移動の主なる原因とその防止策について産業人の意見を聽く」, 『朝鮮勞務』 3-2·3, 1943. 8, 17~18쪽 ; 「勞務者移動の主なる原因とその防止策について産業人の意見を聽く(承前)」, 『朝鮮勞務』 3-4, 1943. 9, 58~61쪽 ; 「勞務者移動の主なる原因とその防止策について産業人の意見を聽く(完)」, 『朝鮮勞務』 3-6, 1943. 12, 42~49쪽.
309) 北里唯雄, 앞의 글, 1943. 8, 8~10쪽.
310) 「勞務者移動の主なる原因とその防止策について産業人の意見を聽く(承前)」, 『朝鮮勞務』 3-4, 1943. 9, 57~59쪽. 조선에 적용된 勞務調整令 제2조의 내용은 다음과 같다. "총독이 지정한 공장, 사업장, 기타 장소에서 사용하는 종업자 또는 총독이 지정한 범위의 종업자의 해고와 퇴직은 명령이 정하는 바에 따라 府尹, 郡守, 島司의 인가를 받아야 한다. 전항의 종업자에 대해서는 고용기간의 만료, 기타 해고와 퇴직 이외의 사유에 의해 고용관계가 종료하는 경우에는 계속하여 고용관계를 존속시킬 것을 요한다. 단 명령이 정하는 바에 따라 부윤, 군수, 도사의 인가를 받은 경우는 이에 제한받지 않는다."(『朝鮮總督府官報』 4484, 1942. 1. 10, '勞務調整令').

등에서는 "노무조정령이 발포된 지 1년이 지났지만 노동자 스카웃은
공공연히 행해지고 있고, 임금통제령이 실시되고 있지만 請負制度 등
으로 불법을 행하는 곳이 있어 그곳으로 노동력이 이동하고 있다"고 불
만을 터뜨리면서, 이에 대한 단호한 처벌과 함께 노무조정령 관련 사무
를 경찰로 이관하여 경찰의 힘으로 노동자 이동을 막을 것을 건의하였
다.311) 또한 자본가들은 退去證明이 없는 자는 채용하지 않도록 할 것,
관알선에 의한 노동자 보충의 항상화, 기업정비에 의한 보충, 일본에서
의 求人 할당, 기업주 상호간의 노동자 이동에 관한 협정, 제대한 군인
의 활용, 不勞者·有閑者·無職者를 勤勞報國隊로 조직할 것 등을 요
구하였고, 나아가서는 민간공장에도 징용령을 적용할 것을 요구하고 있
었다.312)

이렇게 다양한 내용으로 구성된 자본가들의 유화적인 혹은 강경한
요구는 총독부에 의해 상당부분 정책으로 옮겨져 실현되었다. 전시하의
생산력 증강을 목표로 노동자들을 상대로 한 국가와 자본가간의 결탁
이 이루어진 것이다.

이상에서 살펴본 바와 같이 노동자의 현장 이탈에 대비하여 총독부
와 자본가들은 각종 법률을 통한 강압책과 사업장 내에서의 유화조치
를 취하였다. 그럼에도 불구하고 노동자의 이탈현상은 계속해서 증가하
여, 석탄광산의 경우 월 평균 15%에 달할 정도였다. 노동자 이동의 방
향은 여전히 보다 높은 임금과 식량, 생활필수품의 배급량이 많은 직장
으로 향하는 경향을 보였다. 뿐만 아니라 노동자 이동으로 인해 재해율
이 높게 나타났고 평균 생산능률도 저하되었다.313) 노동자의 현장 이탈

311)「勞務者移動の主なる原因とその防止策について産業人の意見を聽く」,『朝鮮勞
務』3-2·3, 1943. 8, 17~20쪽.
312)「重要生産部門に於ける隘路打診」,『朝鮮檢察要報』2, 1944. 4, 3~15쪽.
313) 朝鮮經濟社 編, 앞의 책, 1949, 69~72·144쪽. 일제 말기의 노동조건에 대해
서는 곽건홍, 앞의 책, 2001, 229~272쪽 ; 이상의, 앞의 글, 연세대 사학과 박
사학위논문, 2002, 235~246쪽 참조.

문제는 법률 제정이나 유화적인 일시의 조치만으로는 막을 수 없는 것이었다. 이탈을 유발하는 사회적·경제적 원인을 제거하지 않는 한 아무리 제한 법규를 강화하고 권력으로 억압하려 해도 노동자의 이탈을 억제하는 것은 불가능하였다. 오히려 권력으로 억압할 경우 노동자들의 노동의욕이 위축되고 의식적·무의식적인 태업으로 연결되어 결과적으로 생산력 확충이라는 과제에 악영향을 미치게 될 뿐이었다.

전쟁이 더욱 가열되어 가는 상황에서 노동자 이탈은 생산에 막대한 차질을 빚었고, 이는 일제의 戰力에 직접적인 영향을 주게 되었다.314) 따라서 근본적인 노동자 이동의 방지와 노무관리가 여전히 긴요한 시책으로 거론되고 있었다. 노동자 이동을 억제하여 생산력을 증대시키기 위해서는 어떠한 대가를 치르더라도 대책을 마련해야만 하였다. 그 대가의 범주에는 노동자들이 이동의 필요를 느끼지 않을 정도의 노동조건을 갖추어 노동자 스스로 이동을 자제하게 하는 방식과, 법적 행정적 조치를 더욱 엄격하게 바꾸어 강제로 이동을 억제하는 방식이 있었다. 그러나 일제로서는 이미 전자의 방식을 선택할 만한 경제적 여유가 없었다.

일제는 마침내 일부 자본가들이 요구했던 대로 1944년 2월 現員徵用이라는 극단적인 방책을 택하였다. 그 결과 현원징용 실시 직후 2개월 정도는 중요공장과 광산의 무단도주 비율이 크게 줄어들었다.315) 노동자의 이동 방향이 식량이 풍부한 곳이나 현원징용이 실시되는 공장·광산으로 향하는 경향을 보이기도 하였다.316) 현원징용은 군수산업을

---

314) 변은진은 일본으로 강제동원된 조선인 노동자들의 '도주'는 결과적으로 일제의 군수생산력 증강정책에 전면 대립되는 '군수생산력 저하운동'의 의미를 가지고 있었으며, 따라서 이들은 민족운동을 목적으로 한 비밀결사의 주된 조직 대상이 되었다고 하여, '도주'라는 소극적 행위도 반제·반전의 성격을 지닌 민족운동의 일환이었다고 평가하고 있다(변은진, 앞의 글, 2002, 44~53쪽).
315)「京畿道內自由勞動者の闇賃金狀況」,『朝鮮檢察要報』9, 1944. 11, 18쪽.
316) 近藤釰一 編,「最近に於ける朝鮮の勞務事情」,『太平洋戰下の朝鮮(5)』, 友邦協會, 1964, 166쪽.

담당하는 중요공장 사업장을 대상으로 행한 것으로서, 이들 공장에 식량과 필수품이 우선 배급되었기 때문이다. 그러나 현실적으로 징용노동자의 임금으로는 생활을 유지하기 어려웠고, 일용노동자를 대상으로 한 暗賃金 지불이 공공연히 계속되자, 현원징용 노동자들 중에도 이내 장기 결근을 하고 다른 공장에 취직하거나 일용노동자로 취로하는 경우가 속출하였다.[317]

1945년 3월 警務局은 「日傭勞務 賃金關係事犯 處理에 關한 件」이라는 통첩을 통해 일제 검거를 지시하면서, 특히 징용된 자가 일용노동자로 되어 노동하고 있는 경우의 징용령 위반자 색출에 유의할 것을 지시하고 있었다.[318] 전쟁의 확대와 함께 皇國臣民化 정책을 통해 조선인이 자발적으로 노동력 공출에 협력하도록 유도하고자 하였으나 일제의 계획이 의도대로 실현되지 않았던 데서 유래한 결과였다.

큰 폭으로 지속된 노동자의 현장 이탈은 전쟁을 진행 중인 일제와 자본가에게 생산력 저하라는 직접적인 타격을 입히고 있었다. 노동자들은 나아가 강제동원을 기피하거나 집단적·조직적인 태업과 파업, 군수생산력의 저하를 노린 기계파괴 등의 형태로 저항을 계속하였다. 노동자들의 저항이 일본제국주의의 전쟁과 지배 자체에 대한 저항으로 연결되었던 것이다.

(2) 동원과 일제에 대한 노동자의 저항

태평양전쟁 도발 이후 무리한 전쟁을 지속하고자 했던 일제는 조선통치에서도 지속적으로 압력을 가하였다. 전쟁을 강행하기 위해 조선에서는 생활 필수물자와 노동력의 동원이 계속되었다. 노동력 공출은 조선인에게 원망의 표적이 되고 있었고,[319] 조선인의 민심이 이반하면서

---

317) 「京畿道內自由勞動者의 闇賃金狀況」, 『朝鮮檢察要報』 9, 1944. 11, 16~18쪽.
318) 「日庸勞務賃金關係事犯ノ處理ニ關スル件」, 『朝鮮檢察要報』 14, 高等法院檢事局, 1945. 4, 1쪽.

소위 不逞思想의 흐름이 번져갔다.[320] 따라서 일제는 더욱 강도 높게
동원을 추진해 갔지만 그 과정은 결코 순탄하지 않았다.

　전시통제경제기 일제 파시즘이 체제화하면서 조선에서는 개인과 조
직에 대한 획일화가 강요되고, 전쟁에 반대하는 것뿐 아니라 전쟁에 적
극적으로 찬성하지 않는 것이 허용되지 않는 상황이었다.[321] 전쟁이 확
대되어 갈수록 일제는 패전의 우려에 초조해하고 있었다. 특히 1943년
의 과달카날 전투의 패배에 이어 이듬해 7월 사이판의 戰局이 위급해
지자, 일본 내각에서 東條英機 수상에게 "만일 사이판이 함락된다면
조선 민심에 미치는 영향이 심대할 것이고, 통치상 중대한 사태가 야기
될 두려움도 없지 않다"고 토로할 정도였다.[322] 이에 일제는 내부에서
선전을 통해 전쟁의 목적을 이루기 위해 매진할 것을 강조하였다.

　1943년 12월 「米英擊滅戰力增強工場部門首腦者懇談會」에 제출된
'흥남○○공장 미영격멸 생산력비상증강기간설정요령'에서는 각 사업

---

319) 특히 일본으로 동원되는 것을 꺼리는 경우가 많았으므로 총독부는 조선인에
　　게 일본 송출의 필요성을 납득시키는 문제로 고심하였다. 또한 곳곳에서 송출
　　수를 채우기 위한 노동자 모집이 무리하게 행해졌고, 강압적인 징용으로 저항
　　을 유발한 사례가 적지 않았다. 이에 총독부는 조선 자체 내에 필요한 노동력
　　과 조선인의 반발 감정을 염두에 두고 송출 숫자를 감소시키고자 절충하는 과
　　정에서 일본 중앙정부와 마찰을 빚기도 하였다(「朝鮮統治の最高方針」, 『日本
　　人の海外活動に關する歷史的調査 3』(大藏省 管理局 編), 1947, 50～51쪽).
320) 大藏省 管理局 編, 위의 글, 1947, 33～34쪽.
321) 이러한 현상은 일본도 마찬가지여서, 일본 노동계의 경우 자주적 조직을 해체
　　시킨 상태에서 위로부터의 조직화가 급속히 진행되었다. 1938년 7월 창립된
　　산업보국연맹은 노사의 대립과 노동운동, 노동조합을 사실상 부정하여, 産業
　　報國會 결성과 더불어 노동조합의 해체가 시작되었다. 이렇게 획일화하는 과
　　정에서 한편으로는 근검치산이 강조되면서 대다수의 서민에게 평등화, 평준화
　　라는 환상을 심어주어 많은 공감을 얻는 계기가 되었다는 분석도 있다(松元
　　宏, 「戰時國家獨占資本主義への移行」, 『講座日本歷史 10』(歷史學硏究會・
　　日本史硏究會 編), 東京大學出版會, 1985, 250～252쪽 ; 須崎愼一, 앞의 글,
　　1985, 259～260쪽).
322) 大藏省 管理局 編, 앞의 글, 1947, 33～34쪽.

장에서 생산력 증강을 위해 노동자에게 끊임없이 세뇌작업을 하고 있
었음을 잘 보여준다. 여기에서는 노동자 말단에까지 생산 열의를 침투
시킨다는 명분 하에 ① 錬成, ② '미영격멸' 출근 경쟁, ③ '미영격멸' 창
의 공부, ④ '미영격멸' 생산력 증강 선전 포스터와 표어 부착, ⑤ '미영
격멸' 안전주간 설정 등의 사업을 벌였다. 이 중 표어, 포스터 부착은
일제 말기 전쟁에 대한 능동적 참여를 강조하기 위해 전국에 번져있던
행태였다. 이 회사에서도 다음과 같은 표어를 게시하여 증산을 유도하
고 있었다.

　△ 米英이 손을 들게 하는 증산 / 승리 위해 쉼없는 우리의 직장
　　戰果에 따른 승리의 증산 / 하나 생산, 둘 증산, 셋 米英과 투쟁
　△ 증산에 나타나는 ○○의 저력 / 이 땀은 최전선의 피와 같다
　　전선에선 決死 후방은 滅私 / 병사는 파이프 우리는 펌프323)

　나아가 1945년 4월 태평양전쟁의 막바지에 간행된 한 잡지는 "戰局
의 긴박 정도를 볼 때 국민에게 근로로 전장에 임하라고 높이 설교하지
않아도 국민은 우리에게 죽을 장소를 달라고 절규하고 있다. 국민이 바
라는 바는 보다 강한 정치와 보다 강한 구속과 준엄하고 절대적인 명령
이다. 상담도 아니고 협력도 아니다. 조절도 아니고 간섭도 아니다"라
고 하면서 더욱 강력한 정책 추진과 조선인의 전쟁 참여를 촉구하고 있
었다.324)
　총독부는 한편으로는 전쟁에서의 열세를 부인하고 승전을 선전하였
으며, 한편으로는 행정망과 경찰력을 총동원하여 조선인의 민심을 안정
시키고 치안을 확보하고자 하였다.325) 이에 경찰과 행정 관료들은 노동

323)「職場の聲 - 米英擊滅生産力非常增强期間實施報告」,『朝鮮勞務』4-2, 1944.
　　3, 20~22쪽.
324)「卷頭言」,『朝鮮勞務』4-10, 1945. 4, 표지.
325) 三橋孝一郎,「朝鮮勞務協會の設立に際して」,『朝鮮勞務』1-1, 1941. 10, 8~9

계층의 시국인식을 강화하고 사상을 선도하는 등 노동력 동원계획을 원활히 수행하기 위한 각종 조치를 강구하여 갔다.[326] 중일전쟁 이후 지속적으로 황국신민화 정책을 추진하면서 전쟁에 대한 조선인의 자발적인 협력을 요구했지만, 그것이 여의치 않게 되자 법망과 경찰망의 강화를 통해 조선의 노동력과 자원을 동원할 수밖에 없게 된 것이다.

한편 일제는 조선의 민심 이반을 방지하기 위해 언론과 공식문건을 통해 조선인이 전쟁에 협조하는 양상을 확대 선전하였다. 즉 "그간 조선통치상 많은 곤란과 장해를 가져오던 민족주의운동과 공산주의운동이 만주사변을 계기로 점차 진정되고, 중일전쟁 발발과 함께 정치적·경제적 동요가 잦아들었다"고 주장하였다. 또한 시국에 관계되는 유언비어 유포 등 '不穩行動'에 대한 철저한 단속과 戰況의 추이에 따라 점차 조선인이 일본국민으로서의 관념을 지니게 되었고, 특히 1938년 朝鮮人特別支援兵制度의 창설이 민심 변화의 계기가 되었다고 해석하고 있었다.[327]

이러한 일제의 선전과 해석은 대부분 위장에 지나지 않았다. 가령 일제는 조선에서 지원병제도를 시행하는 과정에서 커다란 어려움을 겪고 있었다.[328] 형식상은 지원하는 것이었지만 사실상 대개의 경우 동원되

쪽.

326) 노동력 동원기구 정비 과정에 대해서는 이 책 제3장 2절 1)항의 서술 참조.

327) 「朝鮮統治の最高方針」, 앞의 책, 1947, 29~33쪽. 이와 더불어 총독부는 기독교, 천도교, 시천교 등의 종교단체와 유사단체도 '애국적 행사'를 계획하고, 전쟁 초기에는 무관심했던 일반 조선인도 국방헌금, 위문금, 혈병금 등의 갹출, 기타 시국활동에 적극적이어서 주목할만한 변화를 보이고 있다고 선전하였다.

328) 陸軍特別支援兵制度가 실시되자 항간에서는 이 제도에 대해 "요즘 지원이라 할 것이 있는가. 지원병이건 노무공출이건 모두 강제이다. 그것은 사람이 부족하기 때문에 다양한 수단을 강구하는 것이다"라고 하여 그 강제성을 꼬집거나, "奴等(일본인)은 전쟁이 불리하기 때문에 조선인 학도를 징집하고 있다"고 하면서 일본의 패전 가능성을 점쳤다. 나아가 "조선인이 징병되어 군인으로 출정하면 대부분은 전사할 것이다"라고 하여 그 위험성에 대해 우려하기도 하였다(「時局關係不穩言論事犯」, 『朝鮮檢察要報』 1, 高等法院檢事局, 1944.

었던 지원병들은 동원을 혐오하여 기피하거나 동원 과정에서 혹은 동원된 후에 탈출하는 방식을 통해 지원병 모집에 저항하고 있었다.329)

일제는 국가총동원법을 통해 "전시에 국가총동원상 필요할 때에는 칙령이 정하는 바에 따라 작업소의 폐쇄, 작업 또는 노무의 중지, 기타 노동쟁의에 관한 행위를 제한하거나 금지시킬 수 있다"는 내용을 규정하였다. 그리고 노동쟁의를 할 경우 노동문제와 관련한 최고형인 3년 이하의 징역이나 5천원 이하의 벌금형에 해당한다고 규정하여 노동운동을 전면적으로 금지하고 있었다.330) 한편 殖産局長 穗積眞六郎은 당시의 조선 노동계에 대해 "일찍이 자유주의의 극단인 도를 넘은 勞資의 대립과 쟁의의 발생까지 보였지만, 이제는 국가의식이 앙양되어 각 산업부문에서 노동자가 국력의 증진을 목표로 제일선 전사에게 뒤지지 않는 報國精神 아래 職域奉公의 誠을 바치고 있다"고 진단하고 있었다.331)

당시 공식적인 문서에는, '중일전쟁 이전에는 다수의 노동자가 노동조합에 조직되어 사회주의, 공산주의 등의 계급투쟁 관념에 의해 지배되었다. 그러나 중일전쟁의 발발과 함께 노동자들이 近代戰에서는 공장에서 해머를 흔드는 것이 戰線에서 총을 드는 것과 마찬가지로 간절한 奉公이라는 것을 깨닫게 되었다. 따라서 다수의 노동조합이 해산되고 노동쟁의는 급격히 감소하게 되었다'고 하는 내용이 자주 등장하였다. 나아가 전쟁은 왕년의 관념에 의한 노동운동을 종식시키고, 한편에서 더욱 중대한 노동문제를 야기하였다고 보았다. 평시의 노동문제는 주로 노동자의 의식 문제이고 생활을 위해 일하는 '人'으로서의 노동자 문제이지만, 전시에는 '국가'에서 요구하는 물자를 생산하는 '力'으로서

3, 23~24쪽).
329) 이에 대해서는 宮田節子 著·李熒娘 譯, 『朝鮮民衆과 「皇民化」政策』, 一潮閣, 1997 참조.
330) 國家總動員法 제7조(朝鮮總督府, 『朝鮮法令輯覽』 13, 1940, 188쪽).
331) 穗積眞六郎, 「成果を期待す」, 『朝鮮勞務』 1-1, 1941. 10, 11~12쪽.

356

의 노동력 문제가 중심이 된다는 것이었다.332) 전시하에 노동자는 절대 노동운동을 해서는 안되고, 오로지 물자를 생산하는 노동력으로만 존재해야 함을 강조한 것이다.

중일전쟁 이후 지속적으로 되풀이 된 鍊成, 洗腦 작업은 실제 노동자들의 의식을 마비시켜 갔고, 노동자들은 일제의 권위와 동원, 억압에 익숙해져 가는 모습을 보이기도 하였다. 전쟁이 진행될수록 노동운동은 이전에 비해 건수가 감소하였으며, 그마저 소규모 저항이 대부분이었다. 그러나 전시의 통제에도 불구하고 노동자들은 지속적으로 노동운동에 참가하여 일제와 자본가에게 저항하고 있었다.333) 동원되기 전에는 대부분 농민이었던 이들 노동자는 광산 등의 위험한 육체노동에 익숙하지 못했을 뿐 아니라 일본인 감독자·노동자와의 의사 불통, 민족 차별과 구타, 식량 부족, 풍토의 차이 등에 시달리면서 기회가 있을 때마다 저항하였다.334) 노동자의 저항에는 전쟁 발발 이후 더욱 열악해진 노동조건과 생활난의 가중, 물자동원 과정에서 대두한 轉·失業者의 증가가 큰 원인으로 작용하고 있었다. 이들에게 쟁의는 곧 생존권 옹호투쟁 그 자체였다. 그리고 전쟁의 와중에서 조선인 노동자의 저항은 일제에게 더욱 위협적인 요소로 작용하였다.

태평양전쟁기 노동쟁의의 양상은 소극적인 태업에서부터 폭력적인 형태, 나아가서는 적극적으로 전시 중요물자의 생산을 방해하거나 치안을 방해하는 경우 등 다양하였다.335) 노동현장 내에서의 저항의 경우 노동자들은 개인보다는 집단적으로 저항하는 경우가 많았고, 그 집단행

332) 厚生硏究會, 『國民皆勞 - 戰時下の勞務動員』, 新紀元社, 1941, 123~128쪽.
333) 이에 관한 연구로는 김민영, 앞의 책, 1995, 153~167쪽 ; 강만길, 앞의 글, 1997 ; 卞恩眞, 「日帝末 조선인 노동자층의 전쟁 및 '軍需生産力'에 대한 인식과 저항-서울지역 노동자를 중심으로-」, 『鄕土서울』57, 1997 ; 변은진, 앞의 글, 2002 ; 이상의, 「일제지배 말기의 노동문제와 조선인의 저항」, 『역사연구』 13, 역사학연구소, 2003 등이 있다.
334) 강만길, 앞의 글, 1997 참조.
335) 『1948年版 朝鮮年鑑』, 朝鮮通信社, 1947, 15쪽.

동도 폭행이나 파괴행동보다는 다소 조직적이라 할 수 있는 罷業이나 怠業의 비율이 높았다.336) 노동자의 태업은 여러 공장·광산 토목공사 현장에서 일상적으로 계속되었으며, 특히 석탄광산의 태업은 심각한 수준에까지 달하였다.337) 태업은 적극적인 저항의 의미에서도 행해졌지만, 식량과 생활필수물자가 만성적으로 부족한 상태에서 도저히 일할 수 없는 환경 때문에 무의식적으로 행해지기도 하였다.338)

이와 함께 전시의 중요물자, 즉 군수품의 생산기관을 파괴하여 그 생산을 방해하는 사건도 일어났다. 예컨대 朝鮮理硏航空機材株式會社 대전공장에서는 1944년 4월 징용 노동자가 공기압축기를 이완시켜 회사의 작업을 30분간 정지시킴으로써 피스톤링의 생산을 저지하였다.339) 日本製鐵株式會社 청진공장에서도 洗炭係 노동자가 그 해 5월 두 차례에 걸쳐 분쇄기에 이물질을 넣고 8시간 동안 분쇄기의 운전을 정지시켜, 코크스 원료인 분탄의 생산을 저하시켰다.340) 朝鮮皮革會社 영등포공장에서는 미싱공 등 3명이 1944년 10월 '독립 달성'을 염원하면서 생산저하를 통한 戰力沮害를 기도하여, 공장시설의 전동기에 소

---

336) 김민영, 앞의 책, 1995, 166~167쪽 ; 강만길, 앞의 글, 1997, 255쪽. 각 사업장에서의 구체적인 파업, 태업 양상에 대해서는 강만길과 변은진의 앞의 글에서 상세히 언급하고 있다.

337) 「京畿道內自由勞動者の闇賃金狀況」, 『朝鮮檢察要報』 9, 1944. 11, 19쪽.

338) 「重要生産部門に於ける臨路打診」, 『朝鮮檢察要報』 2, 1944. 4, 3~15쪽.

339) 검찰측 자료에서는 이 사건이 승진 누락에 원한을 품은 데서 비롯되었다고 하였다. 그러나 이 역시 일본인 노동자와의 차별에서 비롯된 것으로서, 일본의 패전을 위해 군수품 생산을 방해하는 원인으로 작용하였다(「戰時重要生産事業妨害事件」, 『朝鮮檢察要報』 10, 高等法院檢事局, 1944. 12, 38~39쪽).

340) 「戰時重要生産事業妨害事件」, 『朝鮮檢察要報』 8, 高等法院檢事局, 1944. 10, 31~32쪽. 이 노동자는 "이 제철소는 국방상 중요한 생산사업을 경영하고 있어 한번 중요 설비를 손괴하면 생산기능에 장애를 주고 그 결과는 곧 코크스와 제철의 생산량을 저하시키고 나아가 국방상 중대한 영향을 미치는 것이라는 사정을 인식"하고 있었다. 이 사건은 당시 전시의 생산을 방해한 첫번째 행동으로서 주목되었다.

358

금을 넣고 불을 살라 군화의 제조를 정지시켰다. 또한 함경북도 朝鮮石油株式會社의 아오지 공장에서는 灰岩炭坑에서 火防夫로 일하던 노동자 등 9명이 그 해 11월에 석탄갱을 대파하여, 일제의 전쟁 수행을 방해하고 패전을 촉진하고자 하는 등의 사건이 잇따라 발생하였다.341)

노동자들의 저항은 곧바로 생산성의 저하를 결과하였다. 조선총독부가 1944년 제86회 일본 제국의회에 제출한 예산 설명 자료에 따르면, 전시하에 직공 1인당 生産高는 해마다 저하되어 1936년에 비해 1943년에는 70%에 그쳤다.342) 이 시기 자원 조달이 여의치 않았던 상황과 함께 노동조건이 열악한 것도 생산성 저하의 원인이 되었지만, 노동자의 태업 혹은 파업 등이 끼친 영향도 적지 않았다.

조선인 노동자의 저항이 일제의 전쟁 강행에 큰 장애로 등장하자 각 부문에서 이에 대한 원인을 파악하고 대책을 마련하고자 하였다. 그 중 每日新報社의 편집고문이었던 井上收는 공장, 광산에서의 노동자의 탈출, 이산 등의 저항은 물질적인 處遇의 厚薄보다는 직장에서의 歡喜의 貧困에 기인한다고 주장하였다.343) 이는 곧 당시 조선인 노동자들에게 노동자로서의 삶에 대한 전망이 없었다는 것을 의미하였다. 이에 노동자들은 노동현장에서 벗어나는 도주나 이직, 이탈을 일상적으로 기도하였고, 경우에 따라서는 노동현장에서의 조직적인 태업이나 파업 혹은 군수품 생산저하를 위한 활동을 시도하였는데, 이것이 적극적으로 확대될 경우에는 보다 다른 양상을 지니게 되었다. 그리고 그 해결책은 이제 더 이상 일제의 지배하에 머무르지 않는 것인 동시에, 더 이상 자본주의적인 것도 아닌, 사회주의 지향의 형태로서 모색되는 경우도 많았다. 노동자들에게 일제하의 '국가'나 자본가에 대한 경험이 질곡으로 작용하고 있었기 때문이다.

341) 「最近に於ける思想運動事犯の新傾向」, 『朝鮮檢察要報』 11, 高等法院檢事局, 1945. 1, 7쪽.
342) 朝鮮經濟社 編, 『朝鮮經濟統計要覽』, 1949, 69~70쪽.
343) 井上收, 「勞務者と厚生の一考察」, 『朝鮮勞務』 2-5, 1942. 10, 64~72쪽.

한편 일제가 전쟁 추진을 위해 조선인의 희생을 강요하는 속에서 노동현장 내에서의 저항뿐만 아니라 노동력 동원에 대한 저항도 거세게 일어났다. 이러한 분위기에서 일제의 노동력 동원은 원활히 추진되지 못하였다. 조선인은 일본으로의 송출은 물론 조선 내 중요사업장으로의 취업도 회피하는 경향이 강하였다.344)

일제의 예상대로 조선인을 대상으로 한 징용의 실시는 조선인의 거센 저항에 부딪혔다. 징용령 위반의 양상은 대부분 도주에 의한 것으로, 이송하는 도중에 도주하거나 다양한 방법으로 징용에 불응하는 경우였다.345) 특히 일본 본토에 대한 연합군의 공격이 진행되면서 도처에서 그 위험을 피하고자 하는 징용 불응자가 속출하였다. 따라서 일정한 수를 동원하기 위해서는 징용의 할당량을 증가시켜야 했고, 그로 인해 민심이 더욱 동요하였으며 결국 징용 기피자가 더욱 늘어났다.

예컨대 1944년 8월 일본 조선소행 노동자 1만 9,200명을 징용하기 위해 총독부는 5만 841명에게 출두명령서를 발행하였는데 이 중 9천명이 출두하지 않았다. 출두하지 않은 원인을 살펴보면, 신변 불정리가 1,854명, 도주·소재 불명이 1,697명, 병이 782명, 기타가 4,667명이었다. 출두한 사람 중에는 전형 검사 결과 2만 9,782명을 적격으로 판단하고 징용령서를 발행하였으나 그 중에도 부득이한 경우가 많아 결국 1만 9,954명만을 징용하여 송출하였다.346) 징용을 피하려는 경향이 늘어나면서 1만 9,200명을 징용하기 위해 5만 841명에게 출두명령서를 남발해야 했고, 또한 출두명령서 수령자 중에서도 39.2%만을 징용할 수 있게 되어 어렵게 숫자를 채웠던 것이다.

징용기피 현상의 가장 큰 원인은 동원 행선지와 기간이 불분명한 데 있었다. 대개의 경우 軍要員의 행선지와 기간은 극비에 부쳐졌고, 일본

---

344) 「朝鮮統治の最高方針」, 앞의 책, 1947, 73~74쪽.
345) 「國民徵用令違反事件の槪要」, 『朝鮮檢察要報』 10, 1944. 12, 5~11쪽.
346) 「徵用實施ニ伴フ民心ノ動向如何」, 『日帝下 戰時體制期 政策史料叢書 22』 (民族問題研究所 編), 韓國學術情報株式會社, 2000, 487~488쪽.

으로 동원되는 노동자의 경우도 취로장소의 변경 등을 이유로 행선지를 명시하지 않는 경우가 많았다. 또한 징용시 일정 연한이 지난 경우에도 기간을 연장한 채 계속 귀환시키지 않는 경우가 많아,[347] 이로 인한 민심의 불안은 노동력 동원을 더욱 어렵게 하였다. 따라서 총독부는 징용 강화와 함께 기간을 갱신하지 않을 것을 확약하고 석탄산은 2년, 기타는 1년으로 정하였으나 끝내 실현에 옮기지는 않았다.[348]

家族 援護의 문제도 징용 불응의 원인 중 하나였다. 동원될 경우 노동자의 가장 큰 불만은 식량부족 속에 가족을 남겨두는 것이었으므로 이로 인한 동원 기피현상이 심하였다. 따라서 일제는 징용 불응자에 대해 엄벌 방침으로 대응하면서도, 한편으로는 노동자의 훈련 혹은 가족의 원호 등 그 반대급부에 비중을 크게 둘 수밖에 없었다.[349] 조선총독부는 징용자 가족 원호 담당부서로서 1944년에 鑛工局 내에 勤勞部를 두고 그 산하에 動員課와 함께 援護課를 설치하였으며,[350] 이 해 9월 朝鮮勞務援護會를 창설하고, 각 도에 지부, 부군도에 분회, 읍면에 분회지소를 설립하였다.[351] 또한 동원 노동자 본인과 가족의 원호를 위해 일정액을 국고보조로 계상하는 동시에 사업주에게도 상당한 부담을 지니게 하였다. 이에 따라 1944년에 일본의 긴급산업 부문으로 노동력을 송출할 때에는 "잔류 가족의 부조 원호에 힘쓸 것, 그를 위해 사업주는 일정액의 정착 수당과 가족 위로금을 지급할 것"을 다짐받기도 하였다. 그러나 실제로는 공습에 따른 통신의 문제 또는 원호기관의 미정비 등 갖가지 이유로 송금이 제대로 이루어지지 않았다.[352] 노동력 강제동원

---

347) 구체적인 양상은 강만길, 앞의 글, 1997, 250~252쪽에서 언급하고 있다.

348) 「戰爭と朝鮮統治」, 『日本人の海外活動に關する歷史的調査 10』(大藏省 管理局 編), 1947, 67~75쪽.

349) 「國民徵用と援護事業」, 『朝鮮勞務』 4-4, 1944. 5, 1쪽.

350) 「勤勞動員本部設置さる」, 『朝鮮』 354, 1944. 11·12, 70~71쪽.

351) 「朝鮮統治の最高方針」, 앞의 책, 1947, 73~74쪽.

352) 「戰爭と朝鮮統治」, 앞의 책, 1947, 67~75쪽.

의 비난을 완화하기 위한 원호시설의 구상이 제대로 실현되지 못하면
서 이는 동원 노동자의 불만으로 이어졌고, 나아가 동원의 추진 주체인
조선총독부와 일제에 대한 불신으로 이어졌다.

한편 징용의 시행은 그 자체로서 노동자 이탈의 또 다른 원인이 되
었다. 은행이나 회사 등 비군수산업 부문이나 현원징용이 적용되지 않
는 부문에 종사하는 노동자들이 징용을 피하기 위해 군수산업 방면으
로 이직하는 경우가 증가하여, 비군수산업 부문이 구인난에 처하게 되
었다. 양복점이나 제화점 등은 기업정비에 의해 2/3 가량이 '정비'되었
음에도 불구하고 '暗賃金'을 지불하지 않고는 일손을 구하지 못해 휴업
하는 경우가 속출하였다. 광산에서는 징용이 행해지지 않을 것으로 예
상하고 중요광산에 취직하였다가 일부 광산에서 징용이 시행되는 것을
본 기술자와 광부 등이 대거 이탈한 경우도 있었다. 또한 현원징용이
적용되지 않는 군수품 생산 공장의 경우 기술자, 숙련노동자와 일반노
동자가 징용되어 생산에 큰 지장을 받고 있었다.[353]

징용 기피의 정도는 동원 할당수에 대한 渡航 비율에서 확인할 수 있
다. 1944~45년 6월 말의 징용 할당수가 37만 2,720명인 데 비해 도항자
수는 29만 6,304명에 불과하여 평균 79%의 도항 비율을 보였다. 지역상
으로는 경기도가 73%, 전남이 76%, 전북이 72%로서, 남부지방과 경기
도 지역을 비롯하여 전국적으로 징용을 기피하는 경향이 만연하여, 노동
력 동원이 용이하지 않았음을 알 수 있다. 즉 전국적으로 노동력 동원에
대한 저항이 끊임없이 증가해 갔는데, 이는 곧 일제의 식민정책에 대한
조선인의 민심 이반 정도를 증명하는 것이기도 하였다.[354]

징용의 기피 현상은 모든 계층에서 만연하였다. "유한 유식 상층 청
년과 양반, 유림층 등에서는 극도로 공포 기피직 태도를 농후하게 보
여" 미리 관청이나 현원징용 공장 등에서 취로하는 자가 격증하였다.

353) 「徵用實施强化に伴ふ業界の反響」, 『朝鮮檢察要報』 9, 1944. 11, 5~7쪽.
354) 「戰爭と朝鮮統治」, 앞의 책, 1947, 67~75쪽.

또한 노동자, 농민층에서는 노동력 공출과 식량 공출이 강화되면서 노동과 농사를 꺼리는 厭勞, 厭農 경향이 증가하였고, 징용의 실시에 대한 거부감은 이들에게 '徵用卽死'의 공포감으로 다가왔다.[355]

1944년 12월 제86회 일본 제국의회에 제출한 조선총독부 보고서 「勞務動員에 따른 民心의 動向과 指導取締狀況」에서는 "최근 一般徵用令이 발표되자 일부 지식층과 유산계급 중에서는 재빨리 중국, 만주 지역으로 도피하거나 주거를 이리저리 옮겨서 당국의 주거 조사를 어렵게 하고, 징용이 제외되는 부문으로 취업하고자 하는 자도 생겼다. 그리고 일반 계층에서는 의사를 농락하여 거짓으로 입원하고, 여러 가지 화류병에 걸리게 하여 질병을 이유로 모면하기도 하며, 수족에 상처를 내고 불구가 되어 징용을 기피하려는 자가 생겼다"고 그러한 실태를 밝히고 있다.[356]

이러한 현상은 국외로의 징용 과정에서 더욱 많이 발생하였다. 특히 일본으로 징용된 노동자가 공습에 의해 죽거나 동원기간이 연장되는 것을 보면서 일본으로의 징용을 꺼려 국내의 중요공장, 광산에 현원징용으로 취로하거나 행방을 감추는 등의 방식으로 징용을 피하려 하였다. 또한 일본에 있는 조선인 노동자 중 30세 미만인 자는 강제로 남방 지역으로 보내 절대 조선으로 돌아올 수 없을 것이라는 소문이 도는 가운데,[357] 징용을 피해 잠적하거나 徵用令書를 교부받은 후에도 도피하여 출두하지 않는 경우가 많았다.[358] 이 지역으로 공출될 경우 생사조차 알기 힘들게 되므로 공출되어 죽기보다 차라리 불구자가 되어 공출을 피하려는 극단의 방법을 택한 경우도 있었다.[359] 전시하에 행선지가

---

355) 「徵用實施ニ伴フ民心ノ動向如何」, 『日帝下 戰時體制期 政策史料叢書 22』 (民族問題研究所 編), 韓國學術情報株式會社, 2000, 484~486쪽.

356) 위의 자료, 484~489쪽.

357) 「時局關係不穩言論事犯」, 『朝鮮檢察要報』 1, 高等法院檢事局, 1944. 3, 27쪽.

358) 「國民徵用令違反事件」, 『朝鮮檢察要報』 1, 高等法院檢事局, 1944. 3, 28쪽.

359) 「徵用及勞務供出忌避の目的て手首切斷」, 『朝鮮檢察要報』 3, 高等法院檢事

불분명한 상태에서 국외로 끌려가는 것만큼은 목숨을 걸고 기피하려
하였기 때문이다. 따라서 국내징용에서는 상대적으로 탈출이 적었지만,
이는 총독부의 정책에 호응해서라기보다 국외징용에 비해 국내징용이
라면 악조건이라도 참아보겠다고 하는 체념에서 비롯된 것일 뿐이었
다.360)

이외에도 노동력 동원을 담당하는 일선의 읍·면 직원이나 경찰관에
대한 협박, 폭행을 감행하는 사건은 헤아릴 수 없이 많이 발생하였다.
심지어 징용 독려에 나선 경찰관을 살해한 사건까지 일어나, 이 시기
징용 형식의 노동력 동원에, 나아가서는 일제의 지배 자체에 저항하던
조선인의 저간의 동향을 짐작할 수 있게 한다. 집단을 결성하여 징용
조처에 저항한 사건도 일어났는데, 1944년 7월 경상북도 경산에서는 징
용을 피하기 위하여 청장년 27명이 決心隊라는 단체를 조직하여 돌멩
이, 죽창, 철창 등을 휴대하고 경찰에 저항하였다.361) 일제의 징용에 맞
선 조선인 저항의 한 실상이었다.

징용 기피 현상이 시간이 지날수록 더욱 심각해지자, 총독부는 징용
령 위반자의 대부분을 이 부문의 법정 최고형인 징역 1년에 처하게 하
는 엄벌 방침으로 대응하였다. "일제 검거단속과 엄벌주의를 철저히 시
행하는 것"이 징용 불응사건 처리에서 가장 중요하다는 것이 총독부의
입장이었다.362) 또한 조선인의 징용에는 경찰당국이 적극적으로 관여

局, 1944. 5, 29~30쪽.
360) 金重烈, 『抗日勞動鬪爭史』, 集賢社, 1984, 173쪽.
361) 「徵用忌避を目的とする集團暴行事件」, 『朝鮮檢察要報』8, 高等法院 檢事局, 1944. 10, 38~41쪽.
362) 國家總動員法 제36조에서는 제4조의 규정에 의한 징용에 응하지 않거나 업무에 종사하지 않는 자에게는 1년 이하의 징역 또는 1천원 이하의 벌금에 처한다고 규정하였다(大同書院編輯部 編, 『勞務統制法規總攬』, 大同書院, 1942, 7~8쪽). 이에 대해 검찰에서도 타인을 사주하거나 2명 이상이 함께 도주한 자 등은 징역 10개월 내지 1년으로 하자는 의견, 징용불응 사건은 원칙상 전부 기소하여 최고형인 징역 1년을 求刑하여 一罰百戒로 삼자는 의견이 있

하였다. 특히 일본으로 징용된 경우 協和會에 의해 지도 감시를 받는 과정은 일본 경찰당국과 협화회의 밀착 관계 속에서 진행되었다. 일제에게는 조선인 전부가 민족적 감정을 지니고 있는 이른바 요주의 대상자로 인식되고 있었기 때문에, 치안사건이나 사상사건을 취급하는 것과 마찬가지로 처음부터 경찰당국을 통해 조선인을 통제하고자 했던 것이다. 이는 일제가 그간 주창하던 '내선일체'의 논리와 '황민화' 정책의 모순을 스스로 인정하는 것이었다. 동시에 조선인들 사이에는 그간의 식민지배로 인해 일제에 대한 반발과 고유의 민족정서가 내재되어 있었고, 결국 그러한 점이 일제의 전쟁 강행과 '대동아공영권' 구상에 큰 저해요소가 되고 있음을 일제 스스로가 인정하는 것이었다.363)

경찰력과 행정력을 동원한 엄격한 규제에도 불구하고, 국민징용령과 임금통제령, 노무조정령을 위반한 노동관계 사범, 이른바 經濟事犯은 끊임없이 발생하였다. 警務局 經濟警察課는 이들을 지속적으로 단속하여 갔으며, 일제 단속을 벌이기도 하였다. 당시 경찰은 전력증강을 목표로 하여, '더 넓은 의미의 치안' 즉 "국가목적 수행의 저해 원인을 제거한다"는 의미에서 노동력 동원의 과정에 적극적으로 관여하고 있었다.364) 경제경찰이 취급한 대상 법령은 임금통제령에서 노동력 동원 관계 2대 법령이었던 국민징용령과 노무조정령, 그리고 국민근로보국협력령 등으로 점차 확대되어 갔다.365) 경제경찰과의 경제사범 단속 결과 중 노동력 동원과 관련되는 내용을 지역별로 정리한 것이 다음 <표

었다(「全鮮經濟界檢事打合會」, 『朝鮮檢察要報』12, 1945. 2, 33~40쪽).

363) 卞恩眞, 「日帝 戰時파시즘期(1937~45) 朝鮮民衆의 現實認識과 抵抗」, 고려대 사학과 박사학위논문, 1998, 75~76쪽.

364) 경제경찰에 대해서는 김상범, 「日帝末期 經濟警察의 設置와 活動」, 『日帝의 朝鮮侵略과 民族運動』(한국민족운동사연구회 편), 國學資料院, 1998과 이 책 제3장 2절 1)항 참조.

365) 이에 따라 경제경찰 기구도 점차 확충되어 갔다. 1944년에도 예산과 더불어 상당수의 경찰관이 증원되어 중요 공장 사업장을 직접 관할하였다(警務局 經濟警察課, 「勞務管理と經濟警察」, 『朝鮮勞務』4-3, 1944. 4, 2~3쪽).

33>과 <표 34>이다.

<표 33> 1944년 상반기 노동관계 事犯 단속상황(단위 : 件, 名)

해당 법령			경기	충북	충남	전북	전남	경북	경남	황해	평남	평북	강원	함남	함북	계
노무조정령	檢擧	건	1		2		1	2	1	1	5		1	17	1	32
		명	1		2		1	2	1	1	5		1	20	3	37
	諭示	건	575		36	15	21	18	28	17	34	27	19	248	7	1,045
		명	772		36	15	21	18	28	17	34	27	19	254	10	1,251
	계	건	576		38	15	22	20	29	18	39	27	20	265	8	1,077
		명	773		38	15	22	20	29	18	39	27	20	274	13	1,288
국민징용령	檢擧	건	14	1	11	14	57	10	1	3	4	5	4	4	6	134
		명	14	2	11	14	59	10	1	3	4	5	4	4	6	137
	諭示	건					5			52	10	1	3	58	2	131
		명					5			52	10	1	3	60	2	133
	계	건	14	1	11	14	62	10	1	55	14	6	7	62	8	265
		명	14	2	11	14	64	10	1	55	14	6	7	64	8	270
합계	檢擧	건	15	1	13	14	58	12	2	4	9	5	5	21	7	166
		명	15	2	13	14	60	12	2	4	9	5	5	24	9	174
	諭示	건	575		36	15	26	18	28	69	44	28	22	306	9	1,176
		명	772		36	15	26	18	28	69	44	28	22	314	12	1,384
	계	건	590	1	49	29	84	30	30	73	53	33	27	327	16	1,342
		명	787	2	49	29	86	30	30	73	53	33	27	338	21	1,558

자료) 警務局 經濟警察課, 『昭和十九年上半期國民徵用等勞務事犯取締狀況表』 (樋口雄一 編, 『戰時下朝鮮人勞務動員基礎資料集 Ⅱ』, 綠蔭書房, 2000, 314쪽)

1944년 상반기에 노동력 동원 법령 위반자를 단속한 결과 노무조정령 위반자가 1,077건에 1,288명, 국민징용령 위반자가 265건에 270명에 달하였고, 이외에 임금통제령 위반자도 313건에 339명이었다. 특히 군수산업 사업장이 밀집되어 있는 경기도와 함경남도의 경우 여타 지역에 비해 월등히 높은 수치를 보였다. 또한 전쟁 말기로 가면서 위반자가 급격히 증가하여 1944년 10월 일제 단속을 벌인 결과 국민징용령 위반자가 6,726명에 달하였고, 출두 명령에 불응한 자는 무려 1만 6,440명에 달하였다. 노무조정령, 국민징용령 등을 위반한 '經濟事犯'이 폭발적으로 증가하자 경제계 검사들이 검사 정원의 증가를 요구하기에 이르렀고, 총독부는 노동통제를 강화하기 위해 통제기구를 확대해 갔다.366)

<표 34> 노동력 동원 위반자 일제단속 결과(1944년 10월 16~25일간, 단위 : 명)

해당 법령 \ 지역		경기	충북	충남	전북	전남	경북	경남	황해	평남	평북	강원	함남	함북	계
국민징용령 위반	1차 造船	147	4	21	45	351	52	40	45	157	32	47	16	2	959
	2차 石炭	423	23	49	609	557	567	400	152	51	68	153	33	2	3,087
	3차 造船	153	12	44	92	507	95	66	63	59	35	61	17	2	1,206
	4차 金屬	116	2		89	88	3	102	37	16	11	34	13		511
	기 타	165	15	91	171	55	128	33	227	9	56	12		1	963
	계	1,004	56	205	1,006	1,558	845	641	524	292	202	307	79	7	6,726
출두 명령 불응	1차 造船	598	5	78	394		1,011	430	127	61	53	128	137	12	3,034
	2차 石炭	773	52	132	815	784	1,300	793	221	40	84	142	35	13	5,184
	3차 造船	771	19	112	673		1,245	413	259	59	44	161	80	7	3,843
	4차 金屬	414	11		281	473	11	120	88	32	41	81	43		1,595
	기 타	541	78	163	464	151	1,085	113	156	14		12		7	2,784
	계	3,097	165	485	2,627	1,408	4,652	1,869	851	206	222	524	295	39	16,440
합계		4,101	221	690	3,633	2,966	5,497	2,510	1,375	498	424	831	374	46	23,166

자료) 警務局 經濟警察課, 위의 책, 315쪽
비고) 1. 전남, 경남, 함남 3개 도는 당시 동원 건의 위반건수를 계상
　　　2. 국민징용령 제1차 造船 관계의 경기지역은 원문에 146명으로 기재되어 있으나, 앞 뒤 정황에 비추어 147명으로 교정하였다.

이처럼 일제는 지속적인 황민화정책을 통해 전쟁에 대한 조선인의 자발적인 협력을 끌어내고자 하였지만, 일상적으로 전개되는 조선인의 저항으로 인해 소기의 목적 달성에 실패하고 있었다. 따라서 일제는 법

---

366) 총독부는 1944년 12월 7일 「昭和十九年度 內務省所管 朝鮮總督府特別會計第2豫備金支出要求書」를 통해, 노무통제 긴급 대책비 명목으로 54만 3,398원을 요구하였다. 이 중 사법 관계에 15만 6,172원이, 경찰 관계에 38만 7,226원이 계상되었다(「全鮮經濟界檢事打合會」, 『朝鮮檢察要報』 12, 1945. 2, 33~40쪽 ; 朝鮮總督府, 『昭和十九年勞務對策緊急要費』(樋口雄一 編, 『戰時下朝鮮人勞務動員基礎資料集 Ⅱ』, 綠蔭書房, 2000, 318~323쪽)).

망과 경찰망의 확대를 통한 통제가 아니고는 조선인을 전쟁에 동원할
방법이 없었다. 그러나 조선인은 이러한 강제력의 행사에 끊임없이 저
항해 갔고, 일본인 자본가들조차 법률에 의한 노동력 동원 방법이 형식
적이고 실행력이 떨어지며 현실에 부합되지 않는다고 그 문제점을 지
적하고 있었다.[367] 결국 일제는 계속해서 노동정책을 수정, 강화하고
공권력을 동원하여 강제적인 노동력 동원의 범주를 확대할 수밖에 없
었다. 그에 따라 노동력 동원에 대한 조선인의 저항은 범위가 확대되어
궁극적으로 일제의 지배와 전쟁에 대한 저항으로 이어졌고,[368] 일제의
파시즘적 노동정책 역시 파탄으로 치달을 수밖에 없었다.

　요컨대 중일전쟁 이후 조선의 모든 노동력을 동원하기 위해 구축된
노동력 동원체계는 태평양전쟁기에 들어 구체적으로 실현되어 갔다. 그
러나 노동자 부족이 최대의 문제로 지적되는 시점에서도 열악한 노동
조건 때문에 조선인 노동자들의 생활수준은 더욱 저하될 수밖에 없었
다. 이에 조선인 노동자들은 노동현장의 이탈, 도주 등의 방식으로 일
상적으로 저항하였고, 노동력 강제동원과 일본제국주의에 대해서도 동
원 기피, 태업 나아가 노동현장에서의 기계파괴 등의 방식으로 저항하
고 있었다. 그리고 이 과정에서 조선인 노동자들은 민족의식과 더불어
노동자로서의 근대적인 自意識을 형성시켜 가고 있었다. 즉 노동자들
은 식민지 체제 하에서 더욱이 전시체제 하의 왜곡된 勞資關係를 경험
하면서 일제와 자본가들에게 끊임없이 저항하였고, 그것을 통해 노동자
로서 자신의 권리와 전망을 찾아갔던 것이다. 파시즘 체제하에서 조선
인 노동자들에게 자본주의적 삶은 질곡 그 자체였으며, 더욱이 민족문
제와 더불어 조선인 노동자는 이중의 질곡에 시달리고 있었다. 여기에
서 노동자에게 자본가와 공권력은 곧 敵으로 인식될 수밖에 없었고, 따

---

367)「重要生産部門に於ける隘路打診」,『朝鮮檢察要報』2, 1944. 4, 3~15쪽.
368) 일제의 지배와 전쟁에 대한 조선인의 저항양상에 대해서는 卞恩眞, 앞의 글,
　　고려대 사학과 박사학위논문, 1998 ; 이상의, 앞의 글, 역사학연구소, 2003 참
　　조.

라서 노동자들이 찾는 대안은 反資本家, 反日本의 성격을 지닌 것일
수밖에 없었다. 이 시기 민족해방운동과 노동운동의 결합도 이러한 이
유에서 가능하였다. 그리고 이러한 경험은 해방 후 노동자들을 중심으
로 한 신국가건설론이 제기되고 工場自主管理運動 등으로 연결되면서,
이러한 노선이 많은 노동자들에게 현실의 전망을 제시하는 것으로서
지지받는 배경이 될 수 있었다.369)

---

369) 해방 후의 노동운동과 신국가건설운동에 대해서는 金洛中, 『韓國勞動運動史
: 解放後 編』, 青史, 1982 ; 김기원, 『미군정기의 경제구조-귀속기업체의 처리
와 노동자 자주관리운동을 중심으로-』, 푸른산, 1990 ; 박영기·김정한, 『한국
노동운동사 3 : 미군정기의 노동관계와 노동운동』, 지식마당, 2004 ; 유승렬,
「전평과 노동자 계급 의식」, 『역사비평』, 역사비평사, 1990 겨울호 ; 윤덕영,
「解放 直後 社會主義 陣營의 國家建設運動」, 『學林』 14, 연세대 사학회,
1992 ; 김무용, 「해방 직후 조선공산당의 노선과 공장관리운동」, 『역사연구』 4,
거름, 1995 등의 논저 참조.

결 론

　이상에서 일본자본주의 발달 과정에서 일제의 조선 지배정책의 하나로서 추진되었던 노동정책에 대해 고찰하였다. 일제 지배정책의 구조적, 체제적 성격을 반영하고 있던 노동정책의 고찰을 통해 식민지배정책의 본질을 파악하고자 한 것이다. 일제의 식민지배정책의 목표는 일본제국주의 국가의 이익을 추구하는 것이었고, 그것은 궁극적으로 일본인 자본가의 이익을 보장하는 것이었다. 이 틀에서 노동정책의 목표는 일본자본주의의 발전 단계에 따라 조선의 산업구조를 재편성하여 식민지 초과이윤을 최대화하고, 이를 위해 조선의 노동력을 동원하거나 그 배치를 변동시키는 데에 있었다. 더욱이 대공황 이후 시기의 노동정책은 자본주의 일반의 시장원리에 의해 운용된 것이 아니라 파시즘 체제하에서 창출된 勞動力 動員政策으로 일관되었다. 이하에서는 그 내용을 요약하는 것으로 본 작업을 마무리하고자 한다.

　강점 전반기 일제는 조선에 식량 공급지와 상품 시장으로서의 역할을 주로 요구하였다. 농업 중심의 지배정책이 펼쳐지던 이 시기에도 아직은 소수이지만 노동자가 증가해 갔다. 이들은 일제의 지주적 농정으로 몰락농민이 누적되고 실업자와 빈민이 증가하는 불안정한 노동력 수급구조 속에서 열악한 노동조건에 놓여 있었다. 이에 조선인 노동자들은 전국적 규모의 노동조직을 결성하고, 각 지역별 노동조합을 조직하는 등의 방식으로 일제하의 계급적·민족적인 이중의 질곡에 저항해 갔다. 노동문제가 본격 대두하게 된 것이다. 이러한 노동문제에 대해 일본인 정책입안가들과 자본가들은 조선에는 노동의 전통이 없고 조선인은 노동자로서 열등하다고 주장하면서, 일본인 자본가의 이익을 보장하는 선에서 조선 노동계를 통제하고자 하였다. 이에 따라 조선에서는 사회보장정책이 아닌 사회통제정책으로 노동문제를 규제하고자 하였던 초기 자본주의의 노동정책이 채택되었다. 즉 노동정책이 경제정책의 틀 속에서 주요 변수로서 고려되기보다는 식민지배를 위한 사회통제정책의 일환으로 고려되고 있었다. 이러한 방향의 노동정책은 이후에도 일제 노동정책의 기본 틀의 하나가 되었다.

1930년대 초반 세계대공황의 여파가 일본자본주의 체제를 근저에서 위협하자 일제는 만주를 침략하고 '日鮮滿 블록' 체제를 구성함으로써 그 위기를 벗어나고자 하였다. 이 블록체제 내에서 조선에서는 공업화정책이 추진되어 기왕의 농업중심 산업구조가 農工竝進 구조로 재편성되어 갔다. 한편 일제가 자국 내에서 중요산업을 통제하는 방식으로 産業合理化를 추진하자, 그 통제에서 벗어나고자 하였던 일부의 일본 자본가들은 조선으로 진출을 시도하고 있었다. 또한 일본자본주의의 발달에 따라 일본 국내의 노동임금이 상승하고 노동운동이 발달하게 되자, 일본자본은 새로운 노동력 공급지로 조선을 주목하고 조선으로 적극 진출하기 시작하였다. 조선의 역할이 식량과 원료의 공급지에서 자본의 투자처로 변화되어 간 것이다.

산업구조의 재편은 그에 맞는 노동력의 공급을 요구하였다. 1930년대 들어 노동력 문제가 본격적으로 논의되기 시작한 것도 공업화 정책의 시행으로 노동력의 필요성이 대두하였기 때문이다. 이 과정에서 일제는 그간의 地主的 農政으로 인해 누적된 풍부한 유휴노동력, 곧 저임금으로 동원 가능한 노동력을 공업화 추진의 유력한 支柱로 간주하였다. 대공황 이후 조선의 농촌안정 문제가 심각하게 대두하고 노동운동이 활발해지는 속에서 총독부는 노동강도를 강화하는 방식으로 산업합리화를 추진하였으며, 이를 실행하기 위한 이데올로기로 勞資協調論

을 제기하였다. 당시 총독부의 공업화 정책은 일본자본의 유치에 치중
하였고, 따라서 조선의 노동정책은 일본자본의 유입을 위해 최적의 상
태를 유지하는 데 초점을 두고 있었다. 농촌사회에서 지속적으로 유출
되는 노동자원을 배경으로 공업에 필요한 노동력을 저렴하게 충당하도
록 자본가에게 노동자에 대한 수탈을 보장하였던 것이다. 그러므로 정
책 차원에서 제기되었던 노자협조론의 실상은 자본가의 이윤을 보장하
기 위해 노동자의 희생을 강요한 下向式 노동통제 이데올로기에 불과
하였다.

　이 시기에는 노동력을 안정적으로 확보하는 한편 노동운동의 성장에
대응하기 위한 방안으로 工場法을 적용하자는 논의가 총독부 내의 警
務局 保安課와 學務局 社會課에서 제기되었다. 그러나 時機尙早論을
내세운 殖産局 商工課의 주장과 더불어 朝鮮工業協會, 朝鮮商工會議
所 등 자본가 세력의 반대로 이 논의가 결국 무산되었던 것은 일제하
노동정책의 실체를 잘 보여주고 있다. 조선의 산업구조를 농공병진의
방향으로 변화시키는 과정에서, 일본인 자본가의 이윤을 보장하기 위해
서는 노동자에 대한 정책적인 양보나 배려가 불가능하였던 것이다. 최
소한의 노동자 보호장치인 공장법 적용 논의가 부결되면서 자본가의
노동자 수탈은 정책 차원에서 방조되었다. 자본주의가 불완전했던 일본
은 자국 자본주의의 모순의 배출구로서 조선의 위치를 상정하고, 조선
의 노동력을 본국 자본주의 발달의 동력으로 삼아 공급해 갔던 것이다.

　대공황기 일제 노동정책의 성격은 노동력의 확보과정을 통해서 보다
구체적으로 확인할 수 있다. 실업자 구제를 명분으로 실행된 '窮民救濟
事業'은 조선인 노동력을 이용해 대공황기의 사회적, 경제적 위기를 타
개하고자 추진한 사업이었다. 일제는 최소의 투자와 최저의 노동조건을
통해 일본자본의 진출에 대비한 사회간접자본을 건설하는 한편, 실업자
격증으로 심화된 지배체제의 불안을 해소하고자 하였다. 한편 일본자본
의 유입과 조선공업화 정책을 추진하는 과정에서 총독부는 원활한 노

동력의 공급이 절실하게 필요하였다. 공업시설이 대개 대도시와 북부지방을 중심으로 편재됨에 따라, 총독부는 職業紹介所를 설치·운영하고 官 주도의 노동자 알선을 실시하는 등 공업지역으로의 노동력 송출에 주력하였다. 직업소개소는 일본자본주의의 요구에 따라 사회정책적인 시설에서 대표적인 노동력 수급 기관으로 그 기능이 변화되었다. 직업소개소의 알선은 주로 일용노동자와 고용이 불안정한 하층노동자를 중심으로 행해졌고, 일반직업의 소개율은 낮은 수준을 유지하는 가운데 점차 공·광업 부문의 증가를 보이고 있었다. 이와 함께 일제는 '北鮮開拓'이라는 슬로건 아래 조선의 북부지방에 중공업 위주의 군수공장을 건설하여 이 지역을 대륙침략을 위한 기지로 만들어 갈 채비를 하였다. 이 과정에서 남부지방 노동력을 북부지방의 탄광과 공장, 토목공사 현장으로 이송시켜 갔다.

총독부의 노동력 공급정책의 추진에 따라 조선인 노동력의 이동이 활발하게 진행되었다. 1930년대 공업화 정책의 추진 과정에서 새로운 산업 시설은 북부지방과 대도시에 집중되었고, 따라서 노동력의 수요가 많았던 그 지역으로의 인구 이동이 활발하였다. 여기에는 총독부의 노동력 이송정책과 더불어 노동력 동원정책의 영향이 크게 작용하였다. 이와 함께 이 시기에는 남자 인구의 비율과 생산연령 인구의 비율이 꾸준히 감소하였다. 남자 청장년 노동력이 국내에서 고용되지 못하고 만주와 일본 등 국외로 유출되었기 때문이다. 한편 이 시기에는 산업별 노동력 구성도 크게 변동하였다. 농업有業者가 크게 줄고 공·광업 유업자와 잡역부·일용노동자 등의 기타 유업자가 증가하였다. 공업화가 추진되면서 공장·광산·토건 노동자를 중심으로 노동력이 고용되어 갔기 때문이다. 그러나 농업유업자의 감소 정도에 비하면 새로운 유업자의 증가 수준은 소폭에 그쳤다. 이는 당시 조선 내 각 산업간의 유기적인 연관성 결여에서 비롯된 현상으로, 농업 부문에서는 수많은 노동력이 유출되고 있었지만 이들을 수용할 새로운 산업 부문의 노동력 수요는 매우 제한적이었음을 반증한다.

중일전쟁의 발발과 함께 일제가 戰時의 경제통제를 본격화하면서 조선총독부 노동정책의 기조는 큰 폭으로 변화되었다. 자본주의가 취약했던 일제는 전쟁을 통해 중국을 비롯한 동아시아 지역에서 상품 시장을 확보하고자 하였다. 일제는 전시하 高度國防國家로의 체제 전환 과정에서 조선의 역할을 大陸兵站基地로 설정하였다. 전쟁과정에서 海路가 봉쇄될 경우에 대비하여 戰場에 보다 더 가까운 조선에 병참기지를 두고자 한 것이다. 그리고 그 실행방안을 경제적인 면에서의 農工並進과 정신적인 면에서의 內鮮一體로 규정하였다. 전시통제경제가 행해지고 일본 독점자본이 대거 조선으로 유입되어 군수품의 생산확충을 추구하면서, 일제는 조선의 노동력과 자원을 군수산업 위주로 배치해 갔다. 그런데 자금과 물자가 절대적으로 부족했던 일제는 노동력에 대한 의존도가 상대적으로 컸고, 따라서 노동생산성의 강화를 통해서 생산력을 확충하여야 했다.

이 시기에 추진된 일제의 노동정책은 노동력의 총동원을 지향하고 그에 맞는 동원체제를 구축하는 데 중심이 있었다. 일제는 皇國臣民化 정책의 차원에서 조선인 노동자에게 새로운 노동관을 주입하여 전쟁에 필요한 노동력 문제를 해결하고자 하였다. '황국의 신민'으로서 그에 걸맞은 노동관을 갖추도록 요구한 '皇國勤勞觀'은, 노동의 대가로서 임금을 받는 자본주의적 노동의 개념을 부정하고, 개인의 노동을 奉仕를 전제로 하는 '勤勞'로 인식시키고자 한 전시체제하의 파시즘적 노동관이었다. 곧 일제는 '국가'에 대한 '국민'의 봉사의 개념이자 의무로서의 '근로'를 통해 천황으로 상징되는 일본제국주의에 충성할 것을 강조하였다. 그리고 이의 연장에서 모든 조선인에게 '國民皆勞'를 강요하였다. 황국근로관을 '국민개로' 정책으로 구체화하여, 구성원 전체에게 총독부가 배치한 職域을 통해 봉사하도록 요구한 것이었다. 이 국민개로 정책은 勤勞報國隊와 徵用 등 이후 각종의 형식으로 행해질 노동력 동원

374

에 대한 준비 과정이었다.

중일전쟁기의 경제 구조는 국가경제가 상층에 존재하고 그 아래 私的 經濟가 존재하는 형태로서, 기본적으로 자본가는 국가권력의 통제 하에 있었다. 이러한 구조 위에서 일제는 각 기업에 대해 '公益優先'을 經濟新體制의 최고원리로 강조하면서 산업을 통해 報國할 것을 요구하였다. 供出制度의 시행으로 인한 지주의 피해에 상응하는 정도의 자본가의 희생을 요구하였던 것이다. 그러나 본질적으로 파시즘의 군국주의적 이익과 전체 자본, 거대 자본의 시장 확보 요구는 서로 맞물리고 있었다. 파시즘의 패권장악·군국주의 확대라는 목표와 자본의 시장 확보라는 목표가 합치되었던 것이다. 각 기업은 파시즘 권력에 의해 군수산업과 민간산업, 혹은 대기업과 중소기업에 따라서 선택적으로 특혜를 부여받거나 퇴출되고 있었다. 이 과정에서 企業整備令, 軍需會社法 등의 적용을 통해 대부분의 물자와 노동력은 대규모의 군수산업 위주로 배치되고 있었다.

이러한 상태에서 자본가와 노동자에 대해서는 중일전쟁 이후 새로이 '노자협조'의 관계가 요구되었다. 전쟁 수행을 위해 필요한 노동력이 급증하였고 따라서 어떠한 형태로든 노동력을 동원해야 했기 때문이다. 이러한 정책의 기조는 高度國防國家體制를 건설하기 위한 新體制論이 강조되면서 이내 '국가' 통제하의 '勞資一體'를 강조하는 새로운 국면을 맞았다. 노자협조가 자본주의적 고용관계에서의 노동자와 자본가의 대립을 전제로 하는 것이라면, 노자일체는 노동자와 자본가가 '국력' 증강을 위해 일체화해야 한다는 것이었다. 따라서 기왕의 노자관계는 부정되었고, 일제는 고도국방국가 건설이라는 목표를 향해 노동자와 자본가가 일체화할 것을 요구하고 있었다. 그러나 일체적 관계가 강조되는 속에서도 조선인 노동자는 노자관계에서 한번도 주체적인 입장에 놓이지 못하였다. 오히려 아무런 권익도 보장받지 못한 채 일제 국가권력의 행정적, 법률적 강제에 의해, 그리고 노동현장에서는 자본가의 규제에 의해 노동의 강화만을 요구받고 있었다. 곧 노자일체의 주장은 '국가적 생산'을 명분으로 노동자 개개인의 철저한 희생을 강요한 전시하의 노동통제 이데올로기였다.

한편 일제는 노동력을 확보하기 위한 정책을 추진하고 國家總動員法에 기초한 총동원체제를 성립시켰다. 국가총동원법은 이른바 신체제를 지탱하는 정책 이데올로기이자 전시경제를 통제하는 수단으로서, 전쟁을 위해서는 '국가'가 사회의 모든 것을 동원·통제할 수 있다는 내용을 규정하고 있었다. 국가총동원법에서 규정한 총동원체제의 기본 틀은 이후 國民徵用令, 勞務調整令, 賃金統制令, 國民勤勞報國協力令, 國民職業能力申告令 등의 각종 勅令을 통해 구체화하였다. 나아가 총독부는 각 기구의 정비를 통해 직접 조선인 노동자를 동원하고자 하였다. 총독부는 각 지방의 행정기구를 통해 조선인 노동력을 파악하고, 경찰력을 동반하여 직접 동원해갔다. 그리고 이를 위한 노동력 동원체제를 구축하고자 노동력 이동방지·이동통제 등을 담당하는 經濟警察課를 신설하고, 이어 노동문제의 전담부서로서 勞務課를 신설하였다. 이와 함께 직업소개소를 府營 혹은 民營기관에서 '國營'기관으로 바꾸어 노동력 동원기구로서의 기능을 강화하였으며, 朝鮮勞務協會 등의 半官단체를 구성하여 노동행정의 일부를 담당하게 하였다.

조선에서 노동력 부족문제가 본격적으로 강조되기 시작한 것은 1939년 일본 본국에서 勞務動員計劃이 실행되면서부터이다. 이제까지의 노동력 문제가 조선을 일제의 대륙병참기지로서 구축하기 위한 조선 내부에서의 군수생산력 확충과 관련된 것이었다면, 노무동원계획이 실시되면서부터는 조선인 노동력으로 국내 수요를 충족하되 양질의 노동자를 우선적으로 일본으로 동원한다는 새로운 목적에서 노동력 부족문제가 더욱 강조되었다. 총독부는 이 계획의 시행에 대비하여 행정 조직을 통해 연령별, 지역별, 기능별로 조선인 노동력의 분포 상황과 동원 가능자수를 조사하고, '일할 수 있는' 전 노동력을 등급별로 등록하여 동원의 체제를 갖추었다. 이후의 노동력 동원은 이 등록 자료를 기초로 조선의 노동력을 최대한 추출하여 조선과 일본, 남방 등지의 군수산업·생산력확충산업 부문으로 이동시키는 방향으로 진행되었다.

이 과정에서 일제는 조선인 노동자가 중일전쟁을 지지하고 정책에 순응하고 있는 것처럼 선전하는 한편, 치안유지법과 국가총동원법을 통해 노동운동을 금지하고 있었다. 그러나 전쟁이 진행될수록 조선인 내부에서는 반일 의식이 확대되고 있었다. 전시하의 엄격한 규제에도 불구하고 조선인 노동자의 저항은 다소 감소하는 경향을 보이면서도 끊임없이 지속되고 있었다. 노동자의 저항에는 전쟁 발발 이후 더욱 열악해진 노동조건과 생활난의 가중, 물자동원 과정에서 대두한 轉業者와 失業者의 증가가 큰 원인으로 작용하고 있었다. 궁극적으로는 장기적인 안목에서 노동력을 유지하기 위한 노동조건을 갖출 것이 요구되었으나, 현실에서는 생산력 증진을 위한 노동강화가 지속되고 군수물자 위주의 생산이 강화되었다. 따라서 노동현장 내에서는 노동쟁의와 태업 등의 노동운동과 도주, 탈출 등 생존권을 지키기 위한 저항이 지속되었으며, 조직적인 反戰투쟁이 전개되기도 하였다. 조선인의 저항은 일제로 하여금 지속적으로 노동정책을 수정·강화하게 하였고, 결국 일제는 공권력을 동원하여 강제적인 노동력 동원의 범주를 확대할 수밖에 없었다.

태평양전쟁 이후 일제는 '內外地'의 통합을 추구하면서 조선에서의 황국신민화 정책을 한층 더 철저하게 추진하였고, 나아가 조선인으로 하여금 이 정책의 담당자로서 역할할 것을 요구하였다. 전쟁의 확대와 더불어 더욱 강화된 일제의 통제경제는 전쟁이라는 비생산적인 소모를 위해 인적·물적 자원의 보전을 무시한 채 생산을 강행하여 생산력을 최고도로 높이려는 시책이었다. 일제는 국외에서의 자원 수입에 의존하여 전쟁을 추진하고 있었으나 태평양전쟁 이후 구미와의 무역 두절로 자원의 수입이 곤란해졌고, 식민지나 점령지의 자원도 수송 능력과 생산력의 한계로 인해 충분히 이용할 수 없게 되었다. 그러나 전선의 확대로 군수물자의 생산은 더욱 증대되어야 했다. 일제는 노동력 동원을 강화하고 동원한 노동력의 생산능력을 최대한 이끌어내는 방식을 통해 이를 해결하고자 하였다. 따라서 일제 말기의 노동정책은 농촌노동력과 여성노동력을 동원하고, 企業整備를 통하여 소위 평화산업 부문의 노동자, 특히 기술자를 군수산업 부문으로 轉業시키는 방식으로 추진되었다. 또한 軍需生産責任制의 시행은 전시하 각 사업장의 생산량을 공적인 의무로서 책임지우고 그 달성 여부에 따라 엄벌로 다스릴 것을 규정한 軍需會社法의 시행으로 이어졌다. 군수품의 생산을 위해 노동정책의 사회정책적인 성격은 완전히 부정한 채 노동생산성만 강조하는 관점에서 노동정책을 입안하고 운용해 갔던 것이다.

전쟁의 확대에 따라 군수사업이 확장되고 노동력 동원이 계속되면서 노동자수는 급격히 증가해 갔다. 광산노동자와 토건노동자가 크게 증가하였고, 공장노동자는 거의 60만 명에 달하였다. 한편 일제는 조선인 노동자의 일정수를 기능자로 양성하여 일본인 숙련노동자를 대체한다는 목적에서 숙련노동자의 양성 과정을 마련하였다. 그러나 당시 일제의 생산능력 위에서 숙련노동자와 기술자의 양성은 형식에 그칠 수밖에 없었다. 따라서 일제 말기에도 기술자, 숙련노동자 등 상위직 노동자의 부족문제가 심각한 가운데 조선인 노동자는 여전히 대부분 비숙련노동자와 일용노동자로 구성되어 있는 양상을 보였다.

노동력 동원이 양적인 한계에 달하게 되자 일제는 새로운 방식의 동원 논리를 제기하였다. '국가'의 직접 통제하에 노동현장의 규율을 강화함으로써 노동자의 생산성을 강화하여 생산력을 증강시킨다는 質的인 動員의 논리였다. 이른바 戰時勞務管理를 제기한 것이다. 이는 각 사업장의 노무관리를 총독부가 주도·감독하고 기업이 관리하고 책임지는 형태로서, 파시즘 체제하의 國家主義的 勞務管理였다. 노동력의 최대한의 소진을 통해 생산력을 확충하고자 하는 생산성 향상 일변도의 노동정책을 시행한 것이다. 전시노무관리의 주요 내용은, 노동력을 개인의 능력과는 무관하게 군수품 생산에 필요한 사업장으로 집중 배치하고, 각 기업에서는 이들 노동자가 주어진 職域에 적응하도록 훈련시키는 것이었다. '鍊成'으로 표현된 이 훈련의 내용은 기능의 양성 과정이 아닌, 노동자가 일제의 '産業戰士'임을 자각하게 하기 위한 정신 훈련이자 上命下服의 군대식 규율을 익히는 과정이었다. 그리하여 사업장에서의 노동자의 작업은 물론 일상생활에 이르기까지 생활 전반을 규제하였다. 즉 노동자 연성은 노동자로서의 정체성을 인식시키거나 기능을 향상시키기 위한 노동자 양성책과는 무관한 것이었고, 파시즘 하에서 노동자를 전체 유기체 속의 한 분자로서 구성시키기 위한 훈련이었다. 이를 통해 노동자에게 군대식 질서를 강조하고 전체주의에 적응시킴으로써 임의로 배치된 노동현장에 적응하도록 강제하였던 것이다.

이와 더불어 일제는 노동 가능한 모든 조선인 노동력을 조선 내부와 일본·남방 등지에 배치하고자 하였고, 이를 위해 행정망과 경찰망 등의 공권력을 적극 활용하는 강제동원을 추진하였다. 일제는 우선 '국민개로' 체제의 구상 위에서 조선인 노동력의 동원 범위를 일반 남성과 여성, 학생과 아동으로까지 대폭 확대하여 勤勞報國隊라는 이름으로 일상적으로 동원하였다. 이와 함께 중요산업 부문의 노동력 공급을 확대하기 위해 노동력의 모집에서부터 전형, 송출에 이르는 모든 과정을 총독부 혹은 각도에서 직접 담당하는 官斡旋을 실시하였다. 이렇게 강제성을 동반하여 노동력 동원의 규모를 지속적으로 확대해 가자 조선인 내부에서는 그에 대한 반발이 극심하였다. 결국 일제는 보다 강력한 새로운 동원방식을 도입하였다. 마침내 노동력 동원의 최후 형태라고 할 수 있는 徵用이 실시되었던 것이다. 전쟁의 확대로 노동력 조달의 필요성이 급박해지는 데 비해 조선인의 자발적인 전쟁 참여를 유도하고자 추진해 온 황민화정책이 소기의 성과를 거두지 못하고 오히려 노동력 동원에 대한 저항이 확대되어 가는 상황에서 강제 징용을 감행하지 않을 수 없었던 것이다. 이러한 노동력 동원과정에서 당시 조선 인구의 1/3 가량이 일제 권력에 의해 동원되었으며, 더욱이 그 중 상당수는 일본 등 국외로 동원되었다.

　이러한 파시즘 체제하의 노동정책에 조선인은 끊임없이 저항하고 있었다. 전시하의 통제상태에서도 조선에서는 유사한 내용의 노동통제법령이나 정책이 약간의 수정을 거쳐 거듭 발표되고 있었는데, 이는 일본 자본주의의 내적인 필요성과 더불어 조선인 노동자의 저항으로 인한 불가피한 조치였다. 노동자 저항의 가장 대표적인 형태는 이동, 도주였다. 1940년대 노동자의 월 평균 이동률은 공장 약 7%, 광산 11%로서, 이를 한 해로 단순 환산할 경우 일년간 노동자의 대부분이 노동현장을 이탈하는 것으로 볼 수 있었다. 따라서 생산력 증강이 요구되는 상태에서 노동자의 현장이탈은 기왕의 노동쟁의보다 그 폐해가 심하다고 인식될 정도로 일제의 전쟁 수행에 심대한 타격이 되었다. 노동자 이탈이 격심한 현상에 대해 총독부는 임금의 차이와 노무관리의 부족에서 기인한 것으로 보았다. 따라서 임금통제령과 더불어 노무조정령 등 노동자의 이동을 제한하는 법규를 강화하고, 經濟警察 조직을 확대하는 조치와 함께 각 기업에 '전시노무관리'의 시행을 촉구하였다. 한편 자본가들은 조선인 노동자의 성격과 이동방지 법규의 미비를 그 원인으로 보고 공권력의 강화를 촉구하였다. 그러면서도 한편으로는 '暗賃金' 지불 등 다양한 대책을 통해 노동력 확보에 진력하였다. 노동자들의 현장 이탈은 노동조건에 대한 불만에서 비롯된 저항의 한 방식이었지만, 한편으로는 노동자들이 보다 높은 임금 혹은 승진의 기회를 찾으면서 자신의 성장을 도모하는 방식으로 활용되기도 하였다.

　한편 일제의 노동력 동원은 식량 공출과 더불어 조선인에게 원망의 표적이 되었다. 근로보국대, 관알선, 징용 등의 노동력 동원에 대해 자해를 하여 기피하거나 대리인을 출동시키거나 동원된 후 탈출하는 경우도 적지 않았다. 특히 행선지와 동원 기간이 발표되지 않았던 국외로

의 동원을 기피하는 현상이 일제 말기로 갈수록 더욱 늘어나, 이른바
經濟事犯이 폭발적으로 증가하였다. 이와 함께 노동현장에서도 태업이
나 파업, 군수생산력의 저하를 노린 기계파괴 등의 저항이 계속되었다.
노동자의 저항은 노동생산성을 저하시켰고, 나아가 일제의 조선 지배와
전쟁에 대한 저항으로까지 연결되었다. 노동자들이 식민지 체제하에서
더욱이 전시체제하에서 왜곡된 노자관계를 경험하면서, 그 과정에서 끊
임없이 저항하였던 것이다. 그 저항은 노동자에게 질곡으로 다가왔던
당시 자본과 '국가'를 부정하는 방식으로, 즉 일제의 지배를 벗어나기
위한 민족해방운동의 지향으로 나타났으며, 그것이 점차 조직화하는 가
운데 부분적으로는 새로운 國家樹立運動으로도 나타났다. 이러한 저항
의 과정에서 일제의 의도와는 무관하게 노동자들의 계급의식과 민족의
식이 성장해 갔다. 노동자들은 작업장에서의 집단화를 통해, 그리고 자
본가와 일제에 대한 끊임없는 저항을 통해 자본의 지배와 민족차별에
대항하였다. 또한 '국가'권력 혹은 자본가와는 한 번도 연대해 본 경험
이 없이 억압적인 노자관계를 경험하고 그에 저항하는 과정에서 그들
나름의 전망을 획득해 갔다. 이러한 경험을 바탕으로 해방 이후 노동자
에 의한 工場自主管理運動 등의 추진이 가능하였고, 또 그에 기초한
신국가건설 노선이 지지받는 배경이 될 수 있었다.

이상에서 보았듯이 조선에 대한 일제의 노동정책은 일본제국주의의
요구 변화에 연동하여 변화되어 갔다. 노동정책은 총독부가 사회통제정
책의 일환으로 노동문제를 규정하던 방식에서, 자본을 통한 간접적인
노동자 장악과 통제 방식으로, 그리고 이후에는 총독부가 법과 기구의
정비를 통해 직접 노동자 개개인을 파악하고 법망과 경찰망을 동원하
여 이들을 국내외 각지로 강제로 동원·배치하는 체제로까지 나아갔다.
이러한 일제 노동정책의 기본구도는 저임금으로 상징되는 열악한 노동
조건 속에서 최대한의 노동력 동원이라는 틀을 벗어나지 않았다. 그러
므로 당시 누누이 강조되던 '노동력 부족' 현상은 절대적인 의미에서의

노동력 부족이 아니었다. 이는 기술자·숙련노동자의 부족과 노동력 수
요의 시기별 응급성, 자금과 자재의 부족을 노동력으로 대신하고자 했
던 일본자본주의의 취약성, 그리고 무엇보다 조선인 노동력을 통해 초
과이윤을 확보하고 전쟁을 치르고자 했던 식민지 노동정책의 본질이
노동력 부족이라는 형태로 외화되어 나타났던 것이다.

　일제하 조선에서의 자본주의는 일본자본주의가 그 발전의 단계상에
서 지니고 있던 초기 자본주의의 성격을 그대로 지닌 채 전개되었다.
따라서 그 속에서의 노동정책도 일본자본주의의 성격을 반영하는 구조
적인 노동자 수탈체제로 유지되었다. 후발 자본주의 국가의 자본주의
전개 양상이 노동자보호·사회복지 등 자본주의의 선진적 양상을 받아
들이는 형태가 아니라, 노동의 강화·노동자 억압 등의 방식으로 전개
되던 형태가 식민지 현실에서 더욱 억압적으로 구체화하였던 것이다.
그러므로 이러한 일제 파시즘 체제하에서의 노동정책과 자본주의의 경
험은 해방 후 자본주의 체제의 국가정책이나 자본가의 입장에서는 하
나의 유효한 자산이 될 수 있었을지라도, 노동자에게는 그 자체가 질곡
의 역사일 뿐이었다. 그리고 노동력의 소진과 수탈을 통해 생산성을 향
상시키려는 이와 같은 노동정책을 답습할 것인가 혹은 조정할 것인가
의 문제는 해방정국과 분단의 과정에서 주요한 과제로 대두하였으며,
남북한 사회는 그 처리방안을 둘러싸고 기로에 놓여 있었다. 나아가 오
늘날 한국사회의 산업현장에서 기술 발전과 혁신에 근거한 생산성의
확대 방안보다 노동자 통제를 통해 생산성의 향상을 주로 추구하는 기
업경영의 풍토나, 억압적이고 적대적인 노사관계의 역사적인 연원은 바
로 여기에서 조성되었다고 하겠다.

참고문헌

1. 자료

1) 단행본

京城府,『京城府社會事業要覽』, 1934.
京城帝國大學 衛生調査部,『土幕民の生活・衛生』, 岩波書店, 1942.
京城職業紹介所,『京城職業紹介所所報(特輯號)』, 1940.
京城職業紹介所,『朝鮮職業紹介令實施に就て』, 1940.
國民精神總動員朝鮮聯盟,『總動員』, 1939~1940.
國民總力朝鮮聯盟 編,『國民總力讀本の趣意』, 國民總力朝鮮聯盟, 1941.
高橋龜吉,『現代朝鮮經濟論』, 千倉書房, 1935.
高麗書林 編,『齋藤實文書』, 1990.
古野直也 지음・김해경 옮김,『조선군사령부』, 大旺社, 1997.
近藤釗一 編,『太平洋戰下の朝鮮』, 友邦協會, 1963~64.
近藤釗一 編,『太平洋戰下終末期朝鮮の治政』, 朝鮮史料編纂會, 1961.
大邱府,『大邱府社會事業要覽』, 1937.
大同書院編輯部 編,『勞務統制法規總攬』, 大同書院, 1942.
大藏省 管理局 編,『日本人の海外活動に關する歷史的調査』, 1947.
武居鄕一,『滿洲の勞動と勞動政策』, 嚴松堂書店, 1941.
民族問題研究所 編,『日帝下 戰時體制期 政策史料叢書』, 韓國學術情報株式
　　　會社, 2000.
朴慶植 編,『 朝鮮問題資料叢書 1, 2- 戰時强制連行・勞務管理政策』, アジア
　　　問題研究所, 1982.
釜山府 編,『釜山府職業紹介所 事業要覽』, 1928.
山口精 編著,『朝鮮産業誌』上・中・下, 1910.
山口吸一 編,『改訂 朝鮮制裁法規 完』朝鮮圖書出版社, 1939.
杉浦洋 著・朝鮮軍報道部 監修,『朝鮮徵兵讀本』, 1943.
常設戰時經濟懇話會 編,『朝鮮經濟統制 問答』, 東洋經濟新報社 京城支局
　　　刊, 1941.

384

善生永助,『朝鮮の人口問題』, 1935.

善生永助,『朝鮮の人口研究』, 1925.

細川嘉六,『植民史』, 東洋經濟新報社, 1941.

小早川九郎,『補訂 朝鮮農業發達史』, 友邦協會, 1965.

신주백 편,『日帝下 支配政策資料集 7』, 高麗書林, 1993.

안승현 엮음,『한국노동소설전집』3, 보고사, 1995.

岩本善文・久保田卓治 編,『北鮮の開拓』, 1928.

梁村奇智城,『朝鮮の更生』, 1935.

歷史學研究會 編,『日本史史料-現代』, 岩波書店, 1997.

鈴木武雄,『大陸兵站基地論解說』, 綠旗聯盟, 1939.

奧平康弘 編,『現代史資料 45:治安維持法』, みすず書房, 1973.

宇垣一成,『宇垣一成日記』, みすず書房, 1970.

日本窒素肥料株式會社,『日本窒素肥料事業大觀』, 1937.

朝鮮經濟社 編,『朝鮮經濟統計要覽』, 1949.

朝鮮勞務協會,『勞務調整令解說』, 1942.

朝鮮研究社 編,『新興之北鮮史』, 1937.

朝鮮銀行 調査部,『大戰下の半島經濟』, 1944.

朝鮮鐵道協會,『朝鮮に於ける勞動者需給と其の分布狀態』, 1929.

朝鮮總督府,『道知事會議諮問答申書』, 1937.

朝鮮總督府 官房調査課,『朝鮮昭和十五年國勢調査結果要約』, 1944.

朝鮮總督府,『大正十四年朝鮮簡易國勢調査結果表』, 1926.

朝鮮總督府,『昭和五年朝鮮國勢調査報告』, 1931.

朝鮮總督府,『昭和十年朝鮮國勢調査報告』, 1936.

朝鮮總督府,『施政二十五年史』, 1935.

朝鮮總督府,『施政三十年史』, 1940.

朝鮮總督府,『朝鮮の國民總力運動』, 1940.

朝鮮總督府,『朝鮮の人口現象』(調査資料 22輯), 1927.

朝鮮總督府,『朝鮮法令輯覽』, 1940.

朝鮮總督府,『朝鮮産業調査會 會議錄』, 1921.

朝鮮總督府,『朝鮮産業經濟調査會 會議錄』, 1936.

朝鮮總督府,『朝鮮總督府時局對策調査會 諮問答申書』, 1938.

朝鮮總督府,『朝鮮總督府時局對策調査會 諮問案參考書』, 1938.

朝鮮總督府 內務局,『第1次 朝鮮窮民救濟治水工事年報』, 1940.

朝鮮總督府 內務局,『第2次・第3次 朝鮮窮民救濟治水工事年報』, 1940.
朝鮮總督府 內務局,『朝鮮窮民救濟治水工事年報 昭和六年度』, 1933.
朝鮮總督府 文書課 編,『諭告 訓示 演述 總覽』, 朝鮮行政學會, 1941.
朝鮮總督府 法務局 總務課,『司法保護對象者勤勞動員實施要綱』, 1944.
朝鮮總督府 遞信局,『朝鮮に於ける社會公共事業に關する諸調査 其一』, 1934.
朝鮮總督府 遞信局,『朝鮮に於ける社會公共事業に關する諸調査 其二』, 1935.
朝鮮總督府 學務局 社會課,『工業及鑛山に於ける勞動狀態調査』, 1933.
朝鮮總督府 學務局 社會課,『朝鮮に於ける失業調査 - 昭和6年7月末調』, 1932.
朝鮮總督府 學務局 社會課,『朝鮮の社會事業』, 1933・36.
朝鮮總督府 學務局 社會課,『朝鮮社會事業要覽』, 1923・24・29・36.
朝鮮厚生協會,『朝鮮に於ける人口に關する諸統計』, 1943.
中村隆英・原朗 編,『現代史資料 43：國家總動員 1』, みすず書房, 1970.
鷲山半之助,『改正 國家總動員法』, 新光閣, 1941.
樋口雄一 編,『戰時下朝鮮人勞務動員基礎資料集』I～V, 綠蔭書房, 2000.
協調會,『國家總動員法 勞動關係令規集』, 1939.
黃敏湖 編,『日帝下 雜誌拔萃 植民地時代 資料叢書』, 啓明文化社, 1992.
厚生研究會,『國民皆勞-戰時下の勞務動員』, 新紀元社, 1941.
姬野實,『朝鮮經濟圖表』, 朝鮮統計協會, 1940.

2) 신문, 연속 간행물

『朝鮮日報』,『東亞日報』,『每日申報』・『每日新報』
四方博 編,『新聞切拔』, 朝鮮關係 勞動問題, 勞動爭議, 社會政策, 人口・移民
　　　篇.
開拓會,『北鮮開拓』1～30, 1932～37.
京城土建協會,『京城土建協會報』.
高等法院 檢事局,『朝鮮檢察要報』1～14.
殖産銀行 調査部,『殖銀調査月報』.
李如星・金世鎔,『數字朝鮮研究』1～5, 世光社, 1931～1935.
日本窒素肥料株式會社,『工員員數月報』;『工員移動月報』;『工員勤務月報』.
全國經濟調查機關聯合會 朝鮮支部 編,『朝鮮經濟年報』, 1939・43.
朝鮮工業組合中央會,『朝鮮工業組合』1-1～3-4.
朝鮮工業協會,『朝鮮工業協會會報』.

朝鮮勞務協會,『朝鮮勞務』.

朝鮮社會事業協會,『朝鮮社會事業』·『同胞愛』.

朝鮮産業勞動調査所,『産業勞動時報』1-1, 우리文化社, 1946. 1.

朝鮮總督府,『朝鮮の人口統計』, 1935~39.

朝鮮總督府,『朝鮮』.

朝鮮總督府,『朝鮮勞動技術統計調査結果報告』, 1941~43.

朝鮮總督府,『朝鮮總督府官報』.

朝鮮總督府,『朝鮮總督府施政年報』.

朝鮮總督府,『朝鮮總督府調査月報』.

朝鮮總督府,『朝鮮總督府統計年報』.

2. 연구 성과

1) 단행본

姜東鎭,『日帝의 韓國侵略政策史』, 한길사, 1980.

姜東鎭,『日本近代史』, 한길사, 1985.

姜萬吉,『日帝時代 貧民生活史 研究』, 創作社, 1987.

강만길 엮음,『한국자본주의의 역사』, 역사비평사, 2000.

곽건홍,『일제의 노동정책과 조선노동자(1938~1945)』, 신서원, 2001.

김경일 편,『북한학계의 1920~30년대 노농운동 연구』, 창작과비평사, 1989.

김경일,『일제하 노동운동사』, 창작과비평사, 1992.

김경일,『한국노동운동사 2-일제하의 노동운동 1920~1945』, 지식마당, 2004.

김경일,『한국 근대 노동사와 노동 운동』, 문학과지성사, 2004.

김근배,『한국 근대 과학기술인력의 출현』, 문학과지성사, 2005.

김기원,『미군정기의 경제구조-귀속기업체의 처리와 노동자 자주관리운동을 중심으로-』, 푸른산, 1990.

金大商,『日帝下 强制人力收奪史』, 正音社, 1975.

金度亨,『大韓帝國期의 政治思想研究』, 지식산업사, 1994.

김민영,『일제의 조선인노동력수탈 연구』, 한울아카데미, 1995.

김영희,『일제시대 농촌통제정책 연구』, 景仁文化社, 2003.

金容燮,『增補版 朝鮮後期農業史研究 Ⅱ』, 一潮閣, 1990.

金容燮,『新訂 增補版 韓國近代農業史研究(Ⅱ)』, 지식산업사, 2004.

金容燮, 『증보판 韓國近現代農業史硏究−韓末・日帝下의 地主制와 農業問題−』, 지식산업사, 2000.

金潤煥, 『韓國勞動運動史 I』, 靑史, 1981.

김인호, 『태평양전쟁기 조선공업연구』, 신서원, 1998.

金俊輔, 『韓國資本主義史硏究 (1)』, 一潮閣, 1970.

김진균・정근식 편저, 『근대주체와 식민지 규율권력』, 문화과학사, 1997.

金 哲, 『韓國の人口と經濟』, 岩波書店, 1965.

高承濟, 『韓國移民史硏究』, 章文閣, 1973.

朴慶植, 『朝鮮人强制連行の記錄』, 未來社, 1965.

朴慶植, 『일본제국주의의 조선지배』, 청아출판사, 1986.

朴在一, 『在日朝鮮人に關する綜合調査硏究』, 1957.

방기중, 『한국근현대 사상사연구』, 역사비평사, 1992.

方基中, 『裵敏洙의 農村運動과 基督敎 思想』, 연세대학교 출판부, 1999.

방기중 편, 『일제 파시즘 지배정책과 민중생활』, 혜안, 2004.

방기중 편, 『일제하 지식인의 파시즘체제 인식과 대응』, 혜안, 2005.

배성준, 『조선총독부 조직구조와 분류체계 연구』, 한국국가기록연구원, 2004.

安秉直・中村哲 共編著, 『近代朝鮮工業化의 硏究』, 一潮閣, 1993.

왕현종, 『한국 근대국가의 형성과 갑오개혁』, 역사비평사, 2005.

이경란, 『일제하 금융조합 연구』, 혜안, 2002.

李大根 외, 『새로운 한국경제발전사』, 나남출판, 2005.

이정옥, 『한국의 공업화와 여성노동』, 솔넷, 2001.

이준식, 『농촌사회변동과 농민운동 : 일제 침략기 함경남도의 경우』, 민영사, 1993.

전상숙, 『일제시기 사회주의 지식인 연구』, 지식산업사, 2004.

전석담・최윤규 외, 『19세기 후반기~일제통치 말기의 조선사회경제사』, 조선노동당출판사, 1959(김인호 편, 『조선근대사회경제사』, 이성과현실, 1989).

최원규 엮음, 『일제말기 파시즘과 한국사회』, 청아출판사, 1989.

崔由利, 『日帝 末期 植民地 支配政策硏究』, 국학자료원, 1997.

河棕文, 『戰時勞動力政策の展開』, 東京大學日本史學硏究室, 1996.

韓國勞動組合總聯盟 編, 『한국노동조합운동사』, 한국노동조합총연맹, 1979.

허수열, 『개발없는 개발』, 은행나무, 2005.

洪性讚, 『한국 근대 농촌사회의 변동과 地主層』, 지식산업사, 1992.

388

加藤佑治, 『日本帝國主義下の勞動政策－全般的勞動義務制の史的究明－』, 御茶の水書房, 1970.

谷口吉彦, 『新體制の理論－政治・經濟・文化・東亞の新秩序－』, 千倉書房, 1940.

堀和生, 『朝鮮工業化の史的分析』, 有斐閣, 1995.

宮田節子 著・李熒娘 譯, 『朝鮮民衆과「皇民化」政策』, 一潮閣, 1997.

大野信三, 『日本經濟の新體制－其の理論的・組織的な研究－』, 白揚社, 1940.

大河內一男, 『戰時社會政策論』, 時潮社, 1942.

데이비드 웰시 저・최용찬 역, 『독일 제3제국의 선전정책』, 혜안, 2001.

獨伊文化研究會 編, 『ファシズムと勞動政策』, 嚴松堂書店, 1940.

東京大學 社會科學研究所 編, 『ファシズム期の國家と社會 2：戰時日本經濟』, 東京大學出版會, 1979.

桐原葆見, 『戰時勞務管理』, 東洋書館, 1942.

藤原彰 著・嚴秀鉉 譯, 『日本軍事史』, 時事日本語社, 1994.

鈴木武雄, 『朝鮮の經濟』, 日本評論社, 1942.

마루야마 마사오 저・김석근 옮김, 『현대정치의 사상과 행동』, 한길사, 1997.

무솔리니 著・獨伊文化研究會 譯, 『組合制國家と統制經濟』, 嚴松堂書店, 1940.

服部英太郎, 『社會政策論の根本問題』, 日本評論社, 1950.

山本有造, 『日本植民地經濟史研究』, 名古屋大學出版會, 1992.

森武夫, 『戰時統制經濟論』, 日本評論社, 1939.

石南國, 『韓國の人口增加の分析』, 勁草書房, 1972.

小林英夫, 『大東亞共榮圏の形成と崩壞』, 御茶の水書房, 1975.

小林英夫, 『日本軍政下のアジア－「大東亞共榮圏」と軍票－』, 岩波書店, 1993.

安藤良雄 編, 『日本經濟政策史論 下』, 東京大學出版會, 1976.

安藤良雄 等 編, 『昭和經濟史』, 日本經濟新聞社, 1976.

野田良之・碧海純一, 『近代日本法思想史』, 有斐閣, 1979.

歷史學研究會・日本史研究會 編, 『講座日本史 7：日本帝國主義の崩壞』, 東京大學出版會, 1971.

歷史學研究會・日本史研究會 編, 『講座日本歷史 10』, 東京大學出版會, 1985.

奧平康弘, 『治安維持法小史』, 筑摩書房, 1977.

隅谷三喜男, 『日本の勞動問題』, 東京大學出版會, 1964.

隅谷三喜男, 『日本勞使關係史論』, 東京大學出版會, 1977.

有澤廣巳 監修, 『昭和經濟史』, 日本經濟新聞社, 1976.

林에이다이 著・申政植 譯, 『日帝의 朝鮮人勞動 强制收奪史』, 比峰出版社,

1982.

長幸男・住谷一彦 編集,『近代日本經濟思想史』1・2, 有斐閣, 1971.

佐口和郎, 『日本における産業民主主義の前提-勞使懇談制度から産業報國
會へ-』, 東京大學出版會, 1991.

中西洋,『日本における「社會政策」・「勞動問題」研究』, 東京大學出版會, 1979.

楫西光速 外,『日本における資本主義の發達 9-日本資本主義の沒落 Ⅳ』, 東
京大學出版會, 1970.

티모시 메이슨 지음・김학이 옮김,『나치스 민족공동체와 노동계급-히틀러,
이데올로기, 전시경제, 노동계급』, 한울 아카데미, 2000.

平澤照雄,『大恐慌期日本の經濟統制』, 日本經濟評論社, 2001.

風早八十二,『勞動の理論と政策』, 時潮社, 1938.

河合和男・尹明憲 著,『植民地期の朝鮮工業』, 未來社, 1991.

戶塚秀夫・德永重良 編,『現代勞動問題-勞資關係の歷史的動態と構造-』,
有斐閣, 1977.

2) 논문

姜東鎭,「日帝 支配下의 韓國勞動者의 生活相-주로 韓國人勞動者의 勞動條
件을 중심으로-」,『韓國近代史論 Ⅲ』(尹炳奭・愼鏞廈・安秉直 編),
지식산업사, 1977.

姜東鎭,「일제지배하의 노동야학」,『歷史學報』46, 歷史學會, 1970.

강만길,「侵略戰爭期 일본에 강제동원된 조선노동자의 저항」,『韓國史學報』
2, 고려사학회, 1997.

康成銀,「戰時下日本帝國主義の朝鮮農村勞動力收奪政策」,『歷史評論』355,
1979.

강정숙・서현주,「일제 말기 노동력 수탈 정책」,『한일간의 미청산 과제』, 아세
아문화사, 1997.

강창일,「중일전쟁 이후, 일제의 조선인 군사동원-조선 지배정책과 관련하
여-」,『한일간의 미청산 과제』, 아세아문화사, 1997.

곽건홍,「1930년대 초반 조선질소비료공장 노동자조직운동」,『역사연구』4,
1995.

곽건홍,「일제하 공장 유년노동자의 형성과 성격」,『역사와 현실』20, 1996.

곽건홍,「침략전쟁기(1937~45) 일본에 강제동원된 조선노동자의 존재형태:

군대식 노동규율과 노동조건의 민족적 차별을 중심으로」, 『亞細亞研究』 108, 2002.

具姬眞, 「日帝强占 후반기(1930~1945) '皇民化'敎育論」, 『韓國 近現代의 民族問題와 新國家建設』(金容燮敎授停年紀念 韓國史學論叢 3), 지식산업사, 1997.

權寧旭, 「日本帝國主義下の朝鮮勞動事情-1930年代を中心として-」, 『歷史學研究』 303, 歷史學研究會, 1965. 8(『1930년대 민족해방운동연구』, 거름, 1984 재수록).

권명아, 「태평양전쟁기 남방 종족지와 제국의 판타지」, 『일제 파시즘 지배정책과 민중생활』(방기중 편), 혜안, 2004.

權丙卓 外, 「光復前(1936~45) 韓國의 勞動力 統制에 관한 研究」, 『社會科學研究』 제1집, 嶺南大, 1981.

김경남, 「1920·30년대 면방대기업의 발전과 노동조건의 변화」, 『釜山史學』 25·26, 1994.

김경미, 「'황민화' 교육정책과 학교교육-1940년대 초등교육 '국사'교과를 중심으로」, 『일제 파시즘 지배정책과 민중생활』(방기중 편), 혜안, 2004.

김경일, 「1930년대 일본인 독점 기업에서 노동자 상태와 노동운동」, 『한국의 노동문제와 노동운동』, 文學과 知性社, 1991.

김광운, 「1930년 전후 조선의 자본·임노동관계와 일제의 노동통제정책」, 『國史館論叢』 38, 1992.

金光雲, 「日帝下 朝鮮 搗精勞動者階級의 形成過程」, 한양대 사학과 석사학위논문, 1988.

金度亨, 「大韓帝國時期의 外來商品·資本의 浸透와 農民層動向」, 『學林』 6, 延世大 史學研究會, 1984.

김무용, 「해방 직후 조선공산당의 노선과 공장관리운동」, 『역사연구』 4, 거름, 1995.

金美賢, 「1930~36年 日帝의 勞動統制政策」, 성균관대 사학과 석사학위논문, 1998.

김미현, 「조선총독부의 농촌여성노동력 동원-'屋外노동' 논리를 중심으로-」, 『역사연구』 13, 역사학연구소, 2003. 12.

김영근, 「세계대공황기 노동력의 성장과 파업투쟁」, 『역사와 현실』 11, 1994.

김영선, 「국민정신총동원운동의 전개형태와 그 침투」, 『한국근현대사연구』 22, 2002.

김윤정, 「1930년대 초 범태평양노동조합 계열의 혁명적 노동조합운동」, 『역사연구』 6, 1998.

金仁鎬, 「日帝의 朝鮮工業政策과 朝鮮人資本의 動向(1936~1945)」, 고려대 사학과 박사학위논문, 1996.

김철수, 「일제식민지시대 치안관계 법규의 형성과 적용에 관한 연구」, 『한국사회학』 29, 1995 봄호.

류준범, 「1930년대 '京城'지역 공장노동자의 구성」, 『韓國史論』 34, 서울대 국사학과, 1995.

문윤걸, 『일제 초기 임금노동자 계급의 형성과정과 그 존재형태에 관한 연구」, 『노동계급 형성이론과 한국사회』, 文學과知性社, 1990.

朴淳遠, 「日帝下 朝鮮人 熟練勞動者의 形成－오노다(小野田) 시멘트 勝湖里 공장의 事例」, 『國史館論叢』 51, 1994.

방기중, 「일제하 李勳求의 農業論과 經濟自立思想」, 『역사문제연구』 창간호, 역사비평사, 1996.

方基中, 「日帝末期 大同事業體의 經濟自立運動과 理念」, 『韓國史硏究』 95, 韓國史硏究會, 1996.

方基中, 「1930년대 物産奬勵運動과 民族・資本主義 經濟思想」, 『東方學志』 115, 연세대 國學硏究院, 2002. 3.

방기중, 「1930년대 조선 농공병진정책과 경제통제」, 『일제 파시즘 지배정책과 민중생활』(방기중 편), 혜안, 2004.

방기중, 「조선 지식인의 경제통제론과 '신체제' 인식」, 『일제하 지식인의 파시즘체제 인식과 대응』(방기중 편), 혜안, 2005.

裵城浚, 「日帝下 京城지역 工業 硏究」, 서울대 국사학과 박사학위논문, 1998.

卞恩眞, 「日帝末 조선인 노동자층의 전쟁 및 '軍需생산력'에 대한 인식과 저항－서울지역 노동자를 중심으로」, 『鄕土서울』 57, 1997.

卞恩眞, 「日帝 戰時파시즘期(1937~45) 朝鮮民衆의 現實認識과 抵抗」, 고려대 사학과 박사학위논문, 1998.

변은진, 「일제 침략전쟁기 조선인 '강제동원' 노동자의 저항과 성격 : 일본 내 '도주'・'비밀결사운동'을 중심으로」, 『亞細亞硏究』 108, 아세아문제연구소, 2002.

徐廷翼, 「戰時 日本의 生産力擴充計劃 硏究」, 『湖西大學校論文集 社會科學篇』 제20집, 2001.

선재원, 「노동시장제도」, 안병직 편, 『한국경제성장사－예비적 고찰』, 서울대학교 출판부, 2001.

宣在源,「植民地と雇用制度-1920・30年代朝鮮と日本の比較史的考察-」, 東京大 經濟學硏究科 博士學位論文, 1996.

선재원,「전시노동력동원과 노동자생활」,『일제 파시즘 지배정책과 민중생활』(방기중 편), 혜안, 2004.

설문원,「조선총독부 공문서를 위한 기능분류 체계」,『조선총독부 공문서의 분류・기술 방법론』, 한국국가기록연구원, 2004.

신기욱,「1930년대 농촌진흥운동과 농촌사회 변화-식민조합주의를 중심으로-」,『일제 파시즘 지배정책과 민중생활』(방기중 편), 혜안, 2004.

신주백,「만주인식과 파시즘 국가론-1937년 이후 朝鮮社會의 滿洲認識을 중심으로-」,『일제 파시즘 지배정책과 민중생활』(방기중 편), 혜안, 2004.

安秉直,「日本窒素における朝鮮人勞動者階級の成長に關する硏究」,『朝鮮史硏究會論文集』25, 綠陰書房, 1988.

安秉直,「植民地朝鮮의 雇傭構造에 관한 硏究-1930년대의 工業化를 중심으로-」,『近代朝鮮의 經濟構造』, 비봉출판사, 1989.

安秉直,「'國民職業能力申告令' 資料의 分析」, 安秉直・中村哲 共編著,『近代朝鮮工業化의 硏究-1930~45年-』, 一潮閣, 1993.

安裕林,「1930年代 總督 宇垣一成의 植民政策」,『梨大史苑』27, 1994.

楊尙弦,「韓末 부두노동자의 存在樣態와 노동운동-木浦港을 중심으로-」,『韓國史論』14, 서울대 국사학과, 1986.

柳承烈,「日帝의 朝鮮鑛業 支配와 勞動階級의 成長」,『韓國史論』23, 서울대 국사학과, 1990. 8.

이경란,「총동원체제하 농촌통제와 농민생활-마을 사회관계망을 중심으로-」,『일제 파시즘 지배정책과 민중생활』(방기중 편), 혜안, 2004.

이경란,「경제전문가집단의 경제인식과 경제관-금융조합 조선인 이사를 중심으로-」,『일제하 지식인의 파시즘체제 인식과 대응』(방기중 편), 혜안, 2005.

이명화,「朝鮮總督府 學務局의 機構變遷과 機能」,『한국독립운동사연구』6, 한국독립운동사연구소, 1992.

李丙禮,「1920년대 일제의 노동정책」, 정신문화연구원 석사학위논문, 1999.

이병례,「일제하 전시체제기 노동자의 경험세계」,『역사연구』11, 2002. 12.

이상의,「1930년대 日帝의 勞動政策과 勞動力收奪」,『韓國史硏究』94, 1996.

이상의,「日帝下의 勞動力 移動과 構成」,『韓國史의 構造와 展開』(河炫綱敎

授定年紀念論叢), 혜안, 2000.

이상의, 「일제강점기 '勞資協調論'과 工場法 論議」, 『國史館論叢』 94, 國史編
纂委員會, 2000.

이상의, 「일제지배 말기의 파시즘적 勞動觀과 '勞資一體論'」, 『東方學志』 118,
연세대 國學硏究院, 2002.

이상의, 「1930~40년대 日帝의 朝鮮人勞動力 動員體制 硏究」, 연세대 사학과
박사학위논문, 2002.

이상의, 「일제지배 말기의 '노무관리'와 노동통제」『역사와 현실』 50, 한국역사
연구회, 2003.

이상의, 「일제지배 말기의 노동문제와 조선인의 저항」『역사연구』 13, 역사학
연구소, 2003.

이상의, 「일제하 조선인 '중견노무자'와 노동규율」, 『韓國史學報』 18, 高麗史學
會, 2004.

이상의, 「1930년대 조선총독부 殖産局의 구성과 공업화 정책-商工課를 중심
으로-」, 『일제하 한국사회의 근대적 변화와 전통』(연세대 국학연구
원 학술회의 자료집), 2005. 6.

李松順, 「日帝末期 戰時 農業統制政策과 朝鮮 農村經濟 變化」, 고려대 사학
과 박사학위논문, 2003.

이송순, 「1930~40년대 일제의 통제경제정책과 조선인 경제전문가의 인식」,
『韓國史學報』 17, 高麗史學會, 2004. 7.

이승렬, 「1930년대 전반기 일본군부의 대륙침략관과 '조선공업화'정책」, 『國史
館論叢』 67, 1996.

이승렬, 「일제 파시즘기 조선인 자본가의 현실인식과 대응-부르주아 민족주
의의 민족관을 중심으로-」, 『일제하 지식인의 파시즘체제 인식과 대
응』(방기중 편), 혜안, 2005.

이애숙, 「반파시즘 인민전선론-일제 말기 경성콤그룹을 중심으로-」, 『일제하
지식인의 파시즘체제 인식과 대응』(방기중 편), 혜안, 2005.

이정옥, 「일제하 공업노동에서의 민족과 성」, 서울대 사회학과 박사학위논문,
1990.

이종민, 「일제의 수인 노동력 운영 실태와 통제 전략-전시체제를 중심으로
-」, 『韓國學報』 98, 일지사, 2000.

이종민, 「도시의 일상생활을 통해 본 주민동원과 생활 통제-경성부의 애국반을
중심으로-」, 『일제 파시즘 지배정책과 민중생활』(방기중 편), 혜안,

394

2004.

이준식, 「일제 침략기 영흥 지방의 노동 운동」, 『한국의 민족문제와 일본 제국 주의』, 문학과지성사, 1992.

이준식, 「파시즘기 국제 정세의 변화와 전쟁 인식」, 『일제하 지식인의 파시즘 체제 인식과 대응』(방기중 편), 혜안, 2005.

이지원, 「日帝下 民族文化 認識의 展開와 民族文化運動」, 서울대 역사교육과 박사학위논문, 2004.

임경석, 「원산지역의 혁명적노동조합운동 연구」, 『일제하 사회주의운동사』, 한 길사, 1991.

任城模, 「滿洲國協和會의 總力戰體制 構想 硏究」, 연세대 사학과 박사학위논 문, 1997.

張 信, 「1920年代 民族解放運動과 治安維持法」, 『學林』 19, 연세대학교 사학 연구회, 1998.

장 신, 「『조선검찰요보』를 통해 본 태평양전쟁 말기(1943~45)의 조선사회」, 『역사문제연구』 6, 역사문제연구소, 2001.

전상숙, 「일제 군부파시즘체제와 '식민지 파시즘'」, 『일제 파시즘 지배정책과 민중생활』(방기중 편), 혜안, 2004.

鄭然泰, 「日帝의 韓國 農地政策(1905~1945년)」, 서울대 국사학과 박사학위논 문, 1994.

정진성, 「일제하 조선에 있어서 노동자의 존재형태와 저임금-1930년대를 중 심으로-」, 『한국자본주의와 임금노동』, 화다, 1984.

정혜경, 「일제 말기 강제연행 노동력 동원의 사례 : '조선농업보국청년대'」, 「한 국독립운동사연구」 18, 한국독립운동사연구소, 2002. 8.

정혜경, 「일제 말기 조선인 군노무자의 실태 및 귀환」, 『한국독립운동사연구』 20, 한국독립운동사 연구소, 2003. 8.

池秀傑, 「1932~1935年間의 朝鮮農村振興運動-植民地 '體制維持政策'으로 서의 機能에 관하여-」, 『韓國史硏究』 46, 1984.

최원규, 「1920~30년대 일제의 한국농업식민책과 일본인 자작농촌 건설사업」, 『東方學志』 82, 연세대 國學硏究院, 1993.

崔元奎, 「韓末 日帝初期 土地調査와 土地法 硏究」, 연세대 사학과 박사학위 논문, 1994.

崔元奎, 「東洋拓植株式會社의 이민사업과 동척이민 반대운동」, 『韓國民族文 化』 16, 釜山大 韓國民族文化硏究所, 2000. 12.

崔潤晤, 「조선후기「和雇」의 성격」, 『忠北史學』 3, 忠北大學校 史學會, 1990.

崔潤晤, 「18·19세기 농업고용노동의 전개와 발달」, 『韓國史研究』 77, 韓國史研究會, 1992.

韓亘熙, 「1935～37年 日帝의 '心田開發'정책과 그 성격」, 『韓國史論』 35, 서울대 국사학과, 1996.

許粹烈, 「日帝下 實質賃金(變動)推計」, 『經濟史學』 5, 經濟史學會, 1981.

許粹烈, 「日帝下 韓國에 있어서 植民地的 工業의 性格에 關한 一研究」, 서울대 경제학과 박사학위논문, 1983.

許粹烈, 「朝鮮人 勞動力의 强制動員의 實態－朝鮮內에서의 强制動員政策의 展開를 中心으로」, 『일제의 한국 식민통치』(車基璧 엮음), 정음사, 1985.

許粹烈, 「1930年代 軍需 工業化政策과 日本 獨占資本의 進出」, 『일제의 한국 식민통치』(車基璧 엮음), 정음사, 1985.

허수열, 「일제하 조선의 실업률과 失業者數 추계」, 『經濟史學』 17, 經濟史學會, 1993.

홍성찬, 「한국 근현대 李順鐸의 政治經濟思想 연구」, 『역사문제연구』 창간호, 1996.

廣瀬貞三, 「'官斡旋'과 土建勞動者－'道外斡旋'을 中心に」, 『朝鮮史研究會論文集』 29, 朝鮮史研究會, 1991. 10.

堀和生, 「日本帝國主義의 植民地支配史試論－朝鮮における本源的蓄積의 一側面－」, 『日本史研究』 281, 1986. 1.

小林英夫, 「朝鮮總督府의 勞動力政策について」, 『都立大學 經濟と經濟學』 34, 1974, 東京大.

松永達, 「1930年代朝鮮內勞動力移動について」, 『經濟論叢』(京都大學經濟學會) 147권 1·2·3호, 1991.

水野直樹, 「戰時期의 植民地支配と「內外地行政一元化」」, 『人文學報』 79, 京都大學 人文科學研究所, 1997. 3.

庵逧由香, 「朝鮮における戰爭動員政策의 展開－「國民運動」의 組織化를 中心に－」, 『國際關係學研究』 21, 津田塾大學, 1995.

안자코 유카, 「총동원체제하 조선인 노동력 '강제동원'정책의 전개」, 『韓國史學報』 14, 2003.

林博史, 「1920年代前半期における勞動政策의 轉換」, 『歷史學研究』 9, 1982.

ABSTRACT

Japanese Policy in Labor Force Mobilization in Colonial Korea

Lee, Sang Euy

This study explores the labor problem during the Japanese occupation, through an examination of the Japanese labor mobilization system and the responses of Korean laborers in Korea. The Japanese colonial rule over Korea can be separated into two periods, from an emphasis on agricultural policies in the 1910s-20s to a shift towards more industrial investments in the 1930s-40s, that reflected Japans changes in the course of its capitalistic growth. Japan tried to resolve its economic crisis after the Great Depression by forming an economic bloc and initiating war. Accordingly, after implementing the "joint advancement of agriculture and industry"(*nonggong pyongjin*) in Korea, labor and industrial policies became a crucial aspect of Japanese colonial rule.

Therefore, an examination of labor issues is necessary for understanding the nature of Japanese rule, which in turn must be based on a concrete understanding of the ideology behind labor policies and their actual implementation. This inquiry into labor issues during Japanese colonial rule, focusing particularly on labor policies in the late colonial period, will be part of an examination of the structural and institutional foundations of Japanese colonial occupation. This study will also examine the special characteristics of labor-capital relations and capitalist culture in a restructured Korean society, after South Korea was incorporated into a new international capitalistic order following the division of the peninsula. This may be a way of finding a solution to the existing problems of labor and Korean capitalism which has festered within Korean society.

With such issues in sight, this thesis examines the changes and characteristics of Japan's labor policies in colonial Korea with the added goal of looking at the impact of the perceptions and responses of Korean laborers on policy change. The issues of nation, as well as the relationship between capital and wage labor dominated economic relations, which took the form of externally forced economics under the Japanese occupation, and which determined the relations between the capitalists and laborers. In a word, under colonial rule, Korean laborers bore the burden of the typical problems associated with capitalist society in addition to restructuring and institutionalization of colonial exploitation. This study addresses the process of change in labor policies in the 1930s and 40s, with the time periods divided according to Japans developmental stages of capitalism and changing economic policy, in order to understand the circumstances and characteristics of this period.

Japan's colonial labor policies were centered on the problem of labor mobilization and thus Japan adjusted their methods of regulating Korean laborers according to each stage in their capitalist development. During the early period of colonialism, Japan used their regulation of labor as a way of maintaining social control and public order, this becoming a basic framework for later labor policy.

Following the Great Depression, Japanese capitalists, in an attempt to escape a depression crisis, pushed a policy of industrialization in Korea that would operate within the structures of a 'Japan-Korea-Manchuria bloc'. As a way of immediately increasing the intensity of labor, the Japanese Government-General of Korea proposed to rationalize industry(*sanop hapnihwa*) and through this ideology of rationalization, proposed a theory of labor-capital cooperative. This debate over the application of factory laws to Korea that had been proposed in these circumstances dissolved because of opposition by a group of capitalists and the Government-Generals Bureau for Increased Production. Based on this, the Government-General began to develop policies regarding problems of labor supply. They realigned themselves for efficient organization and maximized use of labor to accommodate industrial policy by initiating poor relief projects, employment agencies, and Northern Korea development programs.

After the Sino-Japanese War, under their wartime system of economic management, Japan named Korea the 'continental military supply base'(*taeryuk pyongcham kiji*) and established an all out system of mobilization. Forcing Koreans to adapt their fascist labor ideology as part of their strategy for assimilating them as citizens of the empire, they also argued a theory of unity of labor and capital(*noja ilche ron*) which argued that laborers and capitalists must work as one in order to increase national strength under Japanese colonial rule. In addition, war mobilization was regulated through the nationwide mobilization law while the Department of Labor and Economic Police Department were established in the Government-General. Japan thus basically drafted a wide variety of labor policies and institutionalized labor mobilization as a subdivision of the domestic and international munitions industry.

When the outbreak of the Pacific War further expanded the international war, Japan had no other recourse than to resolve the problem of resource shortages through labor power. Through the transfer of labor out of private domestic industries, the creation of a Labor Service Army and Government Mediation, and at the extreme, compulsory mobilization to raise taxes, Japan enforced the total mobilization of Korean laborers and placed them in the munitions industry. It also launched 'the Wartime Labor Management' system to increase labor productivity under the 'national' control. Laborers were reeducated so that they would perceive of themselves as 'soldiers of industry' and were ingrained in the military order. Laborer-officers were trained to supervise other laborers. All these policies were geared to reorient Korean workers so that they viewed themselves as smaller elements within the overall fascist organism.

Under the oppressive labor policies of Japan, Korean laborers developed ways to resist these colonial activities. Without having any protective labor measures, Koreans reacted to the labor intensification and compulsory mobilization through frequent evasions, slow-down strikes, and the destruction of machines. The high rate at which Korean laborers abandoned their work was considered to cause more damage than conventional labor disputes. Moreover, Korean workers were in the process of developing a modern consciousness, based on a class and national consciousness, to overcome this twofold burden (labor exploitation and colonial occupation) that rested on their shoulders.

Japan's labor policies constituted a major part of its rule over Korea in the 1930s and 40s, with need for Korean manpower being the fundamental reason behind the colonization of Korea itself. The labor policies and the experiences of capitalism under Japanese fascism was handed over to post-colonial South Korea and remained an effective apparatus in the nation building process. The historical origins of present problems, such as the structures of labor management, oppressive labor-management relations, and the ideology behind labor policy that promoted productivity through labor exploitation, can be located back to this time.

찾아보기

【ㄱ】

가내노동 251
가능자수 321
가동률 315
加藤敬三郎 90
家事使用人 166, 175
가사 형편 337
家外 노동 252
家族 援護 360
간담회 347, 352
강경책 347
강연회 346
강제동원 195, 313, 321, 350
강제저축 61, 111
개근 경쟁 342
개별 도항 165
개별 자본 178
改正賃金統制令 341
갱내노동자 325
갱외노동자 325
견습공 213
決心隊 363
決戰敎育措置要綱 299
決戰非常措置要綱 297
兼二浦製鐵所 157
경기도 근로보국대 290

경무국 보안과 57, 95
警防團 91, 207
京城救護會 114, 116
경성방직주식회사 232
경성부 인구 증가율 137
경성부 인사상담소 117
경성부 직업소개소 134
京城電氣株式會社 327
경성콤그룹 240
경성항만정신대 259
경영의 노무관리 275
經營協同體 275
京仁工業地帶 131
經濟警察 207
經濟警察係 206
經濟警察課 206, 364
경제계 검사 366
經濟事犯 364
경제신체제 180, 186
經濟新體制確立要綱 179
경제적 합리주의 89
경제전선의 전사 187
경제 정보 수집 207
경제정책으로서의 노동정책 81
경제통제 181, 191, 207
경찰관서 341
경찰력 341, 353

經學院 174

경험 노동자 이동 202

계급협조론 88, 90

계절 노동자 113, 333, 336

계층별 이동률 324

高度國防國家 149, 186

고도국방국가체제 180, 191

苦力 41

고무공업 235

고입제한 대상 199

공・광업 취직자수 121

共勵會 104

功利主義 171, 187

工務官 제도 248

공사현장 탈출 130

공설 직업소개소 115

공업시설 분포 132

공업유업자 143

공업학교 199

공익 172, 180, 186

公益優先 179, 181

공장노동자 26, 29, 144, 230, 264, 324

공장동력 정지 50

공장법 58, 80, 84, 91

공장법 시안 102

공장사업장관리령 194

工場事業場勤勞管理要綱 256, 282

공장사업장근로자연성요강준칙 282

工場事業場機能者養成令 204, 225, 258

공장 설립 76

공장 습격 50

공장 위탁 225

공장 유치 운동 76

工場自主管理運動 368

공장 점거 50

공장 지대 131

工場就業時間制限令 202, 237

工場取締規則 99, 101, 105

공장 폐쇄 202

공적・외적 노무관리 275

公的 의지 273

공정임금 338

『共濟』 47, 64

共濟組合 70

共濟會 345

공학부 199

공휴일 338

과잉노동력 221

過剰戶數 221

과학기술자 등록 267

관리공장 256, 312, 317

관변 단체 214

官幹旋 263, 287, 289, 300, 318

관제기구 창설 104

鑛工系 대학 298

광공과 248

鑛工局 247

鑛工部 247

鑛夫勞務扶助規則 92

광산 개발 145

광산노동자 45, 144, 230, 324

광업유업자 143

廣義國防 150

교과교육 297

교육 동원 300

교육 즉 동원 298

교육칙어 287

교통・운수 노동자 30

敎學官 297

교학기관 283

국가 190

國家經濟 178

국가독점자본주의   178, 184
國家奉仕   170, 186
국가성   274
국가에 대한 경험   358
國家의 勞務管理   275
국가자금계획   159
국가·자본가·노동자   167
국가자본주의   182
국가적 생산   188
國家總動員法   163, 178, 181, 189, 194,
   233
국고보조비   109
국내 노동자수   162
국내징용   363
국력 총동원   245
國民皆勞   168, 172, 279, 292
국민개로운동   277, 292
국민개병   279
국민경제   179
國民勤勞動員令   204, 299
國民勤勞報國際   293, 294
國民勤勞報國協力令   198, 256, 293, 297,
   364
국민동원   258
國民動員計劃   248, 260, 301
국민등록   248
『國民登錄關係法令通牒』   223
國民登錄制   203, 223, 267, 316
국민복   234
국민의 의무   168, 188, 234, 309
國民精神總動員   290
國民精神總動員運動   151
國民職業能力登錄制度   199
國民職業能力申告令   199, 203, 222, 226,
   310
國民職業指導所長   201

國民職業訓練所   236
國民徵用   309
國民徵用令   198, 201, 277, 306, 364
國民總動員   259
國民總力運動   252, 292
國民總力朝鮮聯盟   170, 258, 292
국민학교 고등과   299
국민학교 초등과   299
國民協同體   274
국방의 목적   192
국방 토목건축업   161
國勢調査報告   143, 219
國粹會   70
국외동원   261
국외징용   362
국제노동회의   116
국책기업   331
國策研究會   150
國體의 本意에 기초한 노동관   169
國土計劃設定要綱   179
군국주의   181, 190
郡內動員   296
軍勞務者   318
군대식 규율   291
군사비   233
군산노동청년회   70
軍屬   319
군수공업   124, 182, 198
軍需工業動員法   191, 192
군수 노동자   159
군수산업   161, 235, 350, 361
군수산업 노동자 이동 금지   201
軍需産業擴充計劃   156
군수생산력 저하운동   350
군수생산력 확충   186
軍需生産責任制   254

軍需省　247, 254
군수품 생산기관 파괴　357
軍需會社法　182, 254, 310
郡是製絲株式會社　344
軍要員　301, 313, 318, 359
군 작업청　312
軍被服 수선　300
궁민　35
窮民救濟工事　108, 119
窮民救濟事業　37, 108
宮城遙拜　286, 291
權榮台　240
歸農　333
귀향　130
귀환　319
규율 강화　278
근대적 自意識　367
近藤英男　297
勤勞　168
근로과　168, 249
근로관　168
근로관리　168, 277
勤勞管理刷新强化方針　256
勤勞國民의 鍊成　275
勤勞動員課　248, 249
勤勞動員令　294
勤勞動員本部　248
勤勞報國　168, 185, 292
勤勞報國隊　198, 256, 263, 277, 289, 302,
　　　321, 349
勤勞報國運動　177, 290
勤勞報國의 誠　188
근로봉사대　292
勤勞部　360
근로신체제　168, 175
勤勞新體制確立要綱　169, 179, 185

근로 윤리　187
勤勞의 새로운 의의　170
근로의 신성 숭고함　188
근로자　168, 271
勤勞調整課　248
勤勞指導課　248, 249
근로출동대　303
근면　187
근속기간　326
近衛文麿　244
금본위제　178
급료생활자　40
기간산업　28, 130
기능자　182, 199, 201, 223, 248, 267,
　　　326, 345, 348
기능자 동원계획　248
기능자 등록　223, 248, 267, 311
기능자 양성　193, 195, 204
기능자 양성시설 수료자　223
기능 훈련　281
寄留簿　220
기소 유예자　259
기숙사　332
기술노무자　163
기술자　163, 199, 204, 224, 227, 235,
　　　253, 265, 268, 345, 353
기술자 양성　224, 265
기술직 이동률　323
기술표　229
기업정비　328, 349
企業整備基本方策　252
企業整備基本要綱　252
企業整備令　182, 194, 252
기업주 협정　349
기업통제　83
기업허가령　194

기타노동자 40
기타유업자 143, 166
企劃部 247
기획원 149, 164

【ㄴ】

나진 136
나치스 노동봉사제도 291
남방 지역 217, 262, 313, 319
南部工業地帶 131
남부지방 노동자 127
南洋興業株式會社 320
남자 노동력 277
남자 인구 138
南次郎 151, 152, 173, 187, 232
내무국 사회과 92
內鮮融和 155
內鮮一體 151, 155, 364
內外地 통합 243
내외지 행정 일원화 243
勞動 168
노동가능 연령 264
노동강연회 70
노동강화 38, 83, 187, 237
노동계급 51
노동과학 272
노동관 53, 167, 168
노동관계 事犯 365
노동규율 53
노동기피 295
노동능률 284
노동단체 47
노동력 193
노동력 공급 과잉 42
노동력 공급 기관 115

노동력 공급지 75, 161, 270
노동력 공출 218, 351
노동력 국외유출 34
노동력 동원 187
노동력 동원에 대한 저항 336
노동력 동원 이데올로기 189
노동력 배치 통제 279
노동력 보전 106
노동력 북부지방 동원 114
노동력 수급구조 42
노동력 수급기관 121
노동력 수급의 탄력성 163
노동력 수급 조정회의 217
노동력 이송정책 133
노동력 재편성 165
노동력 조사 217
노동력 중점 배치 176, 260
노동력 집중 134, 163
노동력 통제 193, 206
노동력 통제 관련 법규 196
노동력 통제 기관 212
노동문제 46, 51, 91, 355
노동문제 연구기관 273
노동법 58, 86
노동보호 189
노동생산성 82, 159, 226, 237, 275
노동생산성 강화 84, 189
노동생산성 저하 273
노동습관 271
노동시간 44, 55, 237
勞動夜學 69
노동연맹회 64
노동예비군 동원 계획 162
노동운동 86, 238
노동운동 금지 205
노동윤리 172

406

노동의 개념 변화 167
노동의 상품관 187
勞動移民 121
노동인구 330
노동자 168
노동자계급 264
노동자 고용수 315
노동자 관리조직 330
노동자 교육 265
노동자 단결 58
勞動者募集取締規則 211
노동자 보호 52, 94, 106
노동자 상태 86
노동자수 31, 144
勞動者需給調節案 128
勞動者宿泊所 71
노동자 스카웃 182, 208, 335, 349
노동자 양성 164
노동자 鍊成 258
노동자의 성질 333, 335
노동자 이동 183, 323
노동자 이동률 324
勞動者移動紹介事業 121
노동자 1인당 생산액 240
노동자 쟁탈 183
노동자 쟁탈 방지책 200
노동자 저항 46
노동자 지위 상승 339
노동자 통제기관 104
노동자 현장이탈 208, 305, 329
노동쟁의 46, 93, 98, 195, 238, 355
노동쟁의 금지 193
勞動爭議調整法 97
노동정책의 기본방침 63
노동정책의 不在 53
노동조건 340

노동조정기관 163
노동조합 46
노동조합 해산 69
노동조합 허용 68
노동통제 58, 63
노동통제 법규 183
노동표 104
노동행정 116, 183, 207, 248
노동행정 기관 116
노동현장 이탈 323
노동환경 86
노무 168
勞務課 56, 168, 206, 209, 247, 324, 330
노무관리 168, 256, 271, 331, 341, 344
노무관리 담당자 273, 340
勞務管理要綱 307
勞務緊急對策 294
勞務緊急對策要綱 294
노무동원 164, 362
勞務動員計劃 163, 164, 194, 219, 265
勞務動員實施計劃要綱 260
노무동원체제 273
노무수급 조사 163
노무자 168
노무자원 249
勞務資源調査 321
勞務資源調査要綱 221
노무자 주택 234
勞務者特別斡旋 304
노무조정 163
勞務調整令 201, 253, 257, 289, 341, 348, 364
勞務調整令 指定工場 341
노무통제 긴급 대책비 366
노무통제 단체 257
노무표 228

勞掖社 104
노자간담회 185
노자간 역학관계 88
노자융화 105, 185
勞資一體 180, 185, 216
勞資協調 47, 87, 184
노자 협조 관계 184
勞資協調論 88, 91, 106
勞組部 240
農工竝進 87, 151
농민 이촌 138, 141
農本主義 231
농업공황 142
농업노동자 26, 33
농업생산액 264
農業生産責任制 251
農業要員 251
농업유업자 142, 166
농업인구 34, 135, 330
농촌 노동력 218, 221, 250
농촌사회분해 33
농촌실태조사 251
農村移出 34
農村振興運動 74
瀨戶內海化 123

【ㄷ】

단기노동 296
단독 도항 304
단순노무자 268
堂本貞一 77
대공황 38, 87
대구부 직업소개소 121, 135, 213
대기업 181
대기업 위주 184

對內地求人取扱要領 265
대동아공영권 150, 244, 364
대륙병참기지론 152
대리자 출동 295
對滿 무역 79
大野綠一郎 152, 174, 187, 294
대우 불만 337
對日 무역 79
大日本産業報國會 169
대자본·전체자본 178
大政翼贊會 292
隊組織 294, 302, 303
大竹十郎 200
대학생 297
道警察部長會議 97
道鑛山聯盟 343
道勤勞報國隊 291, 296
道內 官斡旋 321
도내 동원 296, 305
도로공사 109
道別 인구변동 133
道 사회과장 회의 170
도시 빈민 37, 141
도시 인구 135
도 알선 291
道外動員 295
道義 大東亞 171
도주 208
道中堅勞務者指導訓練所 258, 282
道知事會議 308
도항 비율 361
渡航沮止制度 115
독립 염원 357
독신자 합숙소 345
독일 국민노동질서법 187
독일 나치즘 170, 180, 231

독일 노동정책 273
동아신질서 건설 174
東亞旅行社 303
동원 가능자수 220
動員課 360
동원기간 295
동원 기피 355
동원의 법제화 190
동원 즉 교육 298
동원 혐오 355
東條英機 231, 244, 352

【ㅁ】

막일꾼 43
滿期 333
만주 73, 157, 217
만주 개척민 165,
滿洲國 77, 250
만주사변 99, 122, 149, 178
만주 이민 139
滅私奉公 180, 188
募集 289, 313, 318
모집종사자 117
모집허가제 301
몰락농민 33, 81, 134
無斷缺勤者 341
무단 귀향 295
무단 사직 336
無斷退山 348
無斷退職者 341
武士道 173
무산노동야학 70
無業者 141, 173
무인가 퇴직자 341
無職者 349

門前募集 117, 263, 309
물가 단속 207
物資動員計劃 159, 235, 245
물자 배급 218
物資統制令 182
물적 자원 통제 193
미경험 노동자 202, 281, 338
미국 대일무역 금지 245
미숙련 노동자 38, 43, 238
米英擊滅 352
미전략 폭격조사단 320
민간단체 214
민간산업 235, 348
민간요원 313
민간자본 28
民需工業 182
民心의 動向 362
민심 이반 361
민심 통제 207
민영 직업소개소 116
민족공동체 273
민족문제 42
민족의식 280, 367
민족차별 319

【ㅂ】

半農半鑛 333
半島人勞務者 301
半無業 141
半失業 141
반일의식 232
班長 334
飯場制 331
飯場主 331
반전 운동 241

방공단 347
紡績工業 280
방직공업 138
防護課 207
배급 물자 343
배급 정지 343
배치 행정 337
白南雲 35, 89
벌금제 61
벌금형 205
법규 강화 340
병역법 195
兵站基地 153
兵站主地 153
보도원 302
保安法 64
보조금 교부 178
복리시설 330, 342, 348
봉사 경제 179
府郡島 341
府郡島의 알선 117
부두노동자 26
부산 노동공제회 116
부산 상공회의소 100
부산 직업소개소 115, 121
府營 직업소개소 116
府尹·郡守·島司 206, 215, 227, 294,
    348
부인 공동작업 252
부인노동자 94
부전강발전소 122, 182
北里唯雄 346
北部工業地帶 132
북부지방 개발 123
북부지방 인구 증가 134
北鮮開拓 124

北鮮開拓事業計劃 123
북선루트 124, 138
북중국 157
北進型 지역경제 구조 151
不急 노동력 256
不逞思想 352
不勞者 173, 292, 349
不穩行動 354
不要不急 166, 208
不要不急産業 176, 199
브로커 323
블랙 리스트 62
비군수산업 361
非軍需産業 노동자 고용 금지 201
비적성자 279
빈농 35
빈민의 증가상황 36

【ㅅ】

사립연성소 282
사무직 이동률 323
仕奉隊 258, 346
사상 교육 291
事業一家 275
사업 통제 193
사업표 228
사이판 320, 352
사적·내적 노무관리 275
司政局 247
査察制度 316
사할린 217, 262
사할린 이주자 165
사회간접자본 건설 109
社會課 56, 57, 95, 127, 249
사회과 알선 128

410

사회구제사업 114
사회사업 56, 114
사회정책 88
社會主事會議 128
사회주의 64
사회주의적 통제경제 178
사회주의 지향의 형태 358
産金五個年計劃 125
産金獎勵政策 145
산미증식계획 33, 139
山本彌之助 295
산업경제 군단의 병사 187
산업구조 141
産業軍 159
산업별 노동력 구성 141
산업별 노동조합연합체 48
산업보국 180, 185, 285
산업보국연맹 352
산업보국운동 287
産業報國會 352
産業要員 301
산업의 지휘관 187
산업재해 277
産業戰士 160, 176, 278, 283
산업전선의 지도자 176
産業調査委員會 28
산업지휘자 연성 258
산업통제 82
산업합리화 82, 87
山澤和三郞 78
삼국동맹 150
三菱鑛業株式會社 345
상공회의소 62, 100
상대적 과잉인구 34
上命下服 287, 342
常設戰時經濟懇談會 231

상습적 이동성 331
相愛會 70
상여금 345
상용노동자 31, 119
上意下達 下情上通 342
上田龍男 285
생산 담당자 255
생산력 증대 84, 88, 188
생산력 증대 정책 87
生産力擴充 149
생산력확충계획 245
생산력확충계획 산업 161
生産力擴充計劃要綱 156
生産力擴充政策 156
생산성 저하 358
생산연령인구 138, 140
生産增强勞務强化對策 256, 258, 312, 342
생산 책임자 255
생산행정 248
생필품 부족 335
생활 간소화 234
생활필수품 349
생활필수품 배급 234, 337
생활필수품 산업 161
西部工業地帶 131
서북부지방 161
서북지방 토목공사 291
석유 수출금지 158
石田千太郞 219
석탄광산 263, 312, 357
석탄연합회 160
鮮滿一如 232
선박 선적량 254
鮮人內地移入斡旋要綱 303
선전 317, 319, 353

성년노동자 96, 237
세계대공황 73
洗腦 작업 356
紹介件數 117
소극적 저항 336
小磯國昭 278, 315, 343
소년공 213
소년 수형자 259
小農主義 89
消防團 70
小野田 세멘트사 104, 121
수력전기 개발 161
수업시간 감축 298
수업 정지 299
囚人 257
穗積眞六郎 77, 106, 355
手持人夫 291
輸出入品等臨時措置法 149, 191
수출 제한 조치 158
수형자 260
숙련노동자 31, 43, 61, 198, 224, 238,
    268, 281, 353
숙련노동자 양성 204
時間給 임금제도 348
時局對策調査會 157, 163, 181, 185, 258
시국산업 164, 252, 270
時局應急救濟工事 108, 119
時機尙早論 99
식량 배급 331, 339, 348
식량 부족 332
食糧畑作物增産計劃 219
식량 증산 250
식량 直配 343
식량 特配 257, 307, 343
殖産局 商工課 77, 96
신공덕청년회 70

신국가건설 368
신규 노동력 공급원 164
신규 노동자 271
신규 졸업생 289
신규 취로자 283
身分證明書 發給制度 115
신질서 건설 150
신체제운동 180
신흥재벌 182
실업 대책 39
실업률 40
실업 문제 39, 114, 321
실업자 34, 147
실업자 격증 108
실업자 조사 39, 236
실질임금 43, 84, 238
心田開發 232
什長 112

【ㅇ】

악질 브로커 331
安全頌 286
알선 노동자 327
암거래 234
암시장 234
暗賃金 208, 284, 345
愛國班 251, 258
애국반 배급 343
野口遵 122
養成工 前歷者 199
양성공 현직자 199
양성 훈련 281
양적 동원 270
糧政課長 231
어용노조 61, 70

412

円블록 73
8시간 노동제 50, 241
여성노동력 250, 257, 277
여성노동자 58, 94, 96
여자인구 138
女子挺身勤勞令 198
여자청소년 257
旅行證明書制度 115
緣故雇入 263
연고소개 117
연료연구소 225
鍊成 177, 280, 312, 353, 356
厭勞 362
厭農 362
영리 경제 179
영화 상영 347
5대 도시 빈민 38
5대 도시의 인구 증가율 137
5대 정강 232
오락 284
오락업 257
외곽단체 216
우량 근무자 342
우선 배급 307, 351
宇垣一成 75, 87, 150
우편저금 345
운반노동자 27
운수교통업 노동자 327
운수업계 노동자 230
운수통신업 161
원산그룹 240
원산총파업 49
援護課 249, 360
월평균 이동률 323
위안회 345
유년노동자 45, 54, 58, 84, 94, 96,

237, 280
유언비어 354
有業者 141
有閑者 173, 292, 349
유화책 344
유휴노동력 26, 98, 138, 166, 257
육군과 혁신관료 191
육군 幕僚 150
陸軍特別支援兵制度 354
육체노동 61, 335, 356
육체노동자 140, 145, 167
陸海軍要員 308, 318
은행 등 자금운용령 194
음악대회 347
應徵士 315
應徵士服務規律 311
이공학부 199
理想 면적 221
理想戶數 221
李順鐸 89
利原鑛山株式會社 346
利原鐵山鑛業所 346
李載裕 240
李鍾萬 89
이중적 고용구조 61
移職 336
이탈리아 파시즘 231
李勳求 89
인구증가율 134
人夫 임금 111
인부 쟁탈전 112
인사상담소 114, 116
인천 기독교 청년회 116
인천노동야학 70
인천부 직업소개소 121
一家總動員 175

日滿支經濟建設要綱 179
日滿支 경제블록 154
일반연성 282
일반인 동원 198
일반직업소개 117
一般徵用 198, 309
一般徵用令 362
일본 공장법 91, 102
일본광업주식회사 346
일본 기업인 314
일본 기업 진출 99
일본 내각 244
일본 大藏省 預金部 109
일본 도항 165, 262
일본 독점자본 38, 124
일본 민간자본 76
일본사 교육 287
日本石炭統制會 328
일본 신흥자본 75, 84, 108
일본 육해군 수 160
일본의 노동력 부족 현상 160
일본 이민 140
일본 이주자 165
일본인 기술자 265
일본인 노동자 41, 43, 130
일본인 숙련노동자 224
일본인 자본가 55, 59
일본인 자본가의 조선인 노동자 인식 60
일본인 조선 이입 265
일본자본 28, 99
일본자본 우대 정책 80
일본자본 유치 58, 100, 106
일본자본주의 27
일본 재벌 182
일본적 의미의 노동 171
日本精工業株式會社 286

일본정신 190, 285, 292
일본제국주의 국가 181
일본제국주의 영역 내 총인구 161
日本製鐵株式會社 357
日本窒素肥料株式會社 122
日本鐵鋼統制會 조선훈련소 288
일본 治安警察法 64
일본 파시즘 231
일본해 중심론 123
일상 투쟁 241
日鮮滿 블록 74
일용노동자 30, 31, 38, 40, 144, 145, 351
日傭勞務 賃金關係事犯 351
일용소개 117
일용품 배급소 345
日窒鑛業株式會社 348
日鐵八幡製鐵所 328
임금 43, 55, 238, 334, 338
임금 공제 111
賃金狂騰 260
賃金勞動 25
임금노동자 26, 29, 33
임금변경 허가 신청 338
임금 부족 335
임금 상승 331
임금 인상 307
賃金臨時措置令 203, 338, 341
賃金統制令 168, 182, 202, 238, 260,
        338, 341, 344, 364
賃金統制令施行規則 260
임시군사비특별회계 233
臨時資金調整法 149, 182, 191
잉여 노동력 217

【ㅈ】

자금 통제 193
자발적 참여 156, 244, 317
자발적 협력 167, 351, 354, 366
자본·임노동 관계 42
자본가 276
자본가 단체 61
자본가에 대한 경험 358
자본가의 공동 대응 347
자본가의 공장법 반대 100
자본가의 慈惠 89
자본과 노동의 일체화 186
자본 본위 179
자본 유치 76
自然轉入 263
自由勞動者 139
자유모집 301
자유주의적 구체제 180
작업용 필수물자 배급 343
잠재 노동인구 330
잠재적 실업자 82, 112, 147
雜業 118, 144
잡업노동자 30
雜役工 336
장기 결근 351
장시간 노동 55
장진강 발전소 122, 182
長津江 水電工事 121, 128
장진강 수전공사 間組 129
재만 조선인 322
재일 조선인 140, 322
재해율 45, 349
在鄕軍人會 70
貯金契 113
저임금 338
저임금 구조 52, 55, 83
저축조합 347

적극적 저항 336
적성배치 279
적정 이윤 180
적정 임금 186
적정 취업시간 342
全國儒林大會 173
전국적 노동조직 48
전라남북도 304
전문 알선업자 323
전문학교 199
全般的 勞動義務制 306
戰時勞務管理 275
전시체제 151
전시통제경제 245
전시 행정특례 203
轉·失業者 236, 356
轉業 236, 311
전쟁 방해 358
전쟁자금 조달 145
전쟁 포로 259
田中武雄 256, 282, 308
轉職 236
轉廢業 280
錢票制 111
절미운동 234
점령지 건설요원 313
접객업 257
정근자 345
町洞里部落聯盟 291, 293
井上收 358
挺身 170
정신노동자 167
挺身報國 170
정신운동 287
정신총동원운동 174
정신훈련 164, 278, 281, 340, 346

정액제 260

정오 묵념 286

制令 제7호 64

제3형 노무관리 275

製造場取締規則 93

제철사업법 157

粗工業地帶 74

조선공산당 64, 68

朝鮮工業協會 101

朝鮮工業協會 熟練工養成所 225

조선공업화 74, 93

조선공업화 정책 141

朝鮮鑛夫勞務扶助規則 184

朝鮮鑛業警察規則 184

朝鮮寄留令 204, 220

조선노농총동맹 48, 64

조선노동공제회 47, 64

『朝鮮勞務』 336

朝鮮勞務援護會 360

朝鮮勞務協會 188, 214, 258, 282, 302,
　　335, 344

朝鮮勞動技術統計調査施行規則 227

朝鮮勞務協會 道支部 343

朝鮮農地令 90, 102

朝鮮綿花株式會社 345

朝鮮貿易協會 79

朝鮮産業經濟調査會 105

朝鮮石油株式會社 358

朝鮮少年令 259

朝鮮殖産銀行 109

朝鮮運送株式會社 327

朝鮮理研航空機材株式會社 357

조선인 노동자 98

조선인 노동자관 59

朝鮮人勞動者募集要綱 211

조선인 노동자의 일본 도항 160

조선인 노동자의 장·단점 53

조선인 노동자의 특징 54, 60

朝鮮人勞動者 移住 211

朝鮮人勞務者逃走防止對策要綱 328

조선인의 습성 336

朝鮮人特別支援兵制度 354

朝鮮製鋼株式會社 347

朝鮮職業紹介 210, 301

조선질소비료주식회사 62, 157, 158, 182,
　　201

朝鮮靑年特別鍊成令 282

조선총독부의 조선인 노동자 인식 53

朝鮮土木建築協會 214

조선통치 5대 정강 152

朝鮮皮革會社 357

朝鮮海陸運輸株式會社 259

조합주의 경제통제론 90

종업원 퇴직률 201

종업자 168, 195

從業者雇入制限令 182, 198, 200, 341

從業者移動防止令 182, 200, 341, 348

종연방직주식회사 232

좌담회 347

住友鑛業株式會社 345

竹內淸一 127

竹田兼男 332

중견노무자 204, 258

中堅勞務者鍊成道場 312

中堅靑年 290

중공업지대 132

중국인 노동자 31, 41, 59, 71, 130

중남부지방 161

중년 노동력 277

중등학생 297

중소공업 182, 253

중소광산 251

중소기업 182
중소기업 노동력 250
중소 상공업자 235
中央商工株式會社 344, 348
중요공장 289
重要工場鑛山 勞務者 304
중요 공장 사업장 351
重要工場事業場勞務者食糧特配要綱 343
重要工場事業場勞務者作業用必需物資配
　　給要綱 342
중요광물증산정책 145
중요산업 176
중요산업단체령 194
重要産業五個年計劃 191
重要産業統制法 73, 80
중일전쟁 149
중점산업 252, 258, 270, 313
중점주의 249, 266
중화학공업 122
增米計劃 219
지역반 346
지원병제도 354
池田淸 86, 103
지정공장 312, 317
指定工場制 348
지정사업 348
지정업자 254
지정 종업자 200, 201
지주적 농정 33, 35, 81, 108, 142
지하자원 개발 158, 161
직능 본위 179
職分倫理 176
직업 능력 193, 195
職業能力申告令 339
직업별 구인·취직자수 118
職業別 人口 141

職業紹介法 116
직업소개소 71, 114, 134, 144, 236, 263,
　　302, 303
직업소개소 취직률 117
직업 전환 294
직업 훈련 225
職域奉公 168, 175, 258
職域聯盟 258
職長級 노동자 339
직장 상사 331
직장은 戰場 342
직장환경 337
질적 동원 270, 278
집단 도항 165
집단 송출 302
징병 257
徵兵制 243, 282
징용 172, 177, 193, 195, 289, 303, 306
징용 기피자 359
징용 기한 311
징용노동자 231, 351
徵用令書 359, 362
징용령 실시 연기 306
징용령 위반 359
징용령 위반자 351
징용 불응사건 363
징용의 國家性 310, 316
徵用卽死 362
징용 해설서 311
징용 해제 311

【ㅊ】

착암공 225
鑿岩工養成所 225
川岸文三郞 292

天業翼贊 286
천황의 대권 190
천황제 이데올로기 151
철강 수출금지 158
鐵鋼統制會訓練所 329
청년단 293
청년특별연성소 282
청부업 111
청부업자 130
청부임금 258
請負制度 260, 345, 349
靑少年雇入制限令 198, 341
청소년 노동력 277
청장년 223
청장년 등록 223, 310
청진 127, 128, 136
淸津製鐵所 157
초기 자본주의 42
초등학생 297
총독부 알선 128, 291
총동원 물자 192
총동원 업무 192, 292, 309
총동원체제 152, 191
總力戰 150
總務局 247
총유업자 142
최고임금 258, 338, 344
최저임금 129
出家人夫 291
출가 희망자 220
출근 경쟁 353
출근율 323, 346
출두명령서 359
출산 장려 219
忠의 이념 173
충효사상 174

취로 기피 208
취로장소 변경 360
취업시간 203
就職者數 117
측량공 225
치수공사 109
治安維持法 58, 66, 205, 233
칙령 191

【ㅌ】

탁아소 설치 252
태업 239, 357
태평양전쟁 244
土建協會 162
토목건축 노동자 30, 144, 327
토목건축업 338, 343
토목공사 119, 134, 305
토목노동자 144
土地調査事業 33
統計資料實地調査에 관한 法律 227
통근반 342
通年制 298
통제경제 73, 178
통제경제체제 190
통제기구 181
統制募集 212
統制會 303
退去證明 349
퇴직 이유 337
특배 물자 346
특배 정지 343
특별 독려반 347
특별 배급 208, 348
특별연성 282
특별훈련소 328

특수공 임금 111
특수인부 338
特殊徵用 318
특정학교 졸업자 223

【ㅍ】

파시즘적 노동관 172
파시즘적 노자 관계 189
파업 86, 357
平人夫 129
평화산업 182, 235
포로 감시 요원 319
포로 노동력 257
표창제도 342
풍부하고 저렴한 조선의 노동력 56, 81
豊仁炭鑛業所 346
風早八十二 95
피징용자 317

【ㅎ】

하급 기술자 226
하역작업 259
賀田直治 52, 54, 100
하청공업 76
하층 농민 139
學校機能者養成令 204
학교 졸업자 257, 289
學校卒業者使用制限令 198, 257, 266, 289
학도근로동원 297
學徒勤勞令 198, 204
學徒勤勞報國隊實施要綱 198
학도동원 본부 297
學徒動員本部規定 297

學徒戰時動員體制確立要綱 256, 297
學徒徵用 308
학생 동원 296
한국병합조서 287
閑散人夫 291
할증금 345
함남노동회 70
합숙소(飯場) 335
합숙 연성 283
항만 수축공사 110
항만운송업 343
港灣挺身隊 259
해고자 315, 326
海路 수송력 245, 254
해상 수송로 157
행정기관 131, 206, 217, 230, 305, 332
행정단위 279
행정망 341, 353
행정 보조 단체 214
행정 위주・행정 만능 206
行學一體 교육 298
혁명적 노동조합 50, 240
혁신관료 150
革新勞務管理 275
現員徵用 179, 198, 252, 309, 350, 361
현장 연성 283
협동조합주의 90
협정임금 338
協和會 364
형무소 수감자 259
형집행 유예자 259
戶內使用人 118, 120, 144
혼식장려운동 234
和光敎園 116
화전민 33, 126
환희의 근로 170

歡喜의 貧困 358
皇國勤勞觀 169, 281, 284
皇國企業觀 188
황국민의 봉사활동 169
황국민의 신념 286
皇國産業道 277
皇國生産業者 187
황국신민 177, 282
황국신민서사 286
皇國臣民化 151
황금만능주의 171
황민화정책 155, 243, 317, 364
會社經理統制令 179, 194
회사령 28
회사연맹 347
회사이익 배당 및 자금융통령 194
厚生局 210, 219, 247
興亞靑年勤勞報國隊 290
희망자수 321

저자_ 이상의

덕성여대 사학과를 졸업하고 연세대학교 대학원 사학과에서 문학석사, 문학박사 학위를
받았다. 현재 연세대학교 국학연구원 연구교수이다.
「1930~40년대 일제의 조선인노동력 동원체제 연구」(박사학위논문), 「일제하 조선인
'중견노무자'와 노동규율」, 「일제지배 말기의 파시즘적 노동관과 '勞資一體論'」 등
일제하의 노동사에 대한 여러 글이 있다.

연세국학총서 69

일제하 조선의 노동정책 연구

이 상 의

2006년 5월 13일 초판 1쇄 인쇄
2006년 5월 18일 초판 1쇄 발행

펴낸이 · 오일주
펴낸곳 · 도서출판 혜안
등록번호 · 제22-471호
등록일자 · 1993년 7월 30일

⊕ 121-836 서울시 마포구 서교동 326-26번지 102호
전화 · 3141-3711~2 / 팩시밀리 · 3141-3710
E-Mail hyeanpub@hanmail.net

ISBN 89 - 8494 - 272 - 3 93910
값 26,000원